2025年度版 春4月試験対応

ST

情報処理技術者試験

ITストラテジスト

TAC情報処理講座

ALL IN ONE オールインワン

パーフェクトマスター

TAC出版
TAC PUBLISHING Group

本書は，2024年７月１日現在において公表されている「試験要綱」及び「シラバス」に基づいて作成しております。

なお，2024年７月２日以降に「試験要綱」または「シラバス」の改訂があった場合は，下記ホームページにて改訂情報を順次公開いたします。

TAC出版書籍販売サイト「サイバーブックストア」
https://bookstore.tac-school.co.jp/

解答用紙ダウンロードサービスについて

本書の第２部・第３部の「記述式・論述式問題の演習」に収録した，午後Ⅰ試験と午後Ⅱ試験の過去問題について，下記のＵＲＬに，解答用紙ＰＤＦを用意してありますので，必要に応じてダウンロードしてご利用ください。

ＴＡＣ出版 サイバーブックストア内「解答用紙ダウンロード」ページ
https://bookstore.tac-school.co.jp/answer/

はじめに

AI，IoT，クラウドなどの例を挙げるまでもなく，企業経営にとってITは不可欠な基盤になりました。企業が何かを変えようとするとき，そのベースには必ずITが存在します。

ITストラテジスト試験は，そのような「ITを用いた経営改革・業務改善のための実践能力」を測る試験で，数ある情報処理技術者試験の中でも最難関の一つといえるでしょう。当然その範囲は広く，本筋であるITや経営学から企業会計，OR，関連法規にまで及びます。本書は，そのような試験に対して，「試験突破」にのみ焦点を当て，１冊で効率良く知識を吸収して演習することを目標に作成しました。

本書の「第１部　ITストラテジストの知識/午前Ⅱ試験対策」は，ITストラテジストに必要な知識を解説しています。知識を効率良く吸収するため，「試験に出題される知識」に絞り込みました。具体的には，過去のITストラテジスト試験に出題された知識とその周辺知識をとり上げて，コンパクトに解説しました。ただしその中でも，午後Ⅱ試験に使える知識については「ポイントテーマ」でとり上げて深く解説しています。

本書の「第２部　午後Ⅰ試験対策」では記述問題を解くためのテクニックを，「第３部　午後Ⅱ試験対策」では論述問題を解くためのテクニックを説明しています。記述問題や論述問題が苦手だという方は，問題を難しく考えすぎる傾向があるようです。正しく問題を解く，簡単に論文を書くためにも，ぜひ本書のテクニックを読んで，自分に必要なものをとり入れてください。

以上，本書は，午前Ⅱ，午後Ⅰ，午後Ⅱ試験それぞれに最も効果的な攻略テクニックを提供するものです。本書を活用して，試験に合格されることを心から願っております。

2024年８月　TAC情報処理講座

ITストラテジスト試験概要

- 試験日　　：4月〈第3日曜日〉
- 合格発表　：6月下旬～7月上旬
- 受験資格　：特になし
- 受験手数料：7,500円

※試験日程等は，変更になる場合があります。

最新の試験情報は，下記IPA（情報処理推進機構）ホームページにて，ご確認ください。
https://www.ipa.go.jp/shiken/

出題形式

午前Ⅰ 9:30～10:20 (50分)		午前Ⅱ 10:50～11:30 (40分)		午後Ⅰ 12:30～14:00 (90分)		午後Ⅱ 14:30～16:30 (120分)	
出題形式	出題数 解答数	出題形式	出題数 解答数	出題形式	出題数 解答数	出題形式	出題数 解答数
多肢選択式 (四肢択一)	30問 30問	多肢選択式 (四肢択一)	25問 25問	記述式	3問 2問	論述式	2問 1問

合格基準

時間区分	配点	基準点
午前Ⅰ	100点満点	60点
午前Ⅱ	100点満点	60点
午後Ⅰ	100点満点	60点
午後Ⅱ	―	Aランク※

※論述式試験の評価ランクと合否関係

評価ランク	内容	合否
A	合格水準にある	合格
B	合格水準まであと一歩である	不合格
C	内容が不十分である 問題文の趣旨から逸脱している	
D	内容が著しく不十分である 問題の趣旨から著しく逸脱している	

免除制度

高度試験午前Ⅰ試験については，次の条件1～3のいずれかを満たせば，その後2年間受験を免除する。

条件1：応用情報技術者試験に合格する。

条件2：いずれかの高度試験に合格する。

条件3：いずれかの高度試験の午前Ｉ試験で基準点以上の成績を得る。

試験の対象者像

対象者像	高度IT人材として確立した専門分野をもち，企業の経営戦略に基づいて，ビジネスモデルや企業活動における特定のプロセスについて，情報技術（IT）を活用して事業を改革・高度化・最適化するための基本戦略を策定・提案・推進する者。
業務と役割	ITを活用した事業革新，業務改革，革新的製品・サービス開発を企画・推進又は支援する業務に従事し，次の役割を主導的に果たすとともに，下位者を指導する。 ①業種ごとの事業特性を踏まえて，経営戦略の実現に向けたITを活用した事業戦略を策定し，実施結果を評価する。 ②業種ごとの事業特性を踏まえて，事業戦略の実現に向けた情報システム戦略と全体システム化計画を策定し，実施結果を評価する。 ③情報システム戦略の実現に向けて，個別システム化構想・計画を策定し，実施結果を評価する。 ④情報システム戦略の実現に向けて，事業ごとの前提や制約を考慮して，複数の個別案件からなる改革プログラムの実行を管理する。
期待する技術水準	事業企画，業務改革推進，情報化企画，製品・サービス企画などの部門において，ITを活用した基本戦略の策定・提案・推進を遂行するため，次の知識・実践能力が要求される。 ①事業環境分析，IT動向分析，ビジネスモデル策定への助言を行い，事業戦略を策定できる。また，事業戦略の達成度を評価し，経営者にフィードバックできる。 ②対象となる事業・業務環境の調査・分析を行い，情報システム戦略や全体システム化計画を策定できる。また，情報システム戦略や全体システム化計画を評価できる。 ③対象となる事業・業務環境の調査・分析を行い，全体システム化計画に基づいて個別システム化構想・計画を策定し，適切な個別システムを調達できる。また，システム化構想・計画の実施結果を評価できる。 ④情報システム戦略や改革プログラム実施の前提条件を理解し，情報システム戦略実現のモニタリングとコントロールができる。また，情報セキュリティリスクや情報システム戦略実現上のリスクについて，原因分析，対策策定，対策の実施などができる。
レベル対応（＊）	共通キャリア・スキルフレームワークの 人材像：ストラテジストのレベル4の前提要件

（＊）レベル対応における，各レベルの定義

レベルは，人材に必要とされる能力及び果たすべき役割（貢献）の程度によって定義する。

レベル	定義
レベル4	高度な知識・スキルを有し，プロフェッショナルとして業務を遂行でき，経験や実績に基づいて作業指示ができる。また，プロフェッショナルとして求められる経験を形式知化し，後進育成に応用できる。
レベル3	応用的知識・スキルを有し，要求された作業について全て独力で遂行できる。
レベル2	基本的知識・スキルを有し，一定程度の難易度又は要求された作業について，その一部を独力で遂行できる。
レベル1	情報技術に携わる者に必要な最低限の基礎的知識を有し，要求された作業について，指導を受けて遂行できる。

出題範囲（午前Ⅰ・Ⅱ）

分野	大分類		中分類		情報セキュリティマネジメント試験（参考）	基本情報技術者試験（科目A）	応用情報技術者試験	午前Ⅰ（共通知識）	ITストラテジスト試験	システムアーキテクト試験	プロジェクトマネージャ試験	ネットワークスペシャリスト試験	データベーススペシャリスト試験	エンベデッドシステムスペシャリスト試験	ITサービスマネージャ試験	システム監査技術者試験	情報処理安全確保支援士試験
									高度試験・支援士試験								
									午前Ⅱ（専門知識）								
テクノロジ系	1	基礎理論	1	基礎理論		○2	○3	○3									
			2	アルゴリズムとプログラミング													
	2	コンピュータシステム	3	コンピュータ構成要素						○3		○3	○3	◎4	○3		
			4	システム構成要素	○2					○3		○3	○3	○3	○3		
			5	ソフトウェア										◎4			
			6	ハードウェア										◎4			
	3	技術要素	7	ユーザーインタフェース						○3				○3			
			8	情報メディア													
			9	データベース	○2					○3			◎4		○3	○3	○3
			10	ネットワーク	○2					○3		◎4		○3	○3	○3	◎4
			11	セキュリティ[1]	◎2	◎2	◎3	◎3	◎4	◎4	◎3	◎4	◎4	◎4	◎4	◎4	◎4
	4	開発技術	12	システム開発技術		○2	○3	○3		◎4	○3	○3	○3	◎4		○3	○3
			13	ソフトウェア開発管理技術						○3	○3	○3	○3	○3			○3
マネジメント系	5	プロジェクトマネジメント	14	プロジェクトマネジメント	○2						◎4				◎4		
	6	サービスマネジメント	15	サービスマネジメント	○2						○3				◎4	○3	○3
			16	システム監査	○2										○3	◎4	○3
ストラテジ系	7	システム戦略	17	システム戦略	○2				◎4	○3							
			18	システム企画	○2				◎4	◎4	○3			○3			
	8	経営戦略	19	経営戦略マネジメント					◎4					○3		○3	
			20	技術戦略マネジメント					○3					○3			
			21	ビジネスインダストリ					◎4					○3			
	9	企業と法務	22	企業活動	○2				◎4							○3	
			23	法務	◎2				○3		○3				○3	◎4	

（表の左上見出し：試験区分／出題分野／共通キャリア・スキルフレームワーク。基本情報技術者試験（科目A）・応用情報技術者試験・午前Ⅰ（共通知識）の○2・○3・○3 は分類1〜10と分類12〜23の各範囲にまたがって1回ずつ記載）

注記1　○は出題範囲であることを，◎は出題範囲のうちの重点分野であることを表す。
注記2　2，3，4は技術レベルを表し，4が最も高度で，上位は下位を包含する。
注[1]　"中分類11：セキュリティ"の知識項目には技術面・管理面の両方が含まれるが，高度試験の各試験区分では，各人材像にとって関連性の強い知識項目をレベル4として出題する。

出題範囲（午後Ⅰ・Ⅱ）

1　業種ごとの事業特性を反映し情報技術（IT）を活用した事業戦略の策定に関すること

経営戦略に基づくITを活用した事業戦略の策定，ITによるビジネスモデルの開発提案，業務改革の企画，新製品・サービスの付加価値向上の提案，システムソリューションの選択，アウトソーシング戦略の策定　など

2　業種ごとの事業特性を反映した情報システム戦略と全体システム化計画の策定に関すること

業務モデルの定義，情報システム全体体系の定義，情報システムの開発課題の分析と優先順位付け，情報システム基盤構成方針や標準の策定，システムソリューション適用方針の策定（ERPパッケージの適用ほか），中長期情報システム化計画の策定，情報システム部門運営方針の策定，IT 全般統制整備方針の策定，事業継続計画（BCP）の策定・実施，システムリスクの分析，災害時対応計画の策定，情報システム化年度計画の策定　など

3　業種ごとの事業特性を反映した個別システム化構想・計画の策定に関すること

システム化構想の策定，業務のシステム課題の定義，業務システムの分析，業務モデルの作成，業務プロセスの設計，システム化機能の整理とシステム方式の策定，システム選定方針の策定（システムソリューションの適用ほか），全体開発スケジュールの作成,プロジェクト推進体制の策定,システム調達の提案依頼書（RFP）の準備，提案評価と供給者の選択，費用とシステム投資効果の予測　など

4　事業ごとの前提や制約を考慮した情報システム戦略の実行管理と評価に関すること

製品・サービス・業務・組織・情報システムの改革プログラム全体の進捗管理，情報システム基盤標準やシステムに関する品質管理標準の標準化推進，改革実行のリスク管理と対処，システムソリューションの適用推進，システム活用の促進，改革プログラムの効果・費用・リスクの分析・評価・改善，事業戦略・情報システム戦略・全体システム化計画・個別システム化計画の達成度評価　など

Contents

第2部 午後Ⅰ試験対策

第3部 午後Ⅱ試験対策

試験の分析と突破法
―本書の特徴

試験の分析

Point! ITストラテジスト試験全体の特徴を分析し，突破法を説明する。

1.1 ITストラテジスト試験全体の分析

ITストラテジスト試験は，ITストラテジストの専門能力を評価する試験として広く認知されている国家試験である。ITストラテジスト試験に合格するためには，**四つの異なった試験全てに合格すること**が求められる。

午前Ⅰ試験	午前Ⅱ試験	午後Ⅰ試験	午後Ⅱ試験
コンピュータ全般の基礎知識試験	ITストラテジストの基礎知識試験	ITストラテジストの基礎技能試験	ITストラテジストの応用技能試験

午前Ⅰ試験は，高度情報処理技術者試験の全区分と情報処理安全確保支援士試験に共通である。合格すれば２年間（最大３回）免除され，午前Ⅱ試験，午後Ⅰ試験，午後Ⅱ試験だけを受験すればよい。そのため，午前Ⅰ試験に関しては，本書では触れない。

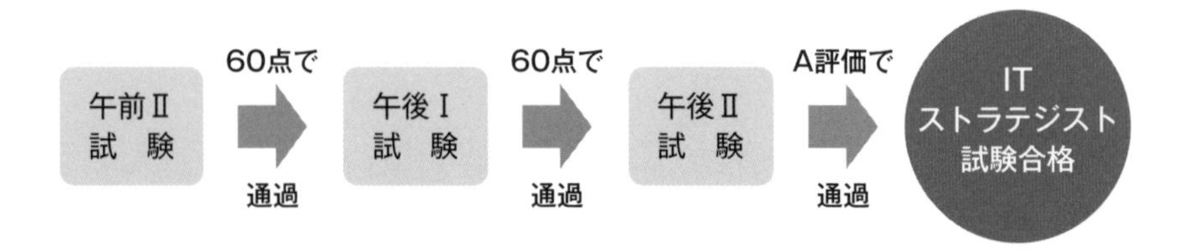

三つの試験は順番に合格していかなければならない。午前Ⅱ試験を通過できなければ，それ以降の午後Ⅰ試験，午後Ⅱ試験は受験していても採点の対象にならない。つまり，第１通過点の「午前Ⅱ試験」で60点以上を獲得し，第２通過点の「午後Ⅰ試験」で60点以上を獲得し，第３通過点の「午後Ⅱ試験」でA判定を獲得して，ようやくITストラテジストとしての技量を身に付けていると認定されるわけである。

1.2 ITストラテジスト試験の突破法

ITストラテジスト試験を突破するには，午前Ⅱ試験を突破するための「**理論的ITストラテジスト知識**」，午後Ⅰ試験を突破するための「**現場的ITストラテジスト知識**」，午後Ⅱ試験を突破するための「**実務的ITストラテジスト知識**」の**３種類の知識**が必要である。これらの知識は互いに重複するものもあるが，重複しないものも多い。

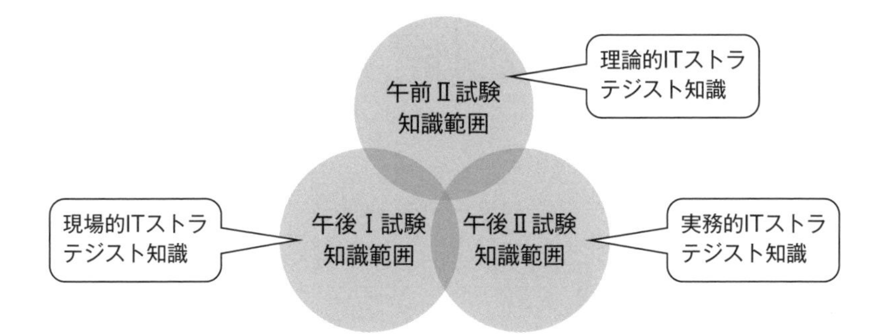

三つの試験では，これらの知識を使って**問題を解く方法が全く異なる**。午前Ⅱ試験ではキーワード（キーフレーズ）を用いて解く。午後Ⅰ試験は事例（ケーススタディ）を読みとって解く。午後Ⅱ試験は知識と経験を材料にして論文を作成する。このように，三つの試験の解く方法が全く異なるので，試験対策はそれぞれに用意する必要がある。

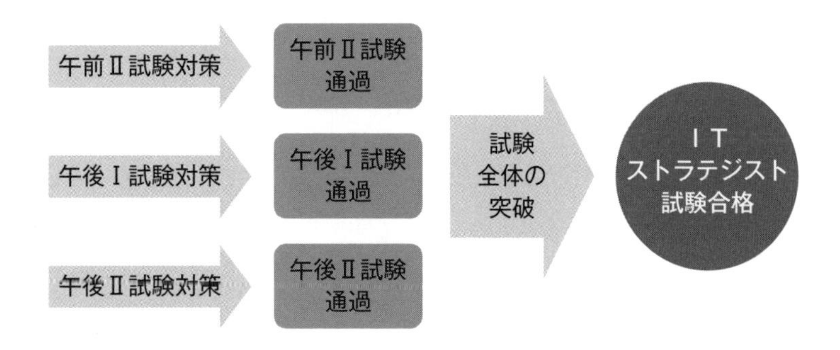

2 午前Ⅱ試験の分析と突破法

Point!

午前Ⅱ試験を突破するためには，頻出キーワード（キーフレーズ）にどのようなものがあるのかを知り，頻出キーワードを中心に，学習することが効率的である。

2.1 午前Ⅱ試験の分析

1 午前Ⅱ問題の仕組み

問8　BPOを説明したものはどれか。

キーワード
キーフレーズ

ア　企業内の業務全体を対象として，業務プロセスを抜本的に見直すことで，品質・コスト・スピードを改善し，競争優位性を確保すること

イ　災害や事故で被害を受けても，重要事業を中断させない，又は可能な限り中断期間を短くする仕組みを構築すること

ウ　社内業務のうちコアビジネス以外の業務の一部又は全部を，情報システムと併せて外部に委託することで，経営資源をコアビジネスに集中させること

エ　プロジェクトを，戦略との適合性や費用対効果，リスクといった観点から評価を行い，情報化投資のバランスを管理し，最適化を図ること

▶**午前Ⅱ問題（一部）**

午前Ⅱ試験では，４択問題が25問出題される。どの問題も，**キーワード（キーフレーズ）に関する問いかけ**となっており，受験者は四つの選択肢から最も適合する選択肢を探す。

2 頻出キーワード

過去の午前Ⅱ問題から頻出キーワード（キーフレーズ）を抽出し，次表に整理した。これらについてはしっかりマスターしよう。

▶午前Ⅱ問題・頻出キーワード（キーフレーズ）一覧

システム戦略とシステム企画	ITガバナンス　EDMモデル　EA　BRM　DRM　SRM　TRM　IT経営力指標　BCM　JIS Q 22301　事業継続ガイドライン　IDEAL　BPR　BPM　BPO　SOA　SaaS　システム化構想の立案　システム化計画の立案　要件定義　機能要件　非機能要件　BABOK　取得プロセス　RFI　RFP　請負契約　準委任契約　NPV法　IRR法　PBP法　TCO　ROI　ROE　ROA　AI　機械学習　ディープラーニング　シンギュラリティ　IoT　エッジコンピューティング　ビッグデータ　オープンデータ　産業データ　パーソナルデータ　アジャイル開発　XP　リファクタリング　テスト駆動開発　ペアプログラミング　スクラム
経営戦略マネジメント	ファイブフォース分析　バリューチェーン分析　SWOT分析　PEST分析　PPM　コアコンピタンス　コストリーダーシップ戦略　差別化戦略　集中（ニッチ）戦略　コトラーの競争地位戦略　ブルーオーシャン戦略　収穫戦略　アンゾフの成長マトリクス　LBO　TOB　MBO　アウトソーシング　カーブアウト　4Pと4C　マーケットセグメンテーション　コーホート分析　エスノグラフィー　ABC分析　マーケットバスケット分析　コンジョイント分析　LTV　バイラルマーケティング　クロスセリング　アップセリング　FSP　ブランドエクイティ　ラインエクステンション　カテゴリエクステンション　製品ライフサイクル　計画的陳腐化　コストプラス価格決定法　スキミングプライシング　ペネトレーションプライシング　サブスクリプション方式　KGI　CSF　KPI　バランススコアカード　SECI　イノベーション　死の谷　キャズム　TLO
企業活動	コーポレートガバナンス　CSR　職能別組織　事業部制組織　カンパニ制組織　マトリックス組織　アクションラーニング　ケーススタディ　ロールプレイング　インバスケット　SL理論　XY理論　コンピテンシーモデル　ハロー効果　中心化傾向　寛大化傾向　論理誤差　マクシミン　マクシマックス　管理図　パレート図　散布図　ヒストグラム　特性要因図　チェックシート　層別　OC曲線　生産者危険　消費者危険　移動平均法　指数平滑法　デルファイ法　TOC　TRIZ　クラスタ分析　貸借対照表　損益計算書　キャッシュフロー計算書　連結決算　支配力基準　固定費　変動費　損益分岐点　限界利益　直接費　間接費　ABC　DCF法　NPV法　IRR法
ビジネスインダストリと法務	SPA　フランチャイズチェーン　ボランタリーチェーン　3PL　IVR　MRP　EMS　ファブレス　マスカスタマイゼーション　JIT　SCM　ERP　BI　CRM　SFA　XBRL　ebXML　HEMS　ロングテール　ワントゥーワンマーケティング　エスクローサービス　レコメンデーションシステム　インターネット広告　RPA　製造物責任法　グリーン購入法　下請法　労働者派遣法　電子帳簿保存法　個人情報保護法　不正競争防止法　特定商取引法　不正アクセス禁止法　不正アクセスに関連する刑法　ブロックチェーン　仮想通貨
セキュリティ	ソーシャルエンジニアリング　標的型攻撃　ブルートフォース攻撃　パスワードリスト攻撃　クリックジャッキング　ドライブバイダウンロード　中間者攻撃　SQLインジェクション　コマンドインジェクション　XSS　CSRF　ゼロディ攻撃　フィッシング　スミッシング　セッションハイジャック　ランサムウェア　サニタイジング　CAPTCHA　WAF　ウイルス対策ソフト　暗号化　デジタル技術　PKI　CA　ワンタイムパスワード　チャレンジレスポンス方式　シングルサインオン　バイオメトリクス認証　多要素認証　プロキシサーバ　IDS　UTM　SSL　SSH　電子メールのセキュリティ　WPA　デジタルフォレンジックス

2.2 午前Ⅱ試験の突破法

1 キーワード学習

試験に出題されたキーワードの意味や内容を確実に習得する。本書の「第１部 ITストラテジストの知識」では，五つの分野に分け，分野ごとに「知識解説」と「確認問題」を設けているため，短時間で効率良く，キーワードを学習することができる。

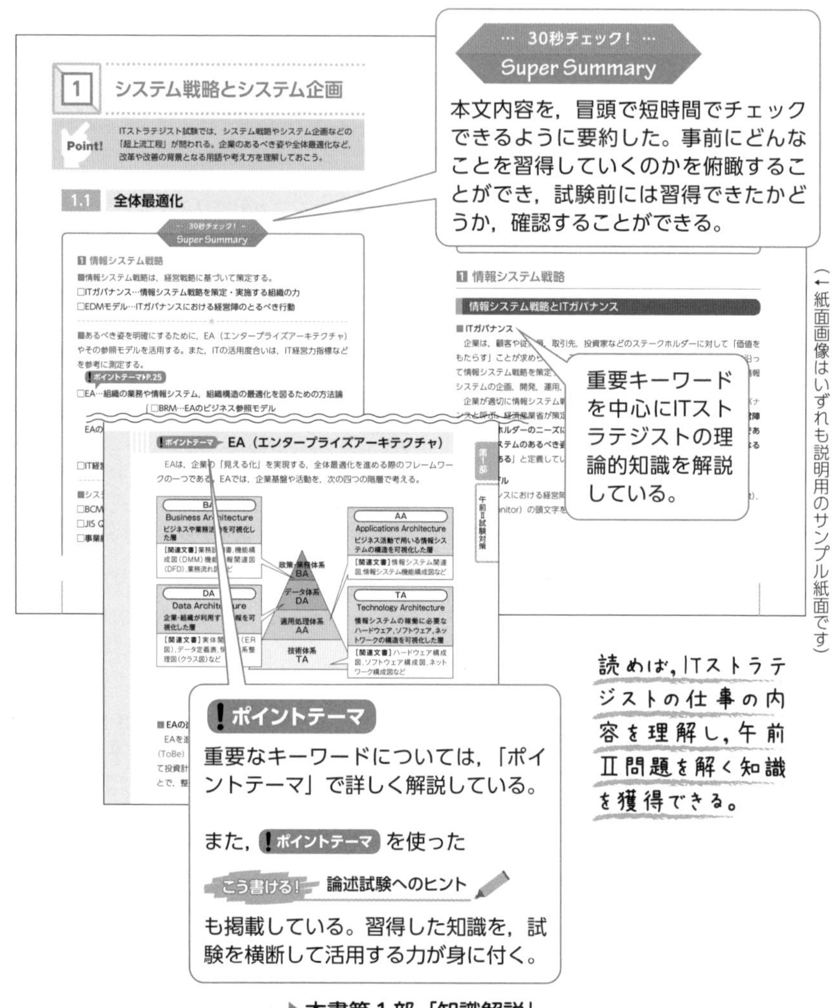

▶本書第１部「知識解説」

2 キーワード問題演習

「確認問題」を解けば，学習したことが習得できているかを確認することができる。正解できなかった場合には，再度学習して知識の定着を図ろう。

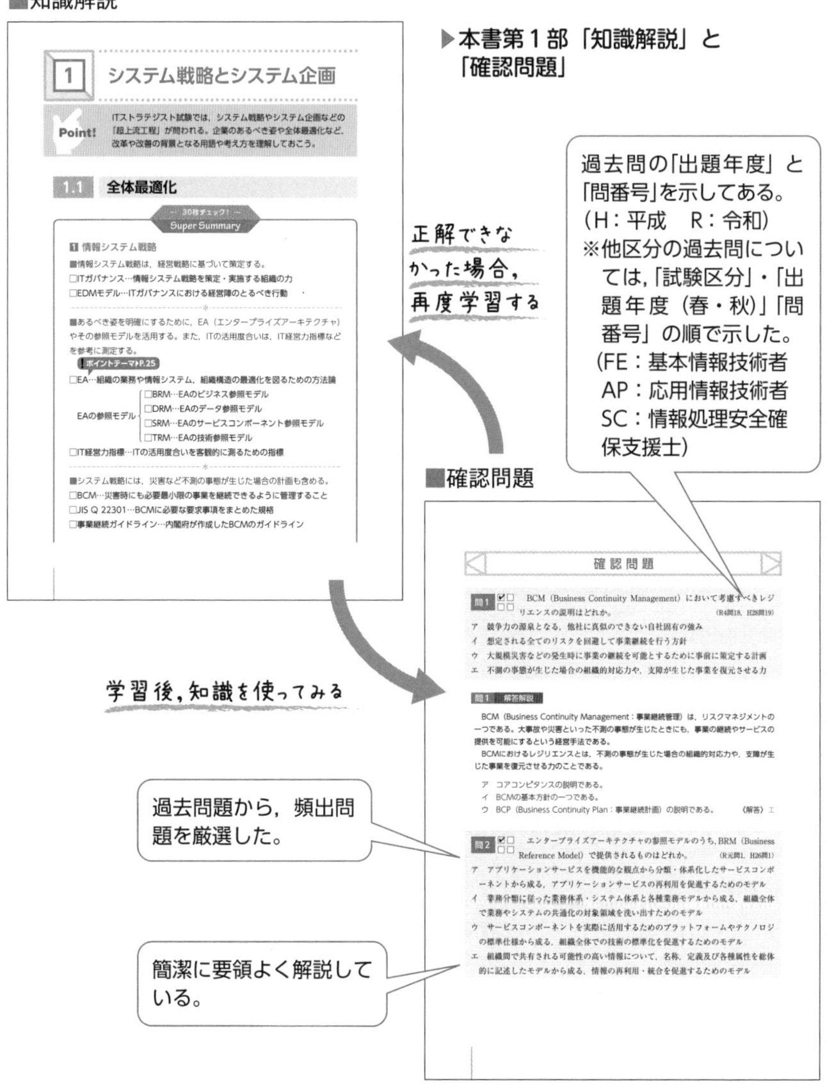

3 午後Ⅰ試験の分析と突破法

午後Ⅰ問題の仕組みを理解し，設問が求めている解答を作成することが重要である。設問が求めている解答は，三段跳び法で作成しよう。

3.1 午後Ⅰ試験の分析

1 午後Ⅰ問題の仕組み

■問題文

問1 大学の業務及び情報システムの統合に関する次の記述を読んで，設問1～3に答えよ。

A大学は，B県の公立総合大学である。少子化による志願者の減少や自治体財政のひっ迫による影響で，近年，運営費交付金が漸減している。そこで，B県では，A大学と，県立公立の看護科単科大学及び短期大学を，新たに設立する一つの法人（以下，新法人という）の下に再編することにした。さらに，3年後までには三つの大学を統合し，名称もA大学に一本化して，学部学科の見直しやキャンパスの集約を行うことによって，大学運営の効率向上を図る方針が県議会で承認された。

これに合わせて，各大学の情報システム部門のメンバから成る検討チームを立ち上げ，業務及び情報システムの現状を調査した後，業務及び情報システムを一元的に統合するための検討を開始した。

各大学で運用している情報システムのうち，ネットワーク（以下，NWという）システム，電子メールシステム，学務システム，財務会計システム及び人事給与システムが検討の対象となった。

〔業務及び情報システムの統合方針〕

新法人の下への三つの大学の再編と，その後の三つの大学の統合に合わせて，2段階で統合を進める業務及び情報システムの統合方針を策定した。

第1段階では，当面の対応として，新法人としての業務の円滑な実施を可能にすることを目的とし，各大学の業務の見直し及び情報システムの改修は最小限に抑え，その後，第2段階として，業務及び情報システムの統合を進め，大学の統合に備えていく。

■解答
設問1………
設問2………
設問3………

■設問

設問1 業務・情報システム統合計画の第1段階について，(1)～(3)に答えよ。

(1) 財務会計業務に関する統合計画を実施するために整理すべきことを，30字以内で述べよ。

(2) A大学幹部のNW工事に関する意見について，統合計画の実施において不足している情報は何か。20字以内で述べよ。

▶午後Ⅰ問題（一部）

午後Ⅰ問題は，事例を説明する「問題文」と「設問」から構成される。とり上げている事例はITストラテジストが関わった事例であり，問題文で詳細に説明されている。

設問の問いかけに該当する，解答材料となる文章を問題文から見つけ，それをもとに設問の問いかけに対する**適切な解答**を作成していく。

2 問題テーマ

ITストラテジストの最重要業務は，「IT活用によるビジネスモデルの改革」である。この業務を遂行するための羅針盤が戦略である。まず，どのようにビジネスモデルを改革するのかという「ビジネス戦略」を立案し，次に，どのようにITを活用するのかという「情報戦略」を立案し，業務を進める。

午後Ⅰ問題は，「ビジネス戦略」と「情報戦略」の事例によって問題が構成されている。午後Ⅰ試験は，事例をもとに，ビジネス戦略や情報戦略の立案能力を問う試験である。

▶本書掲載の午後Ⅰ問題・問題テーマ一覧

分野	問番	問題テーマ	出題年度
最新問題	問1	インターネットサービス事業者による総合金融サービスの提供	R6問1
ビジネス戦略	問2	スーパーマーケットにおけるITを活用した事業拡大	R4問3
	問3	印刷会社の写真事業における新規ビジネスの企画	R3問3
	問4	保険会社の新事業の企画	R元問2
	問5	コンテンツ制作会社の事業展開	H30問3
	問6	大型機器製造業におけるIoTを活用したビジネスモデル構築	H29問1
情報戦略	問7	SNS運営会社のブロックチェーンを活用したIT戦略	R5問1
	問8	タクシー会社におけるデジタルトランスフォーメーション	R3問1
	問9	化学品メーカにおけるデジタルトランスフォーメーションの推進	R元問1
	問10	証券会社のコールセンタにおけるAIの機能を活用した新サービスの検討	H30問1
	問11	住宅設備メーカのシステム導入	H30問2
	問12	クレジットカード会社の保有データを活用した取組み	H29問3
	問13	大学の業務及び情報システムの統合	H28問1

3.2 午後Ⅰ試験の突破法

1 三段跳び法

午後Ⅰ問題では，設問の要求事項に対して解答を作成する。つまり，**受験者の経験ではなく，問題文で説明されている事例を踏まえて**，解答を記述していかなければならない。そのためには，**ホップ，ステップ，ジャンプの三段跳び法が有効である。**

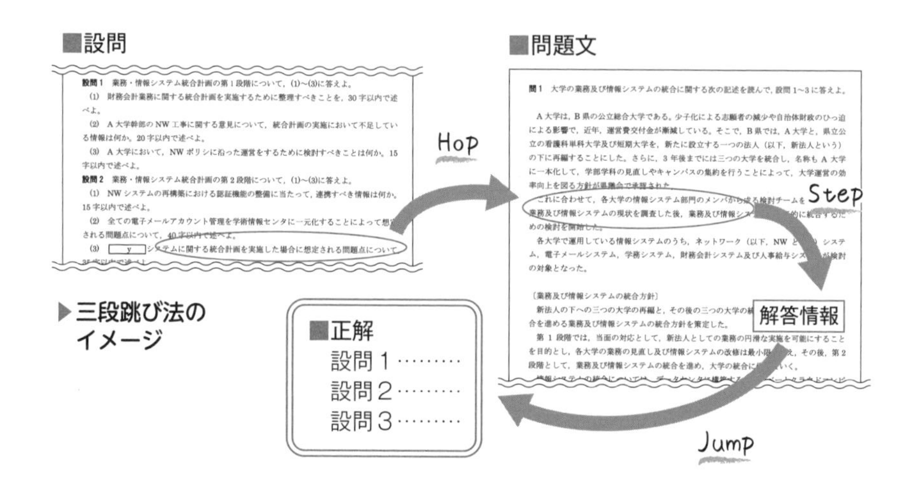

▶三段跳び法のイメージ

三段跳び法ではまず，設問の要求事項のキーワードをもとに問題文のキーワードへホップする。次に，ホップした問題文のキーワードから問題文の解答情報へステップする。最後に，発見した解答情報から正解へジャンプする。三段跳び法は本書の「第２部 午後Ⅰ試験対策」で詳しく説明している。

▶三段跳び法
（本書第2部）

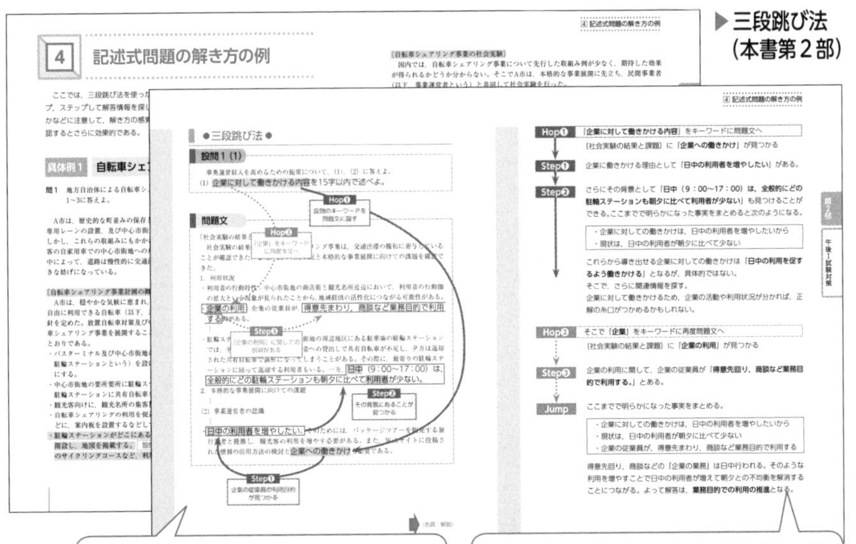

実際に出題された問題を使い，三段跳び法を視覚的に展開している。三段跳び法を感覚的に身につけることができる。

前頁の三段跳び法の展開に基づき，解答プロセスを詳しく解説している。問題文の事例を踏まえた正解を導くためのプロセスがよく分かる。

2 三段跳び法の問題演習

解き方の例で三段跳び法を理解したら，「第２部　5記述式問題の演習」を活用して解き方に慣れよう。

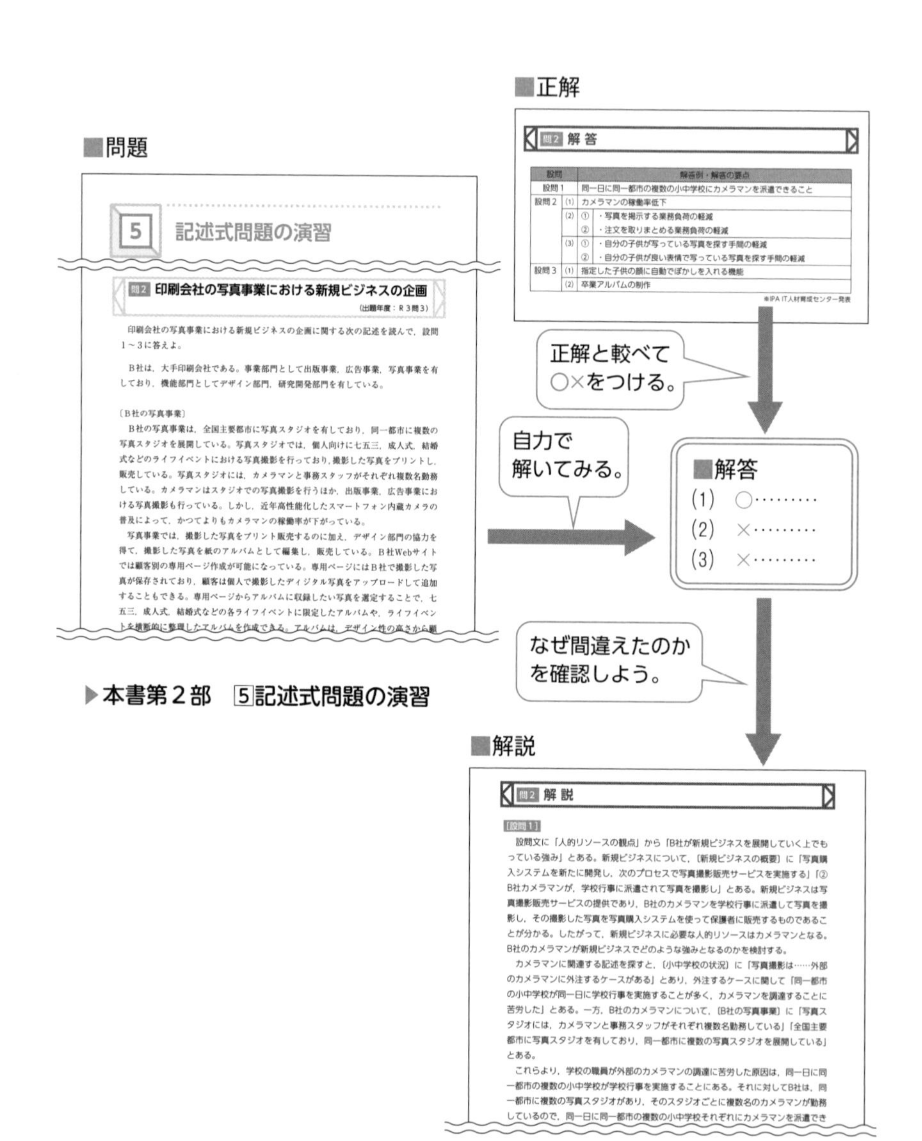

5 記述式問題の演習

問2 印刷会社の写真事業における新規ビジネスの企画

（出題年度：Ｒ３問３）

印刷会社の写真事業における新規ビジネスの企画に関する次の記述を読んで，設問１～３に答えよ。

Ｂ社は，大手印刷会社である。事業部門として出版事業，広告事業，写真事業を有しており，機能部門としてデザイン部門，研究開発部門を有している。

〔Ｂ社の写真事業〕

Ｂ社の写真事業は，全国主要都市に写真スタジオを有しており，同一都市に複数の写真スタジオを展開している。写真スタジオでは，個人向けに七五三，成人式，結婚式などのライフイベントにおける写真撮影を行っており，撮影した写真をプリントし，販売している。写真スタジオには，カメラマンと事務スタッフがそれぞれ複数名勤務している。カメラマンはスタジオでの写真撮影を行うほか，出版事業，広告事業における写真撮影も行っている。しかし，近年高性能化したスマートフォン内蔵カメラの普及によって，かつてよりもカメラマンの稼働率が下がっている。

写真事業では，撮影した写真をプリント販売するのに加え，デザイン部門の協力を得て，撮影した写真を紙のアルバムとして編集し，販売している。Ｂ社Webサイトでは顧客別の専用ページ作成が可能になっている。専用ページにはＢ社で撮影した写真が保存されており，顧客は個人で撮影したディジタル写真をアップロードして追加することもできる。専用ページからアルバムに収録したい写真を選定することで，七五三，成人式，結婚式などの各ライフイベントに限定したアルバムや，ライフイベントを横断的に整理したアルバムを作成できる。アルバムは，デザイン性の高さから顧

問2 解答

設問			解答例・解答の要点
設問１			同一日に同一都市の複数の小中学校にカメラマンを派遣できること
設問２	(1)		カメラマンの稼働率低下
	(2)	①	・写真を掲示する業務負荷の軽減
		②	・注文を取りまとめる業務負荷の軽減
	(3)	①	・自分の子供が写っている写真を探す手間の軽減
		②	・自分の子供が良い表情で写っている写真を探す手間の軽減
設問３	(1)		指定した子供の顔に自動でぼかしを入れる機能
	(2)		卒業アルバムの制作

※IPA IT人材育成センター発表

問2 解説

［設問１］

設問文に「人的リソースの観点」から「B社が新規ビジネスを展開していく上でもっている強み」とある。新規ビジネスについて，〔新規ビジネスの概要〕に「写真購入システムを新たに開発し，次のプロセスで写真撮影販売サービスを実施する」「②B社カメラマンが，学校行事に派遣されて写真を撮影し」とある。新規ビジネスは写真撮影販売サービスの提供であり，B社のカメラマンを学校行事に派遣して写真を撮影し，その撮影した写真を写真購入システムを使って保護者に販売するものであることが分かる。したがって，新規ビジネスに必要な人的リソースはカメラマンとなる。B社のカメラマンが新規ビジネスでどのような強みとなるのかを検討する。

カメラマンに関連する記述を探すと，〔小中学校の状況〕に「写真撮影は……外部のカメラマンに外注するケースがある」とあり，外注するケースに関して「同一都市の小中学校が同一日に学校行事を実施することが多く，カメラマンを調達することに苦労した」とある。一方，B社のカメラマンについて，〔B社の写真事業〕に「写真スタジオには，カメラマンと事務スタッフがそれぞれ複数名勤務している」「全国主要都市に写真スタジオを有しており，同一都市に複数の写真スタジオを展開している」とある。

これらより，学校の職員が外部のカメラマンの調達に苦労した原因は，同一日に同一都市の複数の小中学校が学校行事を実施することにある。それに対してB社は，同一都市に複数の写真スタジオがあり，そのスタジオごとに複数名のカメラマンが勤務しているので，同一日に同一都市の複数の小中学校それぞれにカメラマンを派遣でき

4 午後Ⅱ試験の分析と突破法

Point! 午後Ⅱ問題の仕組みを理解し，独りよがりな論文ではなく，問題文と設問が求めている論文を作成することが重要である。ユニット法を用いて文章を積み重ねていこう。

4.1 午後Ⅱ試験の分析

1 午後Ⅱ問題の仕組み

午後Ⅱ問題は，およそ１頁分の短い問題文で，設問の指示に合った論述を求められる。知識と経験だけでなく，論文作成能力が問われれる試験である。

午後Ⅱ試験の評価項目は，三つある。一つ目は，設問の要求事項を満たした内容になっているかの「**設問要求の充足性**」である。二つ目は，論述が問題の意図した内容になっているかの「**論述の妥当性**」である。三つ目は，論述が表面的なものではなく，受験者の知識と経験が具体的に述べられているかの「**論述の具体性**」である。

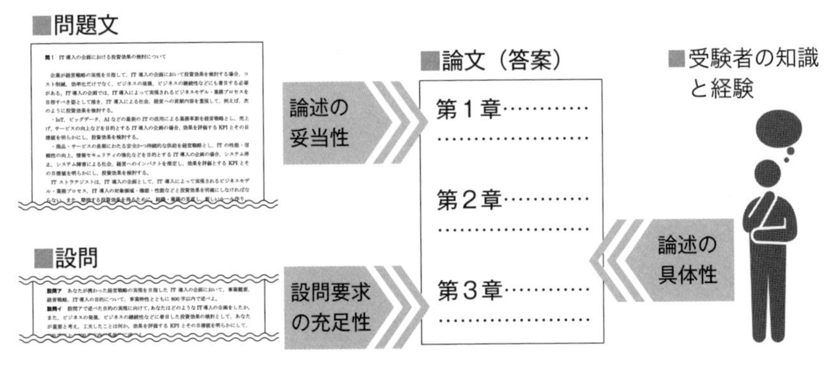

▶午後Ⅱ問題の仕組み

2 問題テーマ

ITストラテジストの最重要業務は，「IT活用によるビジネスモデルの改革」である。この業務を遂行するための羅針盤が戦略である。まず，どのようにビジネスモデルを改革するのかという「ビジネス戦略」を立案し，次に，どのようにITを活用するのかという「情報戦略」を立案し，業務を進める。

「ビジネス戦略」と「情報戦略」に関しては数多くの理論がある。午後Ⅱ問題では，それらの理論を実務に適用した論述の展開が求められる。午後Ⅱ試験は，「ビジネス戦略」と「情報戦略」に関する知識と実務能力を問う試験である。

▶本書掲載の午後Ⅱ問題・問題テーマ一覧

分野	問番	問題テーマ	出題年度
最新問題	問1	DX（デジタルトランスフォーメーション）の実現に向けた新たな情報技術の採用	R6問1
ビジネス戦略	問2	デジタルトランスフォーメーションを実現するための新サービスの企画	R3問1
	問3	ITを活用したビジネスモデル策定の支援	R元問2
	問4	新しい情報技術や情報機器と業務システムを連携させた新サービスの企画	H30問2
	問5	ビッグデータを活用した革新的な新サービスの提案	H28問1
	問6	ITを活用したグローバルな事業	H27問1
	問7	ITを活用した業務改革	H26問1
情報戦略	問8	ITシステムに関わる改修要望の分析と対応方針の立案	R5問1
	問9	基幹システムの再構築における開発の優先順位付け	R4問2
	問10	ディジタル技術を活用した業務プロセスによる事業問題の解決	R元問1
	問11	事業目標の達成を目指すIT戦略	H30問1
	問12	IT導入の企画における投資効果の検討	H29問1
	問13	IT導入の企画における業務分析	H28問2

4.2 午後Ⅱ試験の突破法

1 ユニット法

午後Ⅱ試験の三つの評価項目「設問要求の充足性」「論述の妥当性」「論述の具体性」を満たす論文を作成するには，ユニット法が効果的である。ユニット法は本書の「第3部　午後Ⅱ試験対策」で詳しく説明している。

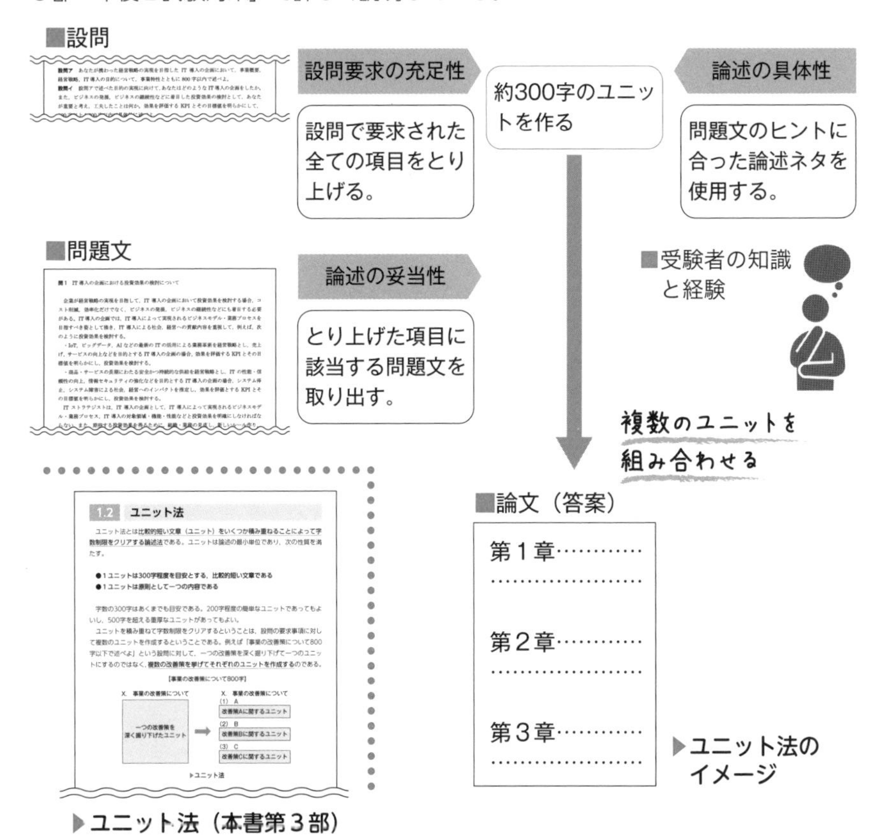

▶ユニット法（本書第３部）

▶ユニット法のイメージ

2 ユニット法の問題演習

ユニット法を，「第３部　③論述式問題の演習」を活用して，身に付けよう。「問題分析シート」と「論文設計シート」を作成すると，論文を組み立てやすくなる。

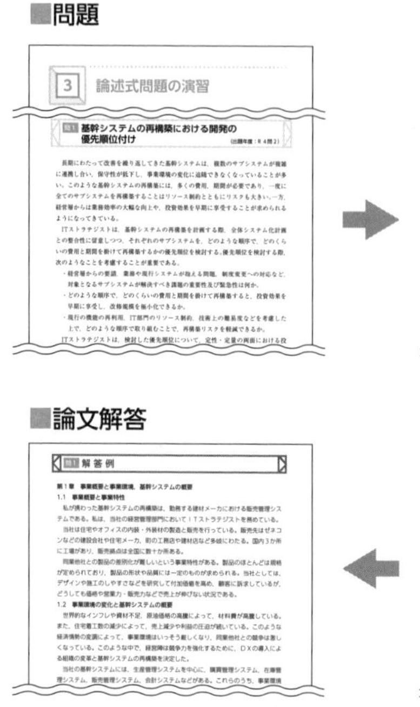

■問題

3 論述式問題の演習

問1 基幹システムの再構築における開発の優先順位付け （出題年度：R4問2）

長期にわたって改善を繰り返してきた基幹システムは，複数のサブシステムが複雑に連携し合い，保守性が低下し，事業環境の変化に追随できなくなっていることが多い。このような基幹システムの再構築には，多くの費用，期間が必要であり，一度に全てのサブシステムを再構築することはリソース制約とともにリスクも大きい。一方，経営層からは業務効率の大幅な向上や，投資効果を早期に享受することが求められるようになってきている。

ITストラテジストは，基幹システムの再構築を計画する際，全体システム化計画との整合性に留意しつつ，それぞれのサブシステムを，どのような順序で，どのくらいの費用と期間を掛けて再構築するかの優先順位を検討する。優先順位を検討する際，次のようなことを考慮することが重要である。

・経営層からの要請，業務や現行システムが抱える問題，制度変更への対応など，対象となるサブシステムが解決すべき課題の重要性及び緊急性は何か。
・どのような順序で，どのくらいの費用と期間を掛けて再構築すると，投資効果を早期に享受し，改修規模を極小化できるか。
・現行の機能の再利用，IT部門のリソース制約，技術上の難易度などを考慮した上で，どのような順序で取り組むことで，再構築リスクを軽減できるか。

ITストラテジストは，検討した優先順位について，定性・定量の両面における役

■論文解答

問1 解答例

第1章 事業概要と事業環境，基幹システムの概要

1.1 事業概要と事業特性

私が携わった基幹システムの再構築は，勤務する建材メーカにおける販売管理システムである。私は，当社の経営管理部門においてITストラテジストを務めている。

当社は住宅やオフィスの内装・外装材の製造と販売を行っている。販売先はゼネコンなどの建設会社や住宅メーカ，町の工務店や建材店など多岐にわたる。国内3か所に工場があり，販売拠点は全国に数十か所ある。

同業他社との製品の差別化が難しいという事業特性がある。製品のほとんどは規格が定められており，製品の形状や品質には一定のものが求められる。当社としては，デザインや施工のしやすさなどを研究して付加価値を高め，顧客に訴求しているが，どうしても価格や営業力・販売力などで売上が伸びない状況である。

1.2 事業環境の変化と基幹システムの概要

世界的なインフレや資材不足，原油価格の高騰によって，材料費が高騰している。また，住宅着工数の減少によって，売上減少や利益の圧迫が続いている。このような経済情勢の変調によって，事業環境はいっそう厳しくなり，同業他社との競争は激しくなっている。このような中で，経営陣は競争力を強化するために，DXの導入による組織の変革と基幹システムの再構築を決定した。

当社の基幹システムには，生産管理システムを中心に，購買管理システム，在庫管理システム，販売管理システム，会計システムなどがある。これらのうち，事業環境

■問題分析メモ

●問題分析メモ

長期にわたって改善を繰り返してきた基幹システムは，複数のサブシステムが複雑に連携し合い，保守性が低下し，事業環境の変化に追随できなくなっていることが多い。このような基幹システムの再構築には，多くの費用，期間が必要であり，一度に全てのサブシステムを再構築することはリソース制約とともにリスクも大きい。一方，経営層からは業務効率の大幅な向上や，投資効果を早期に享受することが求められるようになってきている。

ITストラテジストは，基幹システムの再構築を計画する際，全体システム化計画との整合性に留意しつつ，それぞれのサブシステムを，どのような順序で，どのくらいの費用と期間を掛けて再構築するかの優先順位を検討する。優先順位を検討する際，次のようなことを考慮することが重要である。

■論文設計シート

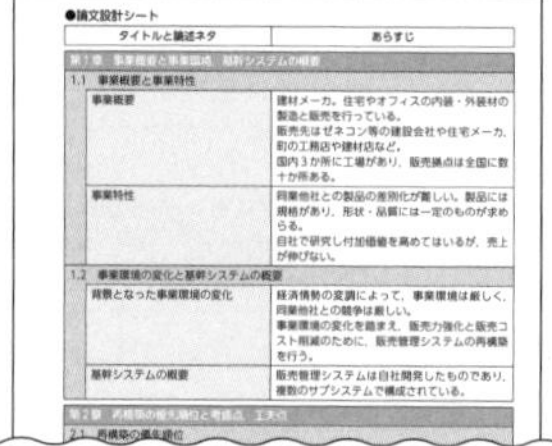

●論文設計シート

タイトルと論述ネタ	あらすじ
第1章 事業概要と事業環境，基幹システムの概要	
1.1 事業概要と事業特性	
事業概要	建材メーカ。住宅やオフィスの内装・外装材の製造と販売を行っている。 販売先はゼネコン等の建設会社や住宅メーカ，町の工務店や建材店など。 国内3か所に工場があり，販売拠点は全国に数十か所ある。
事業特性	同業他社との製品の差別化が難しい。製品には規格があり，形状・品質には一定のものが求められる。 自社で研究し付加価値を高めてはいるが，売上が伸びない。
1.2 事業環境の変化と基幹システムの概要	
背景となった事業環境の変化	経済情勢の変調によって，事業環境は厳しく，同業他社との競争は激しい。 事業環境の変化を踏まえ，販売力強化と販売コスト削減のために，販売管理システムの再構築を行う。
基幹システムの概要	販売管理システムは自社開発したものであり，複数のサブシステムで構成されている。
第2章 再構築の優先順位と考慮点，工夫点	
2.1 再構築の優先順位	

▶本書第3部 3論述式問題の演習

3 論文解答を書くためのテクニック

ユニット法の他に，ステップ法，自由展開法，“そこで私は”展開法，“最初に，次に”展開法も解説している。いろいろなテクニックを用いて的確な論文解答を書き上げ，合格を果たしてほしい。

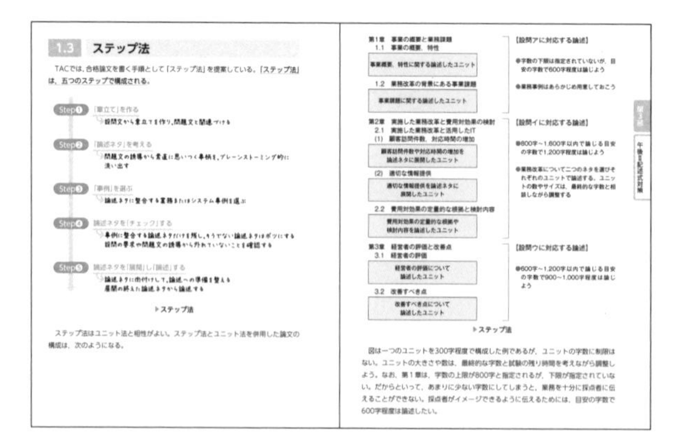

1.3 ステップ法

TACでは，合格論文を書く手順として「ステップ法」を提案している。「ステップ法」は，五つのステップで構成される。

Step❶ 「章立て」を作る
設問文から章立てを作り，問題文と関連づける

Step❷ 「論述ネタ」を考える
問題文の趣旨から素直に思いつく事柄を，ブレーンストーミング的に洗い出す

Step❸ 「事例」を選ぶ
論述ネタに整合する業務またはシステム事例を選ぶ

Step❹ 論述ネタを「チェック」する
事例に整合する論述ネタだけを残し，そうでない論述ネタはボツにする
設問の要求や問題文の趣旨から外れていないことを確認する

Step❺ 論述ネタを「展開」し「論述」する
論述ネタに肉付けして，論述への準備を整える
展開の終えた論述ネタから論述する

▶ステップ法

ステップ法はユニット法と相性がよい。ステップ法とユニット法を併用した論文の構成は，次のようになる。

第1章 事業の概要と業務課題
1.1 事業の概要，特性
事業概要，特性に関する論述したユニット
1.2 業務改革の背景にある事業課題
事業課題に関する論述したユニット
第2章 実施した業務改革と費用対効果の検討
2.1 実施した業務改革と活用したIT
(1) 顧客訪問件数，対応時間の増加
顧客訪問件数や対応時間の増加を論述ネタに展開したユニット
(2) 適切な情報提供
適切な情報提供を論述ネタに展開したユニット
2.2 費用対効果の定量的な根拠と検討内容
費用対効果の定量的な根拠や検討内容を論述したユニット
第3章 経営者の評価と改善点
3.1 経営者の評価
経営者の評価について論述したユニット
3.2 改善すべき点
改善すべき点について論述したユニット

【設問アに対応する論述】
●字数の下限は指定されていないが，目安の字数で600字程度は論じよう
●業務事例はあらかじめ用意しておこう

【設問イに対応する論述】
●800字～1,600字以内で論じる目安の字数で1,200字程度は論じよう
●業務改革について二つのネタを選びそれぞれのユニットで論述する。ユニットの数やサイズは，最終的な字数と相談しながら調整する

【設問ウに対応する論述】
●600字～1,200字以内で論じる目安の字数で900～1,000字程度は論じよう

▶ステップ法

図は一つのユニットを300字程度で構成した例であるが，ユニットの字数に制限はない。ユニットの大きさや数は，最終的な字数と試験の残り時間を考えながら調整しよう。なお，第1章は，字数の上限が800字と指定されるが，下限が指定されていない。だからといって，あまりに少ない字数にしてしまうと，業務を十分に採点者に伝えることができない。採点者がイメージできるように伝えるためには，目安の字数で600字程度は論述したい。

▶ステップ法（本書第3部）

五つのステップを踏んで論文を組み立てる。

1.4 自由展開法

論述ネタを核とし，思いつくことを自由に書いていく展開法である。手軽で論述も膨らみやすい汎用的な展開法である。しかし，発想が発散しすぎると論理が不明確な「筋の通らない論文」になってしまうので注意してほしい。

基本は，5W 1Hの観点から展開する。

▶ 自由展開法の観点―その❶ 5W1H

観点	重要度	内容と例
What（何を）	★★★	問題に対処するために適用した技法や改善策／核にしたネタそのものがWhatに該当することも多い ［例］営業活動を効率化し，顧客訪問件数や対応時間を増加させた。 ［例］（企画業務を効率化するために）会議の削減と効率化を実施した。
Why（なぜ）	★★★	Whatを適用した理由や背景 ［例］営業時間の２割近くが出社や帰社に伴うタイムロスであった ［例］企画業務の６～７割が会議によって占められているような事例もあった
How（どのように）	★★	Whatを適用した方法や工夫 ［例］営業員が外出先から営業資料や連絡事項の閲覧や書込み，メールの送受信，日報の作成ができるようにした ［例］会議のゴールを設定し，結論を持ち越さないようにした
When（いつ）	★	Whatを適用した時期など，期限やタイミングなどに関すること ［例］業務プロセスの改善に先立って全体ミーティングを開催した
Who（誰が）	★	Whatにかかわった関係者に関すること ［例］利害が対立したため，上位の責任者に折衝を依頼した
Where（どこで）	★	場所に関すること（あまり使わない） ［例］顧客のオフィスに赴いてプロトタイプを実演した。

5W 1Hの中でも，What，Why，Howは論述によく用いる観点である。展開に困った場合は，

- 何をしたのか？
- なぜしたのか？
- どのようにしたのか？

と自分に問いかけ，掘り下げていくとよい。

さらに，5W 1Hに次の観点を加えると，展開が具体的になり論述に現実味が増す。

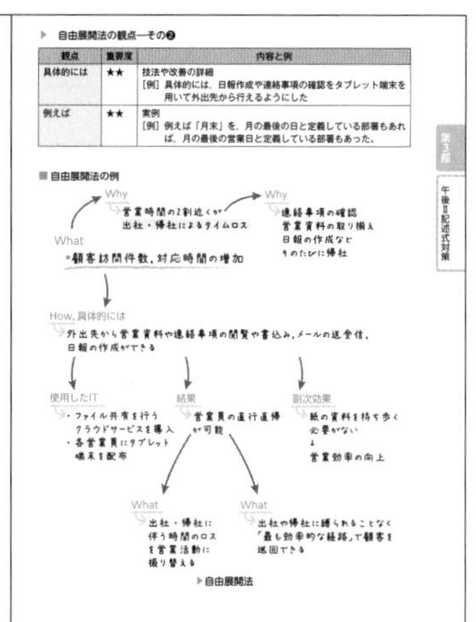

▶ 自由展開法の観点―その❷

観点	重要度	内容と例
具体的には	★★	技法や改善の詳細 ［例］具体的には，日報作成や連絡事項の確認をタブレット端末を用いて外出先から行えるようにした
例えば	★★	実例 ［例］例えば「月末」を，月の最後の日と定義している部署もあれば，月の最後の営業日と定義している部署もあった。

■ 自由展開法の例

▶ 自由展開法

▶自由展開法（本書第３部）

論述ネタ（解答のネタ）を思いつくまま，自由に展開していく。

1.5 “そこで私は” 展開法

前提となる状況や条件を説明したうえで，「そこで私は」と受けて対処や改善策などを述べる展開法である。自由展開法には及ばないものの，汎用的に使うことができるうえに，ほかの展開法にも流用できる。

前提から対処に展開するのが基本的な論述である。前提と対処で２文となるので，それぞれを１，２文増やすことで，５，６文の展開になる。

顧客の問合せにすぐに応えることができない
結果 → 顧客に不便を強いる，失注する
例えば →
・在庫や入庫の問合せに対して「社に戻ってから確認して連絡」すると回答
・品揃えに関する相談に応えることができない
そこで私は
タブレットに適切な情報提供を行う機能を追加
具体的には →
・在庫や入荷予定，新製品の開発状況などを確認する機能
・地域の情報や季節，客層などのパラメータをもとに，製品の販売状況をシミュレーションする機能

▶ “そこで私は” 展開法

この展開法のよいところは，論理の筋が通りやすく，理路整然と論述できることである。論理がしっかりしているので，展開が少々ぶれてもなんとか収めることができる。また，前提と対処の２段階に分けて展開するので，前段と後段の展開の難易度を低くできる。ただ，ユニットを書くのに時間がかかることが難点である。しかし，慣れてしまえばそれほど大変ではない。

論述例

1 2 3 4 5 6 7 8 9 10 11 12 13 14 15 16 17 18 19 20 21 22 23 24 25
（X）　適切かつ迅速な情報提供
　これまでは，商談において顧客の問合せに営業員がすぐに回答することができないことがあった。例えば，在庫や入庫の問合せに対して「社に戻ってから確認して連絡」することがあった。また，顧客から品揃えに関する相談を受けたときにも，的確に応えることができないこ（100字）

▶“そこで私は” 展開法（本書第３部）

前提となる状況や条件を挙げた上で，「そこで私は」と受けて対処法や改善策を展開していく。

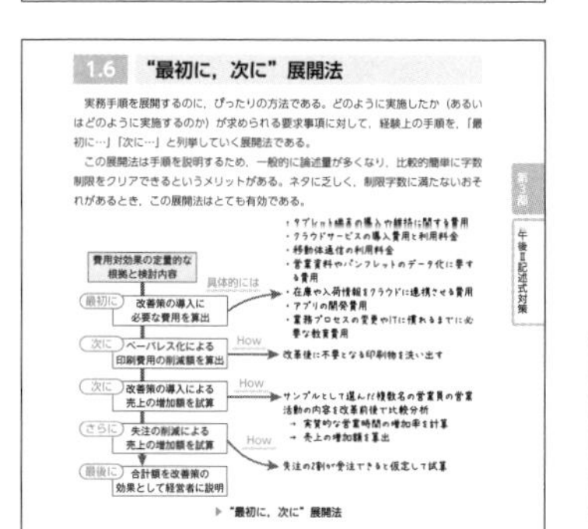

1.6 “最初に，次に” 展開法

実務手順を展開するのに，ぴったりの方法である。どのように実施したか（あるいはどのように実施するのか）が求められる要求事項に対して，経験上の手順を，「最初に…」「次に…」と列挙していく展開法である。

この展開法は手順を説明するため，一般的に論述量が多くなり，比較的簡単に字数制限をクリアできるというメリットがある。ネタに乏しく，制限字数に満たないおそれがあるとき，この展開法はとても有効である。

▶ “最初に，次に” 展開法

▶“最初に，次に” 展開法（本書第３部）

経験上の手順を「最初に」「次に」と列挙していく。実務手順を展開するのに向いている。

ITストラテジストの知識
午前Ⅱ試験対策

システム戦略とシステム企画

Point! ITストラテジスト試験では，システム戦略やシステム企画などの「超上流工程」が問われる。企業のあるべき姿や全体最適化など，改革や改善の背景となる用語や考え方を理解しておこう。

1.1 全体最適化

… 30秒チェック！ …
Super Summary

1 情報システム戦略

■情報システム戦略は，経営戦略に基づいて策定する。

□ITガバナンス…情報システム戦略を策定・実施する組織の力

□EDMモデル…ITガバナンスにおける経営陣のとるべき行動

＊

■あるべき姿を明確にするために，EA（エンタープライズアーキテクチャ）やその参照モデルを活用する。また，ITの活用度合いは，IT経営力指標などを参考に測定する。

！ポイントテーマ▶P.25

□EA…組織の業務や情報システム，組織構造の最適化を図るための方法論

EAの参照モデル
- □BRM…EAのビジネス参照モデル
- □DRM…EAのデータ参照モデル
- □SRM…EAのサービスコンポーネント参照モデル
- □TRM…EAの技術参照モデル

□IT経営力指標…ITの活用度合いを客観的に測るための指標

＊

■システム戦略には，災害など不測の事態が生じた場合の計画も含める。

□BCM…災害時にも必要最小限の事業を継続できるように管理すること

□JIS Q 22301…BCMに必要な要求事項をまとめた規格

□事業継続ガイドライン…内閣府が作成したBCMのガイドライン

2 ビジネスプロセス

■全体最適化はビジネスプロセスを変更する。一般的な改善の他にも，抜本的な改革やアウトソーシングに及ぶこともある。

□IDEAL…五つのフェーズからなる循環的なビジネスプロセス改善手法
□BPR…ビジネスプロセスの抜本的な見直し
□BPM…ビジネスプロセスを管理し，継続的に改善すること
□BPO…ビジネスプロセスの一部または全部を情報システムとともに外部に委託すること
□SOA…業務機能を提供するサービスを組み合わせてシステムを構築すること
□SaaS…ネットワーク経由でサービスを提供するクラウドサービス

1 情報システム戦略

情報システム戦略とITガバナンス

■ ITガバナンス

企業は，顧客や従業員，取引先，投資家などのステークホルダーに対して「価値をもたらす」ことが求められる。そのため，企業は経営戦略を策定し，経営戦略に沿って情報システム戦略を策定する。そして，企業は情報システム戦略に基づいて，情報システムの企画，開発，運用，保守を実施し管理する。

企業が適切に情報システム戦略を策定し，その戦略を実施する能力を広くITガバナンスと呼ぶ。経済産業省が策定したシステム管理基準では，ITガバナンスを「**経営陣がステークホルダーのニーズに基づき，組織の価値を高めるために実践する行動であり，情報システムのあるべき姿を示す情報システム戦略の策定及び実現に必要となる組織能力である**」と定義している。

■ EDMモデル

ITガバナンスにおける経営陣がとるべき行動を，評価（Evaluate），指示（Direct），モニタ（Monitor）の頭文字をとってEDMモデルと呼ぶ。

評価	情報システムの将来のあるべき姿に対して現状を評価し，必要な資源やリスクを見積もる
指示	情報システム戦略を実現するための責任と資源を組織に割り当て，効果の実現とリスクへの対処を指示する
モニタ	効果の達成状況や資源の利用状況，リスクの顕在化状況などをモニタする

EA（Enterprise Architecture） ポイントテーマ▶P.25

IT経営力指標

経済産業省が策定したIT経営力指標とは，企業のITの活用度合いを客観的に測るための指標である。経営者が取り組むべき事項をまとめた“ITの戦略的導入のための行動指針”をもとに，七つの機能を評価軸として，ITの活用度合いを四つのステージで評価する。

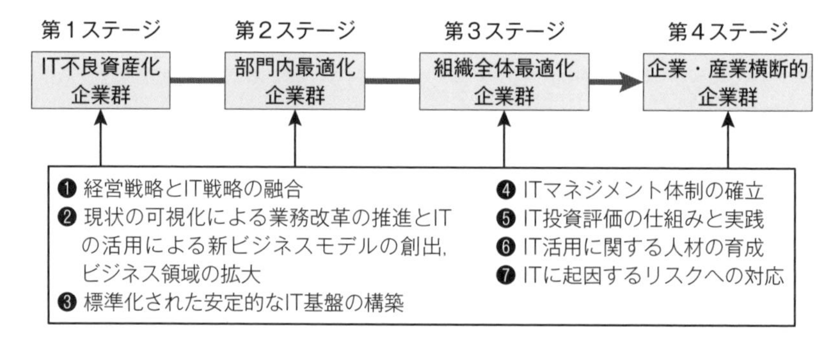

▶IT経営力指標

事業継続のための情報システム

BCM（Business Continuity Management：事業継続管理）

BCMは，災害時にも必要最小限の事業を継続できるように管理することである。BCMでは，災害によるリスクの低減や事業中断から復旧するための管理が行われる。

BCMにとって不可欠な対応力や復旧力，すなわち不測の事態が生じた場合の組織的対応力や，支障が生じた事業を復元させる力をレジリエンスと呼ぶ。

■ JIS Q 22301

JIS Q 22301は，事業継続マネジメントシステム（BCMS：Business Continuity Management System）の規格である。事故や災害が発生した際に，企業にとっての重要な事業を継続させるために準拠すべき要求事項をまとめたものである。

■ 事業継続ガイドライン

事業継続ガイドラインは，内閣府が作成した事業継続に関するガイドラインである。その中で，BCMにおける実際の取組みについて，次のプロセスサイクルで説明している。

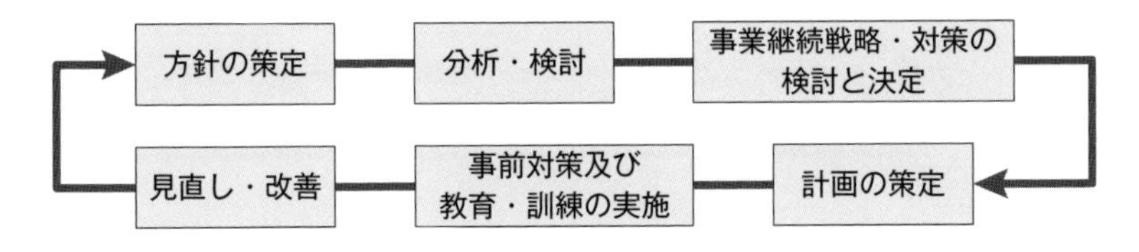

▶BCMのプロセスサイクル

2 ビジネスプロセス

■ IDEAL

IDEALとは，開始，診断，確立，行動，学習の五つのフェーズからなる循環的なプロセス改善手法である。

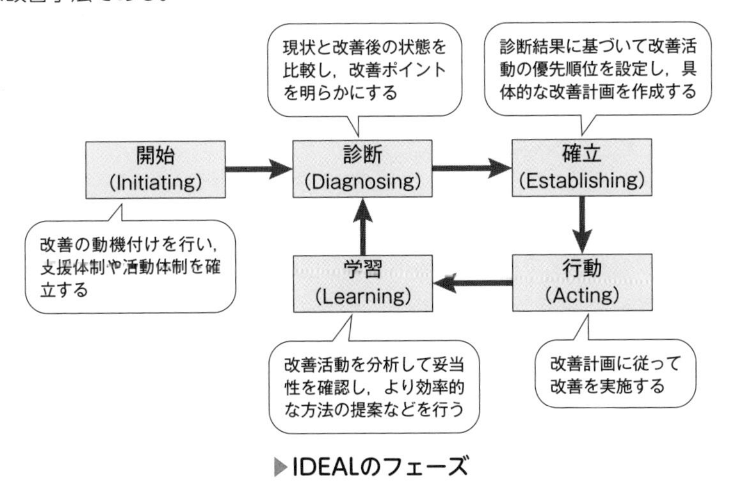

▶IDEALのフェーズ

■ BPR（Business Process Reengineering）

BPRとは，企業の業務を抜本的に改革することである。提唱者のマイケル・ハマーは，リエンジニアリングを「顧客の満足度を高めることを主眼とし，最新のITを用いて業務プロセスと組織を抜本的に改革する」と説明している。

■ BPM（Business Process Management）

BPMとは，ビジネスプロセスを絶えず改善するために管理することである。つまり，改革を実施して“終わり”にするのではなく，その後もビジネスプロセスを管理し，継続して改善を繰り返すことがBPMのポイントである。

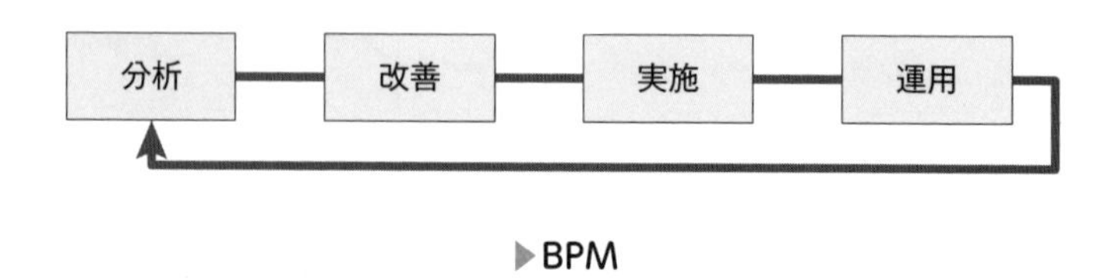

▶BPM

■ BPO（Business Process Outsourcing）

BPOは，情報システムと関連する業務を一体化して外部に委託することである。コールセンター業務を一括して外部に委託するような形態は，BPOの典型例である。

■ SOA（Service Oriented Architecture）

SOAは，業務システムの機能を，利用者の視点から複数の独立したソフトウェア部品に分割し，業務機能を提供するサービス（ソフトウェア部品）を組み合わせることによって，システムを構築する考え方である。例えば，“受注”や“出庫”といった「ビジネス上の業務プロセス」を組み合わせ，利用者が業務の目的に合わせて必要なサービスを実行できるようにする。

■ SaaS（Software as a Service）

SaaSは，ソフトウェア機能をネットワーク経由でサービスとして提供するクラウドサービスである。ASP（Application Service Provider）と呼ばれるサービス形態と同一視されることもあるが，利用者は必要な機能だけを使用し（オンデマンド），その使用分に対してのみ対価を支払い，一つのサービス機能を複数の企業で利用するマルチテナント方式を採用することが一般的である。

サービス提供者がユーザーからの要求にすぐに対応できるように，あらかじめ予想をし準備をしておくことをプロビジョニングという。

ポイントテーマ EA（エンタープライズアーキテクチャ）

EAは，企業の「見える化」を実現する，全体最適化を進める際のフレームワークの一つである。EAでは，企業基盤や活動を，次の四つの階層で考える。

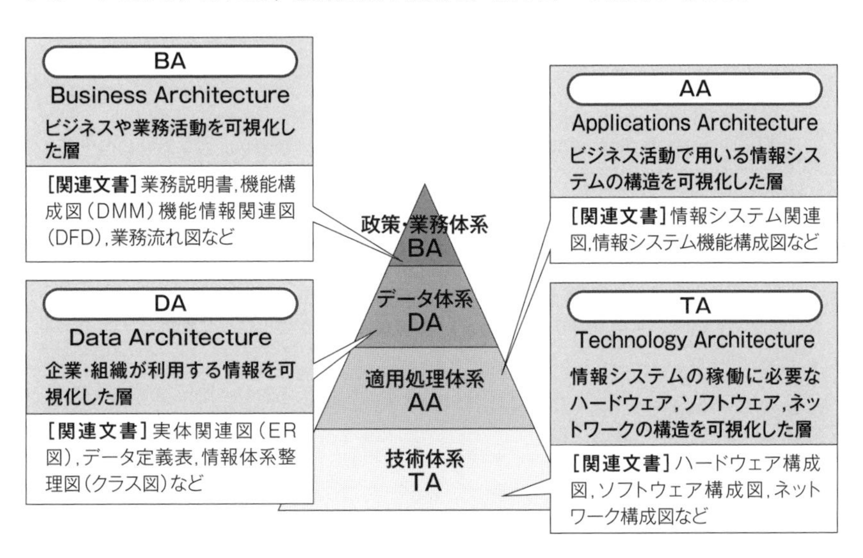

▶EAの階層と関連文書

EAの進め方

EAを進める上では，まず現状のモデル（AsIs）を，次に最終的な理想のモデル（ToBe）を明らかにしてから，次期モデル（Next）をAsIsとToBeの間に設定して投資計画を立案する。このように，企業の全体像を把握し，ToBeを意識することで，整合性のとれた計画的なシステム開発を行うことができる。

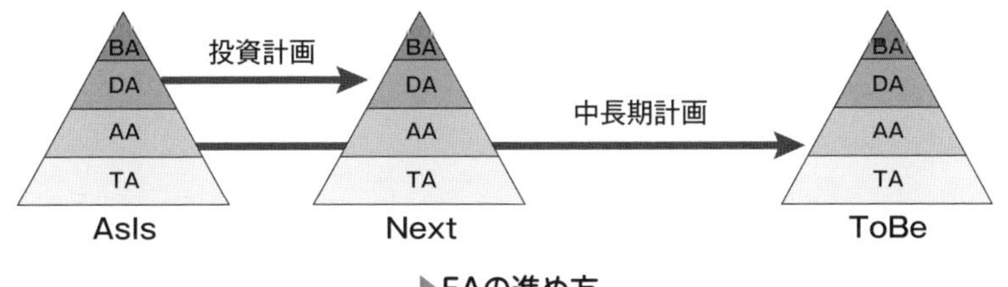

▶EAの進め方

■ EAの参照モデル

EA策定のひな型となるモデルを参照モデルと呼ぶ。EAの階層ごとに参照モデルが定められている。

▶EAの参照モデル

BA	BRM Business Reference model	ビジネス参照モデル。 組織全体で業務やシステムの共通化の対象領域を洗い出すためのモデル
DA	DRM Data Reference model	データ参照モデル。 情報の再利用・統合を促進するためのモデル
AA	SRM Service Component Reference model	サービスコンポーネント参照モデル。 アプリケーションの再利用を促進するためのモデル
TA	TRM Technical Reference model	技術参照モデル。 組織全体での技術の標準化を促進するモデル

こう書ける！ 論述試験へのヒント

論述試験において，EAやそのフレームワークに踏み込んで論述することは考えにくいが，業務事例を説明する際に，EA関連用語や情報戦略の根幹となる全体最適化，あるべき姿などに言及してもよい。

X.X　業務の概要

私が携わった業務は，当社における業務機能の再構築である。当社は業務用の食品・食材を製造する会社であり，専門業者や飲食店に製品を販売していた。しかし，競合他社の値引き販売や異業種からの参入などにより，当社製品の販売量は低下傾向にあった。また，販売量の低下を適切に生産計画に反映できていなかったため，**製品在庫や素材在庫が増加しつつある**ことも問題となっていた。そこで当社は，

・飲食店を全国に展開するA社と合併し，既存シェアを拡大する

・**全体最適化の観点から業務機能や情報の流れを見直し**利益を拡大する

ことを目標に掲げ，業務改革に乗り出すことになった。私は当社IT企画部の一員として，業務改革とそれに伴う情報システムの企画及び要件定義に参画した。

部分最適化の弊害について言及し，全体最適化への布石としている

全体最適化のお約束的な文言

自分の立場を述べておくと，論述が分かりやすくなる

！ポイントテーマ DX推進指標

既存システムが老朽化することで，事業の拡大や企業の成長が妨げられてしまう事態が近い将来にはやってくるとされている（2025年の崖）。そこで，多くの企業ではDX（Digital Transformation：デジタルトランスフォーメーション）の取組みを進めている。経済産業省も企業のDXを加速させるために，『デジタルトランスフォーメーションを推進するためのガイドライン（DX推進ガイドライン）』を発表し，『「DX推進指標」とそのガイダンス』を策定した。その内容から抜粋引用し，DX推進指標に関して説明する。

■ 背景

データやデジタル技術を活用して新たなビジネスモデルを展開する企業が市場に参入する中，各企業には競争力維持・強化のために，DXをスピーディーに進めていくことが求められている。しかし，実証的な取組みは行われるものの，実際のビジネスの変革につながっていないというのが現状である。

DXの推進は，仕事の仕方や企業文化の変革までもが求められる。そのため，実行においては，

・DXによって顧客視点でどのような価値を創出するか
・なぜその改革が必要なのか
・DXを実現するために経営の仕組みをどう作り変えるのか

など，経営幹部，事業部門，DX部門，IT部門などの関係者が現状や課題に対する認識を共有し，必要な手段を講じていくことが不可欠である。

この変革を後押しするため，DX推進に向けた現状や課題に対する認識を関係者が共有し，行動につなげるための気付きの機会を与えるものとして，経済産業省はDX推進指標を策定した。

■ DX推進指標の内容

DX推進指標は，次の二つで構成される。

・DX推進のための経営のあり方，仕組みに関する指標
　　DX推進の枠組み（定性指標），DX推進の取組状況（定量指標）
・DXを実現する上で基盤となるITシステムの構築に関する指標
　　ITシステム構築の枠組み（定性指標），ITシステム構築の取組状況（定量指標）

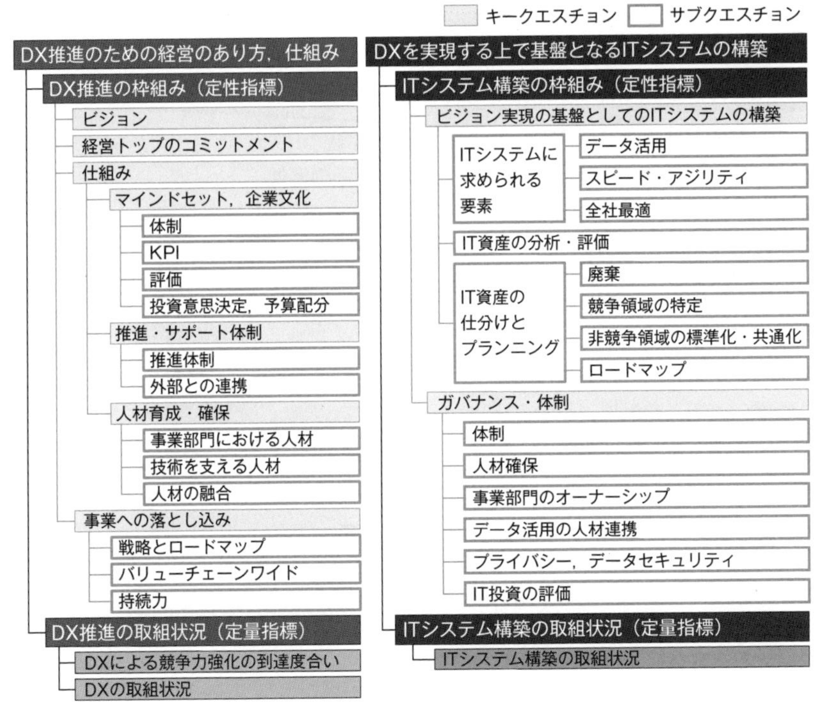

令和元年７月経済産業省『「DX推進指標」とそのガイダンス』より

▶DX推進指標

1.2 システム企画と要件定義

… 30秒チェック！ …
Super Summary

1 企画プロセス

！ポイントテーマ▶P.33

■システム開発の上流工程は，システム企画から始まる。企画プロセスは，二つのサブプロセスから構成される。

システム企画
- □システム化構想の立案…業務の全体像やそれを実現する構想を立案する
- □システム化計画の立案…システム化構想を具現化する計画を立案する

2 要件定義プロセス

■システム企画に続いて要件定義を行う。

□要件定義…システムに求められる要件の定義

□機能要件…業務機能として識別できる要件

□非機能要件…機能として現われない品質面の要件

*

■要件定義にはBABOKを活用することもできる。

□BABOK…ビジネス分析や評価に関する知識体系

3 取得プロセス

■システムを外部（ベンダー）から取得する場合は，取得プロセスに従う。

□取得プロセス…外部から製品やサービスを取得するプロセス

□RFI…ベンダーに向けた情報提供の依頼

□RFP…ベンダーに向けた提案書作成の依頼

*

■取得にあたっては，取得者とベンダー間の責任分担を明確にして契約に明記する。

□請負契約…仕事の完成を約束する契約

□準委任契約…業務の遂行を委任する契約

1 企画プロセス

■ 企画プロセス ！ポイントテーマ▶P.33

2 要件定義プロセス

■ 要件定義

要件定義とは，定義された環境において利用者及び他の利害関係者が必要とするサービスを提供するための，システムに対する要件を定義する作業である。要件定義では，利害関係者からの要求を整理し，新しい業務のあり方や運用をまとめた上で，システムが実現すべき業務上の要件を明らかにする。

■ 機能要件

機能要件とは，ソフトウェアが実現する機能に関する要求で，「利用者の要求を満足するためにソフトウェアが実現しなければならない利用者の業務及び手順」である。例えば，ユースケース図に現れたユースケースは，プログラムが実現すべき機能なので，これを機能要件として定義する。

■ 非機能要件

非機能要件とは，システムを利用者に提供する上でのサービスレベルやセキュリティに関する要件である。例えば，「在庫を確認できる画面を持つ」ことは機能要件に相当し，「在庫を15秒以内に確認できる」ことは非機能要件にあたる。

非機能要件は，JIS X 25010のシステム・ソフトウェア製品の品質モデルから導くことができる。

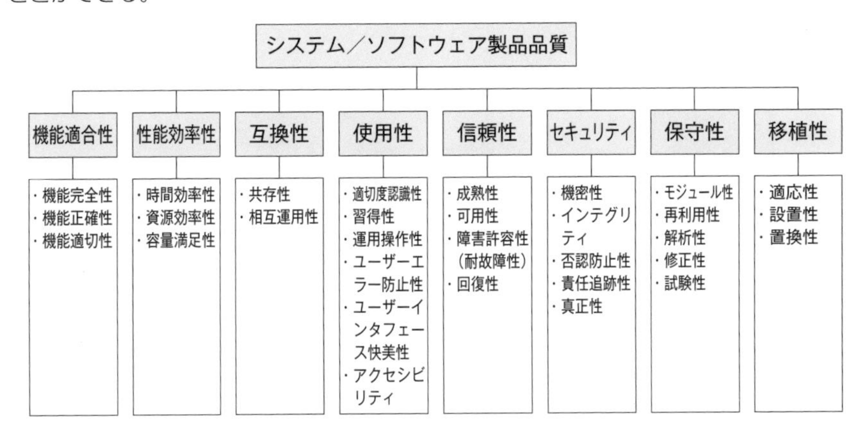

▶システム・ソフトウェア製品の品質モデル

例えば，「４時間以内のトレーニングで新しい画面を操作できる」などのような習得性に関する要件は，非機能要件の使用性に該当する。

■ BABOK（Business Analysis Body Of Knowledge）

BABOKは，ビジネス分析や評価に関するベストプラクティスを知識体系としてまとめたものである。要件定義の場面で活用されることが多い。

BABOKでは，システムに対するユーザー要求を明確に理解するために，要求を四つに分類している。

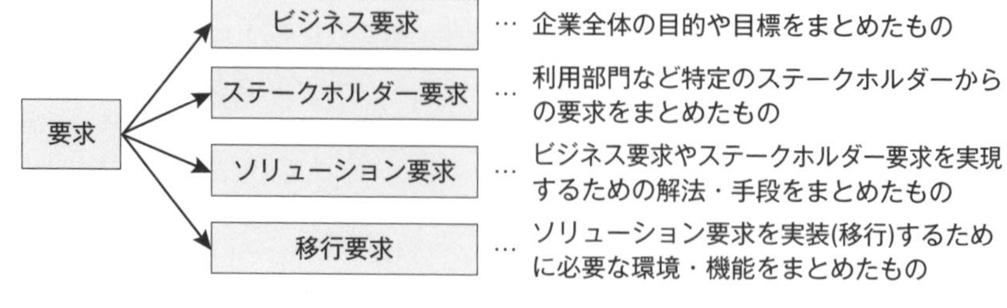

▶BABOKによる要求の分類

3 取得プロセス

■ 取得プロセス

企業がベンダーなどから情報システムを取得する流れを示す。

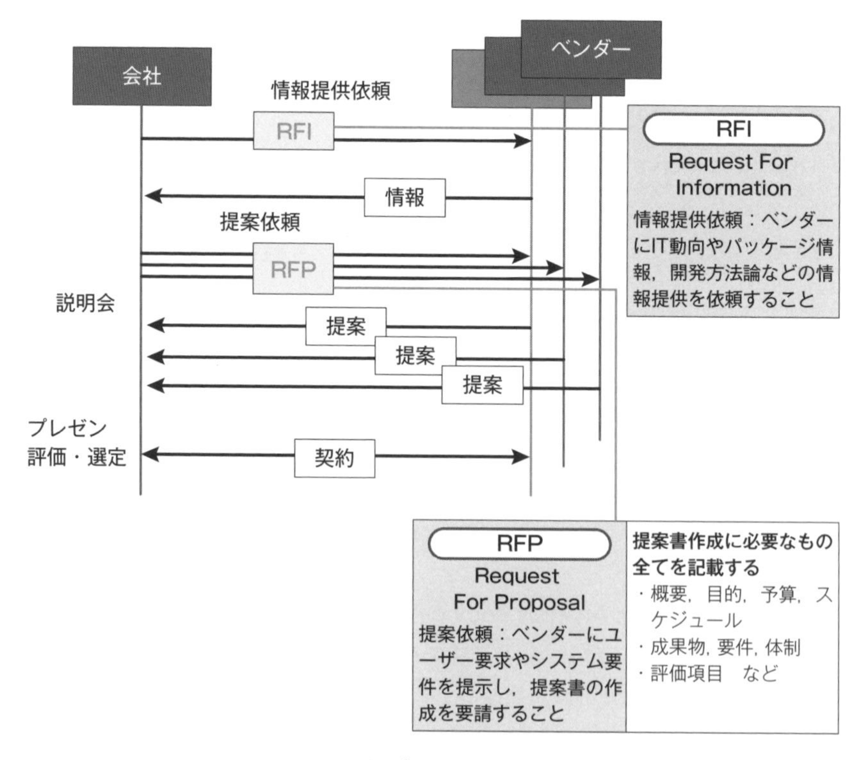

▶取得プロセスの流れ

取得の要求事項を定義する。具体的には，取得の対象を明らかにして，取得の条件を設定する。要求事項を定義するために，ベンダーに対して情報の提供を依頼することもある。要求事項が定義できれば，これをもとにそれぞれのベンダーに対して提案依頼を行う。

各ベンダーから受け取った提案は，システム導入にかかわるステークホルダーの代表からなる評価会議を開催し，プレゼンテーションなどの内容を含めて詳細に評価する。評価の視点は，開発の確実性，費用，スケジュールなど多岐にわたる。

■ 請負契約と準委任契約

開発や運用の外部委託契約形態には，請負契約や準委任契約（委任契約）がある。

請負契約は「仕事を任せる」契約で，受託側（役務を提供する側）には要求された内容と品質で成果物を完成して引き渡す責任，いわゆる完成責任と契約不適合責任が課せられる。一方，**準委任契約**は「仕事に協力してもらう」契約で，受託側には完成責任と契約不適合責任は課せられない。企画や要件定義などの上流工程は委託側の責任で行うため，準委任契約が推奨されている。

なお，両契約とも，外部要員の指揮命令権は受託側が持つ。外部要員が委託側の指揮命令の下で働く契約としては，派遣契約などがある。

▶請負契約と準委任契約の違い

	完成責任	契約不適合責任	外部要員の指揮命令権	外部要員の労働条件決定
請負契約	あり	あり	受託側	受託側
準委任契約	なし	なし	受託側	受託側

！ポイントテーマ 企画プロセス

開発及び取引のための共通フレーム（SLCP-JCF）では，主ライフサイクルプロセスの一つとして企画プロセスを位置付けている。企画プロセスの目的は，次のとおりである。

> **経営事業の目的，目標を達成するために必要なシステムに関する要求事項の集合とシステム化の方針，及び，システムを実現するための実施計画を得る**

企画プロセスは，次のサブプロセスとアクティビティから構成される。

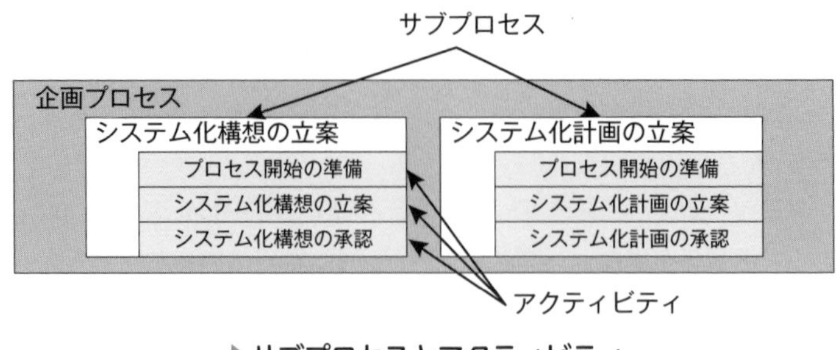

▶サブプロセスとアクティビティ

さらに，アクティビティ“システム化計画の立案”は，複数のタスクに分割される。

▶システム化計画立案のタスク

基本要件の確認	開発や運用に関する基本要件，システム化構想の基本方針について確認する
対象業務の内容の確認	業務処理と情報を情報システムの視点から整理する
対象業務の課題の定義	業務の問題点を分析して，システム化によって解決すべき課題を定義する
対象システムの分析	業務のシステム機能やデータ，連携などについて確認・分析をする
適用情報技術の調査	業務の実現に必要な技術動向を調査する
業務モデルの作成	業務機能をモデル化する
システム化機能とシステム方式の明確化	システム化機能を明確にする。機能実現に必要なシステム方式，データベース，サーバ，ネットワーク構成の概要を明確にする
付帯機能・付帯設備に対する基本方針の明確化	他システムとの連携や開発環境整備などに関する基本方針を明確にする
サービスレベルに対する基本方針の明確化	信頼性や性能，セキュリティなどのシステムのサービスレベルを明確にする
プロジェクト目標の設定	品質，コスト，納期について，目標値と優先順位を設定する
実現可能性の検討	各種要件が，要員，納期，費用などの前提条件で実現可能であるか検討する
全体開発スケジュールの作成	システム全体の開発スケジュールの大枠を作成する
システム選定方針の策定	ハードウェア，ソフトウェアの基本的な要件や予算枠を明確にする

費用とシステム投資効果の予測	システム実現時の効果を予測し，費用対効果によって投資効果を明確にする
プロジェクト推進体制の策定	プロジェクト推進体制を策定する
経営事業戦略，情報戦略及びシステム化構想との整合性検証	経営戦略や情報戦略，システム化構想を実現するものかどうかを検証する

こう書ける！ 論述試験へのヒント

システム化計画の立案について論述する場合，表に示したタスクから主要なものを選んで題材にする。**「特に注意したこと」という切り口で論述する場合，いずれかのタスクに焦点を当て，具体例を交えながら論述する**。自身の経験をもとに，いくつかのタスクについてあらかじめストーリを用意しておくとよい。

X.X　システム化計画の立案について

　システム化計画の立案において，私は以下の点を重要と考えた。

(1)　プロジェクトの目標設定

プロジェクトの目標設定は，いろいろな事例に使える汎用性の高い題材

　品質が最重視される情報システムであるにもかかわらず，予算の枠内に収めるため品質活動を簡略化し，トラブルにつながったプロジェクトが過去にあった。このような事態を避けるため，私は品質とコスト，納期の目標値を設定した上で，それらの優先順位を明確にした。具体的には，XXシステムの納期を稼働開始時期から逆算して求め，最高優先順位とした。なぜならば，サプライチェーンに含まれる協力会社と連携する関係上，稼働開始を遅らせることはできなかったからである。品質についても，協力会社のシステムと同等の目標値を設定し，優先順位を高くした。その一方で，予算については過去のプロジェクトの実績をもとに目標値を定めるものの，一連の業務改革予算の枠内で変更可能とし，優先順位を低くした。

優先順位に限らず，何かを決定した際はその理由にも言及しよう

(2)　経営事業戦略との検証

……

一つの題材で，無理に記述量を増やすよりも，複数の題材を展開するほうがよい

1.3 情報化投資

… 30秒チェック！ …
Super Summary

1 投資評価方法

■情報化投資の効果を評価するには，次の方法がある。

□NPV法…割引率を考慮して算出した正味現在価値で評価する方法

□IRR法…投資の内部利益率の大小で評価する方法

□PBP法…投資の回収期間で評価する方法

＊

■投資費用は，初期投資だけではなくTCOで算出する。

□TCO…システムなどの所有に必要な総費用

＊

! ポイントテーマ▶P.39

■IT投資は，経営戦略との適合，投資費用，投資効果，プロジェクトマネジメントなどの観点から評価する。

2 経営指標

■情報化投資の面から企業を評価する指標としては，次のものがある。

□ROI…投資がどれだけ利益を生み出しているかを測る指標

□ROE…自己資本がどれだけ利益を生み出しているかを測る指標

□ROA…資産がどれだけ利益を生み出しているかを測る指標

1 投資評価方法

■ NPV（Net Present Value：正味現在価値）法

NPV法は，回収される利益を現在価値に割り引いて，投資効果を評価する方法である。回収額を現在価値に割り引いたものから投資額を引いて投資効果を算出し，その大小を比較する。例えば，初期投資が220万円，割引率が５％，１～３年目の回収額が次図の場合，回収額の現在価値は次のように計算できる。

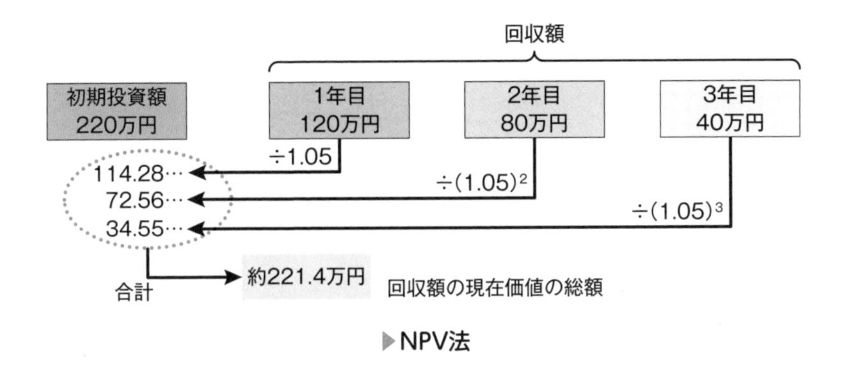

▶NPV法

3年間の回収額の現在価値の総額はおよそ221.4万円となる。回収額の現在価値の総額は投資額の220万円を上回り，投資効果は1.4万円となる。

■ IRR（Internal Rate of Return：内部収益率）法

IRRは，投資額と回収額双方の現在価値の総額が等しくなる収益率のことである。IRR法は，IRRの大小で投資効果を評価する手法で，IRRの値が大きいほど投資効果が高いといえる。

IRRは，投資額と回収額双方の現在価値の総額が等しくなる割引率ともいえる。NPV法の説明で用いた例において，割引率を5.4%とすると，

回収額の現在価値　　投資額の現在価値

$$\frac{120}{1.054} + \frac{80}{(1.054)^2} + \frac{40}{(1.054)^3} \fallingdotseq 220$$

$$\text{IRR} = 5.4\%$$

▶IRR法

となり，投資額と回収額双方の現在価値が一致する。よって，この投資のIRRは5.4%となる。

■ PBP（Pay Back Period：回収期間）法

PBPは，投資を回収できるまでに要する期間のことである。PBP法は，PBPの短い投資案件ほど投資効率が良いと評価する。

PBP法は，計算が単純であるが，時間的価値や回収期間以降の投資や回収が考慮されないなどの欠点がある。例えば，次のA案とB案をPBP法で比較すると，回収額の総額ではA案が優れているにもかかわらず，PBPが短いB案のほうが投資効率は良いと評価されてしまう。

投資額
500万円

	回収額				
	1年目	2年目	3年目	4年目	5年目
A案	200万円	200万円	100万円	200万円	300万円
B案	300万円	200万円	100万円	50万円	50万円

B案のPBP＝2年　A案のPBP＝3年

▶PBP法

■ TCO（Total Cost of Ownership）

TCOは，情報システムの導入，運用，維持・管理，廃棄などにかかる費用の総額である。企業戦略の実現のために，情報システムの導入を検討する場合，システムの導入費用だけではなく，ライフサイクルを通して必要となる全ての費用を考慮する必要がある。

埋没原価（すでに発生したコストや意思決定によらず発生するコスト）など，目に見えない費用もTCOに含める。

■ IT投資の評価 !ポイントテーマ▶P.39

2 経営指標

企業活動が生み出した利益をもとに経営の適切性を評価することがある。これに用いられる指標にはROI，ROE，ROAがある。

▶利益をもとにした経営指標

	計算式	評価
■ROI：投資利益率 Return On Investment	$\frac{利益}{投資額}\times 100$	ROIが高いほど，投資が効果的に利益を生み出していると判断できる
■ROE：自己資本利益率 Return On Equity	$\frac{利益}{自己資本}\times 100$	ROEが高いほど，資本が効果的に利益を生み出していると判断できる
■ROA：総資産利益率 Return On Assets	$\frac{利益}{総資産}\times 100$	ROAが高いほど，資産が効果的に利益を生み出していると判断できる

IT投資の評価には，ROIを用いる。

総資産に占める自己資本の割合，$\frac{自己資本}{総資産}$を自己資本比率と呼ぶ。自己資本比率を用いると，

$$ROE=\frac{ROA}{自己資本比率}$$

とも表すことができる。

!ポイントテーマ IT投資の評価

IT投資の適切性については，構想・企画段階，開発段階，事後のそれぞれで，次のポイントから評価する。

❶ 経営戦略との適合
❷ 投資費用
❸ 投資効果
❹ プロジェクトマネジメント

構想・企画段階におけるIT投資の評価ポイントを挙げる。

(1) 経営戦略との適合
① 投資目的・目標が明確であり，経営戦略との適合はあるか（経営戦略と主要プロジェクトの関係，システム構造，プロジェクトの優先順位は保たれているか）
② プロジェクトの優先度は妥当か，今実施すべき案件は他にないか

(2) 投資費用

① 対象案件を加えた場合の新規投資と保守運用費用のバランスは妥当か

② 対象案件を加えた場合の目的別IT投資の比率（IT投資ポートフォリオ）は妥当か

③ 投資回収年数は妥当か

④ 超概算予算は妥当か

⑤ 対象プロジェクトは「小さく生んで大きく育てる」ことが徹底されているか

⑥ コスト配賦の方法は明確か，方法は妥当か

(3) 投資効果

① BPR（業務改革）を実施する案になっているか，システム化以前の準備は十分か

② 一次効果に加え，余剰時間の使い方を検討する計画になっているか（一次効果，二次効果の切り出し）

③ KPI，ユーザー満足度，他社比較（ベンチマーク），実施しないリスクの見極めなど，効果検討の方針は明確か，検討結果は妥当か

④ 開発実績評価の時期，撤退条件などを明確にしているか，内容は妥当か

(4) プロジェクトマネジメント

① 品質，工期，費用など守るべき優先順位を定めているか，定めた優先順位は妥当か

② プロジェクト責任者（開発，運用，利用責任者）は明確か，選定結果は妥当か

③ ベンダーの選定基準は明確か，選定結果は妥当か

※経産省「IT投資価値評価ガイドライン」より引用

こう書ける！ 論述試験へのヒント

論述試験では，IT投資の妥当性について事業部門や経営者にどのように説明したかが問われることがある。これを説明する際には，評価ポイントのいずれかに焦点をあて，具体例を交えながら論述しよう。自身の経験をもとに，いくつかの評価ポイントについてあらかじめストーリを用意しておくとよい。

X.X　IT投資の説明について

IT投資について，私は次の観点から経営者に説明した。

(1)　経営戦略との適合

経営者への説明では重要となる

Aプロジェクトの効果について，私は経営戦略と適合していることを説明した。具体的にはシステムの導入により，要員の最適配置や在庫の圧縮が実現する。これによるコストダウン効果を説明し，当社の経営戦略である利益の拡大につながることを説明した。また，当社にとって在庫の圧縮が喫緊の課題であることを説明した上で，他のプロジェクトと比較してAプロジェクトの優先順位が高いことも説明した。

(2)　IT投資効果

基準値でかまわない
具体的な値が入ればなおよい

IRRの説明を加えて
知識をアピール！

Aプロジェクトの財務面での効果について，私は今後５年間に予想されるIT投資額と費用の圧縮を含む回収額を試算し，それらの合計値が等しくなる利益率（IRR）を計算した。その結果，最も良いシナリオでは15%，標準的なシナリオでも10%を超えるIRRが得られた。この値は，当社のハードルレートを超えていたため，この結果をもとに投資が有効であることを説明した。顧客満足度の向上やクレーム率の低下など，数値換算が困難な指標についても，過去の実績や他社との比較（ベンチマーク）を用いて，どの程度改善するかを説明した。

これらに併せて，Aプロジェクトを実施しなかった場合のリスクについても説明した。具体的には，当社がAプロジェクトの実施を見送り，他社が同様のIT投資を実施した場合を仮定し，利益体質や競争関係がどのように変化するかを他分野や海外の事例を参考に予測して説明した。

具体的に「顧客満足度をXX%向上させる」などとしてもよい

経営者ではなく事業部門に説明する場合には，投資規模や割賦割合なとに言及してもよい

1.4 AI

… 30秒チェック！ …
Super Summary

■AIは，現段階では発展途上である。そのため，単独ではなく，各種の情報システムに組み込まれて，システム機能を高度化させるのに用いられる。
□AI…人間の知能の働きを機械で高速に実現させる技術
□機械学習…AIが学習して，分析や判断を行うこと
□ディープラーニング…AIが何の事前知識なしに，学習すること
□シンギュラリティ…AIが人間の思考法を超えて独自で思考できること

1 AI

■ AI（Artificial Intelligence：人工知能）

AIとは，コンピュータを使って人間の知能の働きを人工的に実現する技術である。AI研究の歴史は古く，1950年～1960年代の第１次ブーム，1980年代の第２次ブームを経て，2010年ごろから第３次ブームが起きている。第１次及び第２次ブームでは，AIの実用化は難しかった。しかし，第３次ブームになると，コンピュータの性能が高くなったことに加え，ビッグデータの普及やAIの研究が進んで，急速にビジネスに活用されてきている。

■ 機械学習（マシンラーニング）

機械学習は，AIの中心となる技術である。サンプルとなるデータをAIに入力すると，AIがデータを分析して一定のルールやパターンを抽出し，それをもとに，AI自身が学習して予測を行う。

機械学習には，教師あり学習と教師なし学習がある。あらかじめ入力と出力がセットになったデータをAIに大量に与えて，それをもとにAIが学習する方法を教師あり学習といい，このときAIに与えるデータを教師データと呼ぶ。例えば，猫の画像データを教師データとして大量にAIに与えると，それをもとに，AIは新しい画像データから猫を探し出す。これに対して，入力データだけをAIに与え，データの中からAIが自分でパターンや共通項などの特徴を見つけて判断する方法を教師なし学習という。

■ディープラーニング（deep learning：深層学習）

ディープラーニングは，機械学習の手法の一つで，機械学習をさらに進めて高精度の予測を可能にする。AIの第３次ブームは，ディープラーニングが大きな特徴である。

ディープラーニングは，ニューラルネットワークという人間の脳の神経細胞（ニューロン）の仕組みを利用して，処理を行う層を何層も重ねて予測の精度を向上させている。機械学習のうち，多層のニューラルネットワークを用いた手法がディープラーニングといえる。

■シンギュラリティ（技術的特異点）

シンギュラリティは，近い将来，AIが人間の脳を超えて自分自身で思考するようになり，人間の生活に大きな変化が起こるのではないかという考えである。

1.5 IoT

… 30秒チェック！ …
Super Summary

■IoTは，様々な装置がインターネットを通じて接続し，情報をやり取りする仕組みである。

□IoT…インターネットを経由して，様々な装置，またはセンサーを接続して情報をやり取りする仕組み

□エッジコンピューティング…IoTの情報処理を遠隔地ではなく，末端の装置の近くで行う形態

1 IoT

■IoT（Internet of Things）

IoTは，通信機能を持った様々なデバイスやシステムがネットワークを介してつながり，情報をやりとりする仕組みの総称である。「**モノのインターネット**」と訳される。多くのIoTシステムは，一般に次のような手順で機能する。

①各所に設置したセンサーでデータを収集する。

②収集したデータを，インターネットを介してクラウドにアップロードする。

③クラウド上にあるサーバで，データを処理する。
④処理した結果をもとに，アクチュエータで機器を制御する。

IoTでネットワークにつながったモノ（機器や装置）をIoTデバイスといい，IoTデバイスをインターネットに仲介する機器をIoTゲートウェイという。また，インターネットを経由せず，モノ同士が直接つながって情報をやりとりする場合もあり，これをM2M（Machine to Machine）という。

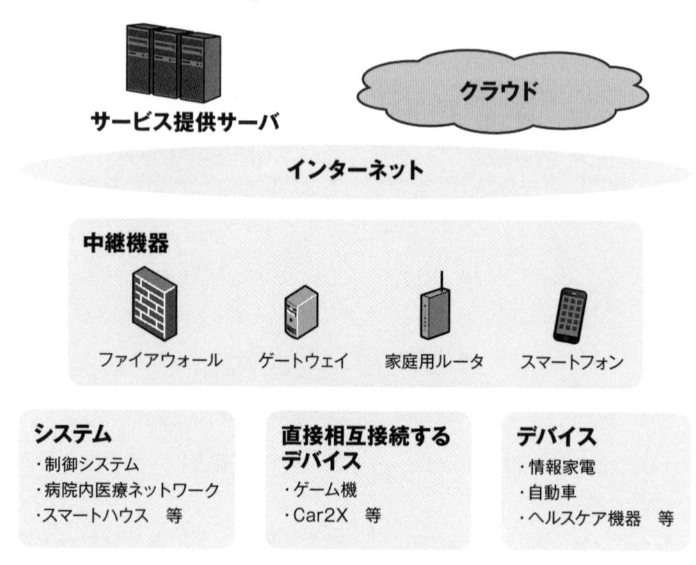

▶クラウドを利用したIoT

■ エッジコンピューティング

インターネットを介して，IoTデバイスから離れたクラウドのサーバでデータを処理するクラウドコンピューティングという形態は，大量のデータ処理に適している。しかし，クラウドとの通信に時間がかかり遅延が生じる可能性がある。これを解決する方法がエッジコンピューティングである。エッジコンピューティングは，クラウドを使わず，IoTデバイスの近くやIoTデバイスの中にあるコンピュータでデータを処理する。処理のリソースを端末の近くに置くことによって，アプリケーション処理の低遅延化や通信トラフィックの最適化ができる。エッジ（edge）とは，IoTデバイスで収集したデータを回線に送り出すポイントのことである。

1.6 ビッグデータ

… 30秒チェック！ …
Super Summary

■ビッグデータは，いろいろな分野にあふれている大量のデータのことである。ビッグデータを収集して，いろいろな方法で分析することで，新たな知見を導出する。

□**ビッグデータ…意思決定の判断材料を提供する，大量のデータ**
□オープンデータ
□産業データ
□パーソナルデータ

1 ビッグデータ

■ ビッグデータ

ビッグデータとは，大量のデータを意味するが，単にデータ量が膨大であるだけでなく，データの発生源やデータの形式が多様であること，及び，発生するスピードが速いことを特徴とする。

近年，急速にビッグデータの活用が進んでいるのは，インターネットやIoTデバイスなどの技術の進歩によってデータを大量に収集できるようになったこと加え，AIでそのデータを分析して様々な予測ができるようになったことが大きな要因である。

ビッグデータを分析することによって，予測や意思決定に役立つ知見を得られるなど，大きな価値が生まれる。その一方で，ビッグデータのセキュリティの確保は大きな課題となっている。また，データ量が多いために関係者が多く，データの所有者と利用者の間の利害の調整という課題もある。

総務省の『平成29年版　情報通信白書』では，ビッグデータを次のように分類している。

- **政府：国や地方公共団体が提供するオープンデータ**
- **企業：産業データ**
- **個人：個人の属性にかかわるパーソナルデータ**

■ オープンデータ

オープンデータとは，公開（オープン）され，だれでも自由に入手して利用できるデータである。オープンデータのなかでビッグデータといえるのは，政府や自治体や公的機関が公開している各種の統計データが中心である。

■ 産業データ

産業データとは，企業の知識や暗黙知（ノウハウ）をデジタル化して構造化したデータや，企業がIoTデバイスやインターネットから収集したデータなどである。

■ パーソナルデータ

パーソナルデータとは，個人に関する情報の総称である。個人の属性情報だけでなく，移動・行動・購買履歴，ウェアラブル機器から収集されたヘルスデータなど，個人を識別できない情報もパーソナルデータに含まれる。

1.7 アジャイル開発

… 30秒チェック！ …
Super Summary

■要求仕様の変化に柔軟に対応して，高品質のソフトウェアをより早く提供することを目的とする開発手法である。

□アジャイル開発…ユーザーの立場に立って，スピードを強く意識した開発手法

□アジャイル開発の手法

- ・XP
- ・テスト駆動開発
- ・スクラム
- ・リファクタリング
- ・ペアプログラミング

1 アジャイル開発

■ アジャイル開発

アジャイル開発とは，小さな単位で実装とテストを繰り返す開発方法である。ウォ

ーターフォールなどの従来の方法に比べて開発期間が短縮されるため，アジャイル（agile：俊敏な）と呼ばれる。

アジャイル開発は，開発中に仕様変更や問題が発生することを前提としている。そのため，計画段階での仕様の決定は，大まかなものにとどめる。そして，

小さな単位で設計→実装→テスト→リリース

を1～2週間で反復して開発を進める。この反復をイテレーションという。これによって，仕様変更や問題にすばやく柔軟に対応でき，開発期間も短縮できる。

第1部 午前Ⅱ試験対策

■アジャイル開発の手法

・XP（エクストリームプログラミング）

アジャイル開発の代表的な手法。開発チーム内でコミュニケーション，シンプル，フィードバック，勇気，尊重の5つの価値と19のプラクティスを共有して開発を進める。プラクティスには，**リファクタリング**，**テスト駆動開発**，**ペアプログラミング**などが含まれる。

・リファクタリング

ソフトウェアの動作を変えずに，内部のコードを整理すること。リファクタリングしたコードは保守性や可読性が高く，再利用性も高くなる。

・テスト駆動開発（TDD：Test Driven Development）

開発するソフトウェアの各機能について，最初にテストを設計し，そのテストに通る最小限のプログラムコードの実装を行う方法。テストに通って動く部分を最初に作成し，その後，リファクタリングによって完成していく。テストから始めることをテストファーストという。

・ペアプログラミング

2人の開発者がペアになり，1台のパソコンを使って共同で開発を行う手法。2人で作業することによってミスが減り，コードや情報を共有できるので開発時間が短縮される。

・スクラム

開発チームの権限が強く，共通のゴールに向かって開発チームが一体となって働くことを重視する手法。「ラグビーのスクラム」からきたといわれ，XPと並んでアジャイル開発でよく用いられる。

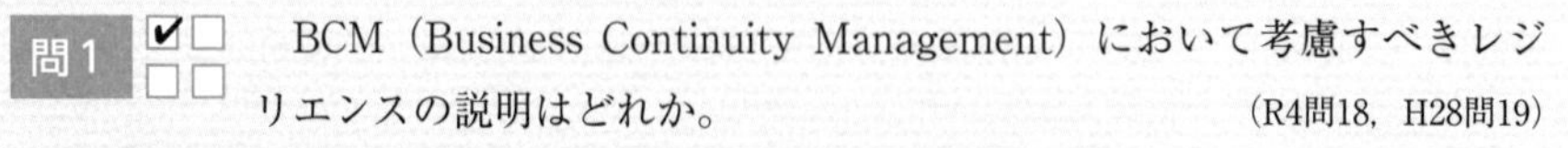

確認問題

問1 ✔□ □□ BCM（Business Continuity Management）において考慮すべきレジリエンスの説明はどれか。 （R4問18，H28問19）

ア　競争力の源泉となる，他社に真似のできない自社固有の強み
イ　想定される全てのリスクを回避して事業継続を行う方針
ウ　大規模災害などの発生時に事業の継続を可能とするために事前に策定する計画
エ　不測の事態が生じた場合の組織的対応力や，支障が生じた事業を復元させる力

問1　解答解説

BCM（Business Continuity Management：事業継続管理）は，リスクマネジメントの一つである。大事故や災害といった不測の事態が生じたときにも，事業の継続やサービスの提供を可能にするという経営手法である。

BCMにおけるレジリエンスとは，不測の事態が生じた場合の組織的対応力や，支障が生じた事業を復元させる力のことである。

ア　コアコンピタンスの説明である。
イ　BCMの基本方針の一つである。
ウ　BCP（Business Continuity Plan：事業継続計画）の説明である。　《解答》エ

問2 ✔□ □□ エンタープライズアーキテクチャの参照モデルのうち，BRM（Business Reference Model）で提供されるものはどれか。 （R元問1，H26問1）

ア　アプリケーションサービスを機能的な観点から分類・体系化したサービスコンポーネントから成る，アプリケーションサービスの再利用を促進するためのモデル
イ　業務分類に従った業務体系・システム体系と各種業務モデルから成る，組織全体で業務やシステムの共通化の対象領域を洗い出すためのモデル
ウ　サービスコンポーネントを実際に活用するためのプラットフォームやテクノロジの標準仕様から成る，組織全体での技術の標準化を促進するためのモデル
エ　組織間で共有される可能性の高い情報について，名称，定義及び各種属性を総体的に記述したモデルから成る，情報の再利用・統合を促進するためのモデル

問2 解答解説

エンタープライズアーキテクチャの参照モデルは，エンタープライズアーキテクチャの策定にあたって参考書や辞書のような役割を果たす。BRM（Business Reference Model）は，業務参照モデルで，ビジネスアーキテクチャの策定に際して活用される参照モデルである。業務を実施部署と切り離して機能的に記述したもので，業務と情報システムの全体最適化計画の基礎となる。

ア SRM（Service Component Reference Model：サービスコンポーネント参照モデル）で提供されるモデルである。
ウ TRM（Technical Reference Model：技術参照モデル）で提供されるモデルである。
エ DRM（Data Reference Model：データ参照モデル）で提供されるモデルである。

《解答》イ

問3

☑☐☐☐ 官民データ活用推進基本法などに基づいて進められているオープンデータバイデザインに関して，行政機関における取組の記述として，適切なものはどれか。 (R4問1，R元問2)

ア 行政機関が保有する個人情報を産業振興などの目的でオープン化するためには，データ収集の開始に先立って個人情報保護委員会への届出が必要となる。
イ 行政機関において収集・蓄積された既存のデータが公開される場合，営利目的の利用は許されておらず，非営利の用途に限って利用が認められている。
ウ 行政機関における情報システムの設計において，情報セキュリティを確保する観点から，公開するデータの用途を行政機関同士の相互利用に限定する。
エ 対象となる行政データを，二次利用や機械判読に適した形態で無償公開することを前提に，情報システムや業務プロセスの企画，整備及び運用を行う。

問3 解答解説

『オープンデータ基本指針』に，オープンデータバイデザインは「公共データについて，オープンデータを前提として情報システムや業務プロセス全体の企画，整備及び運用を行うことである」とある。次のいずれの項目にも該当する形で公開されたデータをオープンデータと定義する。

① 営利目的，非営利目的を問わず二次利用可能なルールが適用されたもの
② 機械判読に適したもの
③ 無償で利用できるもの

オープンデータは，国，地方公共団体及び事業者が保有する官民データを，誰でも無料で自由に利用できるというルールでインターネット上などに公開されたデータであり，情報機

器などで容易に利用（加工，編集，再配布など）できるデータといえる。したがって行政機関は，オープンデータの定義により，対象となる行政データを，二次利用や機械判読に適した形態で，無償公開することを前提に，情報システムや業務プロセスの企画，整備及び運用を行う必要がある。

ア　個人情報の利用には，本人の同意を得る必要がある。個人情報保護委員会は，個人情報（特定個人情報を含む）の有用性に配慮しつつ，その適正な取扱いを確保するために設置された機関であり，オープン化する際に個人情報の利用を許可する機関ではない。
イ　公開されるデータは，営利目的，非営利目的を問わず利用が認められている。
ウ　公開するデータの用途を，限定することはない。　《解答》エ

問4 ☑☐☐☐　金融業界で生まれた考え方で，主に被規制事業者が各種規制に正しく対応できているかどうかをチェックする業務などを，最新ITを駆使して効率化する取組はどれか。　(R6問2，R4問2)

ア　MOT　イ　ギグエコノミー
ウ　コンプライアンス　エ　レグテック

問4　解答解説

レグテック（RegTech）とは，国の監督機関などが定めた様々な規制に対して，その規制を受ける側（被規制事業者など）が効率的に対応できるように最新のITを駆使した解決手法である。規制（Regulation）と技術（Technology）を組み合わせた造語である。2008年のリーマンショック以降の金融規制の強化とそれを遵守するための費用増大に対応するために生まれた考え方である。

これに対して，規制を監督する側に用いる解決手法を，スプテック（SupTech）といい，監督（Supervisory）とテクノロジ（Technology）を組み合わせた造語である。

MOT（Management of Technology）：技術を事業の核とする企業や組織が，持続的発展のために，それら技術を活かして開発した製品やサービスなどの経営管理を行い，経済的価値を作り出すという経営手法
ギグエコノミー（Gig Economy）：企業に長期的に労働力を提供するのではなく，オンライン上のプラットフォームなどを利用して，短期的に労働力を提供する働き方
コンプライアンス：法令遵守を意味し，法律や社会的な規範に反することなく活動するという概念　《解答》エ

問5 ✔□ □□ 経済産業省が策定した“「DX推進指標」とそのガイダンス”における DX推進指標の説明はどれか。 (R3問1)

ア ITベンダが，情報システムを開発する際のプロジェクト管理能力，エンジニアリング能力を高めていくために，現状のプロセス状況を5段階に分けて評価し，不十分な部分を改善することを目指すもの

イ 経営者や社内関係者が，データとデジタル技術を活用して顧客視点で新たな価値を創出していくために，現状とあるべき姿に向けた課題・対応策に関する認識を共有し，必要なアクションをとるための気付きの機会を提供することを目指すもの

ウ 社内IT部門が，不正侵入やハッキングなどのサイバー攻撃から自社のデータを守るために，安全なデータの保管場所，保管方法，廃棄方法を具体的に選定するための指針を提供することを目指すもの

エ 内部監査人が，企業などの内部統制の仕組みのうち，ITを用いた業務処理に関して，情報システムの開発・運用・保守に係るリスクを評価した上で，内部統制システムを整備することを目指すもの

問5 解答解説

DX推進指標とは，企業がDX（Digital Transformation）を推進するために自己診断を行うための指標である。経済産業省の「『DX推進指標』とそのガイダンス」によると「『DX推進指標』は，DX推進に向けて，経営者や社内の関係者が，自社の取組の現状や，あるべき姿と現状とのギャップ，あるべき姿に向けた対応策について認識を共有し，必要なアクションをとっていくための気付きの機会を提供することを目指すものである」とある。

DX推進指標は，次の二つで構成される。

①DX推進のための経営のあり方，仕組みに関する指標
「DX 推進の枠組み」（定性指標），「DX推進の取組状況」（定量指標）

②DXを実現するうえで基盤となるIT システムの構築に関する指標
「IT システム構築の枠組み」（定性指標），「ITシステム構築の取組状況」（定量指標）

ア CMMI（Capability Maturity Model Integration）の説明である。
ウ 情報セキュリティポリシーの説明である。
エ 内部統制の評価と内部統制システムの整備に関する説明である。 《解答》イ

問6 ✔□ □□ IDEALによるプロセス改善の取組みにおいて，図のbに当てはまる説明はどれか。 (H30問1，H26問2)

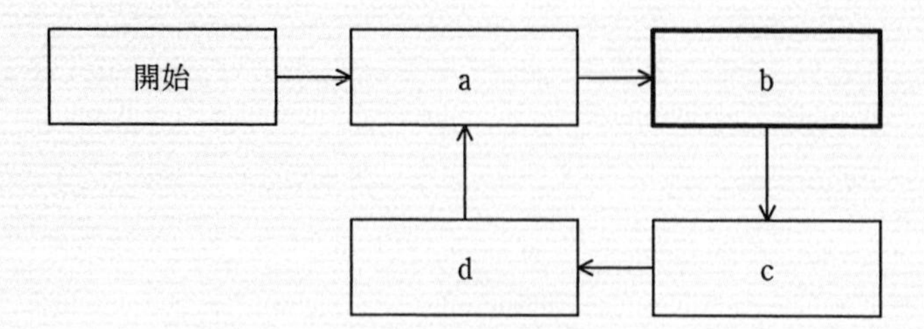

ア　解決策を作り，その先行評価・試行・展開を行う。
イ　改善活動の優先順位を設定し，具体的な改善計画を作成する。
ウ　活動を分析してその妥当性を確認し，次のサイクルの準備を行う。
エ　業務の現状を調査して可視化し，改善ポイントを明らかにする。

問6　解答解説

IDEAL（アイディイーエイエル）とは，開始（Initiating），診断（Diagnosing），確立（Establishing），行動（Acting），学習（Learning）の五つのフェーズからなる循環的なプロセス改善手法である。図のaは診断フェーズ，bは確立フェーズ，cは行動フェーズ，dは学習フェーズである。bの確立フェーズでは，改善活動の優先順位を設定し，具体的な改善計画を作成する。

ア　cの行動フェーズの説明である。
ウ　dの学習フェーズの説明である。
エ　aの診断フェーズの説明である。

《解答》イ

問7 ✔□ □□ BPOを説明したものはどれか。 (H21問2)

ア　企業内の業務全体を対象として，業務プロセスを抜本的に見直すことで，品質・コスト・スピードを改善し，競争優位性を確保すること
イ　災害や事故で被害を受けても，重要事業を中断させない，又は可能な限り中断期間を短くする仕組みを構築すること
ウ　社内業務のうちコアビジネス以外の業務の一部又は全部を，情報システムと併せて外部に委託することで，経営資源をコアビジネスに集中させること

エ　プロジェクトを，戦略との適合性や費用対効果，リスクといった観点から評価を行い，情報化投資のバランスを管理し，最適化を図ること

問7　解答解説

BPO（Business Process Outsourcing）とは，自社のコアビジネス以外のビジネスプロセス（業務）の一部または全部を外部の企業にアウトソーシングすることを意味する。ITシステムの分野においては，業務そのものに併せて自社の情報システムの運用も外部委託する。給与計算業務を給与計算システムとともに外部の企業に委託するケースがその例である。

ア　BPR（Business Process Re-engineering）の説明である。
イ　BCP（Business Continuity Planning：事業継続計画）の説明である。
エ　プロジェクトポートフォリオマネジメントの説明である。　《解答》ウ

問8　☑□ □□　SOAの説明はどれか。　(H30問2)

ア　会計，人事，製造，購買，在庫管理，販売などの企業の業務プロセスを一元管理することによって，業務の効率化や経営資源の全体最適を図る手法
イ　企業の業務プロセス，システム化要求などのニーズと，ソフトウェアパッケージの機能性がどれだけ適合し，どれだけかい離しているかを分析する手法
ウ　業務プロセスの問題点を洗い出して，目標設定，実行，チェック，修正行動のマネジメントサイクルを適用し，継続的な改善を図る手法
エ　利用者の視点から業務システムの機能を幾つかの独立した部品に分けることによって，業務プロセスとの対応付けや他ソフトウェアとの連携を容易にする手法

問8　解答解説

SOA（Service Oriented Architecture）とは，業務プロセスやそれを支援する情報システムを，サービスを実現するソフトウェア部品としてとらえ，それらを組み合わせることによってシステムを構築する手法である。

ア　ERP（Enterprise Resource Planning）に関する記述である。
イ　フィット＆ギャップ分析の説明である。
ウ　PDCA（Plan－Do－Check－Action）による継続的改善の説明である。　《解答》エ

問9 ☑☐☐☐ 構造化インタビューの手法を用いた意見の収集形態はどれか。

(H30問4)

ア　参加者にテーマだけを提示し，そのテーマに対し，意見の収集，要約，配布，再度の意見の収集を繰り返すことで，集約した意見を収集した。

イ　熟練したインタビュアが，議論を一定の方向に絞りながら，会議の参加者の自由な意見を収集した。

ウ　調査項目を全て決めてから，決められた順序で質問することで，インタビュアの技量に左右されない意見を収集した。

エ　批判厳禁，自由奔放，質より量，他人の意見の活用などを基本ルールとして，多様で新たな意見を収集した。

問9 解答解説

構造化インタビューとは，あらかじめ決めておいた質問事項を，決められた順序で質問するインタビューの手法である。インタビュアが質問を構成することはないので，インタビュアの技量に左右されず，意見を収集することができる。

これに対して，質問事項は決めておくが，回答の内容に対してインタビュアがさらに質問することで詳細な回答を引き出すインタビューの手法を，半構造化インタビューという。事前に決められた質問事項に対する回答に対して，インタビュアの判断で質問することになるので，意見の収集にインタビュアの技量が反映される。

ア　デルファイ法を用いた意見の収集形態である。

イ　フォーカスグループインタビューを用いた意見の収集形態である。

エ　ブレーンストーミングの手法を用いた意見の収集形態である。　《解答》ウ

問10 ☑☐☐☐ 共通フレーム2013によれば，要件定義プロセスの活動内容には，利害関係者の識別，要件の識別，要件の評価，要件の合意などがある。このうちの要件の識別において実施する作業はどれか。

(H30問5)

ア　システムのライフサイクルの全期間を通して，どの工程でどの関係者が参画するのかを明確にする。

イ　抽出された要件を確認して，矛盾点や曖昧な点をなくし，一貫性がある要件の集合として整理する。

ウ　矛盾した要件，実現不可能な要件などの問題点に対する解決方法を利害関係者に説明し，合意を得る。

エ　利害関係者から要件を漏れなく引き出し，制約条件や運用シナリオなどを明らかにする。

問10　解答解説

要件定義プロセスでは，プロセス開始の準備，利害関係者の識別，要件の識別，要件の評価，要件の合意，要件の記録を行う。このうち，要件の識別では，要件の抽出，制約条件の定義，代表的活動順序の定義（シナリオ化），利用者とシステム間の相互作用の識別，システムの使用が周辺に及ぼす影響への対処などを実施する。

ア　利害関係者の識別で実施する作業である。
イ　要件の評価で実施する作業である。
ウ　要件の合意で実施する作業である。　《解答》エ

問11　☑□ □□　共通フレームによれば，システム化計画の立案において，システム化機能を整理し，情報と処理の流れを明確にするために実施する作業はどれか。（H27問4，H24問4）

ア　機能要件の定義　イ　業務運用手順の文書化
ウ　業務モデルの作成　エ　システム方式の確立

問11　解答解説

共通フレームの企画プロセスの「システム化計画の立案」というアクティビティの中に「システム化機能の整理とシステム方式の策定」というタスクが定義されている。そこには，「業務モデルの作成によって作成された業務モデルから対象とした業務機能を支援するシステム化機能を整理し，開発内容と優先順位を明らかにする。この機能について情報と処理の流れを記述する」と記載されている。

ア　要件定義プロセスで実施する作業である。
イ　運用プロセスで実施する作業である。
エ　システム開発プロセスで実施する作業である。　《解答》ウ

問12　☑□ □□　システムの機能要件を定義する上で，前提となる要件定義作業はどれか。（H23問6，H21問8）

ア　対象業務の業務モデルから業務機能を支援するシステム化機能を整理し，その実現のために必要なシステム方式を策定する。
イ　対象業務の具体的な業務上の問題点を分析し，解決方向を明確化するとともに，

第1部 午前Ⅱ試験対策

システムを用いて実現すべき課題を定義する。

ウ　利害関係者からのニーズを整理し，新しい業務の在り方や運用をまとめた上で，業務上実現すべき要件を明らかにする。

エ　利害関係者要件のシステム要求が技術的に実現可能であるかを検証し，システム設計が可能な技術要件に変換する。

問12 解答解説

システムの機能要件とは，業務要件を実現するためのシステム要件である。このシステムの機能要件を定義するうえで，前提となる要件定義の作業では，業務システムで実現すべき業務要件を定義する。すなわち，利害関係者からのニーズを整理し，新たな業務のあり方や運用をまとめたうえで，業務上実現すべき要件を明らかにする作業が要件定義作業である。

ア　システム要件の定義後に行う，システム方式の設計作業に関する記述である。

イ　システムの機能要件の前提となる業務要件を定義するために行うべき，業務分析作業に関する記述である。

エ　システム要件の定義作業に関する記述である。　《解答》ウ

問13 ✔□□□　利用者要件のうち，非機能要件項目はどれか。　(R5問5)

ア　新しい業務の在り方や運用に関わる業務手順，入出力情報，組織，責任，権限，業務上の制約などの項目

イ　新しい業務の遂行に必要なアプリケーションシステムに関わる利用者の作業，システム機能の実現範囲，機能間の情報の流れなどの項目

ウ　経営戦略や情報戦略に関わる経営上のニーズ，システム化・システム改善を必要とする業務上の課題，求められる成果・目標などの項目

エ　システム基盤に関わる可用性，性能，拡張性，運用性，保守性，移行性などの項目

問13 解答解説

非機能要件とは，そのシステムの機能を問題なく利用し続けるには，どのような品質や性能が必要かを説明したものであり，項目としては，可用性，性能，拡張性，運用性，保守性，移行性，セキュリティ，システム環境などが挙げられる。

一方，機能要件とは，システムを使って実現したいことを説明したものであり，項目としては，システムが実現すべき機能（入力，処理，出力の関係など），及び処理内容などが挙

げられる。

ア　新しい業務の在り方や運用に関わる業務手順，入出力情報，組織，責任，権限，業務上の制約などの項目は，業務要件項目（利害関係者要件項目）である。

イ　新しい業務の遂行に必要なアプリケーションシステムに関わる利用者の作業，システム機能の実現範囲，機能間の情報の流れなどの項目は，機能要件項目である。

ウ　経営戦略や情報戦略に関わる経営上のニーズ，システム化・システム改善を必要とする業務上の課題，求められる成果目標などの項目は，システム化方針の項目である。

《解答》エ

問14 ☑☐☐☐　BABOKでは，要求をビジネス要求，ステークホルダ要求，ソリューション要求及び移行要求の４種類に分類している。ソリューション要求の説明はどれか。（H25問4）

ア　経営戦略や情報化戦略などから求められる要求であり，エンタープライズアナリシスの活動で定義している。

イ　新システムへのデータ変換や要員教育などに関する要求であり，ソリューションのアセスメントと妥当性確認の活動で定義している。

ウ　組織・業務・システムが実現すべき機能要求と非機能要求であり，要求アナリシスの活動で定義している。

エ　利用部門や運用部門などから個別に発せられるニーズであり，要求アナリシスの活動で定義している。

問14　解答解説

BABOK（Business Analysis Body Of Knowledge）は，ビジネスアナリシスのベストプラクティスを体系化したガイドである。BABOKでは，システムに対するユーザー要求を明確に理解するために，要求をビジネス要求，ステークホルダ要求，ソリューション要求，移行要求の四つに分類している。

・ビジネス要求…企業全体の目的や目標をまとめたもの
・ステークホルダ要求…利用部門など特定のステークホルダからの要求をまとめたもの
・ソリューション要求…ビジネス要求やステークホルダ要求を実現するための解法・手段をまとめたもの。要件定義に該当する
・移行要求…ソリューション要求を実装（移行）するために必要な環境・機能をまとめたもの

ア　ビジネス要求の説明である。

イ　移行要求の説明である。

エ　ステークホルダ要求の説明である。

《解答》ウ

問15 ☑☐ ☐☐ IT技術動向，ソフトウェアパッケージ情報，開発方法論などの情報提供をベンダに要請するものはどれか。 (H26問5)

ア IFB イ RFI ウ RFP エ RFQ

問15 解答解説

RFI（Request For Imformation：情報提供要請，情報提供依頼書）はベンダに情報提供を要請する文書である。

IFB（Invitation For Bids）：入札案内（入札招請書）。ベンダに入札を促すために配布する文書

RFP（Request For Proposal）：提案依頼書。ベンダに提案を依頼する文書で，ベンダが提案を作成するために必要な情報を余さず記載する

RFQ（Request for Quotation）：見積り依頼書。ベンダに対して具体的な見積り提示を要請するための文書

《解答》イ

問16 ☑☐ ☐☐ ベンダX社に対して，表に示すように要件定義フェーズから運用テストフェーズまでを委託したい。X社との契約に当たって，"情報システム・モデル取引・契約書〈第二版〉"に照らし，各フェーズの契約形態を整理した。a～dの契約形態のうち，準委任型が適切であるとされるものはどれか。

(R4問5)

要件定義	システム外部設計	システム内部設計	ソフトウェア設計，プログラミング，ソフトウェアテスト	システム結合	システムテスト	運用テスト
a	準委任型又は請負型	b	請負型	c	準委任型又は請負型	d

ア a, b イ a, d ウ b, c エ b, d

問16 解答解説

システム開発における業務委託契約は，請負契約と準委任契約に大別できる。両者の違いは次のようになる。

請負契約：受託側は成果物の完成責任を負う

準委任契約：完成責任を負わないが，誠実に業務を管理する

請負契約は“業務内容の完遂によって対価が支払われる”ため，契約時に業務内容（仕様）や費用，期日などが明確になっている必要がある。仕様が不明瞭な場合は，請負型では様々なトラブルを引き起こす可能性もあるので，準委任型とするのが望ましい。

システム開発の場合，上流から下流に工程が進むに従って仕様が詳細・明確になっていくので，上流工程は準委任型，下流工程は請負型という形で契約を使い分けることが多い。

経済産業省の『情報システム・モデル取引・契約書<第二版>』では，

要件定義やそれ以前，及び導入・受入支援…準委任型を推奨

外部設計，システムテスト…請負型又は準委任型の両タイプを併記

内部設計～結合…請負型を推奨

としている。これに沿えば，「要件定義」「システム内部設計」「システム結合」「運用テスト」のうちで準委任型が適切であるのは，「要件定義」と「運用テスト」（導入・受入れ支援に該当）となる。

《解答》イ

問17 ✔□ □□ 情報システムの導入と活用によって生み出されるキャッシュフローの現在価値を計算することによって，投資効果を評価したい。このときに使われる指標はどれか。 (R3問2)

ア BSC　イ EVA　ウ NPV　エ ROI

問17 解答解説

NPV（Net Present Value；正味現在価値）とは，投資判断を定量的に評価するための投資評価手法である。将来のキャッシュフローを資本コストで割り引いた現在価値（DCF）の合計から，投資額の現在価値を差し引いた金額が正の値であることを投資条件とするものである。

BSC（Balanced ScoreCard；バランススコアカード）：企業の持つ重要な要素が企業のビジョン・戦略にどのように影響して業績に表れているのかを，四つの視点（財務，顧客，業務プロセス，学習と成長）で可視化した業績評価手法

EVA（Economic Value Added）：企業がどれだけ経済的付加価値を生み出したかを示す指標

ROI（Return On Investment）：特定の投資に対しどの程度の利益を生み出しているかを示す投資評価指標。投資利益率，投下資本利益率ともいう

《解答》ウ

問18 ✔□ □□ プロジェクト開始時点で150百万円の支出を行うIT投資プロジェクトにおいて，3年間の金銭的価値をDCF法で算定した場合，正しい金額はa～dのどれか。

なお，割引率は20%で固定とし，キャッシュフローは全て年度末に発生するものとする。また，金銭的価値の算定の際には年度ごとに百万円未満を切り捨てて計算している。

(R4問4)

IT投資プロジェクト　　単位　百万円

投資年	プロジェクト開始時点	1年後	2年後	3年後
キャッシュフロー	−150	100	100	100

DCF法による金銭的価値の算定結果　　単位　百万円

算定結果＼投資年	プロジェクト開始時点	1年後	2年後	3年後	合計
a	−150	83	69	57	59
b	−150	83	71	62	66
c	−150	83	83	83	99
d	−150	83	96	99	128

ア　a　　イ　b　　ウ　c　　エ　d

問18　解答解説

DCF（Discount Cash Flow）法とは，キャッシュフローに注目して企業価値を算出する手法である。企業が将来獲得すると期待するキャッシュフローを現在価値に割り引くことで企業価値を算定する。金銭的価値は，

その年に期待するキャッシュフロー÷(1＋割引率)^{プロジェクト開始からの年数}

で求めることができる。したがって，

1年後　$100\div(1+0.2)^1=100\div1.2^1=83.3\cdots\cdots$ [百万円]

2年後　$100\div(1+0.2)^2=100\div1.2^2=69.4\cdots\cdots$ [百万円]

3年後　$100\div(1+0.2)^3=100\div1.2^3=57.8\cdots\cdots$ [百万円]

となり，「金銭的価値の算定の際には年度ごとに百万円未満を切り捨てて計算」に従うと，1年後の金銭的価値は83百万円，2年後の金銭的価値は69百万円，3年後の金銭的価値は57百万円となる。

《解答》ア

問19 ✔□ □□ IT投資ポートフォリオにおいて，情報化投資の対象を，戦略，情報，トランザクション，インフラの四つのカテゴリに分類した場合，トランザクションカテゴリに対する投資の直接の目的はどれか。 (R3問3)

ア　管理品質向上のために，マネジメント，レポーティング，分析などを支援する。

イ　市場における競争優位やポジショニングを獲得する。

ウ　複数のアプリケーションソフトウェアによって共有される基盤部分を提供する。

エ　ルーチン化された業務のコスト削減や処理効率向上を図る。

問19 解答解説

ポートフォリオ理論は，一定のリスクの下で最高の投資利益率を上げるようにいくつかの投資を分散して選択し，組み合わせるという考え方である。これをIT関連の投資に適用したものをIT 投資ポートフォリオという。

IT投資ポートフォリオでは，目的や対象に応じていくつかのカテゴリ分けを行うことが多い。よく用いられるものに，マサチューセッツ工科大学が推奨するMITモデルと呼ばれる，投資対象を四つのカテゴリに分けて割合を管理する方法がある。概要を次に示す。

表　IT 投資対象のカテゴリ分け

カテゴリ	目的
戦略	競争優位の確立，新ビジネスの創出など
情報	ナレッジの共有，情報管理の精度向上など
トランザクション	ルーチン化した業務の効率向上，生産性向上など
インフラ	データベースなどの基盤部分のITコスト削減，性能向上など

この内容に沿って各選択肢をカテゴリ分けすると，

ア：情報　　イ：戦略　　ウ：インフラ　　エ：トランザクション

となる。

《解答》エ

問20 ✔□ □□ EVA（経済的付加価値）の算出方法を説明したものはどれか。

(㊥R6問21，H27問21，H21問24)

ア　効果の現在価値と投資額の差がゼロになる資本コストを求める。

イ　投資額に対してどれだけ利益を生み出しているかを求める。

ウ　投資額を回収するのに必要な期間（年数）を求める。

エ　利益から資本費用（投資額×資本コスト）を引いて金額を求める。

問20 解答解説

EVA（経済的付加価値）は，米スターン・スチュアート社が提唱した業績指標で，税引後利益から資本費用（投資額×資本コスト）を減算した額を表す。資本コストは，負債コストと株主資本コストを合わせたものである。
株主や債権者からの資本費用を減算することで，企業が創出した付加価値を示している。

ア IRR（Internal Rate of Return：内部収益率法）の説明である。
イ ROIC（Return On Invested Capital：投下資本利益率）の説明である。
ウ 回収期間法（Payback Period Method）の説明である。

《解答》エ

問21 ☑□ □□ TCOの算定に当たって，適切なものはどれか。 (H27問2，H25問2)

ア エンドユーザコンピューティングにおける利用部門の運用費用は考慮しない。
イ システム監査における監査対象データの収集費用や管理費用は考慮しない。
ウ システム障害の発生などによって，その障害とは直接関係のない仕入先企業が被るおそれがある，将来的な損失額も考慮する。
エ 利用部門におけるシステム利用に起因する，埋没原価などの見えない費用も考慮する。

問21 解答解説

システムを利用することによって，利用部門が時間を浪費することが予想されれば，その時間費用は埋没原価となるので，それもTCOの一部として考慮しなければならない。【TCOの本文参照】

ア エンドユーザコンピューティングにおける利用部門の運用費用は，TCOとして考慮する必要がある。
イ システム監査における監査対象データの収集費用や管理費用は，運用費用の一部として考慮する必要がある。
ウ 仕入先企業がシステム障害の発生によって被るおそれのある将来的な損失額は，仕入先企業の問題である。当該企業のTCOにはかかわりがないため，考慮する必要はない。

《解答》エ

問22 ☑□ □□ スマートフォン向けのアプリケーションプログラムの開発プロジェクトa～dにおいて，2年間の投資効果をNPVで評価する場合，投資効果が最大となるプロジェクトはどれか。ここで，割引率は10%とする。

(R5問4)

単位　百万円

プロジェクト	初期投資額	1年目 キャッシュフロー	2年目 キャッシュフロー
a	7.9	4.40	4.84
b	5.5	3.30	3.63
c	4.3	3.30	2.42
d	6.1	2.20	3.63

ア　a　　イ　b　　ウ　c　　エ　d

問22　解答解説

NPV（Net Present Value；正味現在価値）は，投資回収できるかを評価する指標である。NPV＝0であれば投資しても利益が出ないことを示し，NPV＞0であれば投資すると利益を得ることができ，その値が大きいほど多くの利益が回収できることを示す。

NPVは，PV（Present Value；現在価値）の合計額から投資額を差し引いて算出する。PVは，将来受け取るキャッシュフローが現時点でどのくらいの価値があるのかを示し，

PV＝n年後のキャッシュフロー÷(1＋割引率)^{n}

で求めることができる。問題文に割引率は「10%」とある。

a～dのそれぞれのプロジェクトのNPVは，次のようになる。

プロジェクトaのNPV＝(4.40÷(1.1)^{1}＋4.84÷(1.1)^{2})－7.9
＝(4＋4)－7.9＝0.1

プロジェクトbのNPV＝(3.30÷(1.1)^{1}＋3.63÷(1.1)^{2})－5.5
＝(3＋3)－5.5＝0.5

プロジェクトcのNPV＝(3.30÷(1.1)^{1}＋2.42÷(1.1)^{2})－4.3
＝(3＋2)－4.3＝0.7

プロジェクトdのNPV＝(2.20÷(1.1)^{1}＋3.63÷(1.1)^{2})　－6.1
＝(2＋3)－6.1＝-1.1

よって，投資効果が最大となるプロジェクトは，NPVの値が最も大きいプロジェクトcとなる。

《解答》ウ

問23 ☑☐ ☐☐ ROE（Return On Equity）を減少させるものはどれか。 （H26問22）

ア　ROAの増加　　イ　自己資本比率の増加
ウ　総資本回転率の増加　　エ　当期純利益率の増加

問23　解答解説

ROE（Return On Equity；自己資本利益率）は，自己資本（株主が投下した資本）がどれだけの純利益を稼いだかを示す指標で，

$$ROE=\frac{当期純利益}{自己資本}$$

で表す。

一方，ROA（Return On Assets：総資産利益率）は，総資産（自己資本に負債を含めたもので，総資本と同義）がどれだけの純利益を稼いだかを示す指標で，

$$ROA=\frac{当期純利益}{総資本}$$

で表す。したがって，ROEをROAを用いて表すと，

$$ROE=ROA\times\frac{総資本}{自己資本}$$

となる。

$\frac{総資本}{自己資本}$は，財務レバレッジと呼ばれ，総資本における自己資本の割合である自己資本比率$\left(\frac{自己資本}{総資本}\right)$の逆数であるため，

ROE＝ROA÷自己資本比率

とも表すことができる。ROAは，当期純利益率$\left(\frac{当期純利益}{売上高}\right)$と総資本回転率$\left(\frac{売上高}{総資本}\right)$を用いると，

ROA＝当期純利益率×総資本回転率

となる。

これらから，ROEは次のように表すことができる。

ROE＝当期純利益率×総資本回転率÷自己資本比率

よって，自己資本比率の増加はROEを減少させることになる。

ア　ROAの増加は，ROEを増加させる。
ウ　総資本回転率の増加は，ROEを増加させる。
エ　当期純利益率の増加は，ROEを増加させる。

《解答》イ

問24 ✔□ □□ 多数の被験者の検診データから，説明変数である年齢，飲酒の頻度及び喫煙本数が，目的変数であるガンの発症の有無に及ぼす影響を統計的に分析した上で，ある人の年齢，飲酒の頻度及び喫煙本数から，その人のガンの発症確率を推定するモデルを構築した。このとき用いられる分析手法はどれか。 （R5問3）

検診データのサンプル

年齢	飲酒の頻度（回/週）	喫煙本数（本/週）	ガンの発症の有無
50	7	70	有
40	5	40	有
55	2	10	無
45	5	0	無

ア　ABC分析　　イ　クラスター分析
ウ　主成分分析　　エ　ロジスティック回帰分析

問24 解答解説

ロジスティック回帰分析とは，複数の要因（説明変数）が，「有」「無」などの2値の結果（目的変数）に及ぼす影響を分析し，目的変数が起こる確率を説明・予測する分析手法である。ここでは，年齢，飲酒の頻度，喫煙本数の説明変数から，ガンの発症という目的変数が起こる確率を予測するために，ロジスティック回帰分析を用いている。

ABC分析：対象を重要性の高い項目群から順にA，B，Cの三つのグループに分類した上で，重点項目を計数的に把握する分析手法。分析にはパレート図を用いる
クラスター分析：多数のデータを，互いに似た性質を持つものごとに集め，クラスター（集団）を作って分類していく手法
主成分分析：多くの不確定な要素を徐々に合成していき，最終的に1～3程度の要素数（主成分）にしていく分析手法。多変量解析の手法のひとつである　《解答》エ

問25 ✔□ □□ AIにおけるディープラーニングに関する記述として，最も適切なものはどれか。 （AP・H31春問3）

ア　あるデータから結果を求める処理を，人間の脳神経回路のように多層の処理を重

ねることによって，複雑な判断をできるようにする。
イ　大量のデータからまだ知られていない新たな規則や仮説を発見するために，想定値から大きく外れている例外事項を取り除きながら分析を繰り返す手法である。
ウ　多様なデータや大量のデータに対して，三段論法，統計的手法やパターン認識手法を組み合わせることによって，高度なデータ分析を行う手法である。
エ　知識がルールに従って表現されており，演繹（えき）手法を利用した推論によって有意な結論を導く手法である。

問25　解答解説

ディープラーニングは，分析処理などを機械（コンピュータ）に学習させる手法の一つである。ニューラルネットワークと呼ばれる脳の神経回路網が持つ

入力→〔何層にもわたる複雑な構造変換〕→出力

という仕組みを模倣し，大量のデータを入力していくことでコンピュータ自らが特徴的な部分を見つけ出しながら学習を進める。

イ　データマイニング，及びそこで生じる外れ値の検出・除外に関する記述である。
ウ　BIツールなどを用いたビッグデータ分析に関する記述である。
エ　演繹法を用いた論理的思考に関する記述である。　《解答》ア

問26

☑□
□□

車載機器の性能の向上に関する記述のうち，ディープラーニングを用いているものはどれか。　(FE・H29秋問74)

ア　車の壁への衝突を加速度センサが検知し，エアバッグを膨らませて搭乗者をけがから守った。
イ　システムが大量の画像を取得し処理することによって，歩行者と車をより確実に見分けることができるようになった。
ウ　自動でアイドリングストップする装置を搭載することによって，運転経験が豊富な運転者が運転する場合よりも燃費を向上させた。
エ　ナビゲーションシステムが，携帯電話回線を通してソフトウェアのアップデートを行い，地図を更新した。

問26　解答解説

ディープラーニング（deep learning：深層学習）とは，AI（Artificial Intelligence：人工知能）研究の一つで，大量のデータから対象物が持つ様々な特徴をコンピュータが自ら学習し，人間が直接関与することなく対象物を定義することを可能にしたものである。ディ

ープラーニングでは，人間や動物の神経細胞（ニューロン）を模したニューラルネットワークを多層構造にすることで，より深い学習を実現する。データが大量であるほど精度を上げることができ，画像認識や音声認識など様々な分野で利用され始めている。

これを画像処理で適用することにより，車などに搭載されたシステムが歩行者（人間）と車や標識などを見分けることができるようになった。

《解答》イ

問27 ✔□ □□ AIにおける機械学習の説明として，最も適切なものはどれか。

（FE・H30秋問3）

ア　記憶したデータから特定のパターンを見つけ出すなどの，人が自然に行っている学習能力をコンピュータにもたせるための技術

イ　コンピュータ，機械などを使って，生命現象や進化のプロセスを再現するための技術

ウ　特定の分野の専門知識をコンピュータに入力し，入力された知識を用いてコンピュータが推論する技術

エ　人が双方向学習を行うために，Webシステムなどの情報技術を用いて，教材や学習管理能力をコンピュータにもたせるための技術

問27 解答解説

機械学習は，人間の持つ学習能力と同じ機能をコンピュータで実現する技術や手法である。大量の観測データをコンピュータに与えることで，コンピュータが学習を行い，学習した特徴に基づいて予測や判断を行うものである。人間や動物の神経細胞（ニューロン）を模したニューラルネットワークを多層構造にすることで，より深い学習を実現するディープラーニングなども，機械学習の一種である。

イ　人工生命（ALife：Artificial Life）に関する記述である。
ウ　エキスパートシステムに関する記述である。
エ　eラーニングに関する記述である。

《解答》ア

問28 ✔□ □□ ベイズ統計の説明として，適切なものはどれか。（R5問18）

ア　経済統計に関する国際条約に基づいて，貿易実態を正確に把握し，国の経済政策や企業の経済活動の資料とすることを目的とした指標を作成する統計手法

イ　事前分布・事後分布といった確率に関する考え方に基づいて体系化されたものであり，機械学習，迷惑メールフィルターなどに利用されている統計理論

ウ　収集されたデータの代表値である平均値・中央値・最頻値を求めたり，度数分布表やヒストグラムを作成したりすることによって，データの特徴を捉える統計理論
エ　ビッグデータの収集・分析に当たり，分析結果の検証可能性を確保し，複数の分析結果を比較可能とするために，対象をオープンデータに限定する統計手法

問28 解答解説

ベイズ統計では，最初は主観による確率を設定しておき，得られた情報で確率を次々に更新する。変更前の確率を事前確率，変更後の確率を事後確率といい，事前確率を事後確率に置き換えることを繰り返し，確率の精度を高めていく。ベイズ統計学の考え方は，コンピュータが得られたデータから法則性を見つけ出して将来を予測する機能（機械学習，ディープラーニング）や，事前に迷惑メールを定義しておき，迷惑メールに分類されたメールから法則を見つけ出し，その法則を基にして新たな迷惑メールを見つけ出す機能（迷惑メールフィルタ）などに利用されている。

ア　貿易統計の説明である。
ウ　定量分析の説明である。
エ　ベイズ統計は対象をオープンデータに限定するわけではない。　《解答》イ

問29 ☑□ □□　IoT（Internet of Things）を説明したものはどれか。（FE・H28春問65）

ア　インターネットとの接続を前提として設計されているデータセンタのことであり，サーバ運用に支障を来さないように，通信回線の品質管理，サーバのメンテナンス，空調設備，瞬断や停電に対応した電源対策などが施されている。
イ　インターネットを通して行う電子商取引の一つの形態であり，出品者がWebサイト上に，商品の名称，写真，最低価格などの情報を掲載し，期限内に最高額を提示した入札者が商品を落札する，代表的なCtoC取引である。
ウ　広告主のWebサイトへのリンクを設定した画像を広告媒体となるWebサイトに掲載するバナー広告や，広告主のWebサイトの宣伝をメールマガジンに掲載するメール広告など，インターネットを使った広告のことである。
エ　コンピュータなどの情報通信機器だけでなく様々なものに通信機能をもたせ，インターネットに接続することによって自動認識や遠隔計測を可能にし，大量のデータを収集・分析して高度な判断サービスや自動制御を実現することである。

問29 解答解説

IoT（Internet of Things）とは，家電や機械，センサー類などに通信機能を持たせることにより，従来は情報機器のみが接続されていたインターネットに様々な物体を接続し，ネットワーク経由で制御や監視などを行う概念である。「モノのインターネット」ともいう。

ア　iDC（Internet Data Center，IDC）に関する記述である。
イ　インターネットオークション（ネットオークション）に関する記述である。
ウ　インターネット広告に関する記述である。

《解答》エ

問30 ✔□ □□　IoTでの活用が検討されているLPWA（Low Power，Wide Area）の特徴として，適切なものはどれか。（AP・H29秋問10）

ア　2線だけで接続されるシリアル有線通信であり，同じ基板上の回路及びLSIの間の通信に適している。
イ　60GHz帯を使う近距離無線通信であり，4K，8Kの映像などの大容量のデータを高速伝送することに適している。
ウ　電力線を通信に使う通信技術であり，スマートメータの自動検針などに適している。
エ　バッテリ消費量が少なく，一つの基地局で広範囲をカバーできる無線通信技術であり，複数のセンサが同時につながるネットワークに適している。

問30 解答解説

IoT（Internet of Things：モノのインターネット）は，コンピュータや情報機器だけでなく，世の中に存在する様々な機器（モノ）がインターネットに接続して相互に情報交換を行うという概念である。LPWA（Low Power，Wide Area）は，そのようなIoT時代の要求に合った

「低消費電力」
「広範囲」

の通信を実現する無線通信技術を総称した言葉である。厳密な定義は特にないが，現在一般には

・小型の電池（バッテリ）１個で数か月稼働できる省電力性
・１～数十km程度の伝送距離

を実現している通信規格はLPWAと呼ばれることが多い。具体的な通信規格としては，欧州で利用が進んでいるSIGFOXやLoRaなどがある。

《解答》エ

問31 ☑☐ ☐☐ IoT（Internet of Things）の実用例として，**適切でないもの**はどれか。

（FE・H30春問71）

ア　インターネットにおけるセキュリティの問題を回避するために，サーバに接続せず，単独でファイルの管理，演算処理，印刷処理などの作業を行うコンピュータ

イ　大型の機械などにセンサと通信機能を内蔵して，稼働状況，故障箇所，交換が必要な部品などを，製造元がインターネットを介してリアルタイムに把握できるシステム

ウ　検針員に代わって，電力会社と通信して電力使用量を送信する電力メータ

エ　自動車同士及び自動車と路側機が通信することによって，自動車の位置情報をリアルタイムに収集して，渋滞情報を配信するシステム

問31 解答解説

IoT（Internet of Things）とは，家電や機械，センサ類などに通信機能を持たせることにより，従来は情報機器のみが接続されていたインターネットに様々な物体を接続し，ネットワーク経由で制御や監視などを行う概念である。「モノのインターネット」ともいう。選択肢“イ～エ”は，いずれも機器に通信機能を持たせて高機能を実現しようとするものであり，IoTに該当する。一方，選択肢“ア”は，コンピュータをネットワーク経由でサーバに接続することを止め，単独（スタンドアロン）で使用するケースを述べているので，IoTの実用例には該当しない。

《解答》ア

問32 ☑☐ ☐☐ 2019年２月から総務省，情報通信研究機構（NICT）及びインターネットサービスプロバイダが連携して開始した“NOTICE”という取組はどれか。

（R3問25）

ア　NICTが依頼のあった企業のイントラネット内のWebサービスに対して脆弱性診断を行い，脆弱性が見つかったWebサービスの管理者に対して注意喚起する。

イ　NICTがインターネット上のIoT機器を調査することによって，容易に推測されるパスワードなどを使っているIoT機器を特定し，インターネットサービスプロバイダを通じて利用者に注意喚起する。

ウ　スマートフォンにアイコンやメッセージダイアログを表示するなどし，緊急情報を通知する仕組みを利用して，スマートフォンのマルウェアに関してスマートフォン利用者に注意喚起する。

エ　量子暗号技術を使い，インターネットサービスプロバイダが緊急地震速報，津波警報などの緊急情報を安全かつ自動的に住民のスマートフォンに送信して注意喚起

する。

問32 解答解説

NOTICE（National Operation Towards IoT Clean Environment）は，総務省と国立研究開発法人情報通信研究機構（NICT）がインターネットサービスプロバイダと連携して，サイバー攻撃に悪用されるおそれのあるIoT機器の調査及び当該機器の利用者への注意喚起を行う取組である。IoT機器を狙ったサイバー攻撃が急増していることを受け，2019年２月から実施されている。具体的には，IoT機器に推測の容易なパスワードを入力するなどによって調査し，その利用者を特定して注意喚起を行う。

ア　NOTICEでは，NICTは依頼に基づき調査するのではなく，グローバルIPアドレスを持つIoT機器を対象に調査を行い，脆弱性がある場合に当該機器の情報をインターネットサービスプロバイダに通知する。企業のイントラネット内のWebサービスの脆弱性を見つけて対処することは，企業が専門業者に依頼するなどして，企業の責任で行うものであり，NICTとは関係ない。

ウ　NICTのNICTERプロジェクトによりマルウェアに感染していることが検知されたIoT機器に対して，インターネットサービスプロバイダから利用者への注意喚起を行う取組に関する記述である。

エ　携帯通信事業者が提供するサービスに関する記述である。　《解答》イ

問33 ☑□ □□　ビッグデータの利用におけるデータマイニングを説明したものはどれか。

(AP・H29春問30)

ア　蓄積されたデータを分析し，単なる検索だけでは分からない隠れた規則や相関関係を見つけ出すこと

イ　データウェアハウスに格納されたデータの一部を，特定の用途や部門用に切り出して，データベースに格納すること

ウ　データ処理の対象となる情報を基に規定した，データの構造，意味及び操作の枠組みのこと

エ　データを複数のサーバに複製し，性能と可用性を向上させること

問33 解答解説

データマイニングは，大量のデータを統計的な手法で解析することにより，隠れた規則や相関関係を導き出す手法である。例えば，膨大な売上データを使って分析を行う場合に，売上高や購入客数といったような数値にとらわれた分析ではなく，「ビールを買う客は，一緒に紙おむつを買うことが多い」といった気付きにくいデータの関連を見つけようとすること

などが挙げられる。

イ　スライシングなどの分析手法に関する記述である。
ウ　スキーマやメタデータの考え方に関する記述である。
エ　レプリケーションに関する記述である。　《解答》ア

問34 ✔□ □□　消費者市場のセグメンテーション変数のうち，人口統計的変数はどれか。　(R5問6，H30問10)

ア　使用頻度，ロイヤルティ　　イ　都市規模，人口密度
ウ　年齢，職業　　エ　パーソナリティ，ライフスタイル

問34　解答解説

消費者市場を顧客の特性ごとに分類（セグメンテーション）することを，マーケットセグメンテーションといい，分類の切り口をセグメンテーション変数という。マーケティング目的で消費者市場を分類する際のセグメンテーション変数は，地理的変数，人口統計的（デモグラフィックス）変数，心理的変数，行動的変数の四つに大別される。
人口統計的変数には，年齢，職業，家族構成などがある。

ア　使用頻度，ロイヤルティは，行動的変数である。
イ　都市規模，人口密度は，地理的変数である。
エ　パーソナリティ，ライフスタイルは，心理的変数である。　《解答》ウ

問35 ✔□ □□　アジャイル開発で“イテレーション”を行う目的のうち，適切なものはどれか。　(AP・H29春問49)

ア　ソフトウェアに存在する顧客の要求との不一致を解消したり，要求の変化に柔軟に対応したりする。
イ　タスクの実施状況を可視化して，いつでも確認できるようにする。
ウ　ペアプログラミングのドライバとナビゲータを固定化させない。
エ　毎日決めた時刻にチームメンバが集まって開発の状況を共有し，問題が拡大したり，状況が悪化したりするのを避ける。

問35　解答解説

アジャイル開発では，計画から実装・テストまでを短期間で行う開発を一つのサイクルとし，これを“イテレーション”と呼ぶ。このイテレーションを反復しながら「既存の計画に従うよりも，変化へ素早く対応すること」を重視して開発を進める。

イ　タスクボードなどの可視化ツールの利用目的に関する記述である。

ウ　2人一組で行うペアプログラミングにおいてドライバ（実際にコードを打ち込む側）とナビゲータ（その様子を見守る側）を固定化すると，視点が硬直化して見落としなどを生むことも多い。これを避けるため，ドライバとナビゲータは適宜交替させる，“ピンポンプログラミング”と呼ばれる手法をとることが多い。

エ　日次スクラムなどと呼ばれる定例会議の開催目的に関する記述である。　《解答》ア

問36 ✔□ □□　ソフトウェア開発の活動のうち，アジャイル開発においても重視されているリファクタリングはどれか。　（FE・H29春問50）

ア　ソフトウェアの品質を高めるために，2人のプログラマが協力して，一つのプログラムをコーディングする。

イ　ソフトウェアの保守性を高めるために，外部仕様を変更することなく，プログラムの内部構造を変更する。

ウ　動作するソフトウェアを迅速に開発するために，テストケースを先に設定してから，プログラムをコーディングする。

エ　利用者からのフィードバックを得るために，提供予定のソフトウェアの試作品を早期に作成する。

問36　解答解説

リファクタリングとは，プログラムの外部仕様を変えずに，ソースコードの可読性や性能，保守性などを向上させる目的で，その内部仕様を理解しやすい構造に書き直すことを指す。

ア　ペアプログラミングに関する記述である。

ウ　テスト駆動開発に関する記述である。

エ　プロトタイピングに関する記述である。　《解答》イ

問37 ✔□ □□　スクラムを適用したアジャイル開発において，スクラムチームで何がうまくいき，何がうまくいかなかったのかを議論し，継続的なプロセス改善を促進するアクティビティはどれか。　（SA・H30秋問13）

ア　スプリントプランニング　　イ　スプリントレトロスペクティブ

ウ　スプリントレビュー　　エ　デイリースクラム

問37　解答解説

スクラムを適用したアジャイル開発とは，ラグビーで組まれるスクラムと同じように，システム開発を行うメンバーがスクラムを組んで，顧客にとってその時点で最適な開発成果物を短期間に開発する手法のことを意味している。すなわち，ここでのスクラムとは，一つの目的に向かって，一定以上のスキルを有する少人数のメンバーからなるチーム（スクラムチーム）がコミュニケーションを重視して開発していく様子を指す。スクラムを適用したアジャイル開発では，プロジェクト全体をいくつかの短い期間に区切って，それをスプリントと呼ぶ。このスプリントの期間に，スプリントプランニング，デイリースクラム＋毎日の開発作業の繰返し，スプリントレビュー，スプリントレトロスペクティブの順でアクティビティを実行していく。

スプリントプランニング：スプリントの開発目標を明確にし，必要な作業を洗い出し，スプリントチームのメンバーに割り当てる
デイリースクラム：チームの状況を共有し，困っていれば助け合うために毎朝行う，短時間のミーティング
開発作業：スプリントの期間内に毎日通常の開発作業を行う
スプリントレビュー：プロダクトオーナーがスプリントの最終日に行う成果物に対するレビュー
スプリントレトロスペクティブ：スプリントを振り返り，スプリントでよかった点や改善すべき点，その原因と改善策を，スクラムチームのメンバーで議論して，次回スプリントに生かす

よって，継続的なプロセス改善を促進するアクティビティは，“イ”の「スプリントレトロスペクティブ」となる。

《解答》イ

2 経営戦略マネジメント

Point!

経営戦略はITストラテジスト試験の中心テーマの一つである。戦略面での用語や考え方を整理した上で，自社や顧客企業の競争環境や経営戦略を改めて振り返ってみると理解が深まる。論述に際しても，具体的な経営戦略やマーケティングに言及することで知識をアピールできる。

2.1 経営戦略

… 30秒チェック！ …
Super Summary

1 環境分析

■経営戦略の策定にあたっては，事業環境の分析が不可欠である。分析の切り口やツールには，次のものがある。

□ファイブフォース分析…企業の競争環境を五つの要因から分析する手法

□バリューチェーン分析…企業活動のどこで付加価値が生まれるかを分析する手法

! ポイントテーマ▶P.81

□SWOT分析…強み，弱み，好機，脅威を分析する手法

□PEST分析…環境要因を政治，経済，社会，技術の面から分析する手法

□PPM…市場の成長率と占有率から事業や製品を分析する手法

□コアコンピタンス…他社が真似できない強み

2 経営戦略

■事業環境の分析結果を踏まえた上で，最適な経営戦略を選択する。具体的な戦略やその枠組みには，次のものがある。

ポーターの競争戦略

- □コストリーダーシップ戦略…低価格を武器に市場占有率を高める戦略
- □差別化戦略…付加価値を武器に他社との差別化を図る戦略
- □集中（ニッチ）戦略…ターゲットを絞り込んで経営資源を集中する戦略

! ポイントテーマ▶P.83

コトラーの競争地位戦略
- □リーダー…全方位に製品を展開する戦略
- □チャレンジャ…差別化を行う戦略
- □ニッチャ…特定分野に経営資源を集中する戦略
- □フォロワ…他社を模倣する戦略

□ブルーオーシャン戦略…競争のない未開拓市場を切り開く戦略

□収穫戦略…コストを抑えてキャッシュフローを最大化する戦略

□アンゾフの成長マトリクス…市場と製品を軸に成長戦略を分類するマトリクス

3 M&Aとアウトソーシング

■経営戦略の一環として，M&Aやアウトソーシングも検討する。

□LBO…買収対象を担保にした資金調達

□TOB…株式の公開買付け

□MBO…経営陣による企業買収

□アウトソーシング…業務の外部委託

□カーブアウト…事業の一部を切り出して独立させること

1 環境分析

■ファイブフォース分析

ファイブフォース分析は，企業の競争力に影響を与える「新規参入の脅威」「買い手の交渉力」「売り手の交渉力」「業者間の敵対関係」「代替品の脅威」という五つの要因で，自社が置かれている競争環境を明らかにする分析手法である。

■バリューチェーン分析 ！ポイントテーマ▶P.81

■SWOT分析

SWOT分析は，企業の内部環境と外部環境の両方の側面から，好影響と悪影響の要因を分析する手法である。

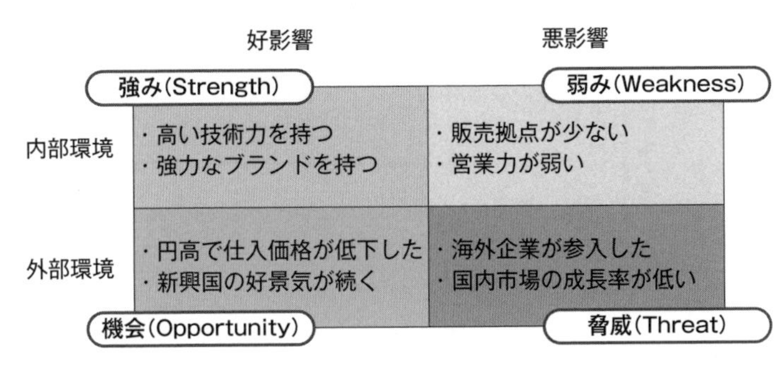

▶SWOT分析

SWOT分析を行うことで，自社のとるべき戦略が明らかになる。例えば「新興国の好景気が続く」という「機会」に着目すれば，現地企業と提携して自社商品を販売するという事業戦略が導き出される。

■ PEST分析

PEST分析とは，現在及び将来の事業活動に影響を及ぼす可能性のある四つの環境要因を把握して，その影響度や変化を分析する手法である。

- 政治的（Political）要因…法制度や規制の変化など
- 経済的（Economic）要因…景気や金利，株価の推移など
- 社会的（Social）要因…人口の変動，世論や流行の推移，教育水準など
- 技術的（Technological）要因…技術開発に関する投資の度合い，特許の取得状況など

■ PPM（Product Portfolio Management）

PPMは，「市場成長率」と「市場占有率」の二つの軸から，自社の事業や製品の市場での位置付けを評価し，各事業や製品に対する投資配分をどのように設定すればよいかを分析する手法である。

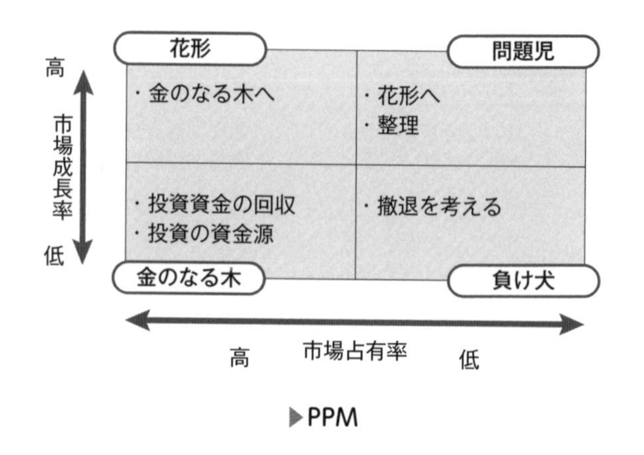

▶PPM

原則として問題児は花形に，花形は金のなる木に成長させる。金のなる木は，成熟市場で高い占有率を築いた製品で，追加投資を行うことなく利益を得ることができるため，ここから回収した資金を問題児に投入する。負け犬は撤退する。

■ コアコンピタンス

コアコンピタンスとは，他社には真似のできない独自のノウハウや技術などの強みのことである。コアコンピタンスを明らかにして，自社の持つ強みから新たな成果を生み出すことで，経営環境の変化への対応や新たな事業の展開などが容易となる。

例えば「競合他社よりも効率性が高い生産システム」は，他社には真似のできない企業独自のノウハウや技術から得られた成果であり，コアコンピタンスに該当する。

2 経営戦略

■ ポーターの競争戦略 !ポイントテーマ▶P.83

■ コトラーの競争戦略

コトラーは，企業の業界地位を経営資源の量及び質という二つの軸で次のように分類し，それぞれのとるべき戦略を提案した。

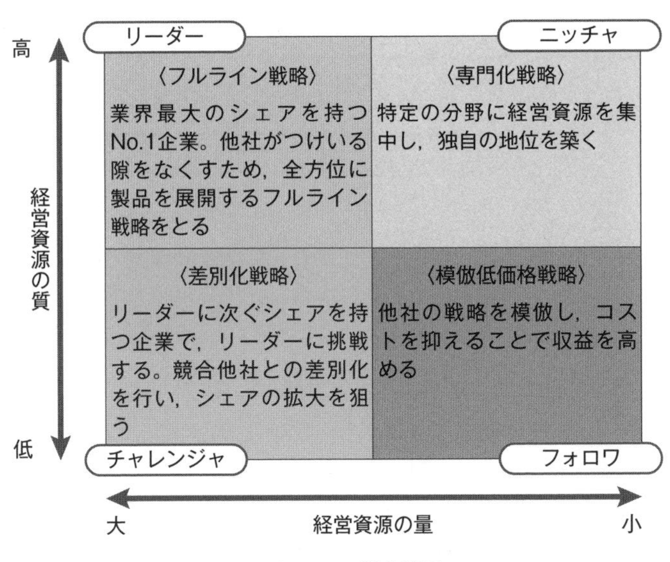

▶コトラーの競争戦略

■ ブルーオーシャン（Blue Ocean）戦略

ブルーオーシャンは，「競合相手のいない平和な領域」という意味で未開拓市場を指している。これに対し，競争の激しい既存市場を「血で血を洗う競争の激しい領域」という意味でレッドオーシャンと呼ぶ。ブルーオーシャン戦略は，レッドオーシャンで戦うのではなく，ブルーオーシャンを切り開くべきという戦略である。

■ 収穫戦略

収穫戦略は，市場成長率の低い安定期に入った製品や事業に対して行われる戦略である。具体的には，

・大きな投資は控え，改善投資やコスト低減を目的とした投資に限定する

・売上や顧客数をできるだけ維持しながらコストを徐々に下げる

などを行い，キャッシュフローの最大化を図る。

■ アンゾフの成長マトリクス

アンゾフの成長マトリクスは，市場と製品の二つを軸として成長戦略を四つに分類するものである。

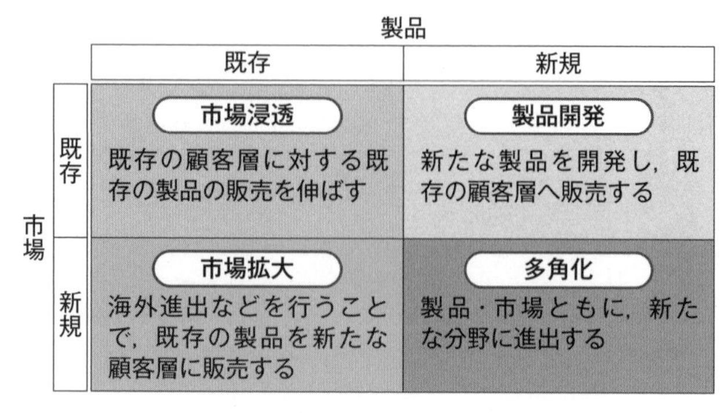

▶アンゾフの成長マトリクス

3 M&Aとアウトソーシング

M&Aとアウトソーシングには次のような手法がある。

■ LBO（Leveraged BuyOut）

LBOは，M&Aの手法の一つである。買収対象となる企業の資産や将来のキャッシュフローを担保にして，金融機関から資金を調達するため，少ない自己資金で企業を買収することができる。

■ TOB（Take Over Bid：株式公開買付）

TOBとは，ある企業の経営支配権を獲得するためにその企業の株式を大量に取得する方法である。一定の価格で一定の期間に一定の数の株式を買い取ることを表明し，不特定多数の株主から株式市場外において株式を買い取るものである。

■ MBO（Management BuyOut）

MBOは，経営陣が株主から株式を買い取るなどして，経営陣自身が企業の所有者となる行為である。上場企業の株式非公開化やオーナー企業の事業継承に用いられることがある。M&Aとは意味合いが異なるが，LBOやTOBとあわせて覚えておこう。

■ アウトソーシング

アウトソーシングは，業務の一部あるいは全てを外部の企業に委託することである。例えば，情報システムのアウトソーシングでは，情報システムの開発，運用，保守などに関する全てまたは一部の業務を外部に委託する。

■ カーブアウト（事業分離）

カーブアウトとは，企業が事業の一部を切り出し，別の組織として発展させることである。内部事業とするよりも，身軽な専業組織としたほうが事業価値が上がる場合に行われる。一方で，分離することで生じる規模の不経済や競争力の低下などの課題を克服する必要がある。

！ポイントテーマ バリューチェーン分析

商品の付加価値は，企業活動によって生み出される。したがって，企業活動のどこで価値が付加されるかを分析することは，基本戦略を選択する上で非常に重要となる。

ポーターは，企業活動を大きく次の五つの主要活動に分類し，そこで生み出された付加価値が，最終的な商品価値となると提唱した。

購買物流	製造	出荷物流	販売とマーケティング	サービス
製品を製造するために必要な資材を入手する	完成品である製品を製造する	製品を顧客に届ける	広告や実際の販売など	設置や修理など，いわゆるアフターサービス

※主要活動のほかに支援活動がある。支援活動は，調達活動，技術開発，人的資源管理，全般管理で構成される。

▶バリューチェーン

価値は，顧客の視点から分析する。例えば，顧客がアフターサービスに付加価値を見いだしているならば，これを強化し差別化するような戦略が考えられる。逆にアフターサービスにさほどの魅力を感じていないにもかかわらず，それに多大なコストが投入されている場合には，コストダウンを行うべきである。

このようなバリューチェーンを切り口にして，業務を分析する方法がバリューチェーン分析である。バリューチェーン分析は，次の手順で行う。

手順	内容
バリューチェーンの識別	対象企業のビジネスプロセスをもとにバリューチェーンを識別する
活動コストの分析	バリューチェーン上の各活動のコストを算出する。例えば自社工場が製造を担当する場合，工場の年間費用が活動コストとなる
強み・弱みの分析	バリューチェーン上の各活動について，対象企業の強みと弱みを分析する。競合他社についても同様の分析を行う

活動	分析対象企業		競合他社	
	強み	弱み	強み	弱み
出荷物流	物流部門，インフラを自前で持つ	物流コストが高い	……	……

▶バリューチェーン分析

分析結果をもとに，経営の視点で業務全体を俯瞰して問題点を明らかにし，解決策を講じ，競争優位を確立するための方策を探る。例えば，高コスト体質が問題視される企業で表のような分析結果が得られた場合，物流インフラの売却や物流業務のアウトソーシングといった解決策が考えられる。

こう書ける！ 論述試験へのヒント

論述試験では，業務分析の手法が問われることがある。業務分析には，業務フローなどを作成することが有効であるが，それだけでは問題点が漏れてしまうこともある。これを防ぐため，企業のバリューチェーンに立ち返って活動を網羅するような，いわゆるバリューチェーン分析を実施する。

バリューチェーン分析について論述する場合は，前述の手順を参考に活動と強み・弱みを具体的に述べ，解決策やIT導入につなげればよい。手順について軽く触れるのも知識をアピールする上で効果的かもしれない。

X.X　業務分析の手法

業務全体を見直す場合，
バリューチェーン分析はよい題材になる

問題点を発見するためには，業務全体を俯瞰して網羅的に分析しなければならない。そこで私は，バリューチェーン分析を実施した。バリューチェーンに立ち返ることで，業務を漏れなく分析できると考えたからである。

まず最初に，A社のビジネスプロセスをもとにバリューチェーンを把握した。次にバリューチェーン上の各活動について，担当部門に活動コストの算出を依頼した。さらに，各活動についてA社及び競合他社の強み・弱みを分析した。その結果，A社のサービス活動において，保守活動は充実しているものの，顧客の要望や不満を受付けたり，保守の視点から設備を提案する能力に弱点があることが判明した。A社のライバル企業であるB社は，強力なコールセンターを運営することでサービス活動を充実させていた。

ここでは業務分析の手法のみに言及し，解決策やIT導入は節を変えて論述する

・バリューチェーン分析の一連の手順を述べることで，バリューチェーン分析の知識があることをアピールする
・手順ではなく，具体的な業務内容に言及すると，確かな業務経験があることをアピールできる

ポイントテーマ　ポーターの競争戦略

企業は，競争要因を把握した上で基本となる競争戦略を策定する。ポーターは基本戦略をコストリーダーシップ戦略，差別化戦略，集中（ニッチ）戦略の三つに分類した。

ポーターの基本戦略は次のとおりである。

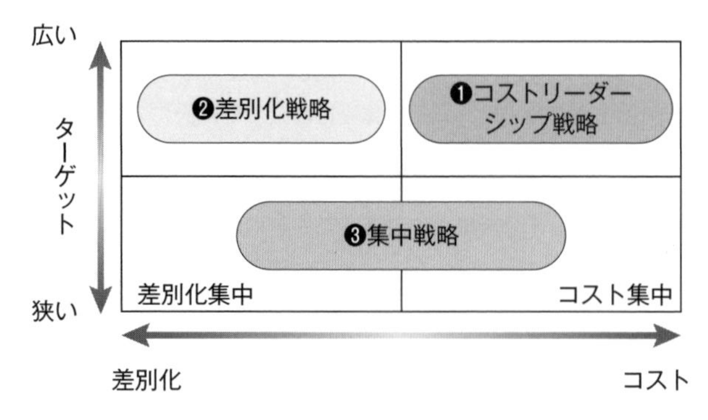

▶ポーターの競争戦略

❶ コストリーダーシップ戦略

「低価格でも利益が出る」という戦略である。大幅なコストダウンを実現し，他社よりも低価格で商品やサービスを提供することで市場占有率を高める。

❷ 差別化戦略

「高くても売れる」という戦略である。自社製品の魅力的な独自性をアピールすることで，価格以外の面で競争企業に対する優位性を獲得する。差別化の内容として，品質や性能など製品そのものに関するもの，アフターサービスなど製品サービスに関するもの，広告や宣伝など消費者の認知度を高めるものなどがある。

❸ 集中（ニッチ）戦略

ターゲットとする顧客層，製品，市場を限定し，コストダウンや差別化を図る戦略である。投資額が少なくてすむ，大企業が進出しにくいなどのメリットがある。

競争戦略の事例として，2000年前後に起こった「ハンバーガ戦争」が有名である。ハンバーガ戦争は1995年にハンバーガチェーン最大手のマクドナルドが，ハンバーガを突然値下げ（210円→130円）したことから始まった。その後数年をかけて，同社はハンバーガの価格を59円まで値下げした。多くのハンバーガチェーンは，マクドナルドに追随して値下げに踏み切った。その一方で，ハンバーガチェーンのモスバーガは価格破壊競争には加わらなかった。モスバーガはハンバーガの価格を維持した上で，品質や品揃えで勝負した。

競争戦略の上では，マクドナルドはコストリーダーシップ戦略をとったといえる。同社は世界的な調達網や圧倒的な店舗数，低価格でも利益の出る仕組みを武器に，価格破壊競争に乗り出した。これに対し，モスバーガは差別化戦略をとり価格破壊競争の土俵には上がらなかった。結果として，多くのハンバーガチェーンが市場から撤退する中で，モスバーガはハンバーガ戦争を乗り切った。

ハンバーガ以外にも，競争戦略で説明できる事例はある。アパレル業界でコストリーダーシップをとるユニクロに対し，主婦層にターゲットを絞り込んで集中戦略をとった初期のしまむら，コストリーダーシップ同士が真正面からぶつかった牛丼戦争など，興味深い例は多い。

こう書ける！ 論述試験へのヒント

論述試験では，**競争戦略を背景に事業戦略を論述することが求められることがある**。このような場面では，まず企業が置かれた環境からとるべき競争戦略を説明する。その上で,「ローコストオペレーションの徹底」「バリューチェーンの見直し」「ITを活用した新サービス」などの事業戦略を説明する。

これまで経験した事業戦略について，競争戦略と関連づけて説明できるように準備しておこう。

X.X　策定した事業戦略

当社の事業領域にはリーダー企業であるU社が存在する。U社は製造から小売までを一貫して行う製造小売業で，製造を海外工場で行うことで，全ての顧客層を対象とした製品を低価格で販売する，いわゆるコストリーダーシップ戦略をとっている。U社に対抗するため，当社は「働く女性」にメインターゲットを絞り込んだ上で品揃えで勝負する集中戦略を選択した。これを実現するため，私は次の事業戦略を立案した。

(1)　ITを活用した仕入の多品種少量化

……

最初に事業環境について説明している

自社工場で製造し，自社店舗で販売する小売形態

集中戦略を題材にする場合は，どのセグメントに集中したかを説明する

マス生産に対抗する常套手段といえる。
ITをどのように活用しているか，書籍やネットなどで情報を収集しよう

2.2 マーケティング

… 30秒チェック！ …
Super Summary

1 マーケットの分析

■マーケティングは様々な要素からなるが，なかでも４Pと４Cが有名である。

□４Pと４C…売り手側（４P），買い手側（４C）から見たマーケティング要素

＊

■マーケットの分析では市場や製品，顧客など，マーケットを様々な角度から分析する。マーケットの分析に用いられる手法には，次のものがある。

□マーケットセグメンテーション…消費者市場を細分化して分析する手法

□コーホート分析…世代に着目して消費者行動を分析する手法

□エスノグラフィー…消費者の潜在的ニーズを発掘する手法

□ABC分析…対象を重要度に応じてA～Cの三種類に分類する手法

！ポイントテーマ▶P.93

□マーケットバスケット分析…同時に購入された商品を分析する手法

□コンジョイント分析…商品やサービスの属性の組合せを分析する手法

□LTV…顧客生涯価値。顧客が生涯にわたって企業にもたらす損益

2 マーケティング手法

■具体的なマーケティングの手法には，次のものがある。

□バイラルマーケティング…口コミを重視して製品やサービスの認知を広げる手法

！ポイントテーマ▶P.95

□クロスセリング…購入時に関連商品を勧める手法

！ポイントテーマ▶P.95

□アップセリング…購入時にグレードの高い商品を勧める手法

□FSP…会員カードやポイントカードを用いて優良顧客を拡大する手法

3 ブランド戦略と製品戦略と価格戦略

■企業や製品のブランド力は，マーケティングの重要な要素である。ブランド戦略には，次のものがある。

□ブランドエクイティ…ブランドの持つ資産価値
□ラインエクステンション…ブランド力を利用した製品ラインの拡張
□カテゴリエクステンション…ブランド力を利用した異業種への参入

＊

■製品戦略は製品ライフサイクルに基づいて策定するが，場合によっては意図的に製品の陳腐化を行うこともある。
□製品ライフサイクル…製品が市場に投入されてから退場するまでのサイクル
□計画的陳腐化…十分に使用できる製品を意図的に陳腐化させる手法

＊

■価格戦略では，製品やサービスが顧客に受け入れられることを前提に，企業が利益を上げる適切な価格を設定する。
□コストプラス価格決定法
□スキミングプライシング
□ペネトレーションプライシング
□バリュープライシング
□サブスクリプション方式

1 マーケットの分析

マーケティング戦略の構成要素

■ 4Pと4C

4P及び4Cは，いずれもマーケティング戦略の基本となるフレームワーク（マーケティングミックス）であるが，4Pは「売り手側」から見た要素，4Cは「買い手側」から見た要素である点が異なる。4Pと4Cには次の対応関係がある。

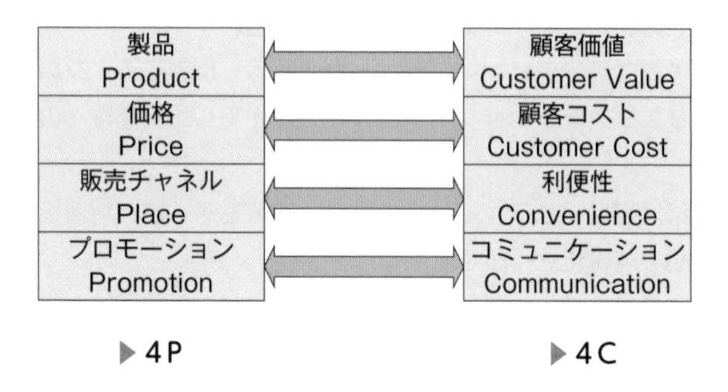

4Cは，4Pを買い手側の視点で再定義したものであり，より顧客重視といえる。

マーケティング分析の手法

■ マーケットセグメンテーション

マーケットセグメンテーションとは，消費者市場を同種のニーズや特性を持つ人々の集団として細分化（セグメンテーション）するマーケットの分析手法である。細分化の切り口をセグメンテーション変数といい，次の四つに大別できる。例えば，購買履歴に基づいて顧客層をヘビーユーザーとライトユーザーに分類することは，行動的変数に基づくセグメンテーションにあたる。

- 心理的変数…性格，価値観，社会階層，ライフスタイルなど
- 行動的変数…購買状況，使用頻度，購買動機，ロイヤリティなど
- 地理的変数…都市規模，人口密度など
- 人口統計的変数…年齢，性別，職業，家族構成など

■ コーホート分析

コーホート分析は，世代に着目した消費者の行動を分析する手法である。同一世代は年齢を重ねても，時代が変化しても，共通の行動や意識を示す傾向があることを根拠としている。

■ エスノグラフィー

エスノグラフィーとは，民俗学，社会学で集団や社会の行動を調査し理解するためのアプローチ方法である。近年は消費者の潜在的ニーズを発掘する手法として活用さ

れている。例えば，消費者の一日の行動に密着して，消費者自身が無意識に行っている行動を記録し，なぜそうしたのかをインタビューしていくなかで，気付かなかった需要を発見する。

■ ABC分析

ABC分析は，対象を重要度に応じてA～Cの3種類に分類する分析方法である。

ABC分析にはパレート図が用いられる。例えば，商品を売上の多い順に並べて次のようなパレート図を作成したとき，A区分の商品群は売れ筋商品，C区分は死に筋商品だと分析できる。

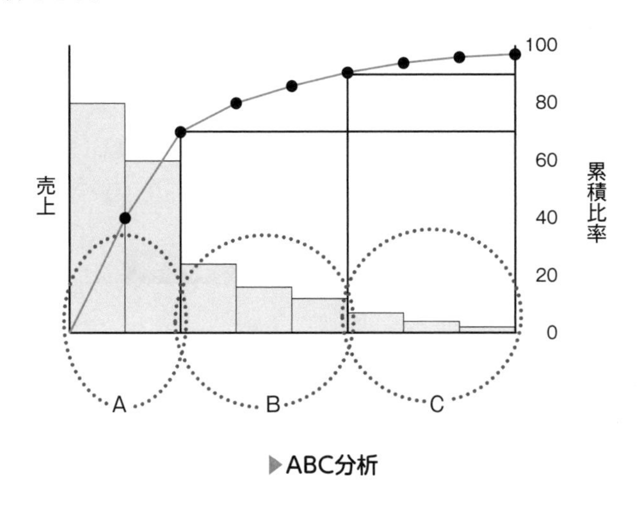

▶ABC分析

■ マーケットバスケット分析 ポイントテーマ▶P.93

■ コンジョイント分析

コンジョイント分析は，商品やサービスが持つ複数の属性について，顧客が重点を置いている属性や好む属性の組合せを統計的に分析する手法である。多くの属性の中から顧客が重視する属性やその組合せを明らかにすることで，商品開発やマーケティングに生かすために用いられる。例えば，テレビをコンジョイント分析すると，「55インチのテレビを好む人は，有機ELを選び，解像度は4K，価格は50万円ぐらいの高級品を選ぶ」「32インチのテレビを好む人は，液晶を選び，解像度は1K，価格は3万円ぐらいの手頃品を選ぶ」という結果が得られる。

■ LTV（Life Time Value：顧客生涯価値）

LTVとは，一人の顧客が生涯にわたって企業やブランドにもたらす損益を累計した値である。企業やブランドへのロイヤルティが高い優良顧客ほど，大きなライフタイムバリューを企業にもたらす。

LTVの見積もりにあたっては，顧客が紹介する他の顧客の購入見積もりも対象とする。

2 マーケティング手法

■ バイラルマーケティング

バイラルマーケティングとは，製品やサービスに関する評判を人から人に伝えることで顧客を獲得するマーケティング手法である。低コストで製品やサービスを認知させることができるという反面，広がり具合を制御することが難しいため，宣伝効果の予測が難しい。バイラルとは，「ウイルス性の」「感染性の」という意味である。

■ クロスセリングとアップセリング ！ポイントテーマ▶P.95

■ FSP（Frequent Shoppers Program）

FSPは，優良顧客を囲い込むための仕組みである。会員カードやポイントカードを顧客に発行することで，

- 顧客の購買情報を収集する
- 顧客にポイントの付与や会員割引などの特典を与える

などを実施する。ポイントや特典で顧客離れを防止し，優良顧客の維持拡大につなげる。

3 ブランド戦略と製品戦略と価格戦略

■ ブランドエクイティ

ブランドエクイティとは，ブランドの持つ資産価値である。単なる名前やロゴとしてではなく，自社の製品やサービスと結び付いて，その価値を増大させる資産の集合のことをいう。

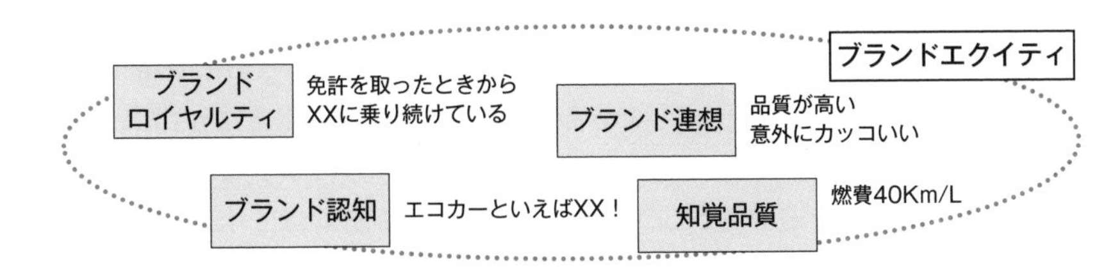

▶ブランドエクイティ

■ ラインエクステンション

ラインエクステンションは，現在確立されているブランド資産を利用し，製品ライン（品揃え）を拡張するブランド戦略である。すでに認知されたブランドとしての価値を利用し，新製品を容易に導入することができる。

■ カテゴリエクステンション

カテゴリエクステンションは，市場での地位を確立しているブランド名で，現行商品とは異なるカテゴリに参入するブランド戦略である。トヨタホーム（自動車→住宅），ソニー生命（電機→保険）などがカテゴリエクステンションの例である。

■ 製品ライフサイクル

製品ライフサイクルは，製品が市場に投入されてから退場するまでの間，

導入期 → 成長期 → 成熟期 → 衰退期

と変遷する過程のことである。ライフサイクルの各段階ごとに正しい戦略を選択する。

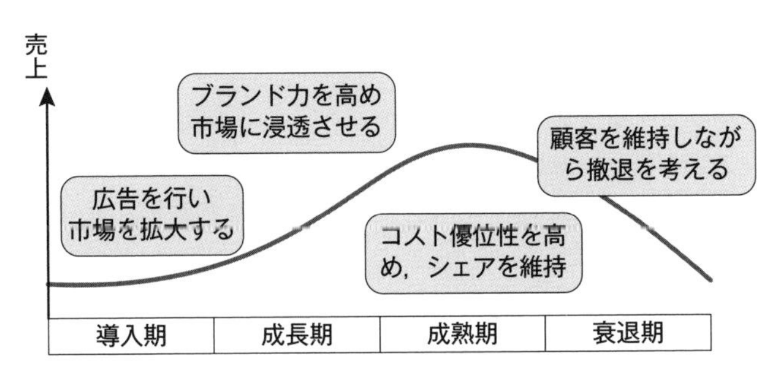

▶製品ライフサイクル

■ **計画的陳腐化**

計画的陳腐化とは，買替え需要を促すために，新しい機能やデザインを持った新製品を市場に投入し，まだ十分に使用できる製品を意図的に陳腐化させる手法である。

自動車などで，基本的な性能は変わらないままマイナーチェンジを施したり，デザインを変えたモデルを追加することがある。また，IT製品などで，「20XX年モデル」という名称で毎年新たな製品を投入することがある。これらは計画的陳腐化の例である。

■ **価格戦略**

価格を設定する際には，**価格弾力性**を考慮する。価格弾力性とは，価格が需要に及ぼす影響を測る指標であり，次の式で求める。

$$価格弾力性=\frac{需要の変化率}{価格の変化率}$$

価格弾力性が１であれば，価格の変化によって需要が同水準で変化することを表す。１より小さければ価格が需要に与える影響は少なく，１より大きければ価格が需要に大きな影響を与える（弾力的である）ことを示す。

例えば，10％の値上げにより需要が１％減少すると，価格弾力性は0.1となる。このような製品は，価格の変化に需要が大きく反応しないと考えられるので，製品の値上げによって，利益を大きくできる可能性がある。

■ **コストプラス価格決定法**

コストプラス価格決定法は，製品やサービスのコスト（製造原価や仕入原価）に一定幅の利益（マージン）をプラスし，価格を決定する手法である。

■ **スキミングプライシング**

スキミングプライシングは，製品を投入した初期段階で，高い価格を設定する価格戦略の手法である。先行者利益を獲得し，早期に資金を回収することを目的とする。

■ **ペネトレーションプライシング**

ペネトレーションプライシングは，新製品の導入期などに，低い価格を設定する価格戦略の手法である。利益獲得よりも市場シェアの獲得を優先するために用いられる。

■ バリュープライシング

バリュープライシングは，顧客が適切な価格と認識できるような，購買意欲を高める価格を設定する手法である。

■ サブスクリプションプライシング

サブスクリプションプライシングは，利用料金を支払うことで一定期間の利用権を得て，製品やサービスを使用することができる方式である。1か月の利用料金を支払うことにより，1か月間は動画や音楽の視聴ができるサービスなどが該当する。

!ポイントテーマ マーケットバスケット分析

小売店の売場レイアウトを考えたとき，類似性の高い商品を1か所に集めて配置するという方策が思い浮かぶ。類似性というと商品種別ばかりに目がいきがちだが，「同時に購入される」ということも類似性の大きな要素である。マーケットバスケット分析は，これを定量的に分析する手法である。顧客の買物かごを調べるという意味で，この名称が付けられた。

マーケットバスケット分析は，顧客の購買データをもとに「一度の買物でどの商品が同時に購入されたか」を分析する。分析結果として繰り返し語られるのが「おむつとビール」の関係である。あるアメリカのスーパーマーケットがマーケットバスケット分析を実施したところ，顧客はおむつとビールを同時に購入する傾向があることが判明したのである。この関係が成立するならば，おむつ売場とビール売場を近づけることで，相乗効果が期待できることになる。

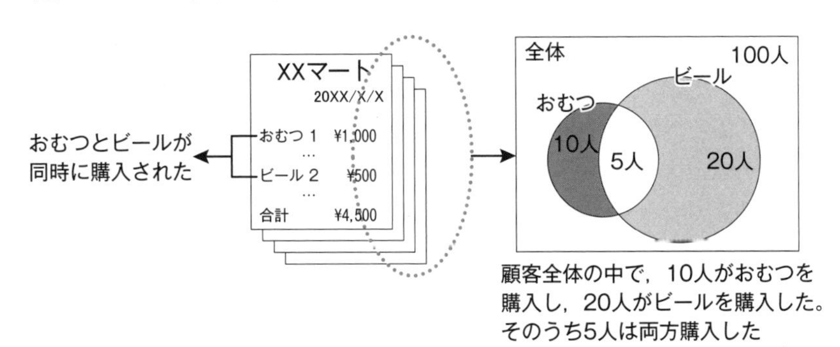

▶マーケットバスケット分析

マーケットバスケット分析に用いる指標には，次のものがある。

■ 支持度

$$\frac{|A \cap B|}{\text{顧客の全人数}} = \text{商品A，Bを両方購入する顧客の割合}$$

商品A，Bを両方購入する顧客が，どの程度の割合で存在するかを示す。おむつとビールの例では，支持度は0.05（$=\frac{5}{100}$）となる。

■ Jaccard係数

$$\frac{|A \cap B|}{|A \cup B|} = \frac{\text{商品A，Bを両方購入した人数}}{\text{商品A，Bを一方でも購入した人数}}$$

Jaccard係数が大きい（1に近い）ものほど商品A，Bが両方購入される頻度が高い。おむつとビールの例では，Jaccard係数は0.2（$=\frac{5}{25}$）となる。

■ 信頼度

$$A \rightarrow B\text{の信頼度} = \frac{|A \cap B|}{|A|} = \text{商品Aを購入した顧客が同時にBを購入する確率}$$

$$B \rightarrow A\text{の信頼度} = \frac{|A \cap B|}{|B|} = \text{商品Bを購入した顧客が同時にAを購入する確率}$$

信頼度は，「Aを購入した顧客がBを購入するのか」それとも「Bを購入した顧客がAを購入するのか」を分析する指標である。おむつとビールの例では，おむつの信頼度が0.5でビールの信頼度の0.25を上回る。この場合，おむつを購入した顧客にビールを勧めるほうがよいことになる。したがって，おむつ売場の一角にビールコーナを設けるように売場レイアウトを考える。

こう書ける！ 論述試験へのヒント

ITストラテジストには，戦略的にデータを活用して施策を立案する能力が求められる。試験でも，施策立案のためのデータ活用について論述が求められる場合がある。マーケットバスケット分析は，古くから行われてきた分析であり，小売店など身近な例で論述できるため比較的使いやすいネタといえる。マーケットバスケット分析以外にも，

・売上データをABC分析→売れ筋商品と死に筋商品の分析
・売上のリアルタイム分析→売れ残りを予測して特売
・顧客の動線を分析→店舗の奥まで誘導できるレイアウトを検討

などの切り口が考えられる。

X.X　活用したデータと分析方法

(X)　販売データの分析

他店では，ある商品売場の一角に関連の深い商品のコーナを設け売上を伸ばしている事例があり，当店でもこれを導入することにした。私は関連の深い商品を「同時に購入される商品」と定義して，顧客の購入データをもとにマーケットバスケット分析を実施した。具体的には，同時に購入された二つの商品の組合せについて支持度やJaccard係数を算出し，上位の組合せについてコーナを設置するかどうかについて検討した。なお，Jaccard係数とは二つの商品の一方もしくは両方を購入した顧客数に占める，両方を購入した顧客数の割合であり，これが大きいほど同時に購入されやすい商品といえる。

専門用語なので簡単な解説を付け加えた

基本的な用語は覚えておき，積極的に使用する！

この後に，具体的な商品の組合せや「どの売場に何のコーナを設置するか」につなげてゆく

さらに，信頼度の具体的な分析を付け加えてもよい

・専門用語を使うことで知識をアピールする
・用語が分からなければ「同時に購入される頻度，確率」などの表現でもよい

ポイントテーマ　クロスセリングとアップセリング

売上を拡大するためには，顧客数を増やすというアプローチ以外にも，

・一人の顧客により多くのものを買ってもらう
・一人の顧客により単価の高いものを買ってもらう

という方法がある。これに用いられるマーケティング手法がクロスセリング及びアップセリングである。**クロスセリング**は，購入した商品と関連する商品を顧客に勧める手法である。**アップセリング**は，購入を考えている商品よりも単価の高い商品を勧める手法である。

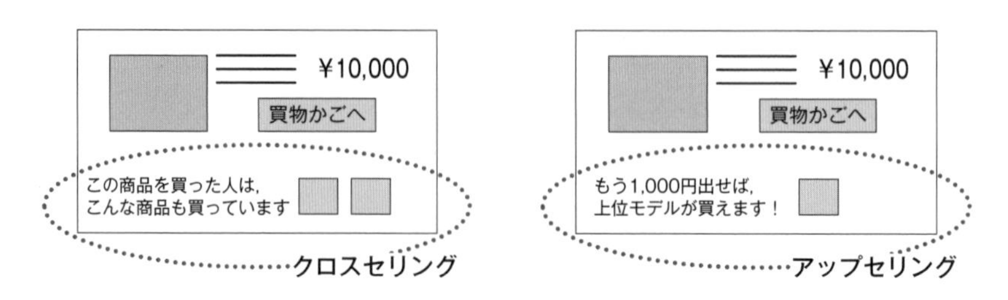

▶クロスセリングとアップセリング

クロスセリングやアップセリングは，身近な例でも見ることができる。

TVショッピングなどで見かける「今このPCを買えば，プリンタとプリンタ用紙とデジタルカメラをおつけしてXX円！」というセールストークはクロスセリングである。また，家電量販店などで店員から説明を受けている際に「そういう用途でお考えならば」と前置きして，一段グレードの高い商品を勧められることがある。これはアップセリングといえる。

クロスセリングにしてもアップセリングにしても，大切なことは「売上増大だけを考えた押し売りであってはならない」という点である。クロスセリングであれば「個別に買うよりも安価に商品を揃えることができた」，アップセリングであれば「用途に最適な製品を紹介してもらえた」という満足感を与えることが重要である。この満足感によって顧客満足度やLTV（顧客生涯価値）が増大し，売上の拡大につながるのである。

こう書ける！ 論述試験へのヒント

クロスセリングやアップセリングはよく目にする手法である。ところが，大手を除くWeb販売では，それらの手法を生かしきれていないことが多い。販売データやWebサイトのアクセス履歴を分析した結果，

・関連商品を販売できないまま，顧客がWebサイトを去っている
・低いグレードの商品ばかりに注文が集中している

などの傾向が見られた場合，クロスセリングやアップセリングを検討すべきである。論述に際しては，**データの傾向やその傾向から予測される顧客の行動などと併せて施策**を論述しよう。

> X.X　実施した施策
>
> (X)　クロスセリングの実施
>
> 理由や背景を説明し，「そこで私は」と受けて方策を論述する。論述の基本パターンといえる
>
> Webサイトのアクセス履歴や販売データを分析したところ，当社サイトにおける販売の多くが「単発の販売」にとどまっていることが判明した。このことから，多くの顧客が当社サイトで購入した商品の関連商品を他社サイトで購入していると推測された。このような顧客に対し，関連商品を含めて当社サイトで囲い込むことができれば，売上の増大につながることは明らかであった。そこで私は，当社サイトにクロスセリングの仕組みをとり入れることにした。具体的には，ある商品情報にアクセスしている顧客に対し，その商品と関連の深い商品情報を同時購入割引額と共に表示して，関連商品の販売につながるようにした。また，当社サイトを訪れた顧客に対し，販売履歴の分析結果をもとに，興味を持ってもらえるような商品や関連商品の情報を表示した。
>
> 「方策を実施した結果，売上はXX%増大した」などと結果につなげてもよい

!ポイントテーマ　ネットワークは宝の山

ファンタゴールデンアップルという商品をご存じだろうか。この商品の誕生は少し特殊で，ネットワーク上で交わされた「昔，ファンタゴールデンアップルってあったよね？」という論争に端を発している。「あった，なかった」がひとしきり争われ，大まかな結論としては「ゴールデングレープはあった，しかしゴールデンアップルはなかった」というところに落ち着いた。これを受け，筆者も遠い少年時代を思い出した。

1970年代，着色料の健康問題がクローズアップされ，日本コカ・コーラ社は紫色のファンタグレープを販売することができなくなってしまった。そこで同社は，ファンタグレープを透明な黄色に色づけし，ファンタゴールデングレープと名を変

えて売り出した。この苦境の一手は，果たして大成功を収めた。ゴールデンという豪奢な響き，外国映画のシャンパンを思わせるおしゃれな色合い，誰が流したか「昔とは味が違う」という無責任な噂も手伝って，子供達はむさぼるようにファンタゴールデングレープを飲み干したのだった。

この事例から，私たちはいくつかの気づきを得ることができる。一つはかつての日本コカ・コーラ社が繰り出した鮮やかな逆転劇だ。商品の色やデザイン，商品名がもたらすイメージがマーケティングにどれだけ強い影響を与えるか，改めて知ることができる。そしてもう一つは，ネットワーク上の論争を商品化した現在の日本コカ・コーラ社のしたたかさである。

ネットワークに蓄積された情報は，企業にとって宝の山といえる。例えば，SNSに書き込まれた要望やクレームなどを分析することで，商品の改善に関する情報を引き出すことができる。コールセンターでは，顧客の声（VOC：Voice Of Customer）をテキスト化し，テキストマイニングを実施することで，サービスの改善や次の商品企画に活かす情報を抽出している。コールセンターは単なるアフターサービスではなく，企画業務の始まりの場なのだ。

SNSはプロモーションの場でもある。例えば「11月11日はポッキーの日」という触れ込みで「11月11日にポッキーとツイートしよう」と行われたプロモーションは，2013年11月11日に何と371万ツイートを記録した。大分県の別府温泉が作成した面白動画は，2019年現在で視聴数が500万回を超えている。すさまじい宣伝効果である。

論争に乗じて商品化されたファンタゴールデンアップルもまた，ネットワークの“感染力”も手伝って売上を伸ばし，定番商品の地位を固めた。日本コカ・コーラ社はネットワークに転がった宝をそつなく拾い上げたといえるだろう。なお，ファンタゴールデンアップル販売後程なくして，日本コカ・コーラ社はファンタゴールデングレープを復刻させた。恐るべきそつのなさである。

こう書ける！ 論述試験へのヒント

「ネットワークに蓄積された情報」というと，ビッグデータやAIなどの大がかりなものをテーマとして想像してしまう。しかし，もっと小さく身近な，書きやすいテーマで論述してもよいのだ。例えば，「SNSで○○が話題になっていたので，○

〇に沿う商品を開発した」などでも，おおいに構わない。テキストマイニングなどの分析手法に言及するとなおよい。自社の取り組みだけでなく，他社の事例も参考になる。書籍やネットで情報を収集しよう。

> (X)　VOC分析の実施
>
> 理由や背景を説明し，「そこで私は」と受けて方策を論述する。論述の基本パターンといえる
>
> 販売店などから「当社の製品開発には顧客の声が反映されていない」という指摘が多数あがってきた。そこで私は，顧客の声を分析するVOC(Voice Of Customer)分析を実施することにした。具体的には，コールセンターに寄せられた顧客の意見やクレームをテキスト化し，テキストマイニングを実施した。既存製品に関する様々なキーワードを抽出し，それらを頻度や影響度で重み付けした。また，当社のSNSに書き込まれた情報にも同様の分析を実施し，次期製品に望まれる属性を抽出した。その結果，当社製品に対しては「小型化」「高性能化」が強く望まれていることが判明した。これは「大型化」「低価格化」を指向する当社の方針とは大きく異なっていた。……

2.3 ビジネス目標／ナレッジマネジメント／技術経営

… 30秒チェック！ …
Super Summary

1 ビジネス目標

■企業経営にあたってはKGIを設定し，KPIなどの業績評価指標で成果を測定する。

□KGI…目標の達成度を測る指標
□CSF…目標の達成手段や施策
□KPI…業績を評価する指標

■これらを組み入れた経営ツールに，バランススコアカードがある。

□バランススコアカード…四つの視点から業務を評価するツール

2 ナレッジマネジメント

■経営に当たっては，個々の社員の持つナレッジ（知識やノウハウ）を管理する。これを行うモデルにSECIがある。

□SECI…知識を創造するためのフレームワーク

3 技術経営

■技術開発を管理して，イノベーションを促すことも経営の大きな要素である。これに関する用語には次のものがある。

□イノベーション…社会的に大きな効果をもたらす革新

□死の谷…研究が製品化に結びつかない状況や原因

□キャズム…アーリーアダプタとアーリーマジョリティの間にある断絶

*

■技術開発に当たっては，企業と大学の共同研究も必要である。企業と大学を仲介するTLOが設置されることもある。

□TLO…産学の仲介役を果たす組織

1 ビジネス目標

■ ビジネス目標

経営戦略では，まず目標を定め，次にそれを実現するための具体的な手段を策定する。その後，各手段（事業やプロジェクト）が制約内で実現可能かの検証を行う（これをフィージビリティスタディと呼ぶ）。さらに，手段が遂行されているかどうかを測定する指標を定め，評価する。戦略目標を達成する手段はCSF（重要成功要因）として表され，その評価指標はKGI（重要目標達成指標）やKPI（重要業績評価指標）で表わされる。

ビジネス目標は次の順序で設定し，実施・評価する。

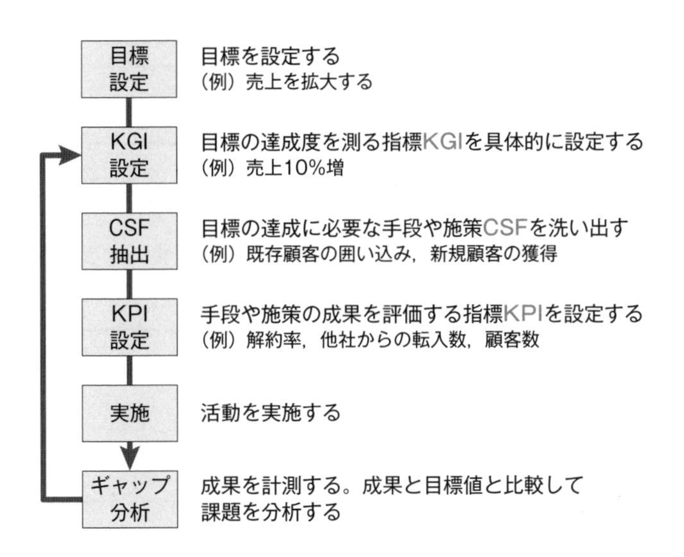

▶ビジネス目標の設定から改善の流れ

■ バランススコアカード（BSC：Balanced ScoreCard）

バランススコアカードは，財務，顧客，業務プロセス（内部ビジネスプロセス），学習と成長という四つの視点から業務を評価するツールである。売上や利益といった財務視点に偏りがちな評価を修正したものともいえる。

❶ 財務の視点…売上の拡大やコストの低減といった財務的な視点
❷ 顧客の視点…顧客満足度やクレームなど顧客の視点
❸ 業務プロセスの視点…目標達成に必要なプロセス，改善が必要なプロセスなどの視点
❹ 学習と成長の視点…従業員の提案件数や所持資格など従業員のスキルアップの視点

バランススコアカードの枠組みでは，戦略目標やCSF，KPIを四つの視点に基づいてバランスよく設定する。結果として，顧客満足度や従業員のやる気など，目に見えない経営資産の価値を適切に評価することができる。

Column

シックスシグマ

昨今では，製造業における品質管理（QC）の技法などを事業や経営のプロセス管理にも適用しようという考え方が広まってきている。このような考え方を表す言葉に，シックスシグマがある。シックスシグマという名称は，正規分布において，標準偏差σ（シグマ）を用いて「平均値±６σ」の範囲外となる確率は非常に小さいので，その程度にまで不良率を抑えようと提唱したことに由来する。

2 ナレッジマネジメント

■SECI

SECIは，知識を創造するナレッジマネジメントの実践フレームワークで，四つの手順を繰り返すことによって，組織的な知識を獲得する。

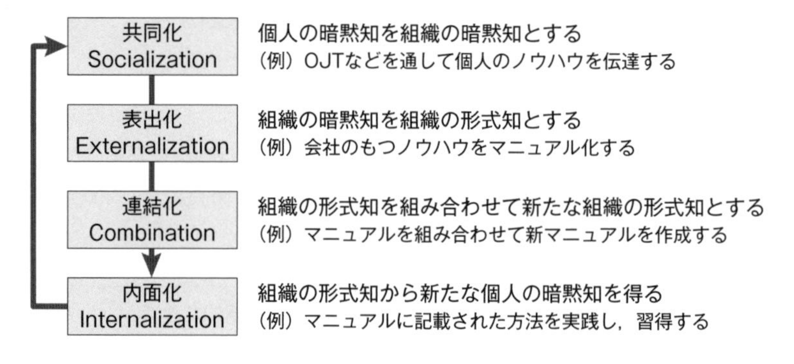

▶SECI

3 技術経営

■イノベーション

技術開発の大きな目標は，イノベーションを起こすことである。イノベーションは，新しい技術の創出や価値の提供によって，爆発的なヒットなど社会的に大きな効果をもたらす“革新”で，対象や性質によって，次のように分類できる。

- プロダクトイノベーション…製品や技術そのものの革新
- プロセスイノベーション…開発手法や管理工程などの“手続き”の革新
- ラディカルイノベーション…従来と全く異なる価値をもたらす大きな革新。経営構造の全面的変革が必要
- インクリメンタルイノベーション…従来に対して改良を施すことで得られる，比較的小さな革新

■ 死の谷（デスバレー）

死の谷とは，研究開発が基礎研究の段階で終わってしまい，製品化に結びつかない状況やその原因を表す言葉である。もともとは，資金調達面で製品化できないことを意味していたが，現在では法律や制度など資金以外の様々な要因を含めるようになっている。

■ キャズム

ロジャーズは，イノベータ理論の中で製品の購入層は次のように変化し，購入層が切り替わる際に断絶があると考えた。

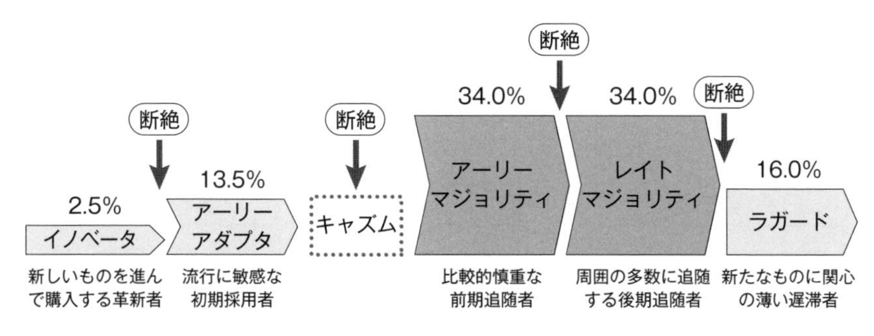

▶キャズム

とくに，製品の購入層がアーリーアダプタからアーリーマジョリティに切り替わる際に乗り越えなければならない大きな断絶を**キャズム**（深い溝）という。キャズムを越えられなかった製品は，一般に普及することなく市場から退場する。

ムーアは，ハイテク製品におけるキャズムは大きいとしている。

■ TLO（Technology Licensing Organization：技術移転機関）

TLOは，特許性や市場性がある大学の研究成果を譲り受けて特許化し，最適な企業への実施許諾を行って技術移転を支援する機関である。TLOは産学の仲介役として，特許の実施許諾料などの収益を大学の新たな研究資金として還元する。TLO法は，大学から企業への技術移転に関するTLOの活動を支援するために制定された法律である。

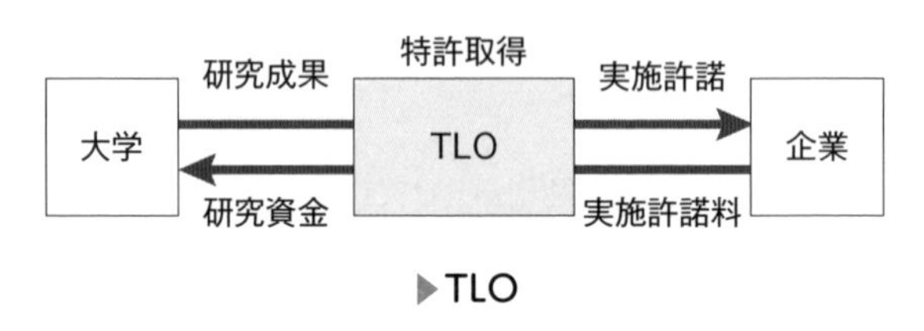

▶TLO

確認問題

問1 ✔□ □□ ファイブフォース分析は，業界構造を，業界内で競争が激化する五つの要因を用いて図のように説明している。図中のaに入る要因はどれか。

（R3問6，H29問7）

新規参入の脅威
売り手の交渉力　→　a　←　買い手の交渉力
代替品の脅威

ア　規模の経済性　　　イ　業者間の敵対関係
ウ　仕入先の集中度　　エ　流通チャネルの確保

問1　解答解説

ファイブフォース分析は，企業の競争力に影響を与える五つの要因で，自社が置かれている競争環境を明らかにする分析手法である。五つの要因として，新規参入の脅威，買い手の交渉力，売り手の交渉力，業者間の敵対関係，代替品の脅威を挙げている。　《解答》イ

問2 ✔□ □□ 多角化戦略のうち，M&Aによる垂直統合に該当するものはどれか。

(H30問6)

ア　銀行による保険会社の買収・合併
イ　自動車メーカによる軽自動車メーカの買収・合併
ウ　製鉄メーカによる鉄鋼石採掘会社の買収・合併
エ　電機メーカによる不動産会社の買収・合併

問2 解答解説

垂直統合とは，仕入先や販売先を買収したり，提携契約を結んだりして，原材料の調達のような上流工程から販売・アフターサービスのような下流工程までの流れを企業グループ内で統合し，企業間の中間コストを削減して競争力を高めるビジネスモデルである。製鉄メーカが，原材料の供給元である鉄鉱石採掘会社を買収・合併すれば，調達→生産という流れを統合できるので，垂直統合に該当する。

ア，イ　関連した業種，あるいは，同業（同じ工程を担う）の企業を統合することは，水平統合である。
エ　特に上流・下流の関係もなく，業種としての関連性も弱い，異業種どうしの統合の例である。

《解答》ウ

問3 ✔□ □□ バリューチェーンは，付加価値を生み出す事業活動を五つの主活動と四つの支援活動に分類している。支援活動に該当するものはどれか。

(H29問6，H27問7，H25問10，㊢H22問8)

ア　技術開発　　イ　購買物流　　ウ　サービス　　エ　製造

問3 解答解説

企業は，事業活動の各段階を経る過程で価値を付加していき，最終的に顧客に製品やサービスを提供する。その価値を付加していく活動の連鎖を，バリューチェーン（価値連鎖）という。バリューチェーンは，主活動と支援活動に分類される。主活動は，購買，製造，出荷物流，マーケティング，サービスで構成され，支援活動は，調達活動，技術開発，人的資源管理，全般管理で構成される。

イ～エ　主活動に該当する。

《解答》ア

問4 ☑□ □□ D. J. ティースが提唱したダイナミック・ケイパビリティの説明として，適切なものはどれか。 (R4問6)

ア　環境の変化がない状況のもと，経営資源を効率的に活用し，既存の業務システムを用いて利益を最大化する能力

イ　環境の変化を感知し，機会を捉え，組織内外の資源を再編成することによって，変革を行い，持続的競争優位を確立する能力

ウ　既存の競争枠組みの中でフォロワの地位を長期的に維持するために，リーダの戦略や製品の特徴・価格を模倣する能力

エ　専門分化した大規模な組織において，上意下達の指揮命令の下，各自が担当する業務を所定の規則に従って遂行する能力

問4 解答解説

ダイナミック・ケイパビリティとは，激しく変化する環境に対応するために，企業や組織を，資源を組み替えるなどして変革する能力のことである。ダイナミック・ケイパビリティを確立できれば持続的な成長に繋げることができ，持続的競争優位を確立することができる。

D.J.ティースは，ダイナミック・ケイパビリティの構成要素として，次の三つを挙げている。

- 感知（センシング）…環境の変化を感知する能力
- 捕捉（シージング）…機会を捉え，組織内外の資源を再構成する能力
- 変容（トランスフォーミング）…組織を変容させる能力

ア　現在の資源を活用するというオーディナリー・ケイパビリティ（ordinary capability）の説明である。

ウ　コトラーが提唱した競争地位別戦略におけるフォロワの戦略遂行に関する能力の説明である。

エ　トップダウンで戦略を遂行する組織での業務遂行に関する能力の説明である。

《解答》イ

問5 ☑□ □□ 企業が実施するマクロ環境分析のうち，PEST分析によって戦略を策定している事例はどれか。 (R4問11，H29問14，H27問13，H25問16)

ア　購買決定者の年齢層や社会的なポジション，購買に至るプロセスの中で購買行動に影響する要因を把握し，自社の製品の市場投入方法を決定する。

イ　自社の製品市場に参入してくると見込まれる，別市場の企業の動向を把握し，新製品の開発を決定する。

ウ　自社の販売力，生産力の評価や自社の保有する技術力を検証し，新しく進出する市場分野を決定する。

エ　法規制，景気動向，流行の推移や新技術の状況を把握し，自社の製品改善の方針を決定する。

問5　解答解説

マクロ環境とは，自然環境，社会環境，政治，経済，先端技術など，企業が直接コントロールできないものである。事業活動はこれらのマクロ環境に大きく左右され，一方的に機会や脅威にさらされる可能性がある。PEST分析とは，現在及び将来の事業活動に影響を及ぼす可能性のある次の四つの環境要因を把握して，その影響度や変化を分析する手法である。

- ・政治的（Political）要因…法制度や規制の変化など
- ・経済的（Economic）要因…景気や金利，株価の推移など
- ・社会的（Social）要因…人口の変動，世論や流行の推移，教育水準など
- ・技術的（Technological）要因…技術開発に関する投資の度合い，特許の取得状況など

ア　購買行動分析の事例である。

イ　アンゾフの成長マトリクス（製品－市場マトリクス）のうち，製品開発戦略の事例である。

ウ　アンゾフの成長マトリクス（製品－市場マトリクス）のうち，市場拡大戦略の事例である。

《解答》エ

問6 ✔□ □□

プロダクトポートフォリオマネジメント（PPM）マトリックスのａ，ｂに入れる語句の適切な組合せはどれか。（H30問7，H24問8）

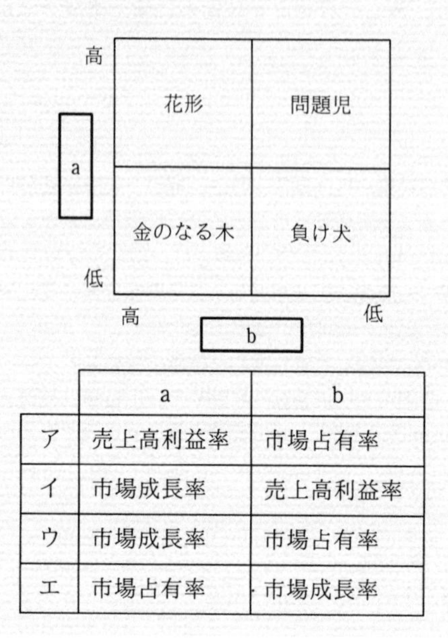

	a	b
ア	売上高利益率	市場占有率
イ	市場成長率	売上高利益率
ウ	市場成長率	市場占有率
エ	市場占有率	市場成長率

問6 解答解説

PPMマトリックスの各部分の特徴は，次のようになる。【PPMの本文参照】

花形：市場成長率，市場占有率ともに高い状況にある。ここに分類された製品・事業は，将来的に多くの資金流入をもたらし，金のなる木になると期待される。ただし，この段階では継続的な資金投入が必要とされる。

金のなる木：市場成長率は落ち着きを見せ，ライフサイクルの成熟期となっているが，市場占有率が高いため，多くの資金が流入している状況にある。

問題児：市場成長率は高いものの，市場占有率は低い状況にある。市場自体が成長過程にあるので，直ちに市場から撤退するべきとはいえないものの，そのままでは将来的に期待できない状態である。市場で生き残るためには，多くの資金投入を必要とする。

負け犬：市場成長率，市場占有率ともに低い状態にある。将来的にも期待することが難しいので，市場からの撤退を考えるべきである。

よって，ａが市場成長率，ｂが市場占有率となる。

《解答》ウ

問7 ✔□ □□ マルチサイドプラットフォームのビジネスモデルの説明はどれか。

(R4問12)

ア　顧客価値を創造するために，複数の異なる種類の顧客セグメントをつなぎ合わせ，顧客セグメント間の交流を促進する仕組みを提供するモデルである。

イ　顧客との良好な関係を築き収益拡大を図るために，顧客データベースの構築を前提として，顧客との様々な局面でのコミュニケーションを支援するモデルである。

ウ　製造業において，事業の多角化を図るために，現在の製品の川上となる部品の製造と，川下となる販売事業に同時に進出するモデルである。

エ　複数の異なる仕様の機種やOSで同じように動作するソフトウェアやサービスを提供することによって利用者を増やし，事業拡大を図るモデルである。

問7 解答解説

マルチサイドプラットフォームとは，相互に依存する関係である二つ以上のグループを繋ぎ合わせる存在（プラットフォーム）のことである。

マルチサイドプラットフォームのビジネスモデルを実現することで，多数のグループを繋ぎ合わせて何らかの取引を成立させせることができる。その例として，ECモールがある。オンライン上のショッピングモール（ECモール）に複数の企業の店舗が出店し，消費者は多数の店舗から興味を持った商品を購入する。ECモールを開設した企業には，店舗と消費者の両方が顧客であり，その顧客同士を繋ぎ合わせて，それぞれの顧客価値を創造している。

イ　CRM（Customer Relationship Management）の説明である。
ウ　垂直型多角化の説明である。
エ　マルチプラットフォームの説明である。マルチプラットフォームは，クロスプラットフォームともいう。

《解答》ア

問8 ✔□ □□ ブルーオーシャン戦略の特徴はどれか。 (R3問7，H28問9)

ア　価値を高めながらコストを押し下げる。
イ　既存の市場で競争する。
ウ　既存の需要を喚起する。
エ　競合他社を打ち負かす。

問8　解答解説

競争のない未開拓市場を，“青く凪いだ平和な海”という意味でブルーオーシャンとし，競争の激しい既存市場を“血で血を洗う荒れた海”という意味でレッドオーシャンとし，競争のない未開拓市場を切り開くべきであるという戦略がブルーオーシャン戦略である。ブルーオーシャン戦略では，競合相手が現れる将来に備えて，市場に投入した商品やサービスの価値を高めながらコストを下げていくことが求められる。

イ～エ　レッドオーシャン戦略の特徴である。

《解答》ア

問9　☑□ □□

事業戦略のうち，収穫戦略に該当するものはどれか。

（H24問10，H22問9）

ア　売上高をできるだけ維持しながら，製品や事業に掛けるコストを徐々に引き下げていくことによって，短期的なキャッシュフローの増大を図る。

イ　事業を分社化し，その会社を売却することによって投下資金の回収を図る。

ウ　新規事業に進出することによって企業を成長させ，利益の増大を図る。

エ　低価格戦略と積極的なプロモーションによって，新製品のマーケットシェアの増大を図る。

問9　解答解説

収穫戦略は，PPM（プロダクトポートフォリオマネジメント）において，収穫事業に対して適用される戦略である。PPMでは，市場成長率と市場占有率の二つの要因によって，各事業の市場における位置付けの評価を行い，各事業に対して自社の最適な経営資源の配分計画を立案する。収穫事業とは，複数の事業の中で市場成長率が低く，市場占有率の高い事業を指す。利益率が高いわりに新たなる大きな投資を必要としない安定期にある事業が該当する。収穫事業に対しては，大きな投資は控え，改善投資やコスト低減を目的とした投資に限定し，キャッシュフローの最大化を図る考え方が採用される。

イ　収穫戦略では，安定期にある収穫事業を分社化して売却し，資金の源泉とするような考え方は採用しない。

ウ　新規事業への進出は，収穫戦略に該当しない。

エ　コストリーダーシップによる低価格戦略と積極的なプロモーションによって，新製品のマーケットシェアの拡大を図る考え方は，大きな投資となるため，収穫戦略に該当しない。

《解答》ア

問10 ☑☐ ☐☐ アンゾフの成長マトリクスを説明したものはどれか。

(R元問7, H29問5, H27問6, H25問8, H22問7)

ア 外部環境と内部環境の観点から，強み，弱み，機会，脅威という四つの要因について情報を整理し，企業を取り巻く環境を分析する手法である。

イ 企業のビジョンと戦略を実現するために，財務，顧客，内部ビジネスプロセス，学習と成長という四つの視点から事業活動を検討し，アクションプランまで具体化していくマネジメント手法である。

ウ 事業戦略を，市場浸透，市場拡大，製品開発，多角化という四つのタイプに分類し，事業の方向性を検討する際に用いる手法である。

エ 製品ライフサイクルを，導入期，成長期，成熟期，衰退期という四つの段階に分類し，企業にとって最適な戦略を立案する手法である。

問10 解答解説

アンゾフの成長マトリクスは，“市場”と“製品”の二つを軸とし，それぞれを“新規”と“既存”に分けて考えることによって，成長戦略を次の四つに分類するものである。

	既存製品	新製品
既存市場	市場浸透	製品開発
新市場	市場拡大	多角化

図 成長マトリクス

- 市場浸透…既存の顧客層に対する既存の製品の販売を伸ばす
- 製品開発…新たな製品を開発し，既存の顧客層へ販売する
- 市場拡大…海外進出などを行うことで，既存の製品を新たな顧客層に販売する
- 多角化…製品・市場ともに，新たな分野に進出する

ア SWOT分析の説明である。

イ バランススコアカードの説明である。

エ プロダクトライフサイクルマネジメントの説明である。 《解答》ウ

問11 ☑□ □□　LBOの説明はどれか。　(R元問6, H28問6, H26問7, H24問7)

ア　株式市場で一般株主に対して，一定期間に一定の価格で株式を買い付けることを公告し，相手先企業の株式を取得する。

イ　現経営陣や事業部門の責任者が株主から自社の株式を取得することによって，当該事業の経営支配権を取得する。

ウ　投資会社が，業績不振などの問題を抱えた企業の株式の過半数を取得した上で，マネジメントチームを派遣し，経営に参画する。

エ　買収先企業の資産などを担保に，金融機関から資金を調達するなど，限られた手元資金で企業を買収する。

問11　解答解説

LBOは「買収先企業を担保」として，買収資金を調達する手法である。LBOを用いれば，自社よりも規模の大きな会社を買収することも可能である。【LBOの本文参照】

ア　TOB（Take Over Bid：株式公開買付）の説明である。

イ　MBO（Management BuyOut：経営陣買収）の説明である。

ウ　ベンチャーキャピタル（venture capital）によるハンズオン（育成）型投資の説明である。ベンチャーキャピタルとは，ハイリターンを狙って積極的な投資を行う投資会社（投資ファンド）のことで，資本を投下するだけでなく経営にも参画し，投資先企業の価値を高める。

《解答》エ

問12 ☑□ □□　企業戦略におけるTOBを説明したものはどれか。　(H23問8)

ア　価格と期間を公告し，不特定かつ多数の株主から株式を買い付けて，経営支配権を獲得する。

イ　経営陣に属さない一般従業員が，自社の株式を買い取り，経営を引き継ぐ。

ウ　子会社や事業部門の経営陣が，自社の株式を買い取り，独立する。

エ　ベンチャーキャピタルが，対象会社に投資するだけでなく，役員を送り込んで経営に関与する。

問12　解答解説

TOBは「価格と期間を公開」して，買収先企業の株式を市場から買い付ける手法である。

市場価格よりも高い買い取り価格を提示し，短期間に株式を買い付けることで，買収を一気に進めることができる。【TOBの本文参照】

イ　EBO（Employee BuyOut）の説明である。
ウ　MBO（Management BuyOut）の説明である。
エ　ベンチャーキャピタルによるハンズオンの説明である。　《解答》ア

問13 ✔□□□　カーブアウトの説明として，適切なものはどれか。（H26問15）

ア　企業の経営者などが自社の株式や事業部門を買収すること
イ　競争相手に知られたくない技術を，特許取得せずノウハウとして社内に秘匿すること
ウ　自社の事業の一部を戦略的に切り出し，埋もれた技術や人材を社外の別組織として独立させること
エ　製造委託契約を締結し，外部から完成品を調達すること

問13 解答解説

カーブアウトは，自社の事業部門や子会社を切り離し，独立させる手法である。カーブアウトで独立した企業は，親会社との関係を維持しつつも，親会社以外からの支援を受けることも可能になる。【カーブアウトの本文参照】

ア　MBO（Management BuyOut：経営陣買収）の説明である。
イ　営業秘密の説明である。
エ　OEM（Original Equipment Manufacturer）の説明である。　《解答》ウ

問14 ✔□□□　自社Webサイトへの流入経路分析を行う目的に該当するものはどれか。（R5問9）

ア　自社Webサイトが利用者にとって魅力的なコンテンツかどうかを把握するため
イ　自社Webサイトの利用者がどこを注視しているのかを把握するため
ウ　自社が投資したバナー広告やSEO対策の効果を検証するため
エ　自社のWeb広告と競合企業のWeb広告の出稿状況を比較するため

問14 解答解説

自社Webサイトへの流入経路分析とは，自社Webサイトにどこからユーザーがたどり着

いたかという，アクセス元を分析することである。自社Webサイトへ引きつける効果の高い広告の確認や検索サイトで上位に表示される対策（SEO対策）の効果測定などに用いられる。

ア　流入経路分析では，自社Webサイトが魅力的かどうかについては把握できない。アンケートなどを利用する必要がある。
イ　流入経路分析では，注視されているポイントは把握できない。アイトラッキング分析やヒートマップ分析などのツールや手法を用いて，ページ別やキーワード別のアクセス数などから分析する必要がある。
エ　流入経路分析では，競合企業のWeb広告との出稿状況比較はできない。Web広告の表示された回数（インプレッション数）などを用いて，分析する必要がある。

《解答》ウ

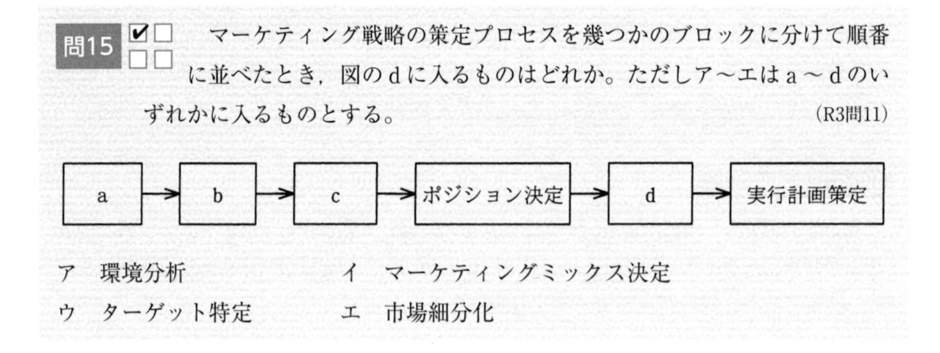

問15 ☑☐☐☐　マーケティング戦略の策定プロセスを幾つかのブロックに分けて順番に並べたとき，図のdに入るものはどれか。ただしア～エはa～dのいずれかに入るものとする。（R3問11）

ア　環境分析　　　　イ　マーケティングミックス決定
ウ　ターゲット特定　エ　市場細分化

問15　解答解説

マーケティング戦略とは，市場のニーズをいかにつかみ，どの商品，あるいはサービスをどう売るかの仕組みを策定し実行することである。マーケティング戦略の策定プロセスは，次に示す六つのブロックを順番に実行する。

①環境分析：現状を分析する。
②市場細分化：市場のニーズや価値観をグループに分ける（セグメンテーション）。
③ターゲット特定：商品，あるいはサービスが活かせる市場を特定する。
④ポジション決定：商品，あるいはサービスを差別化するポイントを明確にする。
⑤マーケティングミックス決定：製品戦略，価格戦略，チャネル戦略，プロモーション戦略などを適切に組み合わせて，商品，あるいはサービスをどのように販売していくかを明確にする。
⑥実行計画策定：実行に移す。

《解答》イ

問16 ☑☐☐☐ 市場を消費者特性でセグメント化する際に，基準となる変数を，地理的変数，人口統計的変数，心理的変数，行動的変数に分類するとき，人口統計的変数に分類されるものはどれか。（R3問10，㊎H30問10）

ア　社交性などの性格　　イ　職業

ウ　人口密度　　エ　製品の使用割合

問16　解答解説

消費者市場を顧客の特性ごとに分類（セグメンテーション）することを，マーケットセグメンテーションといい，分類の切り口をセグメンテーション変数という。マーケティング目的で消費者市場を分類する際のセグメンテーション変数は，地理的変数，人口統計的（デモグラフィックス）変数，心理的変数，行動的変数の四つに大別される。

人口統計的変数には，年齢，職業，家族構成などがある。

ア　社交性などのパーソナリティは，心理的変数である。

ウ　人口密度は，地理的変数である。

エ　製品の使用割合は，行動的変数である。　《解答》イ

問17 ☑☐☐☐ マーケティング調査におけるエスノグラフィーの活用事例はどれか。（R5問8，R3問12，H26問11）

ア　業界誌や業界新聞，調査会社の売れ筋ランキングなどから消費者の動向を探る。

イ　広告の一部に資料請求の項目を入れておき，それを照会してきた人数を調べる。

ウ　消費行動の現場で観察やインタビューを行い，気付かなかった需要を発掘する。

エ　同等の条件下で複数パターンの見出しを広告として表示し，反応の違いを測る。

問17　解答解説

エスノグラフィーとは，民俗学・社会学で集団や社会の行動を調査し理解するためのアプローチ方法である。近年は消費者の潜在的ニーズを発掘する手法として活用されている。データマイニングが消費者の消費行動と消費者属性を結び付ける定量分析なのに対して，エスノグラフィーでは定性分析を行うことができる。例えば，消費者の一日の行動に密着して，消費者自身が無意識に行っている行動を記録し，なぜそうしたのかをインタビューで問答していくなかで，潜在的ニーズを発見する。

ア　消費者の購買動向を分析するだけで，消費者の潜在的ニーズを発見するものではない。

イ　消費者の関心度を調査するだけで，消費者の潜在的ニーズを発見するものではない。

エ　広告の反響度を測定するだけで，消費者の潜在的ニーズを発見するものではない。

《解答》ウ

問18 ☑□ □□　マーケットバスケット分析を説明したものはどれか。
(R4問9，H27問11，H25問15，H22問10)

ア　POSシステムなどで収集した販売情報から，顧客が買物をした際の購入商品の組合せを分析する。

イ　網の目状に一定の経緯と緯線で区切った地域に対して，人口，購買力など様々なデータを集計し，より細かく地域の分析を行う。

ウ　一定の目的で地域を幾つかに分割し，各地にオピニオンリーダを選んで反復調査を行い，地域の傾向や実態を把握する。

エ　商品ごとの販売金額又は粗利益額を高い順に並べ，その累計比率から商品を三つのランクに分けて商品分析を行い，売れ筋商品を把握する。

問18 解答解説

マーケットバスケット分析とは，POSデータや電子商取引の販売データなどを分析し，一緒に購入される商品の組合せを見つける探索的分析方法である。併売分析ともいう。通常，顧客ごとに週単位，月単位で集計した販売データをもとに購入商品の組合せを分析する。

イ，ウ　商圏分析の説明である。

エ　ABC分析の説明である。

《解答》ア

問19 ☑□ □□　インバウンドマーケティングの説明はどれか。　(R4問7)

ア　映画，テレビ，ゲーム画面などに商品や企業ロゴなどを登場させ，見ている人にさりげなくアピールするマーケティング

イ　企業が，顧客ではなく自社の従業員に対して行うマーケティング

ウ　市場全体を均質的な存在とみなし，大規模なプロモーション活動によって目標の達成を目指すマーケティング

エ　自ら主体的に情報を探しに来る顧客に対して，自社の商品・サービスに興味をもつコンテンツを制作し，情報発信し続けるマーケティング

問19 解答解説

インバウンドマーケティングとは，SNSやブログ，Webサイトなどを利用して役立つコ

ンテンツを提供し，見込み客を惹きつけることで顧客に「見つけて（探して）もらう」マーケティング手法である。

これに対して，従来の宣伝広告や訪問販売，電話営業といった企業から「売込みに行く」マーケティング手法を，アウトバウンドマーケティングという。

ア　プロダクトプレイスメントの説明である。
イ　インターナルマーケティングの説明である。
ウ　マスマーケティングの説明である。　《解答》エ

問20 ☑☐☐☐　コーズリレーテッドマーケティングの特徴はどれか。

（R6問8，R4問8，H29問9）

ア　顧客との継続的な取引関係を構築して維持することによって，顧客生涯価値を高め，企業収益に貢献する。
イ　顧客の許可を得てから勧誘や広告活動を行うことによって，顧客との長期的な信頼関係や友好関係の形成を重視する。
ウ　商品の売上の一部をNPO法人に寄付するなど，社会貢献活動を支援する信条をアピールし，販売促進につなげる。
エ　蓄積された顧客情報を分析することによって，見込み客の特定，的確な提案，顧客の購買促進や顧客のロイヤルティ向上などに役立てる。

問20 解答解説

コーズリレーテッドマーケティングとは，商品の売上の一部をNPO法人などの慈善事業に寄付するマーケティング手法である。消費者の好感度を上げて，売上やブランド価値を向上させることが期待できる。

ア　LTV（Life Time Value：顧客生涯価値）に着目したマーケティングの特徴である。
イ　パーミッションマーケティングの特徴である。
エ　顧客ロイヤルティに着目したマーケティングの特徴である。　《解答》ウ

問21 ☑☐☐☐　バイラルマーケティングを説明したものはどれか。（R3問9，H27問10）

ア　インターネット上で成果報酬型広告の仕組みを用いるマーケティング手法である。
イ　個々の顧客を重要視し，個別ニーズへの対応を図るマーケティング手法である。
ウ　セグメントごとに差別化した，異なる商品を提供するマーケティング手法である。

エ　人から人へと評判が伝わることを積極的に利用するマーケティング手法である。

問21　解答解説

バイラルマーケティングは，SNSなどによる拡散など「人から人に伝わる」ことを利用するマーケティング手法である。販売サイトなどでよく見かける「(この商品をSNSで) 友達に紹介する」機能は，バイラルマーケティングの典型例といえる。【バイラルマーケティングの本文参照】

ア　アフィリエイトマーケティングの説明である。
イ　ワントゥーワンマーケティングの説明である。
ウ　セグメントマーケティングの説明である。

《解答》エ

問22 ☑☐☐☐　需要の価格弾力性に関する説明として，適切なものはどれか。

(R4問10)

ア　多くの競合他社が代替品を提供している場合は価格弾力性が小さくなりやすい。
イ　価格弾力性が大きい商品の場合，値上げをしても需要に大きな変化は見られない。
ウ　価格弾力性の値が１の場合，価格を下げても需要量は変化しない。
エ　必需品と贅沢(ぜい)品を比較した場合，一般に必需品の方が価格弾力性は小さい。

問22　解答解説

価格弾力性とは，価格の変動によって，ある製品やサービスの需要が変化する度合いを数値化したものである。

需要の価格弾力性は「需要の変化率÷価格の変化率」の絶対値で表される。値が1より大きいと「価格弾力性が大きい」といい，1より小さいと「価格弾力性が小さい」という。「価格弾力性が大きい」とは，製品やサービスを値上げ（値下げ）すると，需要が大きく下がる(上がる)，つまり，価格を変更すると需要が大きく変化する状態をいう。「価格弾力性が小さい」とは，製品やサービスを値上げ（値下げ）しても，需要が下がらない（上がらない)，つまり，価格を変更しても需要がほとんど変化しない状態をいう。

必需品は必要なものであるため，値上げしても需要は減らないと考えられる。しかし，贅沢品は必要なものとはいえないため，値上げによって購入を控えるなど需要が下がることが考えられる。したがって，一般的に必需品の方が価格弾力性は小さいといえる。

ア　競合他社が代替品を提供している商品を値上げすると，価格の安い他社に顧客が流れる。つまり，自社の需要は下がると考えられる。そのため，競合他社が代替品を提供している場合は，価格弾力性が大きくなりやすい。
イ　価格弾力性が大きい商品を値上げすると，需要は大きく変化する。

ウ　価格弾力性の値が1で価格を下げると，需要の価格弾力性の値は1より大きくなり，価格弾力性は大きくなる。したがって，需要量は大きく変化する。　《解答》エ

問23 ☑☐☐☐　FSP（Frequent Shoppers Program）の説明はどれか。

（H30問8，H28問10）

ア　Webサイトの閲覧者が掲載広告のリンク先であるECサイトで商品を購入した場合，広告主からそのWebサイト運営者に成果報酬を支払う仕組みである。

イ　期間を限定した値引きの販売施策を見直し，コスト削減によるローコストオペレーションを実現させて，恒常的な低価格戦略を展開することである。

ウ　顧客に会員カードなどを発行して購買情報を収集し，顧客には割引ポイントの付与や会員割引の特典を与えるなど，優良顧客の維持拡大を図る仕組みである。

エ　顧客の購買行動における，直近購買日，購買頻度，購買金額の3要素を用いて，優良顧客のセグメンテーションなどを行う顧客分析手法のことである。

問23 解答解説

Frequent Shoppersは，頻繁に購入を繰り返す「優良顧客」を表す言葉である。FSPは，そのような優良顧客を維持・拡大するための仕組みで，航空会社のマイレージプログラムや，店舗で行われるポイントプログラムなどが該当する。【FSPの本文参照】

ア　アフィリエイト広告の説明である。
イ　EDLP（EveryDay Low Price）の説明である。
エ　RFM分析の説明である。　《解答》ウ

問24 ☑☐☐☐　ブランド戦略における，ブランドエクイティを説明したものはどれか。

（R5問7，H25問13）

ア　顧客がそのブランドに対してどの程度の執着心をもっているかを示す概念であり，これが高いほど，顧客は他のブランドに乗り換えにくくなる。

イ　顧客がブランド要素に接触したとき，企業として顧客の心の中に何を連想してほしいのかというイメージである。

ウ　特定の組織にとって自社のブランドの名前やシンボルと結び付いたブランドの資産の集合であり，製品やサービスの価値を増大させるものである。

エ　名称，キャッチフレーズ，ロゴマーク，キャラクター，記号，包装，スローガンなど，ブランドを特定して差別化するための要素である。

問24 解答解説

ブランドエクイティとは，ブランドの持つ資産価値である。単なる名前やロゴとしてではなく，自社の製品やサービスと結び付いて，その価値を増大させる資産の集合のことをいう。

ア　ブランドロイヤリティ（ブランド忠誠心）の説明である。
イ　ブランドイメージの説明である。
エ　知的財産権を有する無形資産の説明である。　《解答》ウ

問25 ☑☐ ☐☐　計画的陳腐化を説明したものはどれか。　(H25問14，H22問12)

ア　機能がまだ十分に使用可能な製品を，新しいデザインに変更することによって，既存製品からの移行を進めていくこと
イ　製品の誕生から廃棄までのうち，製品のニーズがなくなることによって，売上も利益も下降線をたどる段階のこと
ウ　製品の値引き販売をすることによって，多くの人の購入を狙うこと
エ　大規模な流通業者が，あえてブランド名を付けないことによって，旧タイプの製品を提供すること

問25 解答解説

計画的陳腐化は，まだ十分に使える製品に対して意図的に新製品を投入することで，旧製品を陳腐化させ，新製品への買換えを促す手法である。【計画的陳腐化の本文参照】

イ　プロダクトライフサイクルの衰退期の説明である。
ウ　低価格戦略の説明である。
エ　ノーブランド戦略の説明である。　《解答》ア

問26 ☑☐ ☐☐　ペネトレーション価格戦略の説明はどれか。

(R元問10，H29問12)

ア　価格感度が高い消費者層ではなく高価格でも購入する層をターゲットとし，新製品の導入期に短期間で利益を確保する戦略である。
イ　新製品の導入期に，市場が受け入れやすい価格を設定し，まずは利益獲得よりも市場シェアの獲得を優先する戦略である。
ウ　製品やサービスに対する消費者の値頃感に基づいて価格を設定し，消費者にその製品やサービスへの購買行動を喚起させる戦略である。

エ　補完的な複数の製品やサービスを組み合わせて，個々の製品やサービスの価格の合計よりも低い価格を設定し，売上を増大させる戦略である。

問26 解答解説

ペネトレーション価格戦略とは，利益がないくらいまで価格を低く設定して競合他社の追随を振り払い，導入期から一気に市場シェアを獲得する戦略である。ペネトレーションプライシングともいう。

ア　スキミング価格戦略（上層吸収価格戦略）の説明である。
ウ　バリュー価格戦略の説明である。
エ　価格バンドリングの説明である。　《解答》イ

問27 ☑☐ ☐☐　AIDMAモデルの活用方法はどれか。　(R3問8)

ア　消費者が製品を購入するまでの心理の過程を，注意，興味，欲求，記憶，行動に分け，各段階のコミュニケーション手段を検討する。
イ　製品と市場の視点から，事業拡大の方向性を市場浸透・製品開発・市場開拓・多角化に分けて，戦略を検討する。
ウ　製品の相対的市場占有率と市場成長率から，企業がそれぞれの事業に対する経営資源の最適配分を意思決定する。
エ　製品の導入期・成長期・成熟期・衰退期の各段階に応じて，製品の改良，新品種の追加，製品廃棄などを計画する。

問27 解答解説

マーケティングにおいては，消費者が広告などで製品を知り，製品の購入に至るまでに次のような過程をとるとしている。この過程のことを，それぞれの頭文字をとってAIDMAという。

① Attention（注意，注目）：存在に気付く
② Interest（興味，関心）：興味をもつ
③ Desire（欲求）：欲しいと思う
④ Motive（動機）／Memory（記憶）：購入への動機とする（商品を覚える）
⑤ Action（行動）：購入する

イ　アンゾフの成長マトリクスの活用方法である。
ウ　プロダクトポートフォリオマネジメント（PPM）の活用方法である。

エ　プロダクトライフサイクルの活用方法である。　《解答》ア

問28 ☑☐ ☐☐　経営戦略に用いるCSF分析で明らかになるものはどれか。

(H28問13, H26問14, H24問15)

ア　業界内の競争に影響する要因と，自社の強み
イ　競争環境の脅威と機会，企業の強み・弱み
ウ　成功するための重要な機能や特性
エ　保有する事業の成長性と収益性

問28　解答解説

CSF（Critical Success Factor）分析では，“成功要因”，すなわち，経営目標を達成するために役立つ自社の特性を明確にし，そこに経営資源を集中することによって，限られた資源を効果的に使うことを目的としている。CSFの考え方は，バランススコアカード（BSC）による経営戦略立案などにもとり入れられている。

ア　アドバンテージマトリックスによる事業分析で明らかになるものである。
イ　SWOT分析で明らかになるものである。
エ　PPM（Product Portfolio Management）分析で明らかになるものである。

《解答》ウ

問29 ☑☐ ☐☐　営業部門で設定するKPI（Key Performance Indicator）とKGI（Key Goal Indicator）の適切な組合せはどれか。　(H21問14)

	KPI	KGI
ア	既存顧客売上高	新規顧客売上高
イ	既存顧客訪問件数	新規顧客訪問件数
ウ	新規顧客売上高	新規顧客訪問件数
エ	新規顧客訪問件数	新規顧客売上高

問29　解答解説

KPI（Key Performance Indicator）は，重要業績評価指標ともいわれ，実行している業務を評価する指標のことである。新規顧客訪問件数など業務プロセスの実施度合いを表す指標が設定される。一方，KGI（Key Goal Indicator）は，重要目標達成指標ともいわれ，

業務の最終的な結果の目標となる指標のことである。新規顧客売上高など業務プロセスの結果を示す指標が設定される。

KPIとKGIは，KGIを達成するために必要なKPIを設定し，先行指標としてのKPIを重点管理した結果，結果指標としてのKGIが達成されるという関係にある。

ア，イ　既存／新規顧客売上高，既存／新規顧客訪問件数は，いずれも先行指標／結果指標の関係にない。

ウ　新規顧客売上高は結果を示すKGIの指標であり，新規顧客訪問件数は，日々の業務プロセスの実施度合いを示すKPIの指標である。

《解答》エ

問30 ☑□ □□　SECIモデルにおいて，新たに創造された知識を組織に広め，新たな暗黙知として習得するプロセスはどれか。　(R6問13，R4問13，R3問13)

ア　共同化（Socialization）　　イ　表出化（Externalization）

ウ　連結化（Combination）　　エ　内面化（Internalization）

問30　解答解説

知識創造プロセスのためのSECIモデルは，知識の創造や活用を体系的に行うナレッジマネジメントの実践フレームワークで用いられるプロセスモデルである。暗黙知と形式知との間での知識変換を通じて知識が創造されると考える。

- 暗黙知：経験や勘などに基づくような，言葉では表現が難しい知識のこと
- 形式知：言葉や文などで表現可能な知識のこと

SECIモデルは，次に示す四つのプロセスによって構成される。

- 共同化（Socialization）：個人の暗黙知を組織の暗黙知とすること
- 表出化（Externalization）：組織の暗黙知を組織の形式知とすること
- 連結化（Combination）：組織の形式知を組み合わせて新たな組織の形式知とすること
- 内面化（Internalization）：組織の形式知から新たな個人の暗黙知を得ること

これらの四つのプロセスを繰り返し，組織的に知識を獲得する。

「新たに創造された知識を組織に広め，新たな暗黙知として習得するプロセス」は，内面化に当たる。

《解答》エ

問31 ☑□ □□　プロダクトイノベーションの例として，適切なものはどれか。

(R4問14，H29問15)

ア　シックスシグマの工程管理を導入し，製品品質を向上させる。

イ　ジャストインタイム方式を採用し，部品在庫を減らす。

ウ　製造方法を見直し，コストを下げた製品を製造する。

エ　マルチコアCPUを採用し，高性能で低消費電力の製品を開発する。

問31　解答解説

イノベーション（innovation）は，新しい技術の創出や価値の提供によって，爆発的なヒットなど社会的に大きな効果をもたらす変革（改革）を指す言葉である。このイノベーションは，何に関するものかによって，次の二つに大別できる。

プロダクトイノベーション：製品やサービス自身の革新
プロセスイノベーション：開発手法や管理工程などの“手続き”の革新

ア～ウ　工程に関する改善・改革についての例である。プロセスイノベーションに該当する。

《解答》エ

問32 ✔□ □□　技術経営における“魔の川”の説明として，適切なものはどれか。

（R5問14）

ア　研究の開始までに横たわる障壁
イ　研究の結果を基に製品開発するまでの間に横たわる障壁
ウ　事業化から市場での成功までの間に横たわる障壁
エ　製品開発から事業化までの間に横たわる障壁

問32　解答解説

技術を基にしたイノベーションを実現するために，研究→製品開発→事業化→産業化のプロセスにおいて乗り越えなければならないといわれている三つの障壁がある。その概要は，次のとおりである。

魔の川（Devil River）：研究と開発（製品化）の間に存在する障壁。技術を市場ニーズに結び付け，具体的な製品を構想しなければならない
死の谷（Valley of Death）：開発と事業化の間に存在する障壁。製品を製造・販売し，売上に繋げるために，資金や人材などの経営資源を調達しなければならない
ダーウィンの海（Sea of Darwin）：事業化と産業化の間に存在する障壁。産業として成立するまでには，競争優位を勝ち取り，生き残り競争に勝たなければならない

ア　研究の開始までに横たわる障壁は，魔の川，死の谷，ダーウィンの海のいずれにも該当しない。
ウ　ダーウィンの海の説明である。
エ　死の谷の説明である。

《解答》イ

問33 ☑☐ ☐☐ ジェフリー・A・ムーアはキャズム理論において，利用者の行動様式に変化を強いるハイテク製品では，イノベータ理論の五つの採用者区分の間に断絶があると主張し，その中でも特に乗り越えるのが困難な深く大きな溝を“キャズム”と呼んでいる。“キャズム”が存在する場所はどれか。

(H30問12，H28問12)

ア　イノベータとアーリーアダプタの間

イ　アーリーアダプタとアーリーマジョリティの間

ウ　アーリーマジョリティとレイトマジョリティの間

エ　レイトマジョリティとラガードの間

問33 解答解説

イノベータ理論とは，革新的な商品やサービスがどのように普及していくかを，購入者のタイプで一般化した理論である。購入者（採用者）を，商品やサービスを採用する早さの順に，イノベータ（革新的採用者），アーリーアダプタ（初期採用者），アーリーマジョリティ（初期多数採用者），レイトマジョリティ（後期多数採用者），ラガード（遅延採用者）の五つに分類し，それぞれが全体に占める割合を，2.5%，13.5%，34.0%，34.0%，16.0%としている。アーリーアダプタ（全体の16%）まで普及すれば，その後は急速に全体に普及するとしている。

一方，キャズム理論は，ハイテク製品のように，採用者の行動や考え方に大きな変化をもたらす商品やサービスでは，アーリーアダプタまで普及すれば，その後は急速に全体に普及するという理論は成立せず，アーリーアダプタ採用後にアーリーマジョリティが採用するまでには時間がかかるとしている。そして，その間の大きな溝を，キャズム（chasm）と呼んでいる。

《解答》イ

問34 ☑☐ ☐☐ TLO（Technology Licensing Organization）法に基づき，承認又は認定された事業者の役割として，適切なものはどれか。

(H30問15，H22問17)

ア　企業からの委託研究，又は共同研究を受け入れる窓口として，企業と大学との調整を行う。

イ　研究者からの応募に基づき，補助金を支給して先進的な研究を発展させる。

ウ　大学の研究成果の特許化及び企業への技術移転の支援を行い，産学の仲介役を果たす。

エ　民間企業が保有する休眠特許を発掘し，他企業にライセンスを供与して活用を図る。

問34　解答解説

TLO法（大学等技術移転法）は，産業活性化・学術進展のために制定された法律である。TLO法で認定された機関（承認TLO）は，特許性や市場性のある大学の研究成果を譲り受けて特許化し，適切な民間企業への実施許諾を行って技術移転を支援する「産学の仲介者」となる。【TLOの本文参照】

ア　地方公共団体や大学などに設置される，産学連携を調整する組織（研究支援センターなど）の役割に関する記述である。

イ　政府などの研究補助金制度の役割に関する記述である。

エ　特許流通サービスを担う事業者の役割に関する記述である。

《解答》ウ

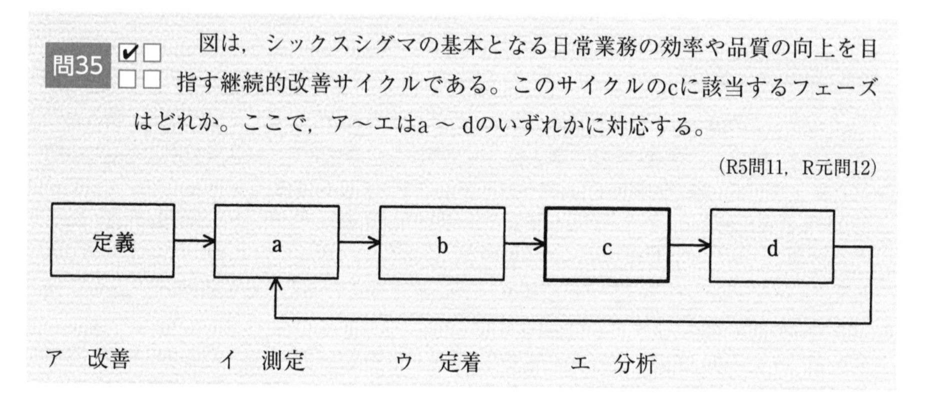

問35 ✔□ □□　図は，シックスシグマの基本となる日常業務の効率や品質の向上を目指す継続的改善サイクルである。このサイクルのcに該当するフェーズはどれか。ここで，ア～エはa～dのいずれかに対応する。

（R5問11，R元問12）

ア　改善　　イ　測定　　ウ　定着　　エ　分析

問35　解答解説

シックスシグマとは，対象業務の品質を数値化して統計的手法で分析し，そのばらつきを抑えることで，継続的な業務改善や経営改善を図る手法である。経営に影響する要因の管理を軸として，定義，測定，分析，改善，定着という経営課題の解決のステップに従って，経営課題を解決する。

《解答》ア

企業活動

Point!

企業活動は，経営戦略と並ぶITストラテジスト試験の中心テーマである。専門的な知識である企業会計などは，ITストラテジストにとっては必須知識である。また，ORやIEは，論述試験で使える知識の宝庫である。しっかり対策をしておこう。

3.1 組織と人材

… 30秒チェック！ …
Super Summary

1 企業活動

■企業活動が健全に行われるためには，活動が適切にコントロールされなければならない。これに関連する用語には，次のものがある。

□コーポレートガバナンス…企業活動の正当性や健全性を維持する仕組み
□CSR…企業が社会の一員として果たすべき責任

2 企業組織

■企業が持つ組織は，次のように分類できる。

企業組織
- □職能別組織…機能ごとに編成された組織
- □事業部制組織…事業部ごとに業績責任を持つ組織
- □カンパニー制組織…事業部の自主性，独立性を強めた組織
- □マトリックス組織…異なる組織構造を組み合わせた組織

3 人材育成

■企業が成長するためには，人材育成に関する活動も重要である。人材育成の方法には，次のものがある。

人材育成
- □アクションラーニング…現場で直面している現実的な問題を検討する
- □ケーススタディ…実際にあった出来事を題材に検討する
- □ロールプレイング…仮想的な役割を演じる
- □インバスケット…制限時間の中で数多くの案件を処理する

＊

■組織を率いる力がリーダーシップであり，部下やメンバを目標に向けて行動させるような影響力を意味する。

□SL理論…部下の成熟度とリーダーシップの関係を説明する理論

□XY理論…人を動かす動機付け理論

＊

■人材の評価や育成の基準には，コンピテンシーモデルなどを用いる。

□コンピテンシーモデル…コンピテンシー（行動特性）を評価基準とする

＊

■人事評価に際しては，次の傾向に陥らないよう留意する。

人事評価の落とし穴
- □ハロー効果…高い評価に他の評価が引きずられること
- □中心化傾向…評価が“普通”に偏ること
- □寛大化傾向…評価が甘くなること
- □論理誤差…関係性のある項目が同じ評価になること

1 企業活動

■ コーポレートガバナンス

コーポレートガバナンス（企業統治）は，経営管理が適切に行われているかどうかを監視し，企業活動の正当性や健全性を維持する仕組みである。

コーポレートガバナンスの要点は次のとおりである。

- 経営の透明性，健全性，遵法性の確保
- ステークホルダーに対する説明責任の重視・徹底
- 迅速かつ適切な情報開示
- 経営責任の明確化

■ CSR（Corporate Social Responsibility）

CSRとは，製品の安全性，適切な情報の提供などに加えて，自然環境の保全，地域との融和などを目的とした「企業の社会的責任」を重視することである。

2 企業組織

■ 企業組織

主な企業組織には，次のようなものがある。

- 職能別組織…業部門や製造部門など，機能ごとに編成された組織
- 事業部制組織…独自に利益責任（業績責任）を負う事業部を設けた組織
- カンパニー制組織…事業部の自主性，独立性をさらに強めた組織
- プロジェクト組織…プロジェクト単位で部門を編成する組織
- マトリックス組織…異なる組織構造を組み合わせた組織

一般企業に多く見られるマトリックス組織は，事業部制組織と職能別組織を組み合わせたもので，両方の特徴を生かすことを目的としている。一方，IT分野では，事業部制をベースに，案件ごとに事業部を横断してプロジェクトを編成するマトリックス組織がよく見られる。

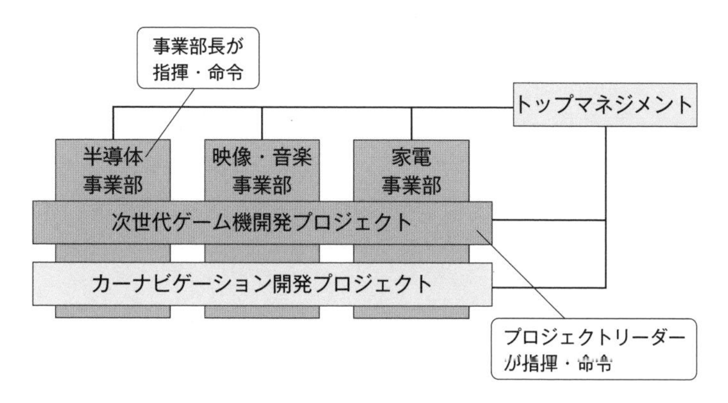

▶マトリックス組織の構造

マトリックス組織は事業部を横断する組織を作るため，部門間の人的交流や人的資源の有効活用を図ることができる。その反面，命令権限や指揮系統が二重化する欠点がある。

3 人材育成

■ 研修技法

新入社員や異動した社員など，業務に不慣れな社員は研修によって養成・教育を行う。研修技法には次のようなものがある。

- アクションラーニング…仕事の現場で直面している現実的な問題について検討して，その解決策を実践する過程で生じる行動を通じて，組織の学習力を養成する方法。学習する組織を構築する手法として注目されている
- ケーススタディ…実際にあった出来事などをもとに作成した“ケース”を題材とし，参加者の討論などを通じて研修を行う
- ロールプレイング…職場に似た状況を設定し，その中で役割を演じることで実務を疑似体験する
- インバスケット…短い制限時間の中で数多くの案件を処理することで，分析力や判断力を養成する方法。インバスケットという名称は，未決済書類を入れる箱（棚）から付けられている

■ リーダーシップ

組織を共通の目標に向けて行動させるためには，優れたリーダーシップが不可欠であり，強力なリーダーシップを発揮するためには，部下を指揮命令する職務上の権限以外にも，人的ネットワークや対人関係の構築力が不可欠である。

■ SL（Situational Leadership）理論

SL理論とは，部下の成熟度によって，マネジメントする人間のリーダーシップがどのように変化するかを説明するものである。リーダーシップをタスク（仕事）志向，人間関係志向の２軸に分けて有効なリーダーシップを示している。

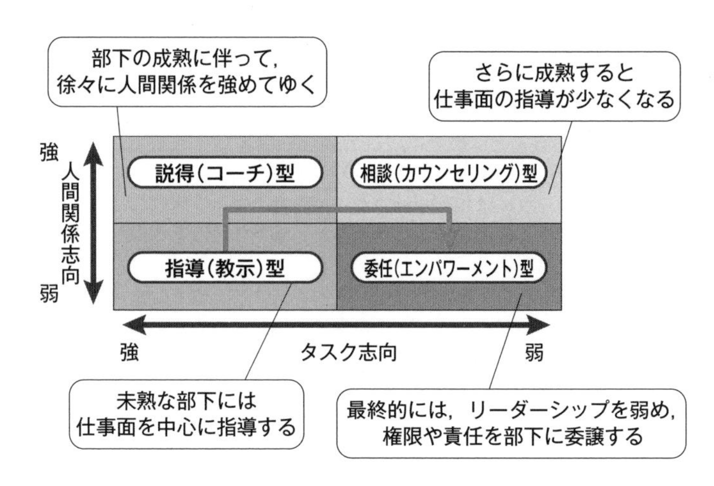

▶リーダーシップの変化

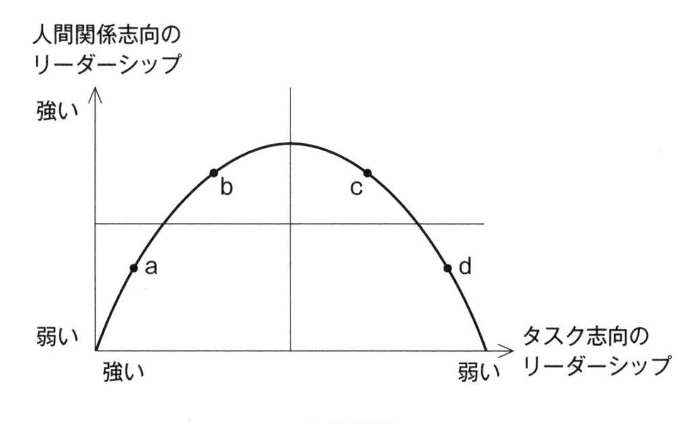

▶SL理論

▶SL理論

リーダーシップの種類	概要	人間関係志向	タスク志向
指導型リーダーシップ	リーダーは部下に対して具体的な指示命令を出し，業務の遂行を詳細に管理する。	低	高
説得型リーダーシップ	リーダーは指示だけでなく，自身の考えを説明して部下の疑問にも答えるなど，部下の理解を深める。	高	高
相談型リーダーシップ	部下と考えを合わせて業務を遂行する，意思決定を援助するなど，部下自身での自立を促すための支援を行う。	高	低
委任型リーダーシップ	業務の遂行や意思決定に関する責任を部下に委ね，結果の報告を求めるとともに監視する。	低	低

■ XY理論

アメリカの心理学者ダグラス・マクレガーによって提唱された。「命令によって受動的に人を動かす」という**X理論**と，「機会を与えて能動的に人を動かす」という**Y理論**を，状況に応じてバランスよく用いて人を動かす動機付け理論である。

■ コンピテンシーモデル

コンピテンシーとは，高い成果をあげた個人の「行動や思考特性」を表す。人事考課や人材育成の基準にするために，コンピテンシーを定義したものが**コンピテンシーモデル**である。なお，コンピテンシーは仕事内容や職場環境によって異なるため，それごとにコンピテンシーモデルを定義する。

■ 人事評価の落とし穴

人事評価は次のような心理的偏向に気を付けて，公正かつ厳密に実施する。

- ハロー効果…評価項目の一部が飛び抜けて高いときに，その評価に引きずられて他の項目も根拠なく高評価になってしまうこと
- 中心化傾向…評価が中心に偏ってしまうこと。例えば５段階評価において，十分に実績を把握できていない項目の評価が“3”に集中してしまうこと
- 寛大化傾向…考課者の自信欠如や個人的感情から，評価が甘くなってしまうこと。例えば，長期の研修などで行動を共にしたときなどに，「情が移ってしまう」など

● 論理誤差…ある評価項目と論理的な関係がある別の項目について，調査することなく同じ評価を与えてしまうこと。例えば，プログラミングの知識が豊富な者に対し，論理的思考力に同等の評価を与えてしまうなど

3.2 業務分析とデータ利活用

… 30秒チェック！ …
Super Summary

1 ゲーム理論

■競争相手がいる領域での戦略策定にはゲーム理論を応用する。ゲーム理論には，次の戦略がある。

□マクシミン…「最悪の結果」を最大にする戦略
□マクシマックス…「最良の結果」を最大にする戦略

2 QC

■品質管理（QC）にあたっては，様々なツールを用いて対象を分析する。QC七つ道具が有名である。

QC七つ道具
- □管理図…工程管理の分析に用いる
  ! ポイントテーマ▶P.140
- □パレート図…優先順位や重要度の分析に用いる
- □散布図…２項目間の関連の有無や強さの分析に用いる
- □ヒストグラム…データの分布を把握するのに用いる
- □特性要因図…ある結果をとる原因を体系的に分析するのに用いる
- □チェックシート…点検，確認の漏れをなくすのに用いる
- □層別…データ群を特徴によって分類するのに用いる

3 検査

■製造物の品質を高めるためには，完成品に対する検査が不可欠である。検査に関連する用語には，次のものがある。

□OC曲線…ロットの合格率と不良率をグラフ化した曲線
□生産者危険…本来合格するロットが誤って不合格となる危険

□消費者危険…本来不合格となるロットが誤って合格する危険

4 在庫管理

■在庫費用を圧縮するためには，正確に需要予測を行った上で，最適な発注量を計算する。これに関連する用語には次のものがある。

需要予測
- □移動平均法…過去何期かの実績の平均をもとに予測する方式
- □指数平滑法…前期の実績と前期の予測量をもとに予測する方式

□経済発注量…在庫コストと発注費用の合計を最小化する発注量

5 その他

■上記以外にも，次の分析手法や方式，方法論を覚えておきたい。

□デルファイ法…専門家に対するアンケートを繰り返す方法

□TOC…スループットの増大を最重視する生産スケジューリング法

□TRIZ…特許を分析して生まれた発明的問題解決理論

! ポイントテーマ ▶P.142

□クラスタ分析…データをクラスタ（群）に分類する手法

1 ゲーム理論

■ ゲーム理論

ゲーム理論は，企業の活動をゲーム（定められたルールに従う競争）に見立て，戦略の決定に役立てる理論である。

戦略は，

❶ 複数の戦略案を決定する

❷ 戦略案ごとに得られる利益を予測する

❸ 意思決定原理を適用してとるべき戦略を決定する

という順序で決定する。意思決定原理には次のものがある。

■ マクシミン原理（ミニマックス原理）

マクシミン原理は，戦略案ごとの「最悪の結果」に注目し，最良の結果を与える戦略を選択する。

■ マクシマックス原理

マクシマックス原理は，戦略案ごとの「最良の結果」に注目し，最良の結果を与える戦略を選択する。

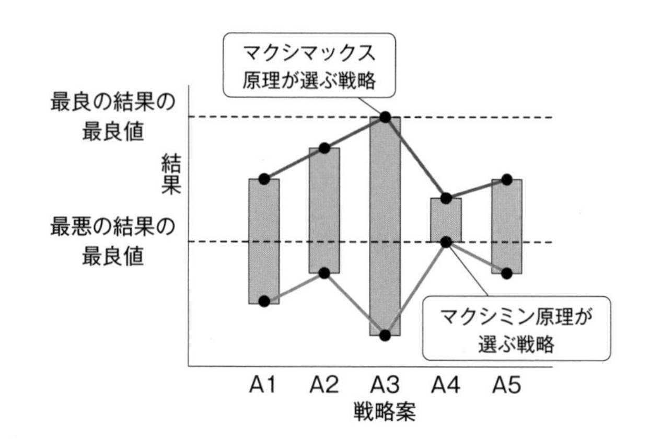

▶マクシミン原理とマクシマックス原理

2 QC

■ QC七つ道具

QC七つ道具は，品質管理に用いるツールをまとめた呼び名で，主に定量的な分析に用いる。QC七つ道具の中でも管理図，散布図，パレート図の三つについては，グラフの形状や分析の視点を覚えておこう。 ! ポイントテーマ▶P.140

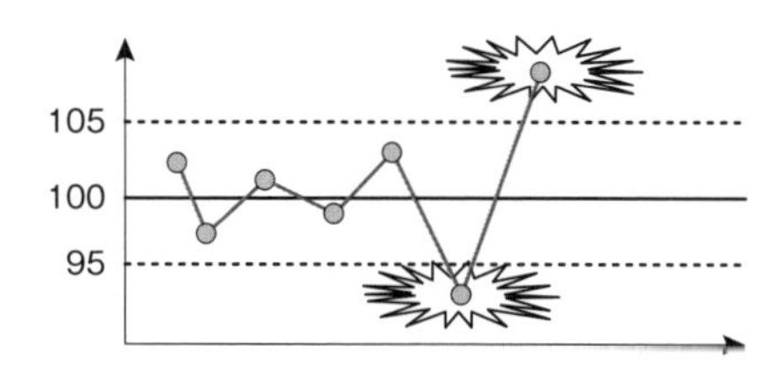

・工程が管理できているかどうかを分析する
・中心線（平均），管理上限，管理下限を設定し，データをプロットする
・管理上限を上回る，管理下限を下回る，七回以上偏りがある，などを工程異常と判断する
・企業独自の判断基準を設定することもある

▶管理図

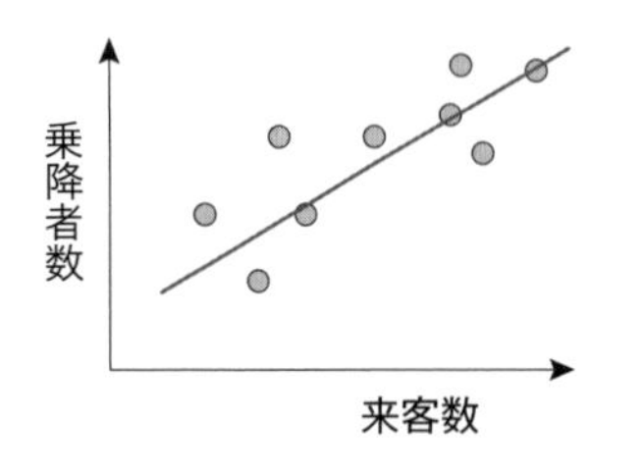

・二つの分析軸を縦横にとったグラフにデータをプロットする
・相関関係の有無，正負，強さなどを分析する
・左の散布図は，駅の規模（乗降者数）と店舗への来客数の関係を分析したもの
・乗降者数と来客数との間には，かなり強い正の相関があることが分かる

▶散布図

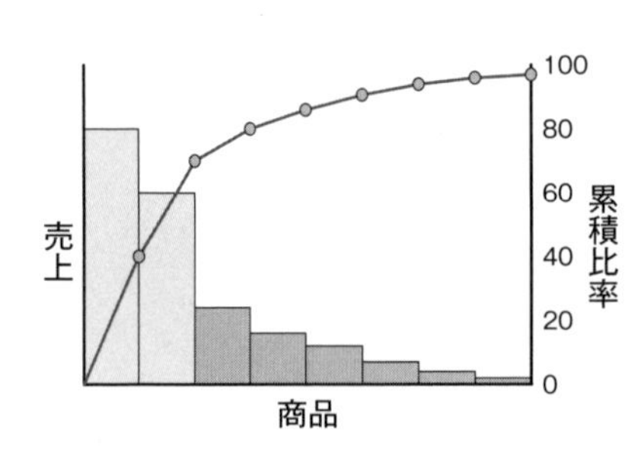

・項目を度数の大きい順に並べ，累積和をプロットする
・商品の重要度など，ある事象に大きな影響を与える要因を分析する
・左のパレート図は，商品を売上で分析したもの
・上位2商品が，売上全体の7割程度を占めていることが分かる → 重点管理商品

▶パレート図

■ 特性要因図

特性要因図は，問題や結果につながる要因を，体系的にまとめた図である。要因を樹木の枝のように分類し細分化するもので，要因の整理や対策の検討に有効である。

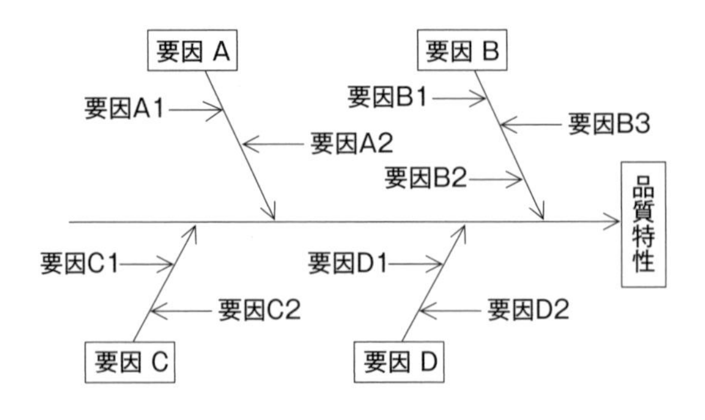

▶特性要因図

3 検査

■ OC曲線

製造業において，できあがった製品を全て検査するのは効率的ではない。そこで実際には，ロットからいくつかのサンプルを抜き取って検査することになる。

ロットからn個のサンプルを抜き取り，不良品がC個以下であれば合格と判定するとき，nとCの値によってロットの合格率と不良率の関係が定まる。これをグラフ化したものが**OC曲線**である。

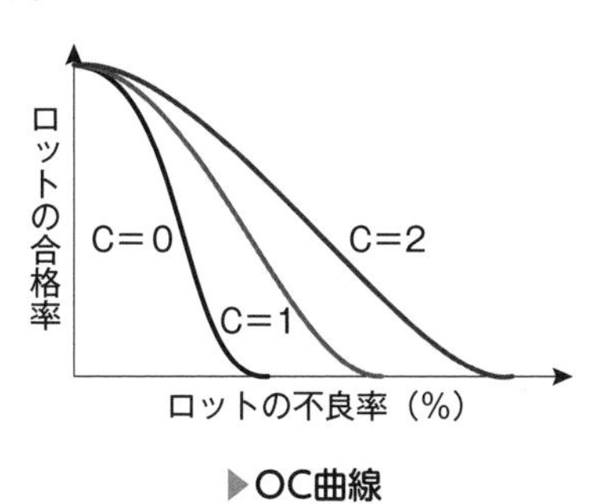

▶OC曲線

OC曲線は，一般にCが小さくnが大きい（基準が厳しく抜取り数が多い）ほど不良率が低くなり，傾斜が急になる。図は，同じ抜取り数でCを変えたときのグラフの変化を表している。

■ 消費者危険／生産者危険

抜取り検査において，本来不合格となるべきロットが誤って合格となってしまう確率のことを，消費者が不利益を被ることから，**消費者危険**という。逆に，本来合格となるべきロットが誤って不合格となってしまう確率のことを，生産者が不利益を被ることから，**生産者危険**という。検査が抜取りである限り，これらの危険は避けられない。

4 在庫管理

■ 移動平均法

移動平均法は，需要を「過去何期かの実績の平均」で予測する方式である。次の事例は需要量を過去２週の移動平均で算出し，それをベースに発注量を計算している。

❶ 週末ごとに在庫補充量を算出し，発注を行う。在庫は翌週の月曜日に補充される。
❷ 在庫補充量は，翌週の販売予測量から現在の在庫量を引き，安全在庫量を加えて算出する。
❸ 翌週の販売予測量は，先週の販売量と今週の販売量の平均値とする。
❹ 安全在庫量は，翌週の販売予測量の10%とする。

ここで，今週末の在庫量をB［n］，先週及び今週の販売量をC［n－1］，C［n］として，今週末の発注量を求める。

❸より，

$$翌週の販売予測量=\frac{C[n-1]+C[n]}{2}$$

今週末の発注量は，翌週の販売予測量に安全在庫量の10%分を加え，さらに今週末の在庫量を減じるので，

$$今週末の発注量=\frac{C[n-1]+C[n]}{2}\times 1.1-B[n]$$

と計算できる。

■ 指数平滑法

指数平滑法は，前期の実績と前期の予測量をもとに，需要予測を行う方式である。具体的には，

今期の需要予測量＝k×前期の実績＋(1－k)×前期の予測量　(0≦k≦1)

で計算する。前期の予測量は過去の実績を集約した値であるため，係数kの値が大きいほど，近い過去の実績が強く反映された予測量となる。

■ 経済発注量

定量発注方式における発注量は，在庫の保管コストと発注費用の合計を最小化するよう求める。そのような発注量を**経済発注量**と呼び，次図の点Q_0で表すことができる。

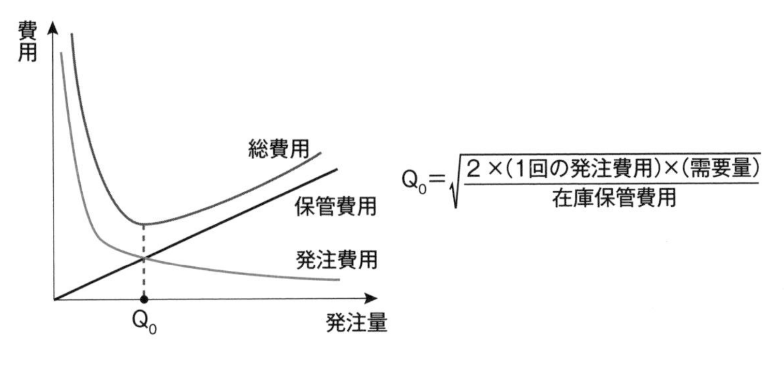

▶経済発注量

5 その他

■ デルファイ法

デルファイ法は，多数の専門家（回答者）に同一内容のアンケート調査を繰り返すことによって，意見をまとめる方法である。前回のアンケート結果を要約して回答者にフィードバックし，回答者が全体の意見をもとにして回答内容を修正できる点が通常のアンケート調査とは大きく異なる。デルファイ法は，このような調査及び結果の回収を結果が十分収束するまで繰り返す。

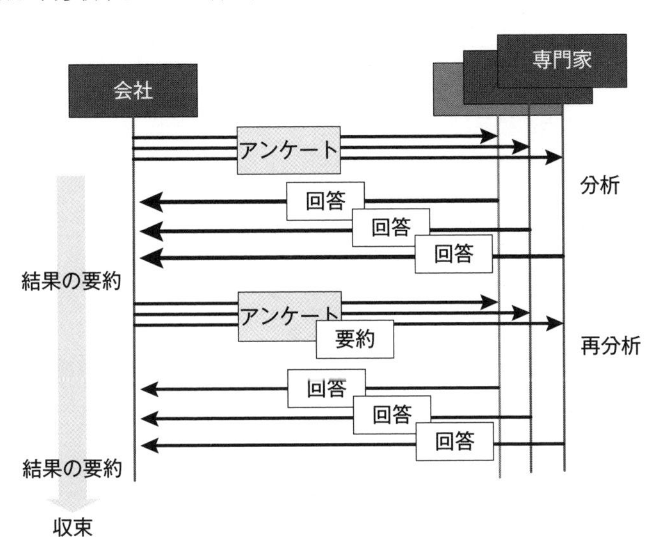

▶デルファイ法

■ TOC（Theory of Constraints）

TOCは，制約の理論ともいい，「ボトルネック工程がラインの全体スケジュールの制約条件となる」という生産スケジューリングの理論である。最近では生産スケジューリングにとどまらず，企業の収益最大化のための理論として発展している。この理論では，全体のスループットに着目する。全体のスループットは生産工程に存在するボトルネック工程が決定するので，最適生産のためには工程全体のスケジュールをボトルネック工程の能力に合わせる，スループットを向上させるにはボトルネック工程を改善することが必要であるとしている。

■ TRIZ

TRIZは，旧ソ連で誕生した発明的問題解決理論で，ロシア語のTeoriya Resheniya Izobretatelskikh Zadatchの頭文字を並べ，トゥリーズと読む。課題に潜む矛盾を解決する弁証法的アプローチとして，膨大な特許や発明事例を体系化した知識ベースから有効な「発明の原理」や「進化のトレンド」を利用する。

！ポイントテーマ　パレート図

パレート図は，データを度数の多い項目から順番に並べて棒グラフで表し，累積和をプロットして折れ線グラフで表示したものである。パレート分析はパレート図を用いた分析で，パレート図の分類する項目を変えて，重要度や要因の影響度，施策の優先順位などの分析や決定を行う。

例えば，ある組込製品の品質が低いとき，その真の原因を調べるため次のように項目を変えながらパレート図を作成する。

成果物	難易度の高い機能やプログラム
要員	問題のある担当者，チーム，委託先
工程	欠陥が混入した工程
事象	ハングアップなどの事象　→　優先的に対応する問題
原因	単純ミス，仕様の理解不足などの原因

パレート図を作成したところ，大きな偏りが見られない場合は，真の原因はその項目にはないと判断できる。例えば，不具合をそれが生じたモジュール別に分類したところ，目立った偏りが見られなかった場合は，モジュールの難易度には問題は

ない，あるいは難易度に応じたマネジメントが適切に行われたと判断できる。これに対し，パレート図に大きな偏りが見られた場合は，その項目が真の原因につながっていると判断できる。

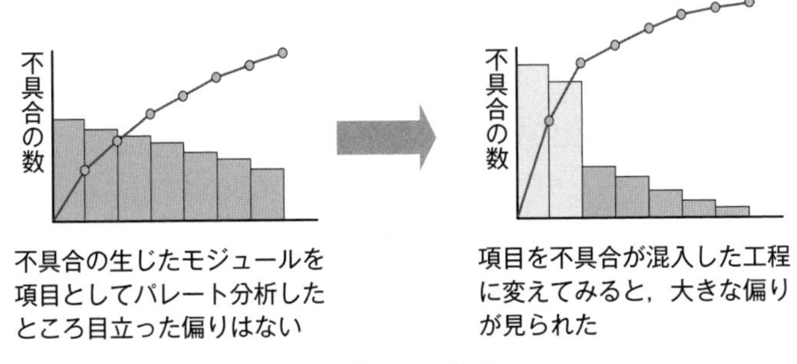

▶パレート分析

こう書ける！ 論述試験へのヒント

論述試験において，真の原因を見いだすような分析が問われることがある。QC七つ道具のようなツールや，本章でとり上げた分析法などに言及しながら論述すると，分析を定量的に実施したことや関連知識を持っていることがアピールできる。特にパレート図は使い勝手が良く，様々な分析に応用できる。アンケートの分析や不具合の分析など，パレート図を用いたストーリを考えておくのもよいだろう。

論述の切り口はプロジェクトマネージャに近くなってしまったが，
分析対象を商品などにすれば，ストラテジストの論述に近づく

X.X　分析の実施

当社製品Xの品質が低いことについてその真の原因を探るため，私はパレート分析を実施した。具体的には，報告された欠陥を機能ごとに分類してパレート図を作成した。すると，欠陥の６割近くが機能Aに偏っていることが判明した。私は機能Aの設計に問題があったと判断し，機能Aの設計工程で実施された個々の作業を調査することにした。

パレート分析では「分類に用いたどの項目」で
「どのような偏りが出た」かを具体的に説明する

機能Aは，OSの最新機能を用いたもので，製品Xの目玉の一つであった。そのため，利用部門や基盤部門を交えたレビューを綿密に実施することになっていた。ところが，レビュー報告書を調査したところ……

パレート分析だけで問題が解決するわけではない
さらにどのような分析を実施したかについて，論述をつなげよう！

！ポイントテーマ クラスタ分析

クラスタ分析は，集団の中から似ているものを集めてクラスタ（群）を作り，その中から意味を発見する手法である。例えば顧客を単純に，

20代男性，20代女性，……

と分類したり，ビジネス指向を強めて，

流行に敏感な層，品質を重視する層，コストパフォーマンスを重視する層

などと分類することもある。

クラスタの識別法には様々な方法がある。例えば，対象を２次元の分析軸上にプロットし，データ間の距離が近いものをクラスタにまとめるような方法（最短距離法）もある。

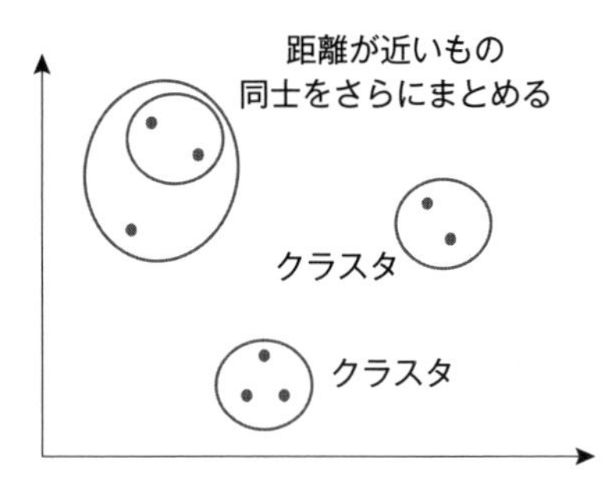

▶クラスタの作成

クラスタ分析を実施することで，クラスタごとに最適なアプローチを行うことが可能になる。例えば，ある旅行会社が顧客にダイレクトメールを発送する際に「全ての顧客に一律な案内を送付する」よりも「顧客ごとに関心の高いツアーを案内する」ほうが，より高い効果が期待できる。このような場合に，顧客と商品（ツアー）をそれぞれクラスタに分け，クラスタ間の関連を評価した上で，最適な案内を送付するようにすればよい。

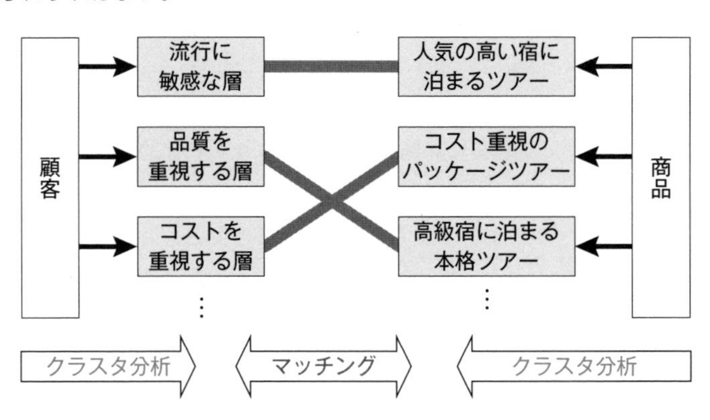

▶クラスタ分析

こう書ける！ 論述試験へのヒント

顧客に対してどのように商品を勧めるかは，ビジネスを成功させる大きなカギである。顧客の嗜好を分析し，顧客の興味や関心のありそうな商品を予測し判断するのに用いられる技法が，クラスタ分析である。例えば，ショッピングサイトを訪れた際に，「あなたにぴったりな商品」が紹介されることがある。紹介される商品は，「あなたが過去に購入した商品と同じクラスタに属する商品」や「あなたと同じクラスタに属する顧客が購入した商品」なのである。このようなレコメンデーションシステムの構築を題材にすれば，クラスタ分析に触れることで知識をアピールできる。

X.X　クラスタ分析の実施　方策を実施する理由や背景は，忘れず論述しよう

当社は旅行シーズンの前に，当社のパッケージツアーを紹介するダイレクトメールを顧客に発送しているが，反応は芳しいものではなかった。顧客からは「興味がないツアー情報ばかりなので見るのをやめてしまった」「安いツアーだけではなく，高品質なツアーも紹介して欲しい」などの意見もあがっていた。

顧客が望むツアー情報を紹介するため，私はツアーの販売履歴をもとに顧客を「流行に敏感な層」「品質を重視する層」「コストを重視する層」などのクラスタに分類した。同時に当社の商品群もクラスタに分類し，両者の関連度を分析した上で，顧客層が関心を持つであろうツアーを特集して発送した。例えば，流行に敏感な層に対しては，人気の高い宿に泊まるツアーを特集したダイレクトメールを発送した。

関連度の分析（アソシエーション分析）などについて，さらに具体的に言及してもよい

顧客や利用者の声を具体的に記述してもよい

顧客層ごとにダイレクトメールの内容を変える手間と，その効果の対比について，どこかで一言述べてもよい

3.3 企業会計

… 30秒チェック！ …

Super Summary

1 財務諸表

■決算期には，企業の財務状況や利益，キャッシュフローを明らかにするため，次の表が作成される。

□貸借対照表(B/S)…ある時点における企業の財務状態を示す計算書

□損益計算書（P/L）…会計年度の経営成績を示す計算書
□キャッシュフロー計算書…ある期間における資金の出入りを示す計算書
■グループ企業では，企業の支配関係を考慮した連結決算が行われる。
□連結決算…企業集団で決算を行うこと
□支配力基準…子会社が連結の対象であるかどうかを判断する基準

2 費用の分析

■費用は固定費と変動費に分類できる。これらを知ることで，企業の体質を分析できる。

費用
- □固定費…売上高にかかわらない費用
- □変動費…売上高に比例して増加する費用

■これらをもとに，損益分岐点や限界利益を計算できる。
□損益分岐点…利益も損失も出ない売上高
□限界利益…売上高から変動費を除いた額

3 原価の分析

■製造業では原価を材料費，労務費，経費で計算する。それぞれはさらに直接費と間接費に分類できる。
□直接費…製品の製造するために直接発生した費用
□間接費…製品ごとに計算できない費用
■間接費を活動内容から振り分けるABCという考え方もある。
□ABC…間接費を活動別にとらえる手法

4 技術開発投資の分析

■技術開発には投資が必要である。投資にあたっては，その投資がどのくらいの効果を生み出すのかを評価することが重要である。
□DCF法
□NPV法
□IRR法

1 財務諸表

財務諸表

■ 貸借対照表（B/S）

貸借対照表は，企業の決算日や期末などの一時点の財務状態を示す計算書で，資産と負債，純資産の内訳を記載する。なお，資産は表の左側（借方）に，負債と純資産は右側（貸方）に記載する。これらの間には，

資産＝負債＋純資産

という関係が成立する。

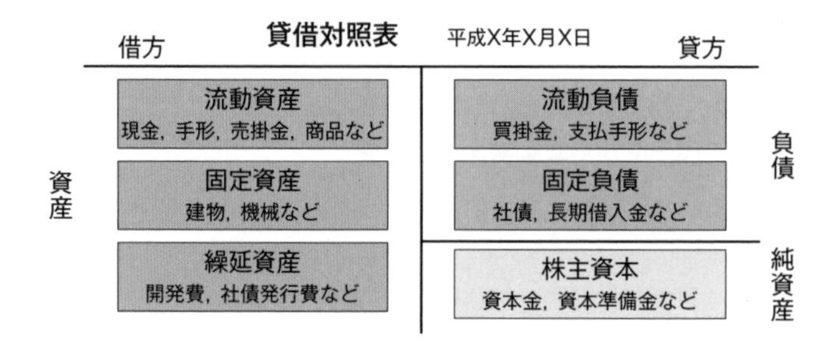

▶貸借対照表

■ 損益計算書（P/L）

損益計算書は，会計年度の経営成績を示す計算書で，

収益＝費用＋利益

という損益計算書等式を基本に，いくら費用を使い，いくら収益をあげたかを計算する。

損　益　計　算　書

年　月　日から　年　月　日まで

	経常損益		
営業損益			
Ⅰ　営業収益			
	売上高		317
Ⅱ　営業費用の部			
	売上原価	284	
	販売費・一般管理費	25	309
	営業利益		8
営業外損益			
Ⅲ　営業外収益			9
Ⅳ　営業外費用			6
	営業外利益		3
	経常利益		11
	特別損益		
Ⅴ　特別利益			5
Ⅵ　特別損失			4

▶損益計算書

■キャッシュフロー計算書

キャッシュフロー計算書とは，一定期間における資金の運転状況を示したもので，営業活動，投資活動，財務活動にかかわるキャッシュフローを分けて表示する。

キャッシュフローとは，会計上での現金利益や資金の流れのことで，正のキャッシュフローは現金が入ってきたこと，負のキャッシュフローは現金が出ていったことを表す。

キャッシュフローは次の三つに分類できる。

- 営業キャッシュフロー…商品の仕入れや販売など，本業に伴うキャッシュフロー
- 投資キャッシュフロー…固定資産や株，債券などの売買に伴うキャッシュフロー
- 財務キャッシュフロー…資金の借入れや返済，株式や社債の発行などに伴うキャッシュフロー

連結会計

■ 連結決算

連結決算とは，親会社や子会社を一つの企業集団とみなして，集団全体で決算を行うことである。連結決算においては，連結会社相互間の債権と債務は，企業集団内の内部取引となるため，これを相殺して決算から除外する。

■ 支配力基準

支配力基準は，連結の対象となる子会社であるか否かの判定基準のことである。子会社の判定は，従来は議決権の過半数を所有しているかの持株基準によって行われていた。しかし現在では，議決権の所有割合の他に，派遣役員数や供給資金量といった間接的な要素を加えて，会社の意思決定をどのくらい支配しているかという支配力基準で，子会社の判定を行うようになっている。

2 費用の分析

■ 費用

費用は，固定費と変動費に分類できる。

固定費…減価償却費や人件費など，売上高にかかわらない費用
変動費…原材料費など，売上高に比例して増加する費用

一般に，固定費が大きく変動費が小さい企業は「売上高の増加が大きな利益に結びつきやすい」といえる。逆に固定費が小さく変動費が大きい企業は「売上高の減少が損失につながりにくく，不況抵抗力が大きい」といえる。

変動費は，一定の変動費率を用いて，

売上高×変動費率

で計算できる。費用はこれに固定費を加えて，

費用＝売上高×変動費率＋固定費

と求める。

■ 損益分岐点

損益分岐点とは「利益も損失も出ない」売上高のことで，売上高がこれを上回れば

利益が生まれ，逆に下回れば損失が発生する。このような損益分岐点の把握は，売上目標の立案などに欠かすことができない。

損益分岐点は，次のようにグラフで考えると分かりやすい。

費用をy，売上高をx，変動費率をa，固定費をbとすると，

$$y=ax+b$$

となる。これに売上高を表す

$$y=x$$

を重ねると，次のグラフを描くことができる。

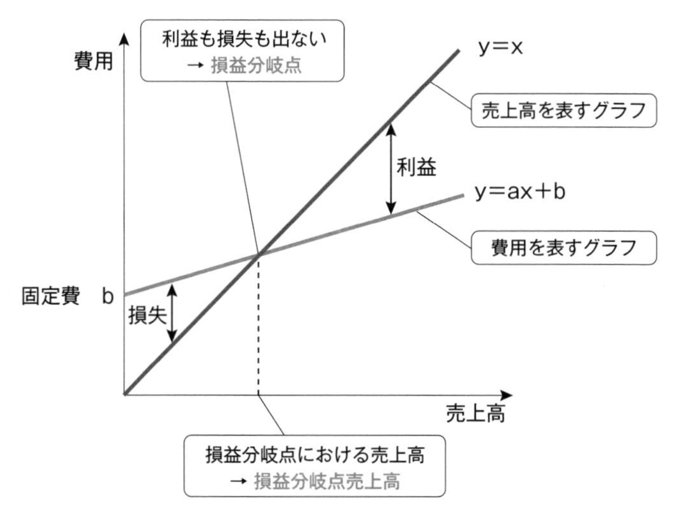

▶費用と売上高のグラフ

グラフより，

$$\text{利益}=x-(ax+b)=(1-a)x-b$$

を得る。これが0になるxが損益分岐点なので，

$$(1-a)x-b=0$$

としてxを求めると，

$$x=\frac{b}{1-a} \Longrightarrow \text{損益分岐点}=\frac{\text{固定費}}{1-\text{変動費率}}$$

となる。

■ 限界利益

売上高から変動費を除いた額を**限界利益**と呼ぶ。

限界利益＝売上高－変動費

例えば，販売価格が100円，仕入価格が30円の商品を１個だけ売り上げたとき，

限界利益＝100－30＝70円

となる。

限界利益がマイナスであれば，その商品は販売するだけ赤字が増えてゆく。限界利益がプラスであっても，その額が固定費を上回っていなければ黒字にはならない。

損益分岐点は，「限界利益＝固定費」となる売上高のことといえる。

3 原価の分析

■ 原価の構成

管理会計では，製品の製造原価を「価格を構成する要素」に分け，それらを集積することで計算する。原価は次の構成をとる。

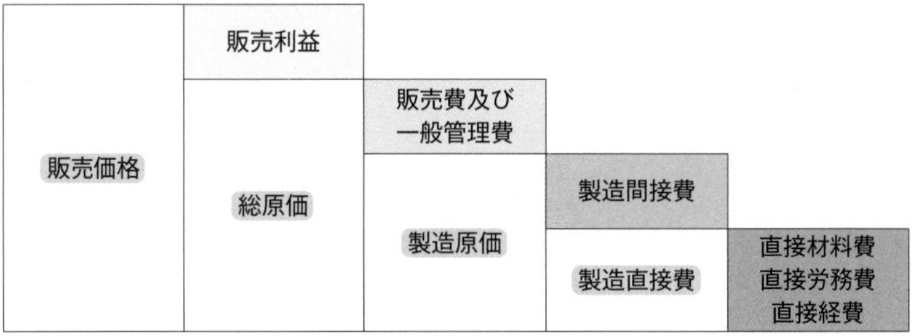

販売価格	総原価	製造原価	製造直接費	直接材料費 直接労務費 直接経費
			製造間接費	
		販売費及び 一般管理費		
	販売利益			

直接材料費	製品製造に必要な材料費用（原材料，部品，消耗品など）
直接労務費	生産活動にかかった人件費（作業員等の給与など）
直接経費	材料費，労務費以外の費用（減価償却費，保険料など）
製造間接費	製品ごとに計算できない費用（工場長の給与，電力料など）
販売費及び一般管理費	会社の通常の営業活動に要する費用（人件費や営業拠点の賃料など営業活動にまつわる費用など）

▶製造原価の構成

直接材料費，直接労務費，直接経費を合わせて**直接費**と呼ぶ。これらは，製品を製造するために発生した直接的な費用である。

直接費に対して，製品ごとに計算できない費用を**間接費**と呼ぶ。間接費も間接材料

費，間接労務費，間接経費から構成される。

直接費と間接費の合計に，営業費用である販売費及び一般管理費を加えたものが，総原価となる。

■ ABC（Activity Based Costing：活動基準原価計算）

ABCとは，間接費を活動別にとらえ，その費用を活動から生み出された原価計算対象に割り当てる手法である。具体的には，間接部門の活動（Activity）を分析・リストアップし，活動ごとに発生頻度に応じて間接費を算出することで，精度の高い原価計算を行う。

ABCを実施することで，企業や組織内のどのような活動にどの程度のコストが発生しているかの分析が可能となり，コストダウンにつなげることができる。

4 技術開発投資の分析

■ DCF（Discount Cash Flow）法

DCF法は，技術開発が比較的長期にわたることを前提に，投資効果を評価する際に，時間的な価値の変化を考慮する考え方である。適切に設定された利率をもとに，将来の価値から現在の価値（現価:present worth）を求める。利率を正の値としたとき，将来の価値は割り引かれて現価に直される。そのため，ディスカウント（割引）キャッシュフローという名称が付けられている。

例えば，年率が10%である場合，現在の100万円は1年後には110万円に増加する。このとき，DCF法では1年後の110万円と現在の100万円を等価であると考える。したがって，1年後の100万円の現価は，

100÷1.1＝90.9090…≒91

と計算され，およそ91万円となる。

■ NPV（Net Present Value）法とIRR（Internal Rate of Return）法

NPV法とIRR法は，DCF法の考え方をもとにした投資評価法である。

NPV法は，現在の投資価値（NPV）を，

NPV＝利益の現在価値－投資額

で計算する（追加投資は考えない）。

例えば，100万円を投資するA案とB案を考える。

A案：１年後に200万円，２年後に100万円の利益が見込まれる
B案：１年後に100万円，２年後に200万円の利益が見込まれる

ともに，利率を年10%とすると，次図のように評価できる。

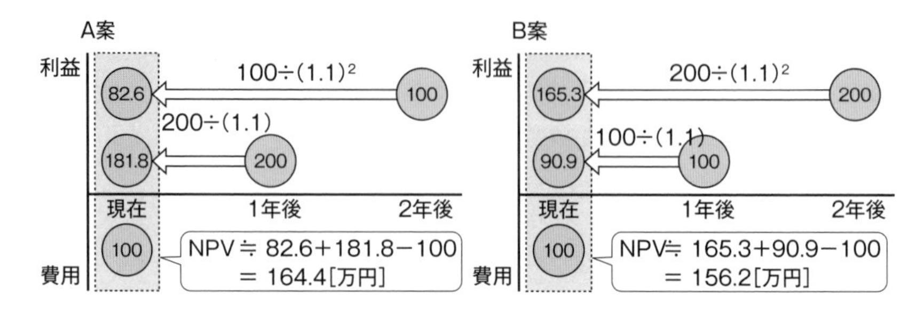

▶A案とB案の比較

結果，NPVの高いA案への投資が適切であると判断できる。

IRR法では，NPVが０になるような利率，すなわち投資が生み出す利率（IRR）を求める。そして，求めたIRRが最も高い案に投資する，IRRが内部利益率よりも少なければ投資を見送るなどの判断を下す。

確認問題

問1 ☑□ □□ 問題解決に当たって，現実にとらわれることなく理想的なシステムを想定した上で，次に，理想との比較から現状の問題点を洗い出し，具体的な改善案を策定する手法はどれか。（R4問19，H30問20）

ア 系統図法　　イ 親和図法
ウ 線形計画法　　エ ワークデザイン法

問1 解答解説

ワークデザイン法とは，理想と現状を比較することで問題点を洗い出して改善していくという演繹的な問題解決技法である。理想的なシステムの想定においては，現実にとらわれることなく，制約条件を明確にすることが重要である。

理想的なシステムを想定した上で，これとの比較から現状の問題点を洗い出し，具体的な改善案を策定する手法は，ワークデザイン法に該当する。

系統図法：目的や目標を達成するための手段や方策を階層的に順次展開し，最適な手段や方策を追求していく方法
親和図法：多数の項目から共通の性質を持つものをグループ化する作業を繰り返しながら，情報を集約する方法
線形計画法：１次式で表される制約条件下で，目的とする最大値又は最小値を求める手法

《解答》エ

問２ ✔□ □□ ある企業では，顧客データについて，顧客を性別，年齢層，職業，年収など複数の属性を組み合わせてセグメント化し，蓄積された大量の購買履歴データに照らして商品の購入可能性が最も高いセグメントを予測している。このときに活用される分析手法はどれか。 (R4問3，H30問3)

ア　ABC分析　　イ　SWOT分析
ウ　競合分析　　エ　決定木分析

問２ 解答解説

決定木分析とは，ある目的に影響する複数の属性を設定し，どのような属性の組合せがその目的を達成するものであるかを，木構造を使って予測するという分析手法である。

例えば，ある商品の購入可能性が最も高い顧客（目的）のセグメントを予測するために，性別や年齢層，職業，年収といった属性を設定し，その属性に該当するかしないかを木構造を使って分岐させ，30代の男性でサービス業に従事する年収500～600万円のセグメントが，その商品を購入する可能性が高いといった予測を行う。

ABC分析：対象を重要度に応じてA～Cの３種類に分類して分析する。パレート図を用いて，商品ごとの販売金額を高い順に並べ，その累計比率から商品を三つのランクに分けて，売れ筋商品を把握する。
SWOT分析：企業の内部環境と外部環境の両方の側面から，好影響と悪影響の要因を分析する。内部環境として自社の「強み（Strength）」と「弱み（Weakness）」，外部環境として自社に与えられる「機会（Opportunity）」と「脅威（Threat）」を明らかにする。
競合分析：自社の競合上の位置づけを把握して自社のビジネス戦略に役立てるために，ビジネスが競合する他社や，他社の製品やサービスを多様な観点で分析する。

《解答》エ

問3 ☑☐ ☐☐　ハーシィ及びブランチャードが提唱するSL理論の説明はどれか。

(H29問19)

ア　開放の窓，秘密の窓，未知の窓，盲点の窓の四つの窓を用いて，自己理解と対人関係の良否を説明した理論

イ　教示的，説得的，参加的，委任的の四つに，部下の成熟度レベルによって，リーダシップスタイルを分類した理論

ウ　共同化，表出化，連結化，内面化のプロセスによって，個人と組織に新たな知識が創造されるとした理論

エ　生理的，安全，所属と愛情，承認と自尊，自己実現といった5段階で欲求が発達するとされる理論

問3　解答解説

SL理論は，マネジメントの対象となる部下の成熟度によって，有効なリーダシップスタイルが異なるという考え方である。タスク（仕事）志向と人間関係志向の二つを軸とし，四つのタイプに分類し，部下の成熟度レベルによってリーダシップスタイルを，次の四つに分類している。

教示的リーダシップ：具体的に指示する。成熟度の低い部下に対して有効
説得的リーダシップ：意図を説明し，疑問に答える。成熟度のやや低い部下に有効
参加的リーダシップ：部下の考えを理解し，相談にのる。成熟度のやや高い部下に有効
委任的リーダシップ：権限や責任を委譲する。成熟度の高い部下に有効

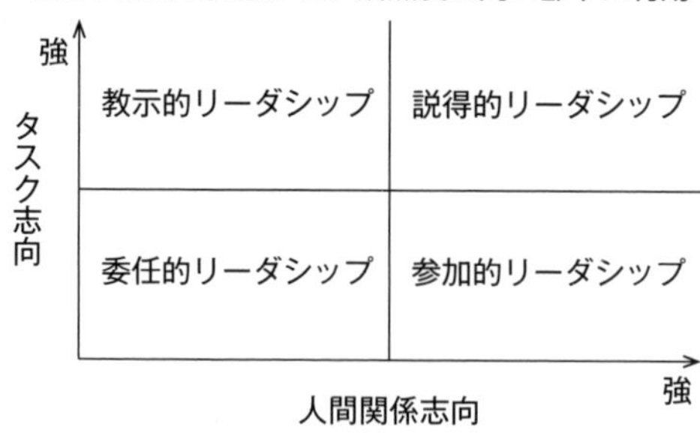

図　リーダシップスタイルの類型

ア　ジョハリの窓と呼ばれる心理学の理論の説明である。
ウ　ナレッジマネジメントの理論の説明である。
エ　マズローの欲求５段階説の理論の説明である。　《解答》イ

問4 ✔□ □□ コンピテンシモデルの説明はどれか。 （H28問20, H26問20）

ア 権限行使と命令統制による労務管理を批判し，目標管理制度や経営参加制度などによる動機付けが有効であるとしたもの
イ 最適なリーダシップの唯一のスタイルは存在せず，望ましいリーダシップのスタイルは，状況に応じて異なるとしたもの
ウ 人材の評価や育成の基準とするために，恒常的に成果に結び付けることができる個人の行動や思考特性を定義したもの
エ 人間の基本的欲求を低次から，生理的欲求，安全の欲求，所属と愛の欲求，承認の欲求，自己実現の欲求としたもの

問4 解答解説

コンピテンシとは，冷静さ，誠実さ，几帳面さなど「成果につながる」行動や思考特性を表す。これらを定義し，体系的に整理したモデルがコンピテンシモデルである。【コンピテンシモデルの本文参照】

ア 人的資源管理における，モチベーション重視論の説明である。
イ 縦軸を仕事指向の強さ，横軸を人間指向の強さとして状況を４象限に分け，それぞれの状況に応じてリーダシップのスタイルは異なるとした，SL理論の説明である。
エ マズローの要求５段階説の説明である。

《解答》ウ

問5 ✔□ □□ 人事考課の際，考課者が陥りやすい傾向の説明のうち，ハロー効果を説明したものはどれか。 （H28問21）

ア 考課者の自信欠如や個人的感情から，評価が甘くなってしまうこと
イ 事実を確認せずに，論理的に関係がある項目に対して同等の評価をすること
ウ 評価項目の一部が飛び抜けて高いと，他の項目も根拠なく高評価になること
エ 部下の勤務状況を十分に把握していないので，評価が標準に集中してしまうこと

問5 解答解説

人事考課のように人間が人間を評価する場合，公正に評価しようと心がけても，無意識にある傾向に陥ってしまうことがある。これを心理的誤差という。心理的誤差は大きく，ハロー効果，中心化傾向，寛大化傾向，対比誤差，論理誤差，期末誤差，逆ハロー効果に分けられる。ハロー効果とは，ある項目が際立って高評価の場合に，他の項目も根拠なく高く評価

してしまうという傾向である。

ア　寛大化傾向の説明である。
イ　論理誤差の説明である。
エ　中心化傾向の説明である。　《解答》ウ

問6 ☑☐ ☐☐　リーダシップのコンティンジェンシー理論の説明はどれか。（H30問19）

ア　権限行使と命令統制による労務管理を批判し，目標管理制度や経営参加制度などによる動機付けが有効だとしたもの
イ　恒常的に成果に結び付けることができる個人の行動や思考特性をモデル化し，これを評価や育成の基準にしたもの
ウ　人間の基本的欲求を低次から，生理的欲求，安全の欲求，所属と愛の欲求，承認の欲求，自己実現の欲求と階層化したもの
エ　唯一最適な部下の指導・育成のスタイルは存在しない，という考え方に基づいて，リーダの特性や行動と状況の関係を分析したもの

問6　解答解説

コンティンジェンシー理論とは，組織構造などにおいて，唯一最適なスタイルは存在しないので，環境に応じてスタイルを変化させる必要があるというものである。リーダシップのコンティンジェンシー理論は，最適なリーダシップの唯一のスタイルは存在せず，望ましいリーダシップのスタイルは，状況に応じて異なるというものである。

部下を指導・育成する際にも，最適なリーダシップのスタイルは存在しないので，リーダの特性や行動とその場の状況に合わせて，リーダシップのスタイルを変化させる必要がある。

ア　モチベーション理論における内発的動機づけの説明である。
イ　コンピテンシーモデルの説明である。
ウ　マズローの要求５段階説の説明である。　《解答》エ

問7 ☑☐ ☐☐　ダグラス・マグレガーが説いた行動科学理論において，“人間は本来仕事が嫌いである。したがって，報酬と制裁を使って働かせるしかない”とするのはどれか。（R3問18）

ア　X理論　　イ　Y理論　　ウ　衛生要因　　エ　動機づけ要因

問7 解答解説

アメリカの心理・経営学者ダグラス・マクレガーによって提唱された動機づけ理論を，X理論Y理論という。X理論は，人間は，命令，強制しなければ怠けて働かないというものである。「人間は本来仕事が嫌いである。したがって，報酬と制裁を使って働かせるしかない」というのは，X理論に該当する。

Y理論：人間は目標と責任を与えることで意欲を持って進んで働くというものである。

衛生要因：アメリカの臨床心理学者フレデリック・ハーズバーグが提唱した動機づけ理論の用語であり，仕事への不満足感をもたらす要素のことである。

動機づけ要因：フレデリック・ハーズバーグが提唱した動機づけ理論の用語であり，仕事への満足感をもたらす要素のことである。

《解答》ア

問8

利用者とシステム運用担当者によるブレーンストーミングを行って，利用者の操作に起因するPCでのトラブルについて，主要なトラブルごとに原因となったと思われる操作，利用状況などを拾い上げた。トラブル対策を立てるために，ブレーンストーミングの結果を利用して原因と結果の関係を整理するのに適した図はどれか。（R3問21，H29問21）

ア　散布図　イ　特性要因図　ウ　パレート図　エ　ヒストグラム

問8 解答解説

特性要因図は，特性（結果）とそれに影響を及ぼすと思われる要因（原因）との関連を整理して，体系的にまとめた図である。魚の骨のような形状になることから，フィッシュボーンダイアグラムともいう。

散布図：二つの特性値の間に相関関係があるかどうかを調べるため，特性値を横軸（x軸）と縦軸（y軸）にとり，データをプロットして作成した図

パレート図：対象の件数を，現象や原因などの分類項目に分けて，それを大きい順に並べた棒グラフと，それらの累積和を折れ線グラフで表した図

ヒストグラム：データが存在するいくつかの区間に分け，各区間に入るデータの出現度数を柱状に表した図

《解答》イ

問9

観測データを類似性によって集団や群に分類し，その特徴となる要因を分析する手法はどれか。（H27問8，H25問11）

ア　クラスタ分析法　イ　指数平滑法

ウ　デルファイ法　エ　モンテカルロ法

問9 解答解説

クラスタ（cluster）は，ブドウなどの房を指す言葉で，データ分析ではデータの「群や集団」を意味する。クラスタ分析は，類似性を測る基準を設定し，データ群をクラスタに分類する分析法である。【クラスタ分析の本文参照】

指数平滑法：時系列データに重み付けを行って移動平均を算出する加重平均法の一つ。最新データの重みを大きくして傾向を予測する
デルファイ法：アンケート調査の集計結果を示したうえで，同じアンケートを繰り返し行い，意見の集約を図る手法
モンテカルロ法：乱数を用いたシミュレーションを繰り返して，近似解を求める計算手法

《解答》ア

問10 ☑□ □□

合格となるべきロットが，抜取検査で誤って不合格となる確率のことを何というか。（R3問20，H24問22，H22問24）

ア　合格品質水準　　イ　消費者危険
ウ　生産者危険　　エ　有意水準

問10 解答解説

製品の品質管理において抜取検査を行った結果，本来合格となるべきロットが誤って不合格となってしまう確率のことを，生産者が不利益を被ることから，生産者危険という。

合格品質水準：抜取検査で合格にできる不良品の上限の数のことで，100単位当たりの不良品数（不良率）で表す。AQL（Acceptable Quality Level）ともいう
消費者危険：抜取検査の結果，本来不合格となるべきロットが誤って合格となってしまう確率のこと
有意水準：統計学における検定で，結果をそのまま信頼し，素直に結論として採用した場合に，その結論が間違っている確率（危険性の確率）のこと

《解答》ウ

問11 ☑□ □□

ダブルビン方式の特徴はどれか。（R5問12，H30問13）

ア　単価が高く体積が大きい又は需要変動が大きい重点管理品に適する。
イ　発注間隔が一定で発注量が増減する。
ウ　発注点と発注量が等しく，都度の在庫調査の必要がない。
エ　発注点と発注量は調達リードタイムに関係しない。

問11 解答解説

ダブルビン方式とは，在庫として用意した二つの箱のうち，一方の箱からのみ出庫し，それが空になったときに1箱分を発注するという在庫管理の発注方式である。箱が空になったときに発注するので，発注点と発注量は等しくなり，また，都度の在庫調査を必要としないという特徴がある。二棚方式とも呼ばれる。

ア　品目数が少なく仕入金額の高い重要品目に適用するという，定期発注方式の特徴である。

イ　発注時期を一定にして，発注の都度，需要予測を行い発注量を計算するという，定期発注方式の特徴である。

エ　需要の変化に対応しにくいという，定量発注方式の特徴である。　《解答》ウ

問12 ☑□ □□　将来の科学技術の進歩の予測などについて，専門家などに対するアンケートを実施し，その結果をその都度回答者にフィードバックすることによって，ばらばらの予測を図のように収束させる方法はどれか。

（R3問19，H24問13）

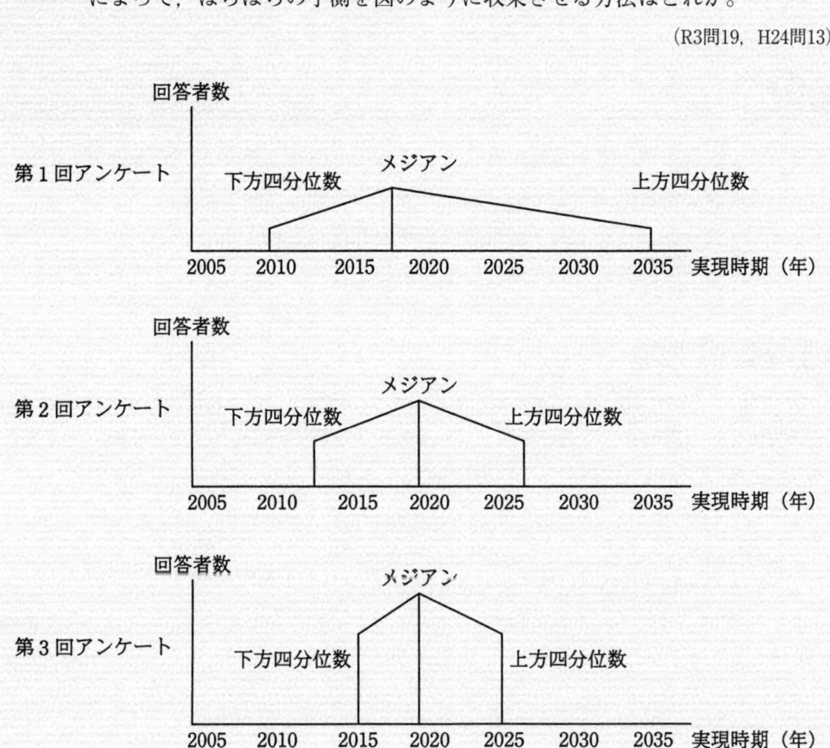

ア　ゴードン法　　　　　　イ　デルファイ法
ウ　ミニマックス法　　　　エ　モンテカルロ法

問12　解答解説

設問では，アンケート調査を実施するごとに回答が収束してきており，デルファイ法を用いていることが分かる。【デルファイ法の本文参照】

ゴードン法：アイディア発想法の一つ。ブレーンストーミングを２部構成とし，前半は参加者が真のテーマ（目的）を知らされない状態で，固定観念にとらわれずに意見を出し合う

ミニマックス法：ゲーム理論で用いられる判断基準の一つ。各代替案における最悪の場合を想定し，そのときに損失が最小となる（最大の損失を最小化する）ような案を選択する

モンテカルロ法：乱数を用いたシミュレーションを繰り返して，近似解を求める計算方法

《解答》イ

問13　☑□ □□　TOCの特徴はどれか。

（R3問16，H30問17，H28問18，H26問17，H24問20，H22問19）

ア　個々の工程を個別に最適化することによって，生産工程全体を最適化する。
イ　市場の需要が供給能力を下回っている場合に有効な理論である。
ウ　スループット（＝売上高－資材費）の増大を最重要視する。
エ　生産プロセス改善のための総投資額を制約条件として確立された理論である。

問13　解答解説

TOCは，一連の製造工程に存在するボトルネックに着目し，これを改善することで「利益の最大化」を実現する手法である。ボトルネックの原因を制約（constraints）とすることから，制約の理論（Theory Of Constraints）と呼ばれる。【TOCの本文参照】

ア　TOCはボトルネック工程に着目する理論であり，部分最適化をするものではない。部分最適を行っても，全体の最適化にはつながらない。
イ　TOCは需要と供給の関係に依存する理論ではない。
エ　TOCでいう制約とはボトルネック工程のことであり，生産プロセス改善の総投資額を制約とするものではない。

《解答》ウ

問14 ☑☐☐☐ 特許を分析して生まれた問題解決技法であり，問題（矛盾）を創造的・発明的に解決するための弁証法的な思考法を具体的な方法論にまとめたものはどれか。 (H28問15，H25問18，H23問17)

ア QFD　　イ TRIZ
ウ シックスシグマ　　エ 親和図法

問14 解答解説

TRIZは，「特許の分析」によって生まれた問題解決法である。対象を分割する，問題を分離するなどの発明原理を適用することで，問題を創造的，発明的に解決する。【TRIZの本文参照】

QFD（Quality Function Deployment；品質機能展開）：全ての製品開発プロセスに対する要求品質とその代用品質をマトリクス（星取表）を用いて分析し，合理的な製品設計を可能にする製品開発手法

シックスシグマ：各種の品質管理技法や統計分析手法を体系的に適用し，プロセスの欠陥を識別・除去する経営管理技法

親和図法：収集したデータを相互の親和性によってグループ化し，解決すべき問題の所在や形態を明確にする問題解決技法。新QC七つ道具の一つ

《解答》イ

問15 ☑☐☐☐ ある会社の生産計画部では，毎月25日に次の手続で翌月分の計画生産量を決定している。8月分の計画生産量を求める式はどれか。 (R3問17，H26問18，H23問18，H21問20)

〔手続〕

(1) 当月末の予想在庫量を，前月末の実在庫量と当月分の計画生産量と予想販売量から求める。

(2) 当月末の予想在庫量と翌月分の予想販売量から，翌月末の予想在庫量が翌々月から3カ月の予想販売量と等しくなるように翌月分の計画生産量を決定する。

I6	6月末実在庫量				
I7	7月末予想在庫量	P7	7月分計画生産量	S7	7月分予想販売量
I8	8月末予想在庫量	P8	**8月分計画生産量**	S8	8月分予想販売量
				S9	9月分予想販売量
				S10	10月分予想販売量
				S11	11月分予想販売量

In：n月の月末在庫量　Pn：n月分の生産量　Sn：n月分の販売量

ア　I6＋P7－S7＋S8　　イ　S8＋S9＋S10＋S11－I7

ウ　S8＋S9＋S10＋S11－I8　　エ　S9＋S10＋S11－I7

問15　解答解説

〔手続〕の(1)と(2)を計算式にすると，次のようになる。

(1)　当月末の予想在庫量＝前月末実在庫量＋当月分計画生産量－当月分予想販売量

(2)　翌月計画生産量＝総需要量－当月末の予想在庫量
＝翌月分予想販売量＋翌々月から３か月分の予想販売量－当月末の予想在庫量

これをI*n*（*n*月の月末在庫量），P*n*（*n*月の生産量），S*n*（*n*月の販売量）とし，当月を７月，翌月を８月として記号に変換すると，次式になる。

(1)　I７=I6+P7－S7

(2)　P8=S8+（S9+S10+S11）－ I７

これより，８月分の計画生産量は，(2)で示したP8に該当する式で求めることができる。

《解答》イ

問16 ☑□ □□　ある期間の生産計画において，表の部品表で表される製品Aの需要量が10個であるとき，部品Dの正味所要量は何個か。ここで，ユニットBの在庫残が５個，部品Dの在庫残が25個あり，他の在庫残，仕掛残，注文残，引当残などはないものとする。（R4問16，H25問19）

レベル0		レベル1		レベル2	
品名	数量（個）	品名	数量（個）	品名	数量（個）
製品A	1	ユニットB	4	部品D	3
				部品E	1
		ユニットC	1	部品D	1
				部品F	2

ア 80　　イ 90　　ウ 95　　エ 105

問16 解答解説

提示された部品表は，製品を生産するために必要な部品の親子関係を示すストラクチャ型部品表である。この部品表から，製品Aを１個生産するのに必要な部品Dの個数は，

$4×3+1×1=13$ ［個］

となる。したがって，製品Aを10個生産するには，部品Dは130個必要になる。在庫残は，ユニットBが５個，部品Dが25個とあるので，部品Dの在庫残は，

$5×3+25=40$ ［個］

となる。製品Aを10個生産するには，部品Dは130個必要，つまり，あと90個必要となる。よって，部品Dの正味所要量は，90個となる。

《解答》イ

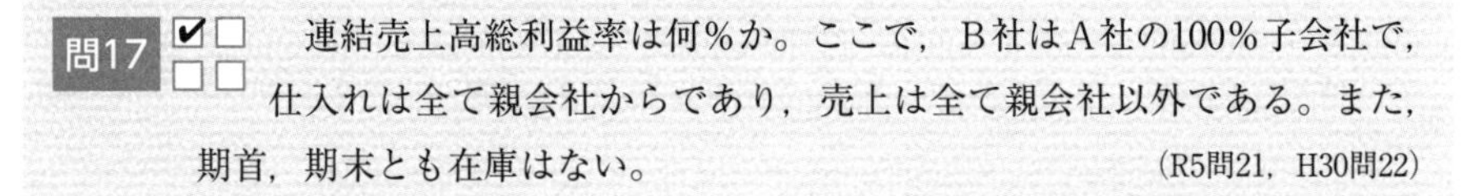

問17 ✔□□□ 連結売上高総利益率は何％か。ここで，B社はA社の100％子会社で，仕入れは全て親会社からであり，売上は全て親会社以外である。また，期首，期末とも在庫はない。（R5問21，H30問22）

A社損益計算書

単位　万円

売上高	4,000
子会社売上高	800
売上原価	3,000
売上総利益	1,800

B社損益計算書

単位　万円

売上高	1,000
売上原価	800
売上総利益	200

ア 34　　イ 38　　ウ 40　　エ 56

問17 解答解説

連結決算においては，親会社・子会社をまとめて一つの企業とみなす。そのため，親会社と子会社間の取引は連結決算から除外しなければならない。

「B社はA社の100%子会社で，仕入れは全て親会社からであり，売上は全て親会社以外である」とある。これより，B社損益計算書の売上原価の800は全てA社に支払われたもので，A社損益計算書の子会社売上高の800に充当する。したがって，A社損益計算書の子会社売上高の800は，連結売上高から除外しなければならない。また，B社損益計算書の売上高の1,000は全てA社以外の売上であるため，連結売上高に含めることができる。したがって，連結売上高は，

　　A社の売上高＋B社の売上高＝4,000＋1,000＝5,000

となり，連結売上総利益は，

　　A社の売上総利益＋B社の売上総利益＝(4,000－3,000)＋1,000＝2,000

となる。よって，連結売上総利益率は，

　　連結売上総利益÷連結売上高＝2,000÷5,000＝0.4＝40[%]

となる。

《解答》ウ

問18

活動基準原価計算（Activity-Based Costing）を導入して実現できることはどれか。（R5問19）

ア　間接費を発生要因と結び付けて把握する。

イ　経営状態を，現金収支の流れに着目して把握する。

ウ　資材の必要量，必要タイミングの予測の正確性を向上する。

エ　使用頻度が高く，単価の高い材料の在庫管理を適正に行う。

問18 解答解説

活動基準原価計算（Activity-Based Costing）とは，間接部門の活動（Activity）を分析・リストアップし，活動ごとに発生頻度に応じて間接費を算出して，精度の高い原価計算を行う原価計算手法である。活動基準原価計算を導入することで，間接費がどのコストの発生要因に対してどれくらい掛かっているかを算出することができるようになるため，例えば，製品に対して適正な価格設定を行うことができるようになる。

イ　キャッシュフロー計算書を導入して実現できることである。

ウ　MRP（Materials Requirements Planning：資材所要量計画）を導入して実現できることである。

エ　定期発注方式を導入して実現できることである。

《解答》ア

問19 ☑☐ ☐☐ 表の事業計画案に対して，新規設備投資に伴う減価償却費（固定費）の増加1,000万円を織り込み，かつ，売上総利益を3,000万円とするようにしたい。変動費率に変化がないとすると，売上高の増加を何万円にすればよいか。

(R5問20)

単位　万円

売上高		20,000
売上原価	変動費	10,000
	固定費	8,000
	計	18,000
売上総利益		2,000
⋮		⋮

ア　2,000　　イ　3,000　　ウ　4,000　　エ　5,000

問19 解答解説

売上総利益は，次式で算出できる。

売上総利益＝売上高－売上原価
＝売上高－（変動費＋固定費）
＝売上高－（売上高×変動費率＋固定費）
＝売上高×（1－変動費率）－固定費

表の数値より，

変動費率＝変動費÷売上高＝10,000÷20,000＝0.5

と計算できる。また，固定費は「減価償却費（固定費）の増加1,000万円を織り込み」より，1,000万円増加して9,000万円になるので，売上総利益を3,000万円とする目標売上高をP万円とすると，次式が成立する。

3,000＝P×（1－0.5）－9,000
＝0.5P－9,000

これをPについて解くと

0.5 P＝12,000
P＝24,000

が得られる。よって，

売上高の増加＝24,000－20,000＝4,000［万円］

となる。

《解答》ウ

問20 ☑☐☐☐ キャッシュフロー計算書における，営業活動によるキャッシュフローは何万円か。 (R6問20，R4問20，H23問24)

単位 万円

税金等調整前当期純利益	108
減価償却費	42
売上債権の増加額	60
棚卸資産の減少額	30
仕入債務の増加額	40
法人税等の支払額	32

ア 44　イ 104　ウ 128　エ 188

問20 解答解説

キャッシュフロー計算書とは，一定期間における資金の運転状況を示したものである。営業活動，投資活動，財務活動に係わるキャッシュフローを分けて表示する必要がある。

提示された表の項目は，いずれも営業活動，投資活動，財務活動に該当しない項目であるが，営業活動によるキャッシュフローを計算する場合は全てを考慮する必要がある。

- 税金等調整前当期純利益…キャッシュフロー上プラスとなる。
- 減価償却費…非資金項目で，キャッシュフロー上プラスとなる。
- 売上債権の増加額…債権の増加なので，キャッシュフロー上マイナスとなる。
- 棚卸資産の減少額…資産の減少なので，キャッシュフロー上プラスとなる。
- 仕入債務の増加額…債務の増加なので，キャッシュフロー上プラスとなる。
- 法人税等の支払額…支払なので，キャッシュフロー上マイナスとなる。

よって，＋108＋42−60＋30＋40−32＝128万円が営業活動によるキャッシュフローとなる。

《解答》ウ

問21 ☑☐☐☐ 固定資産について回収可能価額と帳簿価額とを比較し，回収可能価額が帳簿価額を下回る場合，その差額を損失として認識し，当該資産の帳簿価額を回収可能価額まで減額する会計手続はどれか。 (R4問21)

ア 減損会計　イ 税効果会計　ウ ヘッジ会計　エ リース会計

問21 解答解説

固定資産の収益性が低下し，その投資額を回収する見込みがなくなったときに，帳簿価額を一定の条件下で回収可能価額まで減額する会計処理を，減損会計という。

税効果会計：企業会計上の費用と収益と，税務会計上の損金と益金に，生じる差異を調整し，税金費用を適切に期間配分する手続
ヘッジ会計：ヘッジ対象による損益計上時期とヘッジ手段による損益計上時期を合わせることによって，ヘッジの効果を同じ会計期間に反映させる会計処理方法
リース会計：リース取引における会計処理方法

《解答》ア

問22 ☑☐ ☐☐ 投資効果の評価に用いられる内部収益率法（IRR法）を説明したものはどれか。 (R元問22)

ア　現金の支出（投資額）と収入（利益額）のフローを現在価値に置き換えた金額の大小によって投資の有利性を評価する方法である。
イ　投下した資金がどれだけの期間で回収できるかによって投資の有利性を評価する方法である。
ウ　投資から回収される現金収入（利益額）の現在価値が投資額に等しくなるような割引率を求め，基準の割引率よりも大きければ有利と評価する方法である。
エ　投資によって生じる年々の平均現金流入額を投資額で割って投資利益率を算出し，投資利益率が高ければ有利と評価する方法である。

問22 解答解説

内部収益率法（IRR法）とは，投資額と投資によって得られる価値（現在価値）が等しくなるような割引率（内部利益率：IRR）を算出し，その値の大小によって投資効果を評価する手法である。IRRが大きいほど投資効果が大きいと評価し，基準の割引率よりも大きければ有利と評価する。

ア　NPV法（正味現在価値法）の説明である。
イ　回収期間法（PBP法）の説明である。
エ　投資利益率法（ROI法）の説明である

《解答》ウ

ビジネスインダストリと法務

Point!

ITストラテジストはITコンサルタントでもある。顧客企業の業界やその動向などについても，基本的な知識を持たなければならない。それぞれの業界で導入される情報システムを整理しておくことは論述試験に必ず役立つ。自分の経験を振り返りながら，どのような業界が，どのような情報システムを導入しているかをまとめておこう。

4.1 ビジネスインダストリ

… 30秒チェック！ …
Super Summary

1 ビジネスインダストリ

■代表的なビジネス形態やそれぞれのビジネス形態で用いられるシステムについて，用語をしっかり覚えておこう。

- 小売業
  - □SPA…商品の企画から製造，販売まで全て自社で管理する業態
  - チェーン展開
    - □フランチャイズチェーン…本部と店舗が１：１で契約
    - □ボランタリーチェーン…複数店舗がまとまって本部を設置
- 物流業　□3PL…企業の流通機能全般を請け負うサービス
- コールセンター　□IVR…音声による自動応答を行うシステム
- 製造業
  - □MRP…製品の生産計画をもとに資材の調達計画を立案する
  - □EMS…電子機器の製造を受託する
  - □ファブレス…製造を他のメーカに委託する事業形態
  - □マスカスタマイゼーション…大量生産にオーダーメイドの特徴をとり入れた生産方式
  - □JIT…必要に応じて生産する方式

全体最適化
- □SCM…資材調達から販売までの全体の流れを一括管理する手法
- □ERP…経営資源を最適配分する考え方

意思決定　□BI…専門化に頼らず業務データの分類・加工・分析を行う手法

! ポイントテーマ▶P.183

営業支援
- □CRM…顧客との関係を管理する手法
- □SFA…営業活動に情報技術を活用する手法

財務　□XBRL…財務情報を記述するための言語，規約

電子商取引　□ebXML…企業間の電子商取引のために必要な仕様

エコロジ　□HEMS…家庭でのエネルギー使用を管理・節約するシステム

2 e-ビジネス

■e-ビジネスでは，現実の店舗や営業形態とは異なる形で商品やサービスを展開できる。

□ロングテール…商品を売上の多い順に並べたときのグラフ形状

□ワントゥーワンマーケティング…顧客一人ひとりの個性や多様性に対応するマーケティング

□エスクローサービス…ネット取引などを仲介するサービス

! ポイントテーマ▶P.186

□レコメンデーションシステム…商品推薦の仕組み

□インターネット広告…クリック報酬型，インプレッション保証型など

3 RPA

■定型業務を，PCやサーバ上にあるソフトウェア型のロボットが代行し，業務を自動化する技術である。業務効率化や生産性向上を実現する技術であり，働き方改革や人手不足を解決する手段として注目されている。

□RPA…定型的なデスクワークをロボットに代行させる技術

1 ビジネスインダストリ

小売業

■ SPA（Speciality store retailer of Private label Apparel）

SPAはアパレル業界における小売業態の一つで，商品の企画から製造，販売までの全てを自社で管理する。中間業者を排除し，市場動向を反映した速やかな生産調整ができることから，一般の小売業者に比べて同等な質の商品を安価で提供することができる。

■ チェーン展開

チェーン展開とは，同一のブランドで複数の店舗を展開・運営する業態である。チェーン形態には，フランチャイズチェーンとボランタリーチェーンがある。

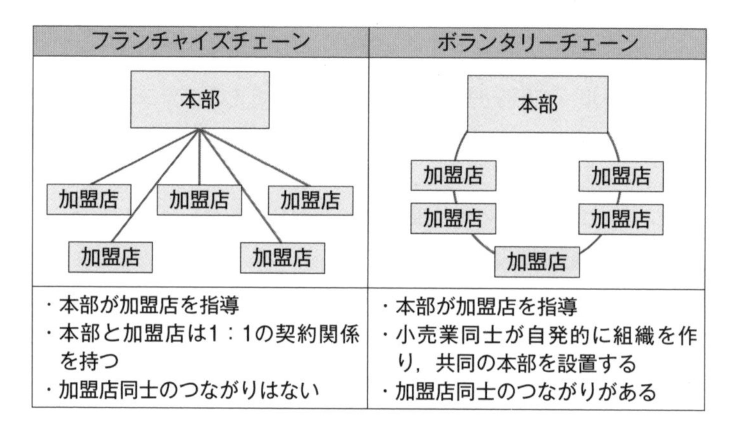

▶フランチャイズチェーンとボランタリーチェーン

ボランタリーチェーンは，複数の小売業者が独立性を維持しながら，一つのグループにまとまる方式である。共同で仕入れ，宣伝，販売促進，物流などを行うことができる。

物流業／コールセンター

■ 3PL（3rd Party Logistics）

3PLは，企業の流通機能全般を一括して請け負うアウトソーシングサービスである。従来の外部委託と大きく異なるのは，輸送や保管などの限られた運送業務を請け負うだけでなく，受発注，流通加工，在庫管理，コストダウンといった，本来は荷主企業で行う部分を含めた物流業務全般を代行することである。

■ IVR（Interactive Voice Response）

IVRとは，電話の応答をあらかじめ用意しておいた音声によって自動的に行うシステムである。オペレーター対応よりも低コストで実現でき，オペレーターによる高度な対応が必要でない状況で利用される。従来は，発信者のダイヤル操作による応答だったが，最近では音声認識による応答もある。

製造業

■ MRP（Material Requirements Planning：資材所要量計画）

MRPは，製品の生産計画を策定し，それをもとに総所要量計算→正味所要量計算→発注量計算→手配計画策定→手配指示の順で資材所要量を計算し，資材の手配を行う生産管理手法である。

■ EMS（Electronics Manufacturing Service：電子機器製造サービス）

EMSとは，電子機器の製造を受託するビジネスである。設計は委託元が行って製造のみを行う形態や，設計を含めて製造を行う形態がある。複数の電子機器メーカから受託することで，生産規模を確保し，低コストでの製品の提供を実現する。

EMSに似たサービスにOEM，ODMがあるので，それらの特徴を整理しておく。

- EMS…受託生産を専門に行う。EMS業者は原則として自社ブランドを持たない
- OEM…相手先ブランドによる生産。自社ブランドを持つ企業が，規模拡大のため相手先ブランドの生産を受託する
- ODM…相手先ブランドによる設計・生産。OEMと同様の製造を製品の設計を含めて受託する

■ ファブレス（fabless）

ファブレスとは，工場などの生産設備を持たず，他のメーカーに生産を委託する事業形態である。自らは製品の企画やマーケティング，販売に専念することで，需要変動の激しい商品やライフサイクルの短い製品を扱うリスクが低減できる。また，生産にかかわる設備や人員を持つ必要がないため，固定費用も低減できる。

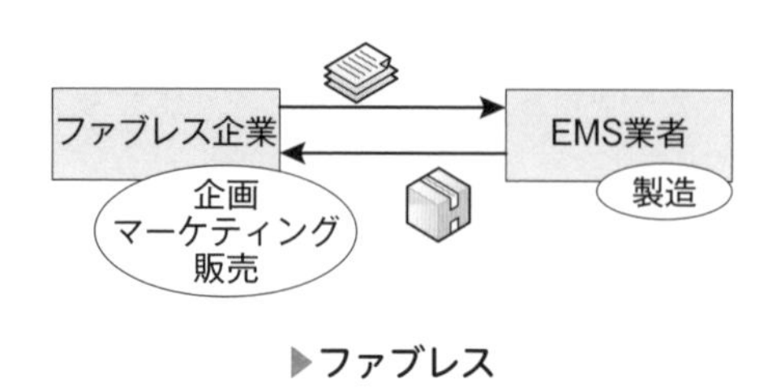

▶ファブレス

■ マスカスタマイゼーション

マスカスタマイゼーションとは，大量生産にオーダーメイドの特徴をとり入れた生産方式である。大量生産・大量販売によるコストダウンを生かしつつ，顧客の要望や好みに応じる製品やサービスを提供する。

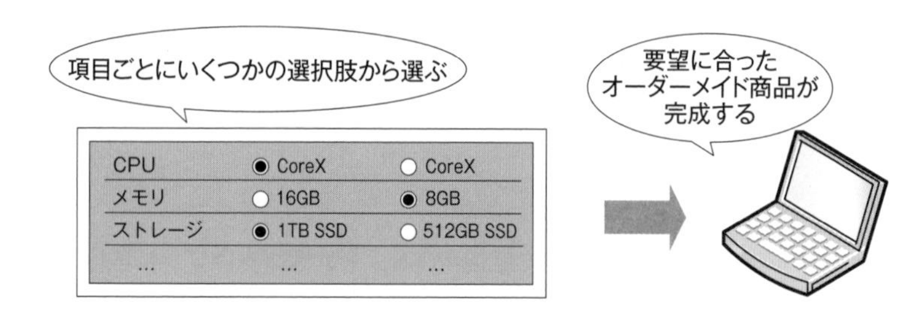

▶マスカスタマイゼーション

■ JIT（Just In Time）

JITとは，製造業において，生産の合理化だけを重視するエンジニアリングシステム（製造業において導入される情報システム）ではなく，「必要なものを，必要なときに，必要な量だけ」生産することを目的とする概念である。

全体最適化

■ SCM（Supply Chain Management：供給連鎖管理）

SCM（サプライチェーンマネジメント）は，資材調達から製品販売までの全体の流れ（サプライチェーン）を企業や組織を越えて管理し，情報を共有化して，商品供給全体の効率化と最適化を図る手法である。

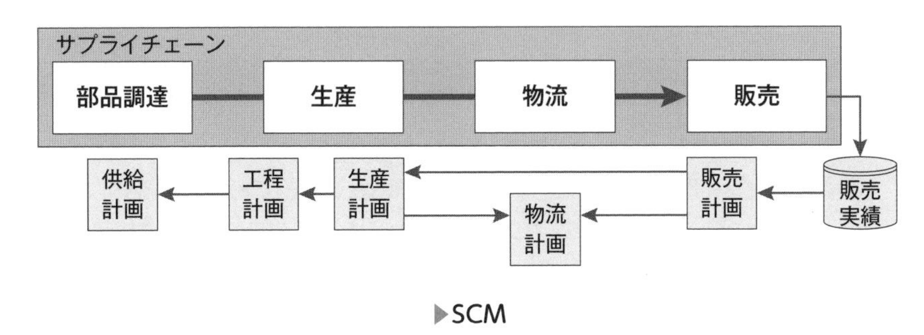

▶SCM

SCMでは，販売実績をもとに販売予測を行い，これを販売計画や生産計画などの各種計画に展開する。販売予測が製造や部品調達に反映されるため，無駄のない計画を立てることができる。結果として在庫削減，業務費用削減，欠品の削減，納期短縮などの効果が期待できる。

■ ERP（Enterprise Resource Planning：企業資源計画）

ERPは，経営資源を高度に最適配分しようという考え方で，それを実現するためのソフトウェアパッケージがERPパッケージである。

ERPパッケージには，標準的な業務モデルが組み込まれている。ERPパッケージを現行業務に合わせてカスタマイズするか，逆に現行業務をERPパッケージに合わせるかは，業務改善のレベルに応じて選ぶ。例えば，抜本的な業務改革（BPR）を実施する場合には，ERPパッケージが前提とする業務モデルに合わせて，全社の業務プロセスを再設計する。

意思決定／営業支援

■ BI（Business Intelligence）

BIとは，ハワード・ドレスナーが提唱した概念で，業務にかかわる意思決定に役立てるために，分析などの専門家に頼ることなく，企業が持つ膨大な業務データの分類・加工・分析を行う手法のことである。

BIを実践するツールを，BIツールと呼ぶ。BIツールを用いることで，データベースに関する専門的な知識がなくてもデータ分析を行うことができる。

■ CRMとSFA !ポイントテーマ▶P.183

財務／電子商取引／エコロジ

■ XBRL（eXtensible Business Reporting Language）

XBRLは，企業の財務情報を記述するための言語及び規約である。XMLベースの言語であることから，ソフトウェアやプラットフォームに依存しない。そのため，財務情報を円滑に流通・利用できるようになる。現在，XBRLの標準化と普及が世界的に推し進められている。

XML（Extensible Markup Language）は，目的に応じたマークアップ言語作成のための仕様である。

■ ebXML（electronic business XML）

ebXMLは，XMLを用いて表した，企業間の電子商取引のために必要な仕様の集合である。仕様は，取引きのプロセスや契約フォーマット，通信プロトコルなど多岐にわたる。

■ HEMS（Home Energy Management System）

HEMSは，家庭で使用するエネルギーを節約するシステムである。家庭用の発電設備や家電製品，給湯機器などをネットワークでつなぎ，消費電力をモニタに表示したり，消費電力の最適制御を行う。

2 e-ビジネス

■ ロングテール

商品を売上の多い順に並べると，次のような「尻尾が長く延びる」ような形状になり，これをロングテールと呼ぶ。

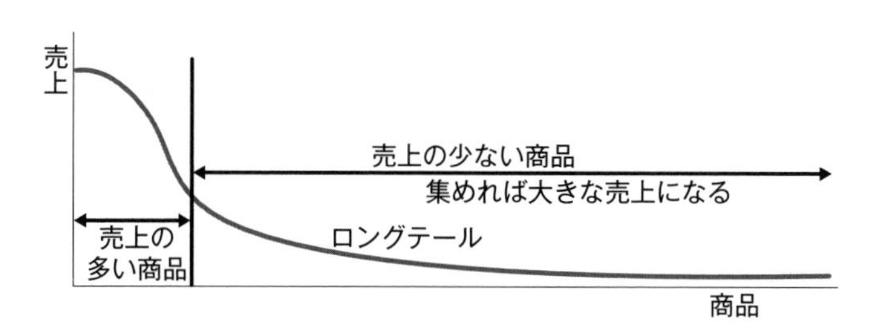

▶ロングテール

テール部分の商品は，一つひとつの売上は少ないものの，集めれば大きな売上になる。e-ビジネスでは店舗の制約がないので，テール部分の商品を幅広く取り揃え，継続的に販売することができる。

■ワントゥーワンマーケティング

ワントゥーワンマーケティングとは，顧客一人ひとりの購買動向や嗜好を把握して，適切な製品やサービスを，長期にわたって提供しようとするマーケティング手法である。一人の顧客が生涯で購入する製品やサービスにおいて自社の製品やサービスの割合を最大化していく，顧客シェアを向上させることを目指すものである。

■エスクローサービス（escrow service）

エスクローサービスとは，取引の安全性を第三者である事業者が保証する仲介サービスのことである。エスクローサービスを利用することで代金の回収と商品の受渡しが確実にできるため，トラブルが起こりがちなインターネット取引を安全に行うことができる。

次図は，ネットオークションの出品者と落札者がエスクローサービス事業者を介して代金と商品をやり取りする例である。

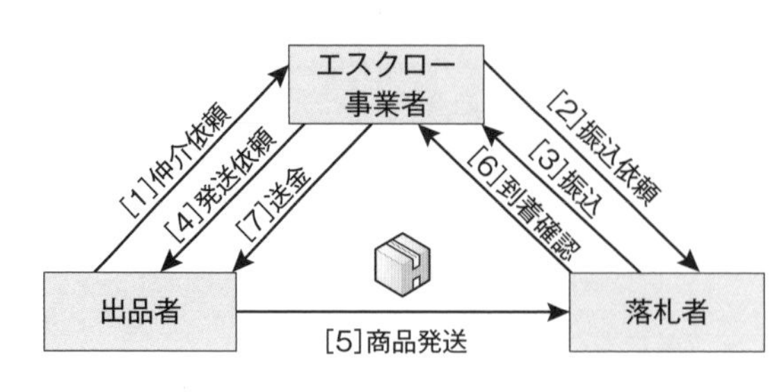

[1]出品者がエスクロー事業者に仲介を依頼
[2]エスクロー事業者が落札者に代金の振込みを依頼
[3]落札者が代金を振り込む
[4]エスクロー事業者が振込を確認後，出品者に商品の発送を依頼
[5]出品者が商品を発送
[6]落札者が商品が到着したことを知らせる
[7]エスクロー事業者が落札者から振り込まれた代金を送金

▶エスクローサービス

■ レコメンデーションシステム ポイントテーマ▶P.186

■ インターネット広告

インターネット広告は，Web画面などに表示する広告で，次の掲載形態がある。

- 期間保証型…契約した期間だけ広告を掲載する
- インプレッション保証型…契約した表示回数（インプレッション）に達するまで広告を掲載する
- 検索連動型…あらかじめ決められたキーワードで検索が行われた際に広告を表示する
- 成果報酬型…広告がクリックされ，広告主のサイトで商品の購入などの成果があがった場合に掲載料が支払われる。アフィリエイト広告とも呼ばれる

3 RPA

■ RPA（Robotic Process Automation）

RPAとは，ホワイトカラーが実施してきた定型的なデスクワークを，PC内のソフトウェアで作られたロボットに代行させて自動化する技術である。RPAで使われるロボットは，工場などで稼働しているハードウェアの産業用ロボットに対して，ソフトウェアロボットと呼ばれる。

例えば，業務システムのデータ入力や照合などの定型業務について，ユーザーの操作を認識し，それを帳票作成やメール送信などのワークフローと組み合わせて，業務プロセスを自動化する。これにより業務が効率化され，生産性が高まるため，人手不足解消や働き方改革につながることが期待できる。

!ポイントテーマ　物流の改善

在庫を持ちすぎると在庫費用が利益を圧迫する，かといって在庫を圧縮すると在庫切れで販売機会を逸失する。在庫は経営者の頭を常に悩ませる問題児なのである。

これを解決する方法の一つに，「在庫を集約する」という考えがある。例えば，個々の店舗で在庫を持つ場合，店舗ごとの売上は各店舗個別の事情や状況により，販売予測を大きく超えてしまい，結果として在庫切れが生じる恐れがある。これを防ぐためには，店舗が過大な在庫を抱える必要があるだろう。では，店舗の在庫を最小限とし，在庫の多くをセンターに集約すればどうだろうか。各店舗個別の事情はセンターでは平均化されるため，販売予測はより正確になる。結果として，センターの在庫は適切な量に収まるだろう。

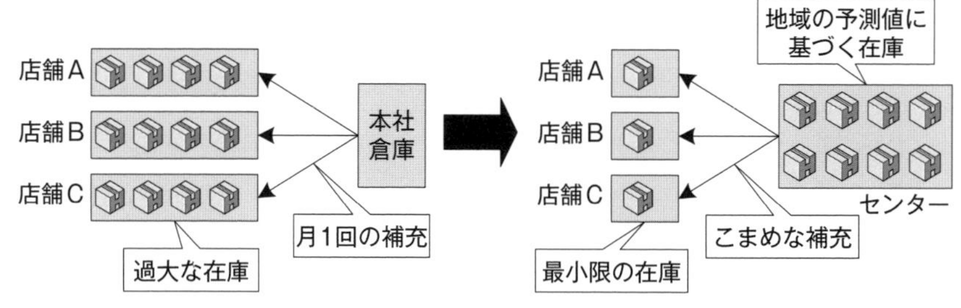

このような改善は，企業の事情にあわせて実施する。例えば，大口顧客に対してはセンターから直接配送するなどの工夫を行う。改善にあたっては，IT導入を含めた正確な業務分析が必要になる。ITストラテジストとして腕の見せ所であろう。

平成27年　ST午後Ⅰ問2を引用・抜粋

B社は，パン・菓子の加工材料を製造する食品メーカである。大手顧客や個人のショップに製品を販売している。

〔現状〕

・東京に本社，地域ごとに支社，支社ごとに複数の営業所，工場と製品倉庫が東日本・西日本に一つずつ，支社・営業所ごとに倉庫がある。
・支社の倉庫の在庫が不足することがある。その場合は，製品倉庫や他の支社の倉庫に補充を依頼する。補充のさいには，顧客への納入日を遅らせるように調整することもある。
・支社の倉庫によって，発注から納入までの所要日数の変動が大きく，大手顧客・地域主要顧客から，納入日数の指標を提供してほしいという要望がある。
〔改善〕
・工場の近傍に新たに物流センタを設置し，在庫を一括管理する。
・大手顧客と地域主要顧客への配送は，物流センタから行う。
・ショップへの納入は，これまでどおり支社・営業所の倉庫から行う。

設問　顧客の要望に対して可能となった点を，理由とともに40字以内で述べよ。

B社の現状は，在庫不足にうまく対処しているかのように見えるが，実際にはドタバタだ。顧客の大口注文に対して支社の倉庫が対応できず，調整したあげく，納入日が遅れてしまう。顧客が不満を抱くのも当然だ。

これに対するB社の改善は，新たに物流センタを設け，大手顧客は物流センタが直接対応するというものである。公式通りの改善といえる。

〔現状〕
・東京に本社，地域ごとに支社，支社ごとに複数の営業所，工場と製品倉庫が東日本・西日本に一つずつ，支社・営業所ごとに倉庫がある。
・支社の倉庫の在庫が不足することがある。その場合は，製品倉庫や他の支社の倉庫に補充を依頼する。補充のさいには，顧客への納入日を遅らせるように調整することもある。
・支社の倉庫によって，発注から納入までの所要日数の変動が大きく，大手顧客・地域主要顧客から，納入日数の指標を提供してほしいという要望がある。
〔改善〕
・工場の近傍に新たに物流センタを設置し，在庫を一括管理する。
・大手顧客と地域主要顧客への配送は，物流センタから行う。
・ショップへの納入は，これまでどおり支社・営業所の倉庫から行う。

設問　顧客の要望に対して可能となった点を，理由とともに40字以内で述べよ。

まず，顧客の要望とは何かを明らかにし，その原因を探る。顧客の要望は「納入日数の指標を提供して欲しい」というもので，その根本原因は「支社の倉庫の在庫が不足して納入日が遅れる」ことにある。改善後は，大手顧客や地域主要顧客は物流センタが直接対応することになる。物流センタは在庫を一括管理する拠点で，支社の倉庫のような在庫不足は生じない。そのため，納入日数の変動は起こらず，その指標も提供できる。

【解答】

在庫の不足がなくなるので，納入日数の指標が提供できる。

！ポイントテーマ　情報の統一

我が国でも，大規模なM&Aが行われることが珍しくなくなってきた。M&Aの利点は様々であるが，中でも「規模の拡大と業務の効率化」は見逃せない効果といえる。M&Aで規模が２倍になっても，業務量が２倍になるわけではないからだ。そこで，合併する企業同士の情報システムを統合し，人員の配置転換を促しつつ，より低コストでITサービスを提供するのである。

ただ，話はそう単純ではない。情報システムを統合する前に，ビジネスモデルやデータフォーマット，コードなどを統一しなければならないからである。例えばそれぞれの会社で売上計上基準（出荷基準，納品基準，検収基準）が異なれば，販売管理は統合できない。同じ顧客に異なるコードがつけられた状態では，適切な処理は望めない。ITストラテジストは，ITの統合に向けた基盤整備を主導しなければならない。

平成29年　ST午後Ｉ問2を引用・抜粋

F社は飲料メーカである。今回，健康飲料メーカのG社を買収して商品力を高め，物流業務を見直して物流コストを削減することにした。

〔物流業務〕

・F社とG社の顧客は，ほとんど同じである。しかし，同じ顧客でも，登録している届け先コードはそれぞれ異なっている。

・配送希望時間の契約は，F社の顧客は時間幅がある時間帯指定で，G社の顧客は時刻指定である。

・統合後の配送は，F社の配送とG社の配送を同じ便で行う共同配送とする。

・現在の顧客の登録情報では，同じ届け先でも同一と識別できない。配送ルート上の異なる届け先に同じ時刻指定がある場合には，それぞれ別のトラックを割り当てる必要があり，共同配送による物流コスト削減の効果を十分に得られない。

設問　共同配送の効果を上げるために行うべきことについて，F社とG社で統一すべき情報を答えよ。また，G社の顧客に依頼することを35字以内で述べよ。

F社とG社の物流業務には，ビジネスモデルの違い（時間帯指定／時刻指定）がある。また，顧客コードも統一されていない。このような違いは，業務統合の事例では定番の出題ポイントである。問題文を読む段階でチェックしておこう。

・F社とG社の顧客は，ほとんど同じである。しかし，同じ顧客でも，登録している届け先コードはそれぞれ異なっている。同じ届け先が同一と識別できない理由

・配送希望時間の契約は，F社の顧客は時間幅がある時間帯指定で，G社の顧客は時刻指定である。時刻指定が行われてしまう理由

・統合後の配送は，F社の配送とG社の配送を同じ便で行う共同配送とする。

・現在の顧客の登録情報では，同じ届け先でも同一と識別できない。配送ルート上の異なる届け先に同じ時刻指定がある場合には，それぞれ別のトラックを割り当てる必要があり，共同配送による物流コスト削減の効果を十分に得られない。

効果が上がらない理由

設問　共同配送の効果を上げるために行うべきことについて，F社とG社で統一すべき情報を答えよ。また，G社の顧客に依頼することを35字以内で述べよ。

要求事項　要求事項

設問で要求している事項が，問題文の中では正反対の現象として説明されていることも多い。この事例では「共同配送の効果を上げるために行うこと」が「共同配送の効果が十分に上がらない」という問題点として，また「統一すべき情報」は「届け先コードがそれぞれ異なっている（統一されていない）」という現状として，説明されている。混乱しないよう注意しよう。

共同配送の効果が上がらない理由として，F社とG社で届け先コードが異なっていること，F社が時間帯指定であるに対しG社が時刻指定であることが判明する。前者は「異なるあて先のつもりで異なるトラックで配送したが，実は同じ届け先だった」という不合理に，後者は「同一の時刻指定が行われたとき，異なるトラックを手配せざるを得ない」という非効率につながる。

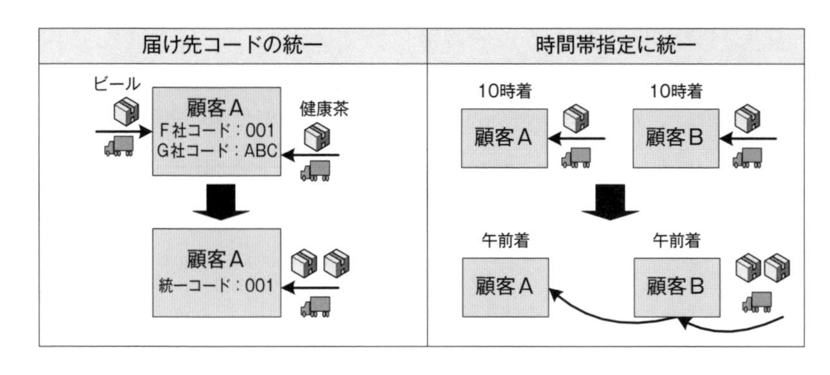

【解答】

（情報）　届け先コード

（依頼）　配送希望時間を時刻指定から時間帯指定に変更を依頼する。

！ポイントテーマ　システム連携

企業が持つ全てのシステムは，連携されることが望ましい。ところが，現在でも「部門単独で稼働している情報システム」がまだ存在し，これが部門間の連携を妨げていることがある。そのような場面は，ITストラテジストが活躍する格好の機会ともいえる。実際，午後Ⅰ問題でも，システム統合がとり上げられることが多い。

平成27年　ST午後Ⅰ問2を引用・抜粋

B社は食品メーカである。営業部が販売管理システムの受注情報をまとめ，全社の販売計画情報としている。計画部は営業部から通知された販売計画情報を基に販売予測情報を作成し，生産計画を作成する。

・受注情報は販売管理システムで，計画情報は計画システムで管理される。販売管理システムと計画システムは接続していない。
・顧客から営業部員に対して，希望どおり納入されるかどうか早期の回答を求められる。
・営業部員は生産計画の情報を把握していないので，納期を回答するために計画部へ問い合わせる。しかし，計画部の回答は遅れがちであり，顧客への納期の回答が遅くなり顧客から不満を受けることがある。
・企画部は，営業部員が顧客の不満を解決できるように，計画システムと販売管理システムを接続して，業務に必要な情報を共有するために，計画部に検討を指示した。

設問　企画部が，計画システムと販売管理システムを接続するように計画部に検討を指示したことによって，顧客の不満をどのように解決できるかを，理由とともに40字以内で述べよ。

非常に特徴的な記述として「販売管理システムと計画システムは接続していない」ことが挙げられている。システムの連携不足は改善点として必ずとり上げられる。問題文を読んだ段階でチェックしておこう。実際に設問を解く段階では，問題文から顧客の不満を明らかにし，それがシステムの連携で解決できるかどうかを吟味することになる。

・受注情報は販売管理システムで，計画情報は計画システムで管理される。販売管理システムと計画システムは接続していない。

・顧客から営業部員に対して，希望どおり納入されるかどうか早期の回答を求められる。

・営業部員は生産計画の情報を把握していないので，納期を回答するために計画部へ問い合わせる。しかし，計画部の回答は遅れがちであり，顧客への納期の回答が遅くなり顧客から不満を受けることがある。

・企画部は営業部員が顧客の不満を解決できるように，計画システムと販売管理システムを接続して，業務に必要な情報を共有するために，計画部に検討を指示した。

設問　企画部が，計画システムと販売管理システムを接続するように計画部に検討を指示したことによって，顧客の不満をどのように解決できるかを，理由とともに40字以内で述べよ。

図に示したとおり，顧客への納期の回答が遅れる理由は，営業部員が生産計画を把握しておらず，計画部へ問い合わせることにある。また，営業部員が生産計画を把握していない根本的な理由は，販売管理システムと計画システムが接続されていないことにある。両システムが接続されていれば，営業部員が生産計画を確認できるようになるため，計画部へ問い合わせることなく納期を回答できる。

なお，システム間の連携不足は，本問でとり上げた以外にも様々な悪影響を生じさせる。ポイントを押さえておこう。

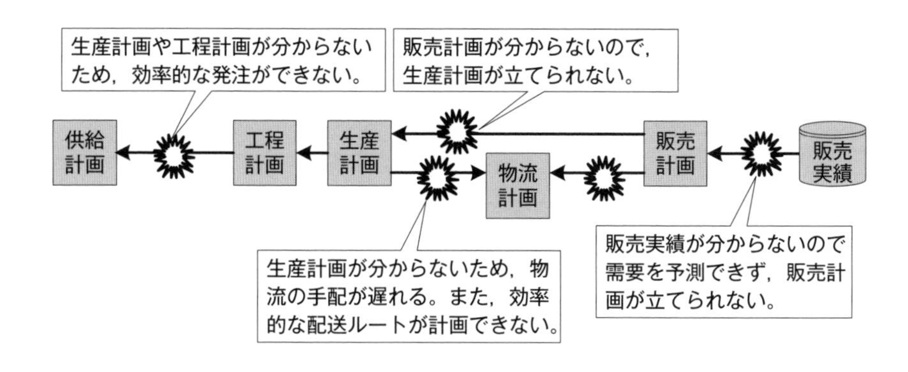

【解答】

営業部員が生産計画情報をいつでも確認できるので，納期の回答が早くなる。

！ポイントテーマ　CRMとSFA

ITの進歩は営業活動のシステム化を実現した。今や，営業員がノートPCやタブレット端末を持ち歩くことは珍しくない。それらの端末には，パンフレットなどの営業資料のほか，提案書を作成する機能やネットワークを介して決済を行う機能，顧客データベースを参照する機能などが含まれている。顧客データベースの中には顧客の分析データも管理されており，嗜好や要望などがすぐに把握できるようになっている。それらの情報をもとに，営業員は顧客に最適な提案を行い，必要であればその場で提案内容を修正し，オンラインで素早く決済する。

このような営業活動支援システムは，CRMやSFAと呼ばれている。

CRM（Customer Relationship Management）は，顧客との関係を管理する手法で，きめ細かなニーズに応えることで売上を拡大する手法である。CRMを実現するため，様々な情報システムや業務機能が連携する。

CRMでは，顧客一人ひとりの購買履歴や嗜好，家族構成などの情報は顧客データベースに一元管理される。この情報をもとに顧客に応じたワントゥーワンマーケティングが行われる。顧客の日々の購入はデータウェアハウスに格納され，様々な角度から分析され，新たな顧客情報が導き出される。

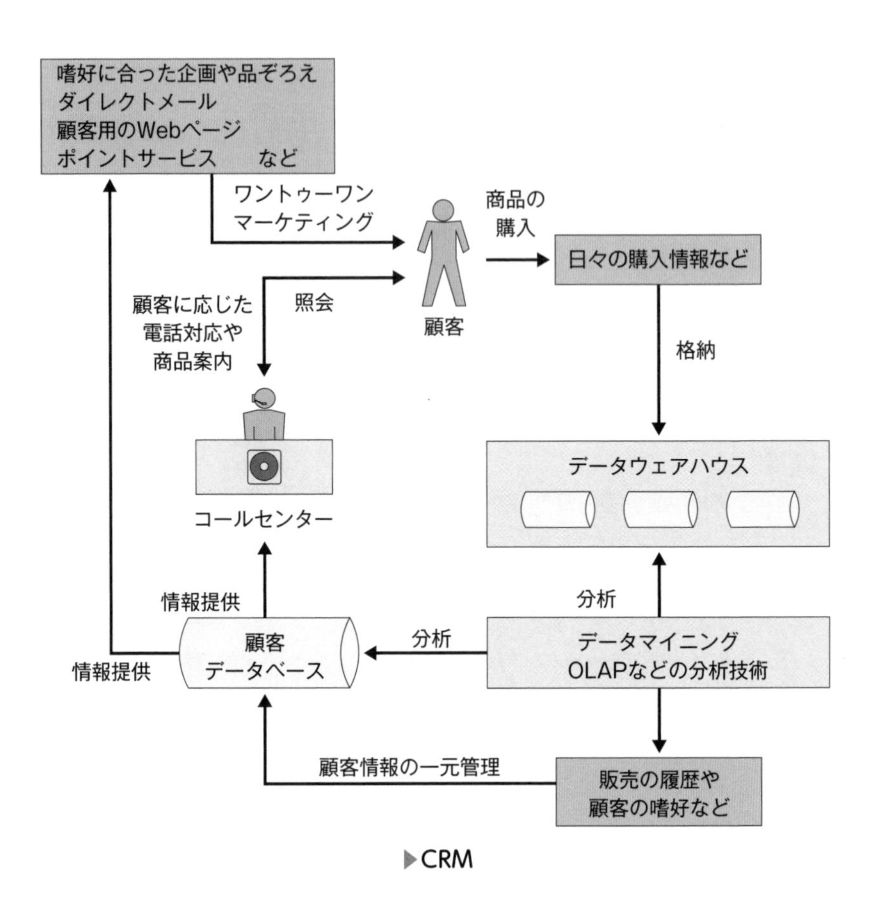

▶CRM

SFA（Sales Force Automation）とは，モバイルコンピューティング，インターネット技術などの情報技術を活用して，営業スピードや情報サービスの品質を高め，営業力を強化するものである。SFAはCRMの一環として行われる。

こう書ける！ 論述試験へのヒント

論述試験で，ITを用いた施策について問われることがある。そのような経験が少ない場合は，ここで述べたビジネスインダストリの知識を参考にしてストーリを考えよう。例えば，ボランタリーチェーンを参考にするならば，ボランタリーチェーンという言葉そのものは使用しなくても，

・強力なチェーン店に対抗しなければならない

・他社店舗と協力し，サプライチェーンを共通化してコストダウンを図る
・共通化のため，本部を設置してSCMシステムを構築する
・将来的には，ライバルとは違う形でチェーン展開したい

というような基本ストーリを考えることができる。あとは，業務やSCMシステムの詳細を論述すればよい。

営業活動のIT化についても，CRMやSFAの考え方をもとに論述を組み立てることができる。

X.X　CRMの構築

どんな問題点があったのかなどを記述すると，論述に具体性が増す

当社は顧客の購入情報や商品の問合せ情報，クレームに関する情報をデータとして管理していたが，これを営業活動に活用できてはいなかった。そこで，今回のシステム導入を契機として，CRMを構築し，営業プロセスを抜本的に改善することにした。具体的には，購入情報などのデータをデータウェアハウスに格納し，これをBIツールやデータマイニングツールで分析し，顧客の嗜好や購入頻度，メンテナンスや買い換えの時期などを抽出し，従来の顧客情報と合わせて顧客データベースに格納する。そして，この内容をもとに，顧客の嗜好にあったダイレクトメールの発送や，顧客用にカスタマイズされたWebページを表示する。営業員にはタブレット端末を貸与し，顧客データベースの参照や提案の作成，決済の自動化などの機能を社外でも利用できるようにした。こうすることで，顧客に応じた適切な提案ができるようになった。

データベースを中心テーマに据えるのであればこれらを箇条書きにして詳しく論述してもよい

全体的にテキストのような記述に終始してしまっている
業務内容や顧客データベースの内容，分析方法，
施策の内容などに踏み込んで，具体的に論述しよう

ポイントテーマ　レコメンデーションシステム

レコメンデーションシステムは，ネットショッピングで用いられる，商品を推薦する仕組みである。

顧客の購入や参照の履歴をもとに，その嗜好や興味の傾向に合った商品を選んでWebページに表示し，購入を促す。

レコメンデーションの方式には，次のものがある。

- 人気ランキング型…人気商品を表示する。例えば，
  - ・カテゴリ別の売れ筋上位商品
  - ・閲覧数の多い商品

  などを抽出し，リアルタイムで表示して推薦する。
- 協調フィルタリング…顧客の購入履歴などをもとに「顧客の類似性」を分析（アソシエーション分析）し，対象者と類似する顧客が購入した商品を表示して推薦する。「この商品を買った人は，こんな商品も買っています」型のレコメンデーション。
- 商品関連性評価型…対象者がチェックした商品に対して，その商品に関連の深い商品を表示して推薦する。例えば，プリンタをチェックしたり購入した顧客に対し，インクカートリッジやプリンタ用紙を推薦する。
- ニーズインプット型…顧客がどのような商品を求めているかをあらかじめ調査しておき，対象者のニーズに合った商品を表示して推薦する。高い精度のレコメンデーションができるが，ニーズをどのように調査するかなど課題も多い。
- アンケートベース型…会員登録などで入力した年齢，性別，職業，関心事などをもとにクラスタ分析を行い，対象者と同じクラスタに属する顧客が多く購入している商品を表示して推薦する。

協調フィルタリングとアンケートベース型は「類似する顧客に着目する」という点で似ているが，精度は協調フィルタリング型の方が高い。ただし，類似性の精度を上げるためには，大規模な購買履歴を保有していることが前提となる。

こう書ける! 論述試験へのヒント

企業のショッピングサイトでも，レコメンデーションシステムの搭載が一般的になりつつある。自分の会社でどのようなレコメンデーションが行われているかを調査し，それをもとにストーリを組み立てておくとよいだろう。

X.X　レコメンデーションシステムの導入

何かの対策を実施する場合，その原因や原因となった背景を論述しよう

当社のショッピングサイトには，お勧め商品を表示するエリアがあるものの，在庫過多になっている商品や型遅れ商品など「始末したい商品」を表示することに終始しており，お勧め商品から購入につながることは非常に少なかった。そこで私は，レコメンデーションシステムを導入し，顧客が求める商品を推薦することにした。具体的には，当社の製品についてあらかじめ関連性を分析・定義しておき，顧客がチェックした商品と関連の深い商品を推薦することにした。例えば，商品Xを使用するためには商品A及びBが消耗品として必要になる。このような場合は「X→A，B」と関連度を設定し，商品Xをチェックした顧客に，商品A，Bを表示して推薦した。

具体的な商品名に置き換えると説得力が増す

レコメンデーションシステムの導入後，お勧め商品の売上は導入前のおよそXX%となり，目標達成の一助となった。

・結果に言及するのもよい
・売上の増加などを数値で示すとより説得力が増す
・数値は少々盛ってもかまわない

4.2 法務

… 30秒チェック! …
Super Summary

1 ビジネスにかかわる法律

■製品の製造やそれに伴う調達，商取引などビジネスの様々な場面で法令の遵守が求められる。試験に出題されやすい法律には，次のものがある。

□製造物責任法（PL法）…製造物の欠陥に対して製造者の賠償責任を定めた法律
□グリーン購入法…環境負荷の低減につながる調達を推進する法律
□下請法…親事業者の不当な行為から下請業者を保護する法律
□労働者派遣法…労働者派遣事業を適切に行うことを定めた法律
□電子帳簿保存法…国税関係帳簿書類の電子化に関する法律
□個人情報保護法…個人情報の取得や取扱いについて定めた法律
□不正競争防止法…事業者間の公正な競争を促進する法律
□特定商取引法…通信販売・訪問販売に関する法律

2 セキュリティ関連の法律

□不正アクセス禁止法…コンピュータに対する不正アクセス行為を禁止する法律
□不正アクセスに関連する刑法…電子計算機使用詐欺などの不正アクセス行為とその刑罰を規定した法律

1 ビジネスにかかわる法律

■ 製造物責任法（PL法）

製造物責任法は，製造物の欠陥が原因で消費者に与えた損害の賠償責任に関する法律である。ただし，製造物を引き渡した時点での科学や技術に関する知見において，製造物の欠陥を認識できなかったことが証明された場合には，製造業者の賠償責任は免責される。

PL法における製造業者とは，製品を製造・加工または輸入した者，あるいは製品に製造業者として氏名・商号・商標・その他を表示した者をいう。したがって，輸入して国内販売を行っている販売業者も賠償責任の対象となる。

■ グリーン購入法（国等による環境物品等の調達の推進等に関する法律）

グリーン購入法は，国などの公的機関が率先して環境物品などの調達を推進するための法律である。環境物品には，再生資源など環境負荷の低減に役立つ原材料や部品のほか，製品やサービスなども含まれる。

■ 下請法（下請代金支払遅延等防止法）

下請法は，取引などにおいて立場の低い下請業者を，親事業者の不当な行為から保護する法律である。

〈親事業者の義務〉
- 取引内容や代金などについて，書面（電子メール可）を交付する義務
- 代金の支払期日を定める義務（納品から60日以内のできるだけ早い日）
- 書面を作成し，保存する義務
- 代金の支払が遅れた場合に遅延利息を支払う義務

また，下請業者に責任がないにもかかわらず納品の拒否や返品，代金の減額など，下請業者に不利を強要する行為が禁止されている。

■ 労働者派遣法（労働者派遣事業法）

労働者派遣とは，派遣元が雇用する労働者を，その雇用関係を維持したまま派遣先の指揮命令を受けて派遣先の労働に従事させることをいう。**労働者派遣法**は，このような労働者派遣事業を適正に行うとともに，立場の弱い派遣労働者を保護する法律である。

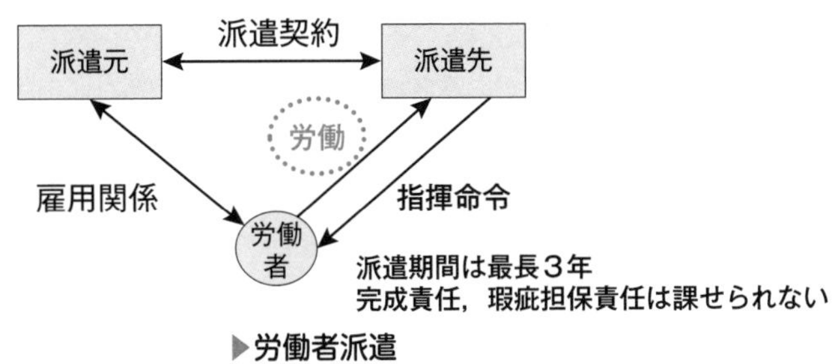

▶労働者派遣

労働者派遣法では，派遣先が省令の定めに従って派遣先責任者を任命し，次の事項を行うことを義務づけている。

- 労働者派遣法等の関連法規の規定，労働者派遣契約の内容，派遣元事業主からの通知内容を，派遣労働者を指揮命令する立場の者やその他関係者に周知させる。
- 派遣先管理台帳を作成して，記録・保存する。
- 派遣労働者から受けた苦情に適切に対応する。
- 派遣元事業主との連絡調整を行う。

■ 電子帳簿保存法

電子帳簿保存法は，1998年から施行されている，税法で保存が義務付けられている帳簿・書類を電子データで保存するための法律で，略して電帳法と呼ばれる。経済社会のデジタル化を踏まえ，経理の電子化による生産性の向上や記帳水準の向上のために2022年１月に改正された。改正後の電帳法では，全ての帳簿・書類を電子データで保存することが厳密に義務化された。電帳法では，保存方法を主に三つに分けている。

電子帳簿等保存…電子的に作成した帳簿・書類をデータのまま保存する。

スキャナ保存…紙で受領・作成した書類を画像データで保存する。

電子取引データ保存…電子的に授受した取引情報をデータで保存する。

■ 個人情報保護法

個人情報保護法は，個人情報の取得や取扱いについて定めた法律である。事業者が個人情報を取得する際には，個人に利用目的を説明して承諾を得てから取得すること，事業者は利用目的外の用途で個人情報を使用しないことなどが定められている。

ITの進歩やコンピュータ犯罪の増加を受けて，個人情報の定義もより厳しくなっている。例えば，顔画像はこれまでも個人情報であったが，顔画像を変換して生成した顔認識データも個人情報に含まれるようになった。その一方で，ビッグデータなどの利用を促進するため，適切に匿名加工されたデータであれば自由に利用できるようになった。

個人情報を不正に入手して販売する名簿屋対策として，事業者には個人情報の提供者の氏名や取得経緯を確認し，一定期間保存する義務が課せられた。また，個人情報データベースを不正に提供・盗用する行為に対し，刑事罰が科せられるようになった。

■ 不正競争防止法

不正競争防止法は，事業者間の公正な競争を促進するための法律である。有名な商品と混同させるような表示や模倣商品などが禁止される他にも，「他者の営業秘密を不正に取得，使用，売却する行為」が禁止されている。ここで営業秘密とは，次の三要件を満たすものである。

- ❶ 秘密に管理されている（秘密管理性）
- ❷ 有用な営業上，技術上の情報である（有用性）
- ❸ 公然と知られていないこと（非公知性）

■ 特定商取引法

特定商取引法とは，通信販売や訪問販売に関する規制を定めた法律である。インターネット経由の通信販売においては，返品の特約表示や，広告メールの送信前には消費者の許諾が必要であるとするオプトイン規制などが規定されている。

2 セキュリティ関連の法律

■ 不正アクセス禁止法

不正アクセスとは「アクセス制御機能を持つシステムに対し，アクセス権を持っていない者が，ネットワーク経由で不正にシステムを使用すること」である。例えば，IDやパスワードで保護されていない端末からサーバを操作する行為は，行為の内容が正しくなくても不正アクセスには該当しない。不正アクセス禁止法は次の行為を禁止している。

- 不正アクセス行為そのもの
- ID，パスワードの無断提供など不正アクセスを助長する行為
- フィッシングなど不正アクセスの準備行為
- ID，パスワードを不正に取得，保管する行為

■ 不正アクセスに関連する刑法

刑法では，不正アクセスに関して次のような違法行為を定め，罰則を規定している。

- 電子計算機損壊等業務妨害罪…電子計算機や電磁的記録の損壊，電子計算機への虚偽の情報や不正な指令を与えるなどの方法により，電子計算機を使用目的に沿うべき動作をさせない又は使用目的に反する動作をさせて業務を妨害する行為が該当する。
- 電子計算機使用詐欺罪…電子計算機に虚偽の情報もしくは不正の指令を与えて

財産上の利益を不当に得る行為が該当する。

● 不正指令電磁的記録に関する罪（不正指令電磁的記録作成罪，不正指令電磁的記録供用罪等）…意図に沿うべき動作をさせず，又はその意図に反する動作をさせるべき不正な指令を与える電磁的記録（コンピュータウイルスなど）を作成，提供，供用，取得，保管する行為が該当する。

銀行のシステムに虚偽の情報を与えて不正な振込や送金を行わせる行為は，電子計算機使用詐欺に該当する。

4.3 ブロックチェーン

… 30秒チェック！ …
Super Summary

■ブロックチェーンは，複数のコンピュータがネットワークを介してつながり，一つの台帳を構成する技術である。

□ブロックチェーン…分散型台帳技術

□仮想通貨…金融取引をメインフレームを使わず，ブロックチェーンによって，安全かつ安価に実現させる仕組み

1 ブロックチェーン

■ ブロックチェーン

ブロックチェーンとは，取引データをブロックという単位にまとめ，そのブロックを順次つないで記録したものを台帳として，P2Pネットワークで管理する技術である。管理する台帳がネットワーク上に分散しているため，分散型台帳技術とも呼ばれる。

分散型台帳をネットワーク上の多数のコンピュータで同期して管理することによって，一部の台帳で取引データが改ざんされても，取引データの完全性と可用性が確保される。そのため，高度な承認の仕組みといえる。

日本ブロックチェーン協会では，広義のブロックチェーンを「**電子署名とハッシュポインタを使用し改ざん検出が容易なデータ構造を持ち，かつ，当該データをネットワーク上に分散する多数のノードに保持させることで，高可用性及びデータ同一性等**

を実現する技術」と定義している。

■ 仮想通貨

仮想通貨とは，インターネット上で使える通貨である。次の条件を満たすものを指す（金融庁資料より）。

- **不特定の者に対して代金の支払い等に使用でき，かつ法定通貨（日本円や米ドル等）と相互に交換できる。**
- **電子的に記録され，移転できる。**
- **法定通貨または法定通貨建ての資産（プリペイドカードなど）ではない。**

仮想通貨は法定通貨とは異なり，中央で管理する組織はなく，また紙幣や硬貨などの物理的な実体は発行されない。代表的な仮想通貨は，ビットコインである。仮想通貨による取引は，ブロックチェーンを基盤技術としている。

2018年12月に金融庁は，仮想通貨の呼称を暗号資産に改めると発表した。そのため，暗号資産または暗号通貨と表記されることもある。

確認問題

問1 ☑☐ ☐☐ アパレル業界におけるSPAの説明はどれか。 (H24問18)

ア　過剰在庫，返品，特殊サイズ，傷などによって正規の価格では売れない商品を低価格で販売する。

イ　顧客のニーズに対応したカスタマイズを実現するために，顧客の注文を受けてから最終製品の生産を行う。

ウ　商品企画から生産，販売までを行う製造小売業であり，自社のブランド商品を消費者に直接提供する。

エ　特定の商品分野に絞り込み，豊富な品揃えとローコストオペレーションによって，徹底した低価格訴求を行う。

問1　解答解説

SPA（Speciality store retailer of Private label Apparel）は，商品の企画から製造，販売までの全てを自社で管理する衣料品の小売業態である。【SPAの本文参照】

ア　アウトレットセールの説明である。
イ　BTO（Build to Order；受注生産）の説明である。
エ　カテゴリキラーの説明である。　《解答》ウ

問2 ☑☐ ☐☐　ボランタリーチェーンを説明したものはどれか。　（H28問17）

ア　加盟店が一定のロイヤルティを本部に支払って，本部の経営ノウハウ，商標，サービスマークなどを用いて販売活動を行う。
イ　生産者・卸売業者・小売業者の間で，購買，生産，販売及び物流の一連の業務を全体最適の視点から見直し，納期短縮や在庫削減を図る。
ウ　複数の小売業者が独立性を維持しながら，一つのグループとして，仕入れ，宣伝，販売促進などを共同で行う。
エ　本部が複数店舗の仕入れを一括して行い，各店舗は本部の経営方針に基づいた販売活動に専念する。

問2　解答解説

ボランタリーチェーン（voluntary chain）とは，独立した複数の小売業者が一つのグループとして連携し，仕入れ，宣伝，物流などを共同で行う，流通におけるビジネスモデルである。共同で行うことで大口契約が実現し，仕入れ単価の引下げや固定費の削減が期待できる。

ア　フランチャイズチェーンの説明である。
イ　SCM（Supply Chain Management）の説明である。
エ　チェーンストアの説明である。　《解答》ウ

問3 ☑☐ ☐☐　企業システムにおけるSoE（Systems of Engagement）の説明はどれか。　（R6問15，R4問15）

ア　高可用性，拡張性，セキュリティを確保しながら情報システムを稼働させるためのハードウェア，ソフトウェアから構成されるシステム基盤
イ　社内業務プロセスに組み込まれ，定型業務を処理し，結果を記録することによって省力化を実現するためのシステム
ウ　データの活用を通じて，消費者や顧客企業とのつながりや関係性を深めるためのシステム
エ　日々の仕訳伝票を入力した上で，データの改ざん，消失を防ぎながら取引データ

ベースを維持管理することによって，財務報告を行うためのシステム

問3 解答解説

情報システムは，何を重視するかによって「SoE」「SoI」「SoR」などに分類される。それぞれ次のような意味をもつ。

SoE（Systems of Engagement）：“約束のシステム”や“つながりのシステム”などと呼ばれ，企業と顧客間で優良な関係を構築することを主眼に置き，利便性や機能更新の速度などが重視される。ソーシャル機能を備えたモバイルアプリケーションなどが該当する。

SoI（Systems of Insight）：“洞察のシステム”などと呼ばれ，SoRに記録されたデータや情報などを活用して分析する。BIツールなどが該当する。

SoR（Systems of Record）：“記録のシステム”などと呼ばれ，データを正確に記録する処理や信頼性が重視される。取引トランザクションを記録する企業の基幹系システムなどが該当する。

「データの活用を通じて，消費者や顧客企業とのつながりや関係性を深めるためのシステム」は，データ活用を通じて“つながりや関係性を深める”ことに言及しているので，SoEの説明に該当する。

ア　HA（High Availability）クラスタなど，非機能要件を実現するためのシステム構成の説明である。
イ　RPAなど，定型業務を支援するシステムの説明である。
エ　SoRの典型例である基幹システムの説明である。　《解答》ウ

問4 ☑☐☐☐　専門の事業者が提供するサービスのうち，EMSの説明はどれか。
（H26問6，H24問6）

ア　コールセンタの企画，設計から業務運用までを一括して受託することによって，委託元のコールセンタへの設備投資や人員調達を不要とするサービス
イ　人事，経理，総務などの業務を標準化してグループ内の1か所に集約することによって，グループ全体の間接業務のコスト削減に貢献するサービス
ウ　複数の電子機器メーカから製品の設計，製造を一括して受託することによって，生産規模を確保し，低コストで製品を提供するサービス
エ　プロバイダ側のコンピュータ上でソフトウェアを稼働させて，利用者はそのソフトウェアの機能をネットワーク経由で利用するサービス

問4　解答解説

EMS（Electronics Manufacturing Service；電子機器製造サービス）に似たサービスとして，製造を委託するOEM（Original Equipment Manufacturer）や，設計と製造を委託するODM（Original Design Manufacturer）がある。【EMSの本文参照】

ア　コールセンタの受託サービスの説明である。
イ　シェアードサービスの説明である。
エ　クラウドサービス，ASP（Application Service Provider），SaaS（Software as a Service）などに関する説明である。

《解答》ウ

問5　☑☐☐☐　ITとの連携が進むとされるOT（Operational Technology）の説明として，適切なものはどれか。（R5問17）

ア　新しい概念，理論，原理及びアイディアの実証を目的とした，試作開発の前段階における検証及びデモンストレーションのこと
イ　工場やプラント，ビルなどを制御する機器を運用するシステムやその技術
ウ　サーバ側で稼働しているソフトウェアを，インターネットなどのネットワーク経由でクライアントがサービスとして利用する状況
エ　情報技術に情報及び知識の共有といったコミュニケーションの重要性及び意味を付加したもの

問5　解答解説

OT（Operational Technology）とは，製造業などで使用されている機器や装置などを運用するシステムやその技術を示す。

ア　PoC（Proof of Concept：概念実証）の説明である。
ウ　SaaS（Software as a Service）の説明である。
エ　ICT（Information and Communication Technology：情報通信技術）の説明である。

《解答》イ

問6　☑☐☐☐　JIT（Just In Time）の特徴はどれか。（R5問16，R3問15）

ア　押し出し方式（プッシュシステム）である。
イ　各工程は使用した分だけを前工程に発注する。
ウ　他の品目の需要に連動しない在庫システムである。
エ　毎回仕様が異なる受注生産型の工場に適している。

問6 解答解説

JIT (Just In Time) とは, その時に間に合うようにという意味である。製造業においては, 必要なものを, 必要なときに, 必要な量だけ生産するという考え方で, 工程間の仕掛在庫の最小化を目的とした生産方式である。

ア 押し出し方式（プッシュシステム）の生産システムでは, 製品を完成させるために必要な部品の生産を指示する。
ウ 定量発注方式の在庫管理システムの特徴である。
エ セル生産方式の特徴である。

《解答》イ

問7

インダストリー4.0の重要な概念であるサイバーフィジカルシステム（CPS）の説明はどれか。 (R4問17)

ア 1台のサーバの中に複数の仮想マシンを作り, それぞれに別々の基本ソフトを入れて, あたかも複数台のサーバがあるかのように動作させるシステム
イ サイバー攻撃に備えて, 情報の漏えい・滅失・棄損の防止など必要な措置を講じ, 制御ネットワークに接続された機器を安全に維持管理するシステム
ウ 実世界と関係のない架空のストーリーを基に, コンピュータグラフィックスを用いて, コンピュータゲームを開発するためのシステム
エ 実世界にある多様なデータをセンサなどで収集し, 仮想空間でシミュレーション技術などを用いて解析し, 得られた情報を基に実世界の問題解決を図るシステム

問7 解答解説

サイバーフィジカルシステム（CPS：Cyber Physical System）とは, 実世界（フィジカル空間）の様々なデータをセンサなどによって収集し, それを仮想空間（サイバー空間）に取り込み解析し, 得られた情報を実世界にフィードバックすることで高度な社会を実現する仕組みの総称である。

JEITA（電子情報技術産業協会）のWebサイトでは「CPSとは, 実世界（フィジカル空間）にある多様なデータをセンサーネットワーク等で収集し, サイバー空間で大規模データ処理技術等を駆使して分析／知識化を行い, そこで創出した情報／価値によって, 産業の活性化や社会問題の解決を図っていくものです」と定義されている。

ア 仮想サーバの説明である。
イ 制御ネットワークにおけるIDS（Intrusion Detection System：不正侵入検知システム）やIPS（Intrusion Prevention System：不正侵入防止システム）の説明である。
ウ コンピュータゲームの開発事例の説明である。

《解答》エ

問8 ✔□ □□ SCOR（Supply Chain Operations Reference model）で定義しているSCMに関する実行プロセスのうち，自社にとってのSourceに当たるものはどれか。（R5問1，R元問3，H28問2）

ア　資材などの購入　　イ　受注と納入
ウ　納入後に発生する作業　　エ　プロダクトの生産，サービスの実施

問8　解答解説

SCOR（Supply Chain Operations Reference model）とは，異なる業種間において，共通の認識でサプライチェーンを構築することを目的としたプロセス参照モデルである。自社と，自社を取り巻くサプライヤ及び取引先の相互にとってのプロセスを規定するものとなる。

SCORでは，サプライチェーン構築の対象となる業務プロセス全体を３段階で詳細化する。まず，業務プロセス全体をPlan（計画），Source（調達），Make（製造），Deliver（配送），Return（返品）の五つのプロセスタイプ（第１レベル）に詳細化する。次に，プロセスタイプそれぞれをプロセスカテゴリ（第２レベル）に詳細化し，さらに，プロセスカテゴリをプロセスエレメント（第３レベル）に詳細化する。「資材などの購入」は，自社にとっての調達に当たり，Sourceの実行プロセスである。

イ　「受注と納入」は，自社にとってのDeliverの実行プロセスである。
ウ　「納入後に発生する作業」は，自社にとってのReturnの実行プロセスである。
エ　「プロダクトの生産，サービスの実施」は，自社にとってのMakeの実行プロセスである。

《解答》ア

問9 ✔□ □□ ebXMLを説明したものはどれか。（H27問16）

ア　XML文書をベースとしたメッセージをHTTPなどのプロトコルで交換することによって，他のコンピュータ上のオブジェクトにアクセスするための仕様である。
イ　XMLを応用したもので，インターネット上のディレクトリ（登録簿）にWebサービスを登録し，検索可能とするための仕様である。
ウ　XMLを用いたWebサービス間の通信プロトコルやビジネスプロセスの記述方法，取引情報のフォーマットなどを定義する一連の仕様である。
エ　プログラムからWebサービスを呼び出す際に必要なインタフェース情報を，XML形式の言語で記述するための仕様である。

問9 解答解説

ebXML（electronic business XML）とは，電子商取引で環境の異なった相手とも円滑にやり取りができるように，XMLに電子商取引のルールを付加したものである。XML（Extensible Markup Language）は，目的に応じたマークアップ言語作成のための仕様である。【ebXMLの本文参照】

ア　SOAP（Simple Object Access Protocol）の説明である。
イ　UDDI（Universal Description Discovery and Integration）の説明である。
エ　WSDL（Web Service Description Language）の説明である。　《解答》ウ

問10 ✔□ □□

HEMSの説明として，適切なものはどれか。　(H26問19)

ア　太陽光発電システム及び家庭用燃料電池が発電した電気を，家庭などで利用できるように変換するシステム
イ　廃棄物の減量及び資源の有効利用推進のために，一般家庭及び事務所から排出された家電製品の有用な部分をリサイクルするシステム
ウ　ヒートポンプを利用して，より少ないエネルギーで大きな熱量を発生させる電気給湯システム
エ　複数の家電製品をネットワークでつなぎ，電力の可視化及び電力消費の最適制御を行うシステム

問10 解答解説

HEMS（Home Energy Management System）とは，家庭での節電を目的に，エネルギーを統合的に管理するシステムのことである。太陽光発電，家庭用燃料電池，蓄電池やエコキュートなどを導入し，複数の家電製品をネットワークでつないで使用電力量を監視して，電力消費の最適制御を行う。

ア　太陽光発電システムや家庭用燃料電池で発電した直流電流を家電製品で使用できる交流電流に変換するパワーコンディショナーの説明である。
イ　家電製品のリユースの説明である。
ウ　エコキュートシステムの説明である。　《解答》エ

問11 ✔□ □□ e-ビジネス分野で提唱されるロングテールの考え方を説明したものはどれか。 (H27問18)

ア　売れ筋商品に絞り込んで販売するのではなく，多品種少量販売によって大きな売上や利益を得ることができる。

イ　業界標準を確立した製品・サービスは生産規模が２倍になると生産性が更に向上し，収益が２倍以上になる。

ウ　全体の２割の優良顧客が全体の売上の８割を占め，全商品の上位２割が８割の売上を占める。

エ　利用者が増えるほど，個々の利用者の便益が増加し，その結果，ますます利用者が増えることで寡占化が進む。

問11　解答解説

一般に商品のABC分析などで売上高の多い順に商品を並べて売上高のグラフを作成すると，グラフの右端は売上の少ない数多くの商品が並ぶ形状となる。このような概念をロングテールという。この部分に位置する商品は，一般の店舗では「死に筋商品」として店頭に並べられないことが多い。しかし，店舗を持たないe-ビジネスの分野では，それらロングテールの商品を低コストで多品種取り揃えることができるので，一つひとつの商品は少量販売であっても，合わせると大きな売上を得ることが期待できる。

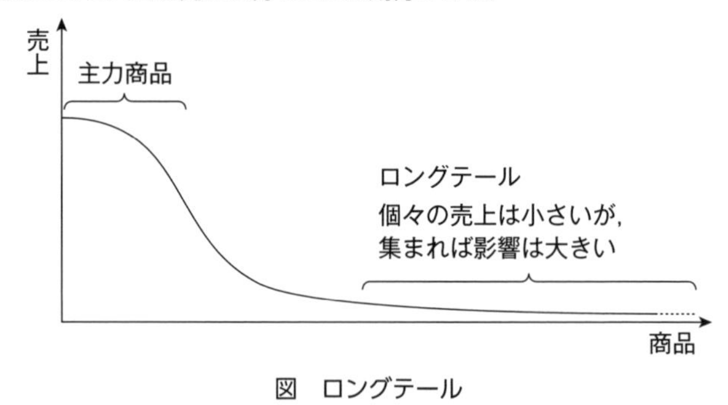

図　ロングテール

イ　収穫逓増の法則の考え方の説明である。

ウ　80対20の法則やパレートの法則の考え方の説明である。

エ　ネットワーク外部性の考え方の説明である。 《解答》ア問12 ☑□ □□ レコメンデーション（お勧め商品の提案）の例のうち，協調フィルタリングを用いたものはどれか。 (H28問3)

ア　カテゴリ別に売れ筋商品のランキングを自動抽出し，リアルタイムで売れ筋情報を発信する。

イ　顧客情報から，年齢，性別などの人口動態変数を用い，“20代男性”，“30代女性”などにセグメント化した上で，各セグメント向けの商品を提示する。

ウ　顧客同士の購買行動の類似性を相関分析などによって求め，顧客Aに類似した顧客Bが購入している商品を顧客Aに勧める。

エ　野球のバットを購入した人に野球のボールを勧めるなどあらかじめ用意されたルールに基づいて，関連商品を提示する。

問12 解答解説

顧客の属性や購入履歴をもとにして商品を提案することを，レコメンデーションという。レコメンデーションにおける協調フィルタリングとは，購買行動の似ている顧客同士を相関分析で解析し，一方の顧客が購入した商品を他方に勧める手法である。“この商品を買った人はこんな商品も買っています”という文句とともに商品を提案し，購入を促す方法などは，効果的なレコメンデーションといえる。

ア　人気ランキング型によるレコメンデーションである。

イ　アンケートベース型によるレコメンデーションである。

エ　ルールベースを用いた商品関連性評価型によるレコメンデーションである。

《解答》ウ

問13 ☑□ □□ インターネットにおける広告形態のうち，インプレッション保証型広告の説明はどれか。 (R元問17，H29問16，H27問17)

ア　あらかじめ決められたキーワードを利用者が検索エンジンに入力した際に表示される広告

イ　掲載した広告を見た利用者が，その広告をクリックした上で，掲載者の意図に沿った行動を起こした場合に，掲載料を支払う広告

ウ　契約した表示回数に達するまで掲載を続ける広告

エ　ポータルサイトのトップページや特集ページなどに一定期間掲載する広告

問13 解答解説

インプレッション保証型広告とは，契約した表示回数（インプレッション）に達するまで掲載を続けるインターネット広告である。

ア　リスティング広告（検索連動型広告）の説明である。
イ　アフィリエイト広告（成果報酬型広告）の説明である。
エ　期間保証型広告の説明である。

《解答》ウ

問14 ✔□□□　自社の経営課題である人手不足の解消などを目標とした業務革新を進めるために活用する，RPAの事例はどれか。（FE・R元秋問62）

ア　業務システムなどのデータ入力，照合のような標準化された定型作業を，事務職員の代わりにソフトウェアで自動的に処理する。
イ　製造ラインで部品の組立てに従事していた作業員の代わりに組立作業用ロボットを配置する。
ウ　人が接客して販売を行っていた店舗を，ICタグ，画像解析のためのカメラ，電子決済システムによる無人店舗に置き換える。
エ　フォークリフトなどを用いて人の操作で保管商品を搬入・搬出していたものを，コンピュータ制御で無人化した自動倉庫システムに置き換える。

問14 解答解説

RPA（Robotic Process Automation）とは，ホワイトカラーが行っていた事務処理などの定型業務をロボットと呼ばれるソフトウェアに代行させ，自動化することである。RPAの導入によって，人間が行うよりも速く，正確に事務処理を行うことができる。また，社員が面倒な事務処理から解放され，他の業務に時間を使うことができるため，生産性を向上させることができる。コスト削減や人材不足解消といったメリットもある。

RPAにAI（人工知能）や機械学習といった技術を組み込むことで，業務のより高度な自動化が期待されている。

《解答》ア

問15 ✔□□□　クラウドサービスなどの提供を迅速に実現するためのプロビジョニングの説明はどれか。（R5問2，R3問4）

ア　企業の情報システムの企画，設計，開発，導入，保守などのサービスを，一貫して又は工程の幾つかを部分的に提供する。
イ　業種や事業内容などで共通する複数の企業や組織が共同でデータセンターを運用して，それぞれがインターネットを通して各種サービスを利用する。

ウ　自社でハードウェア，ネットワークなどの環境を用意し，業務パッケージなどを導入して利用する運用形態にする。
エ　利用者の需要を予想し，ネットワーク設備やシステムリソースなどを計画的に調達して強化し，利用者の要求に応じたサービスを提供できるように備える。

問15　解答解説

プロビジョニングとは，サービス要求にすぐに対応できるように，サービス提供者がサービスの準備を事前に行っておくことである。管理する情報量の増加に対応するシンプロビジョニング（システムに対して実際のディスク容量よりも大きなディスク容量を仮想的に割り当てる）技術などがある。

ア　システムインテグレータの説明である。
イ　コミュニティクラウドの説明である。
ウ　オンプレミスの説明である。

《解答》エ

問16

✔□ □□

ソフトウェア開発を下請事業者に委託する場合，下請代金支払遅延等防止法に照らして，禁止されている行為はどれか。（H28問23）

ア　継続的な取引が行われているので，支払条件，支払期日等を記載した書面をあらかじめ交付し，個々の発注書面にはその事項の記載を省略する。
イ　顧客が求める仕様が確定していなかったので，発注の際に，下請事業者に仕様が未記載の書面を交付し，仕様が確定した時点では，内容を書面ではなく口頭で伝えた。
ウ　顧客の都合で，仕様変更が生じたので，下請事業者と協議の上，発生する費用の増加分を下請代金に加算することで仕様変更に応じてもらう。
エ　振込手数料を下請事業者が負担する旨を発注前に書面で合意したので，親事業者が負担した実費の範囲内で振込手数料を差し引いて下請代金を支払う。

問16　解答解説

『下請代金支払遅延等防止法』では，第三条に「親事業者は，下請事業者に対し製造委託等をした場合は，直ちに，公正取引委員会規則で定めるところにより下請事業者の給付の内容，下請代金の額，支払期日及び支払方法その他の事項を記載した書面を下請事業者に交付しなければならない」とあり，具体的記載事項が定められている。その記載事項に「下請事業者の給付の内容」が含まれているので，仕様も書面に記載される必要がある。ただし例外的な書面の交付方法として，「これらの事項のうちその内容が定められないことにつき正当な理由があるものについては，その記載を要しないものとし，この場合には，親事業者は，当該事項の内容が定められた後直ちに，当該事項を記載した書面を下請事業者に交付しなければならない」と記載されている。したがって，顧客の求める仕様が確定していなかった場合に，発注の際に下請事業者に仕様が未記載の書面を交付することまでは，禁止されている行為とはいえないが，仕様が確定した時点で「内容を書面ではなく口頭で伝えた」ことは，下請代金支払遅延等防止法で禁止されている行為に当たる。

ア　継続的な取引が行われている場合について，「下請代金支払遅延等防止法に関する運用基準」に，「必要記載事項のうち，一定期間共通である事項（例　支払方法，検査期間等）について，あらかじめこれらの事項を明確に記載した書面により下請事業者に通知している場合には，これらの事項を製造委託等をする都度交付する書面に記載することは要しない」とあるので，違法ではない。

ウ「顧客の都合で，仕様変更が生じたので，下請事業者と協議の上，発生する費用の増加分を下請代金に加算することで仕様変更に応じてもらう」という行為は，禁止されている行為ではない。

エ「振込手数料を下請事業者が負担する旨を発注前に書面で合意した」場合には，「親事業者が負担した実費の範囲内で振込手数料を差し引いて下請代金を支払うこと」が認められる。

《解答》イ

問17 ☑□ □□　派遣労働者の受入れに関する記述のうち，派遣先責任者の役割，立場として，適切なものはどれか。（H25問25）

ア　派遣責任者は，派遣先管理台帳の管理，派遣労働者から申出を受けた苦情への対応，派遣元事業主との連絡調整，派遣労働者の人事記録と考課などの任務を行わなければならない。

イ　派遣先責任者は，派遣就業場所が複数ある場合でも，一人に絞って選任されなければならない。

ウ　派遣先責任者は，派遣労働者が従事する業務全般を統括する管理職位の者の内から選任されなければならない。

エ　派遣先責任者は，派遣労働者に直接指揮命令する者に対して，労働者派遣法などの関連法規の規定，労働者派遣契約の内容，派遣元からの通知などを周知しなければならない。

問17　解答解説

『労働者派遣法』では，派遣先が省令の定めに従って派遣先責任者を任命し，次の事項を行うことを義務づけている。

❶ 労働者派遣法等の関連法規の規定，労働者派遣契約の内容，派遣元事業主からの通知内容を，派遣労働者を指揮命令する立場の者やその他関係者に周知させる。
❷ 派遣先管理台帳を作成して，記録・保存する。
❸ 派遣労働者から受けた苦情に適切に対応する。
❹ 派遣元事業主との連絡調整を行う。

ア　派遣労働者の人事記録と考課は，派遣先責任者の任務として規定されていない。
イ　派遣先責任者は派遣就業場所ごとに選任されなければならない。ただし，雇用労働者と派遣労働者を加えた人数が５人を超えない就業場所には，派遣先責任者を選任しなくてもよい。
ウ　派遣先責任者は，雇用労働者の中から選任すればよく，派遣労働者が従事する業務全般を統括する管理職位の者である必要はない。

《解答》エ

第1部 午前Ⅱ試験対策

問18 ✔□ □□　フェアユースの説明はどれか。（R4問22）

ア　国及び地方公共団体，並びにこれに準ずる公的機関は，公共の福祉を目的として他者の著作物を使用する場合，著作権者に使用料を支払う必要がないという考え方
イ　著作権者は，著作権使用料の徴収を第三者に委託することが認められており，委託を受けた著作権管理団体はその徴収を公平に行わなければならないという考え方
ウ　著作物の利用に当たっては，その内容や題号を公正に取り扱うため，著作者の意に反し，利用者が勝手に変更，切除その他の改変を行ってはならないという考え方
エ　批評，解説，ニュース報道，教授，研究，調査などといった公正な目的のためであれば，一定の範囲での著作物の利用は，著作権の侵害に当たらないという考え方

問18 解答解説

フェアユースとは，米国著作権法にある，著作物を公正な目的のために利用する行為には著作権の効力は及ばないという包括的な規定（米国著作権法第107条）とその考え方である。批評，解説，ニュース報道，教授（教室での利用のための複数のコピー作成行為を含む），研究，調査などを目的とする場合のフェアユースを認めている。

これに対して，日本の著作権法には，公正利用の場合の包括規定がなく，公正利用と考えられる場合を具体的に限定列挙している（著作権法第五款　著作権の制限）。

ア　国及び地方公共団体，並びにこれに準ずる公的機関が，一般に周知させることを目的として作成した著作物は，許諾なしに利用可能である。しかし，国及び地方公共団体，並びにこれに準ずる公的機関が，他者の著作物を使用する場合には，著作権使用料が発生する。

イ　著作権等管理事業法の規定に基づく考え方である。
ウ　著作権法第20条の同一性保持権の規定に基づく考え方である。　《解答》エ

問19 ✔□□□　刑法の電子計算機使用詐欺罪に該当する行為はどれか。

（H30問23，H26問24）

ア　いわゆるねずみ講方式による取引形態のWebページを開設する。
イ　インターネット上に，実際よりも良品と誤認させる商品カタログを掲載し，粗悪な商品を販売する。
ウ　インターネットを経由して銀行のシステムに虚偽の情報を与え，不正な振込や送金をさせる。
エ　企業のWebページを不正な手段で改変し，その企業の信用を傷つける情報を流す。

問19　解答解説

刑法の電子計算機使用詐欺罪に関する規定では，電子計算機に虚偽の情報や不正な指令を与えて，財産権の得喪，変更にかかわる不実の電磁的記録を作り，財産上不法の利益を得た（第三者に利益を与えることも含む）者は，10年以下の懲役に処せられるとしている。

“ウ”の行為は，電子計算機に虚偽の情報を与えて，不法な利益を得たことになるため，電子計算機使用詐欺罪に該当する。

ア　『無限連鎖講の防止に関する法律』（ねずみ講防止法）に抵触する行為である。
イ　刑法における詐欺罪または特定商取引法違反に該当する。
エ　電子計算機損壊等業務妨害罪に該当する。　《解答》ウ

問20 ✔□□□　資金決済法で定められている仮想通貨の特徴はどれか。

（AP・H30春問80）

ア　金融庁の登録を受けていなくても，外国の事業者であれば，法定通貨との交換は，日本国内において可能である。
イ　日本国内から外国へ国際送金をする場合には，各国の銀行を経由して送金しなければならない。
ウ　日本国内の事業者が運営するオンラインゲームでだけ流通する通貨である。
エ　不特定の者に対する代金の支払に使用可能で，電子的に記録・移転でき，法定通貨やプリペイドカードではない財産的価値である。

第1部 午前Ⅱ試験対策

問20 解答解説

資金決済法（資金決済に関する法律）では，仮想通貨を次のように定義している。

> 一　物品を購入し，若しくは借り受け，又は役務の提供を受ける場合に，これらの代価の弁済のために不特定の者に対して使用することができ，かつ，不特定の者を相手方として購入及び売却を行うことができる財産的価値（電子機器その他の物に電子的方法により記録されているものに限り，本邦通貨及び外国通貨並びに通貨建資産を除く。次号において同じ。）であって，電子情報処理組織を用いて移転することができるもの
> 二　不特定の者を相手方として前号に掲げるものと相互に交換を行うことができる財産的価値であって，電子情報処理組織を用いて移転することができるもの

つまり，仮想通貨は“不特定の者に対する代金の支払いに使用可能”な財産価値で，かつ“法定通貨”ではない。また，電子的に“移転することができる”性質のものなので，プリペイドカードは該当しない。ビットコイン（bitcoin）などはこの条件を満たす代表的な仮想通貨である。

ア　外国の事業者であっても，日本国内で法定通貨との交換を行うためには，登録を受けておく必要がある。
イ　仮想通貨の送金は，国内であっても国外であっても，銀行を経由する必要はない。
ウ　ゲーム内の仮想世界で用いる独自の通貨概念（トークンなど）に関する説明であり，資金決済法で定めるところの“仮想通貨”には該当しない。　《解答》エ

問21 ☑☐☐☐　インターネットのショッピングサイトで，商品の広告をする際に，商品の販売価格，商品の代金の支払時期及び支払方法，商品の引渡時期，売買契約の解除に関する事項などの表示を義務付けている法律はどれか。

(R3問22)

ア　商標法　　　イ　電子契約法
ウ　特定商取引法　　エ　不正競争防止法

問21 解答解説

特定商取引法（特定商取引に関する法律）は，訪問販売，通信販売，電話勧誘販売，連鎖販売など，事業者と消費者間で紛争やトラブルが生じやすい商取引類型を対象に，事業者が守るべきルールと消費者を守るルールを定めた法律である。

特定商取引法では，事業者が新聞，雑誌，インターネットなどで広告し，郵便，電話などの通信手段により申込みを受ける取引のことを通信販売といい，インターネットのショッピングサイトもこれに該当する。

通信販売は，お互いの顔が見えない取引であるため，消費者にとって広告が唯一の情報となる。したがって，広告の記載が不十分だったり分かりにくかったりするとトラブルの原因となる場合がある。そのため，特定商取引法は，広告に商品の販売価格，代金の支払時期及び支払方法，商品の引渡時期，売買契約の解除に関する事項などの表示を義務づけている。このほかにも，事業者の氏名，住所，電話番号，申込みの有効期限があるときはその期限，などの事項も表示が義務づけられている。

商標法：商品や役務について使用する文字，図形，記号，立体的形状などを対象とした“商標”を使用する者の業務上の信用を維持することにより，商標を付けた商品を購入する顧客などの利益を保護することを目的とした法律

電子契約法：ショッピングサイトにおける操作ミスの救済措置や，契約の成立時期の転換について規定している。成立時期の転換とは，従来の遠隔取引では承諾の通知を発した時点で契約成立としていた（発信主義）のに対し，電子契約では承諾通知が到達した時点で契約成立とする（到達主義）よう変更することである

不正競争防止法：事業者間の公正な競争が行われるため，他人のノウハウを盗んだり，それを勝手に自分の商売に使用したりなどの不正行為を防止し，損害賠償に関する措置を行えるようにした法律。具体的には，トレードシークレット（営業秘密）の不正取得などが対象となる

《解答》ウ

問22 ☑☐☐☐ 取引履歴などのデータとハッシュ値の組みを順次つなげて記録した分散型台帳を，ネットワーク上の多数のコンピュータで同期して保有し，管理することによって，一部の台帳で取引データが改ざんされても，取引データの完全性と可用性が確保されることを特徴とする技術はどれか。

（AP・H30秋問44）

ア　MAC（Message Authentication Code）
イ　XML署名
ウ　ニューラルネットワーク
エ　ブロックチェーン

問22　解答解説

問題文で示されるような「トランザクションの記録（台帳）を分散保有・管理する仕組み」のことを総称して，ブロックチェーンと呼んでいる。仮想通貨などの金融サービスを始め，様々な用途へ応用できる新世代の技術として注目されている。

MAC（Message Authentication Code）：メッセージ認証子。メッセージ認証のために付与されるデータの総称。ハッシュを利用したものや共通鍵暗号方式を利用したも

のなどがある

XML署名：XMLデータの署名を生成し，付加するための規格。構文と処理に関する仕様はRFC3275に規定されている

ニューラルネットワーク：脳の神経細胞（ニューロン）とそのつながりの仕組みをモデル化したもの。深層学習（ディープラーニング）などで利用されている 《解答》エ

問23 ✔□ □□ 資金決済法における暗号資産に関する記述として，適切なものはどれか。 (R5問22)

ア 暗号資産交換業者は，情報の安全管理や広告・勧誘規制などの行為規制は受けるが，資本金額や純資産額などの財務的規制は受けない。

イ 暗号資産は，不特定の者に対して使用でき，電子的に記録され，移転できるものであり，法定通貨又は法定通貨建ての資産ではないが，法定通貨と相互に交換できる。

ウ 暗号資産は，ブロックチェーン技術を用いて集中管理されており，法定通貨と同様，銀行などの金融機関で入手・交換できる。

エ 利用者の保有する暗号資産の残高や取引は，発行者によって利用者ごとに管理されているので，利用者は保有している暗号資産を発行者の指定する加盟店だけで使用できる。

問23 解答解説

資金決済法（資金決済に関する法律）では，暗号資産を次のように定義している。

> 一 物品等を購入し，若しくは借り受け，又は役務の提供を受ける場合に，これらの代価の弁済のために不特定の者に対して使用することができ，かつ，不特定の者を相手方として購入及び売却を行うことができる財産的価値（電子機器その他の物に電子的方法により記録されているものに限り，本邦通貨及び外国通貨，通貨建資産並びに電子決済手段（通貨建資産に該当するものを除く。）を除く。次号において同じ。）であって，電子情報処理組織を用いて移転することができるもの
>
> 二 不特定の者を相手方として前号に掲げるものと相互に交換を行うことができる財産的価値であって，電子情報処理組織を用いて移転することができるもの

暗号資産とは，物品の支払いなど“不特定の者に対して使用できる”財産的価値のあるものであり，“法定通貨”又は“法定通貨建ての資産”ではないが，“法定通貨”と相互に交換できるもの，また，物理的な実体は存在せず，電子的に“記録され，移転できるもの”である。ビットコイン（Bitcoin）は，この条件を満たす代表的な暗号資産である。

ア　暗号資産交換業者は，資本金の額が1,000万円以上あり，純資産額がマイナスでないことなど，資本金額や純資産額などの財務的規制も受ける。
ウ　暗号資産の入手・交換は，内閣総理大臣の登録を受けた暗号資産交換業者を介して行い，銀行などの金融機関では入手・交換できない。
エ　物品の支払いなど，利用者は保有する暗号資産を不特定の者に対して使用できる。

《解答》イ

5 セキュリティ

セキュリティ事故は，緻密に組み上げられたITの仕組みも，長年築き上げた企業の信頼も，一瞬で台無しにしてしまう。これからのITストラテジストにとって，セキュリティの確保は戦略策定段階から考えるべき重要な事項になるだろう。ここでは，セキュリティ関連の知識について，基本的なものを中心に整理する。セキュリティが苦手な方は，ぜひ確認してほしい。

5.1 サイバー攻撃

… 30秒チェック！ …
Super Summary

1 サイバー攻撃の種類

- □ソーシャルエンジニアリング…ITを使わずに重要な情報を盗み出す手口
- □標的型攻撃…知人や取引先を騙るなど特定の企業や組織を標的にした攻撃
- □ブルートフォース攻撃…パスワードや暗証番号を総当たりで試す攻撃
- □パスワードリスト攻撃…流出しているIDとパスワードを試す攻撃
- □クリックジャッキング…開いているWebページに透明なWebページを重ねて，クリックを誘う攻撃
- □ドライブバイダウンロード…ウイルスをダウンロードするようにWebページを改ざんする攻撃
- □中間者攻撃…通信を行う二者間の間に割り込み，盗聴や通信内容を改ざんする攻撃
- □SQLインジェクション…不正なSQLを含む悪意の入力データを与える攻撃
- □コマンドインジェクション…不正なOSコマンドを含む悪意の入力データを与える攻撃
- □XSS…不正なスクリプトを含む悪意の入力データを与える攻撃
- □CSRF…利用者が意図しない操作を別のWebサイトで行わせる攻撃
- □ゼロデイ攻撃…対策が講じられる前の脆弱性をつく攻撃
- □フィッシング…偽のWebサイトに誘導し，機密情報などを窃取する攻撃

□スミッシング…SMSを利用してフィッシングを行う攻撃
□セッションハイジャック…他者のセッションを横取りして不正な操作を行う攻撃
□ランサムウェア…復号やロック解除と引替えに金銭を要求する攻撃

2 対策

□サニタイジング…特殊文字を無効化して不正コマンドの実行を阻止
□CAPTCHA…機械では判別しにくいゆがんだ文字の入力確認
□WAF…Webアプリケーションに対するアクセスを監視するファイアウォール
□ウイルス対策ソフト…ウイルスの検出や除去を行うソフトウェア

1 サイバー攻撃の種類

■ ソーシャルエンジニアリング

【内容】
IT技術を使わずに重要な情報を盗み出す手口。上司を装って電話をかけてパスワードを聞き出す，パスワードの入力をのぞき見する（ショルダーハッキング），ゴミ箱に捨てられた資料の中から情報を探し出す（トラッシング）などが該当する。警察や銀行員を装ってキャッシュカードの暗証番号を聞き出すような詐欺も，ソーシャルエンジニアリングの一種である

【対策例】
- 電話でパスワードを伝えないなどのルールを徹底する
- パスワードは他人に見られないように入力する
- 書類は細断処理後，廃棄する

■ 標的型攻撃

【内容】
特定の企業や組織をターゲットとして，機密情報の窃取やシステム破壊を目的としたサイバー攻撃。知人や取引先を騙ることで，警戒心を抱かせずにコンピュータウイルスに感染させたり，不正な情報送信をさせる

【対策例】
- 不審な添付ファイルを不用意に開かない
- 疑わしい電子メールのURLはクリックしない
- 不審な電子メールを受信した場合はすぐ報告する
- ネットワークから切り離されたPCなどを用いて電子メールの真偽を確認する
- 送信元に電話で確認するなどして，電子メールの真偽を確かめる

■ ブルートフォース攻撃

【内容】
パスワードや暗証番号に対して，可能性のある全ての組合せを総当たりで試す。桁数の少ない単純なパスワードは，ブルートフォース攻撃に耐えられないおそれがある

【対策例】
- 桁数の少ない単純なパスワードを使用しない

■ パスワードリスト攻撃

【内容】
これまでに流出したIDとパスワードをリストで管理し，リスト上のIDとパスワードを用いて標的システムへの侵入を試みる攻撃。異なるサービスで同じIDとパスワードを使っている場合，パスワードリスト攻撃によってシステムへの侵入を許すことになる

【対策例】
- 異なるシステムやサービスでパスワードを使い回さない

■ クリックジャッキング

【内容】
利用者が開いたWebページに透明なWebページを重ねて読み込ませることで，利用者のクリックを誘う。利用者は見えているWebページのボタンをクリックしたつもりでも，実は透明なWebページのボタンをクリックしていることになり，意図しない操作が行われる

【対策例】
- Webサーバでクリックジャッキング対策を行う
- ブラウザを最新にして，Webサーバのクリックジャッキング対策を機能させる

■ ドライブバイダウンロード

【内容】
ウイルスをダウンロードするようにWebサイトを改ざんする。利用者は改ざんされたWebサイトを閲覧しただけでウイルスに感染してしまう

【対策例】
- Webサーバ側では，Webサイトの内容が改ざんされていないことを常に確かめる
  - ・ウイルス対策ソフトをインストールしたPCで自社のWebサイトをチェックする
  - ・Webサイトの改ざんを監視する業者サービスを利用する
- クライアント側では，ウイルスに感染しないようOSやアプリケーション，ウイルス対策ソフトを最新の状態に保つ

■ 中間者攻撃（MITM）

【内容】
通信を行う二者間の間に割り込み，盗聴や通信内容の改ざんを行う攻撃

【対策例】
- 認証を徹底する
  - ・公開鍵基盤を用いた認証
  - ・強度の高い相互認証
  - ・パスワードだけでなくバイオメトリクス認証などを組み合わせる

■ SQLインジェクション

【内容】
不正なSQLを含む悪意の入力データを与え，データベースに対する不正な問合せを実行させる攻撃

【対策例】
- あらかじめ用意されたSQL文を利用するバインド機構を利用する
- サニタイジングを行う

■ コマンドインジェクション

【内容】
不正なOSコマンドを含む悪意の入力データを与え，これを実行させる攻撃

【対策例】
- 入力データに含まれるOSコマンドを実行しない
- サニタイジングを行う

■ クロスサイトスクリプティング（XSS）

【内容】
攻撃者から送り込まれた悪意のスクリプトを，別のWebサイトのアクセス時に実行させる

【対策例】
- サニタイジングを行う

■ クロスサイトリクエストフォージェリ（CSRF）

【内容】
攻撃者が用意したWebサイトから不正なHTTPリクエストを送信することで，別のWebサイトでアンケートの入力やショッピングなど利用者が意図しない操作を行わせる

【対策例】
- 商品の購入を決定する際に改めてパスワードの入力を要求する
- 正しいWebページ遷移かを確認する
- CAPTCHAを利用する

■ ゼロデイ攻撃

【内容】
明らかになった脆弱性に対策が講じられる前に開始する攻撃。脆弱性の公表とセキュリティパッチの提供とのタイムラグに乗じて，脆弱性を攻撃する

【対策例】
- 脆弱性と同時に回避策が公開された場合，回避策を設定する
- セキュリティパッチはすぐに適用する

■ フィッシング

【内容】
電子メールなどで不正なURLを送りつけ，偽のWebサイトに誘導し，機密情報の窃取や詐欺行為を行う

【対策例】
- 不審な電子メールに記載されているURLはクリックしない
- 電子メールに記載されているURLではなく，Webサイトの正しいURLを確かめて入力する
- 送信元に電話で確認するなど，電子メールの真偽を確かめる

■ セッションハイジャック

【内容】
セッションIDの予測や盗聴などを通じて他者のセッションを横取りし，そのセッション上で不正な操作を行う

【対策例】
- 予測困難なセッションIDを用いる

■ ランサムウェア

【内容】
PC内のデータを勝手に暗号化したり，スマートフォンの画面を勝手にロックし，その解除と引替えに金銭を要求するマルウェア。人質をPCやスマートフォンにした身代金（ransom）誘拐の手口と似ていることから，この名称で呼ばれる。金銭を支払っても，不具合が解消される保証はない

【対策例】
- ウイルス対策ソフトを導入し，ウイルス定義ファイルを最新に保つ
- OSやアプリケーションの状態を最新に保つ
- 重要なデータは定期的にバックアップする

2 対策

■ サニタイジング

サニタイジングは，SQLインジェクションやコマンドインジェクションに効果的な対策である。これらの攻撃は，特別な意味を持つ特殊文字（ ' ＜ ＞ など）が入力できることが問題であるため，

・入力画面から特殊文字を入力できないようにする

・特殊文字が現われた場合，処理を中断する

・特殊文字を無効化（エスケープ処理）する

などの消毒（sanitizing）を行う。

■ CAPTCHA

CAPTCHAは，機械では判別しにくいゆがんだ文字の画像を表示して，同じ文字を入力させることによって，投稿者が人間であること（プログラムによる自動処理でないこと）を確認する仕組みである。

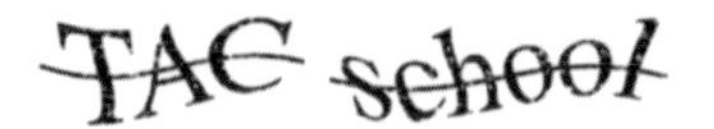

▶CAPTCHA

■ WAF（Web Application Firewall）

WAFは，Webアプリケーションに対するアクセスを監視し，不正アクセスを遮断する機器である。WAFの持つサニタイジング機能は，SQLインジェクションやコマンドインジェクション，クロスサイトスクリプティングなどで入力された不正コマンドを無力化するので，WAFの設置は不正アクセス全般に対してきわめて有効である。

■ ウイルス対策ソフト（ワクチンソフト）

ウイルス対策ソフトは，コンピュータウイルスへの対策を行うソフトウェアの総称で，コンピュータウイルスへの最も有効な対策である。既知のコンピュータウイルスが持つパターン（シグネチャコード）をパターンファイル（パラメタファイル，ウイルス定義ファイル）に格納し，検査対象のファイルと比較することで，コンピュータウイルスを検出する。そのため，ウイルス定義ファイルを常に最新の状態にしておくことが重要である。

パターンマッチング以外のウイルス検出方法には，次の方式がある。

▶**ウイルス検出方法**

インテグリティチェック法	ファイルにウイルスではないことを保証するデジタル署名などを付加する方法。署名がない場合や無効な署名なら，ウイルスと判断する
チェックサム法	ウイルスではないことを保証する情報に，チェックサム（データ検証用の符号の一つ）を用いる方法
コンペア法	安全に保管されている原本と検査対象を比較する方法
ビヘイビア法	ウイルスによって引き起こされる動作パターンを監視して検出する方法

ビヘイビア法はプログラムの振舞いを監視するため，まだパターンファイルに定義されていない未知のウイルスについても，検出が期待できる。

！ポイントテーマ リスク対応

リスクに対しては，リスクを分析・評価した結果，そのリスクに応じた対応策を講じる。**リスク対応**には，次のようなものがある。

方策	内容	例
リスク低減	適切な管理策（コントロール）を採用することにより，リスクが発生する可能性やリスクが発生した場合の影響度を低減する。	セキュリティ技術の導入，入口の施錠，スプリンクラの設置など
リスク回避	リスクと資産価値を比較した結果，コストに見合う利益が得られない場合など，資産ごと回避する。	業務の廃止，資産の廃棄など
リスク移転	資産の運用やセキュリティ対策の委託，情報化保険など，リスクを他者に移転する。	ハウジングサービスの利用，情報化保険の加入など
リスク受容	識別されており，受容可能なリスクを意識的，客観的に受容する。リスクが顕在化したときは，その損害を受け入れる。	会社が損失額を負担するなど

リスク低減では，適切な管理策（コントロール）を適用することによって，リスクが発生する可能性やリスクが発生した場合の影響度を低減させる。管理策適用後のリスクレベルが受容できるリスク基準の範囲内に収まれば，残留リスクとして受容できることになる。

5.2 セキュリティ技術

… 30秒チェック！ …

Super Summary

■セキュリティ技術には次のようなものがある。

□暗号化…共通鍵暗号方式と公開鍵暗号方式の二つの方式

□デジタル署名…公開鍵暗号方式を用いた送信者の署名

□PKI…公開鍵基盤。公開鍵を安全に運用する仕組み ！ポイントテーマ▶P.225

□CA…認証局。PKIにおいて公開鍵の証明書を発行する機関 ！ポイントテーマ▶P.225

□ワンタイムパスワード…1回に限り利用できる使い捨てのパスワード

□チャレンジレスポンス方式…認証時に「パスワードを知っている」ことを証明する方式

□シングルサインオン…一度認証するとその後の認証を不要とする仕組み
□バイオメトリクス認証…生体情報を利用した認証方式
□多要素認証…認証手続を増やして認証を強化
□プロキシサーバ…インターネットとのやり取りを仲介するサーバ
□IDS…侵入検知システム。アクセス状況を監視して侵入を検出する仕組み
□UTM…統合脅威管理。複数機能を組み合わせて情報セキュリティを強化
□SSL…Webサーバとのやり取りを安全に行うセキュリティプロトコル
□SSH…遠隔ログインや遠隔操作を安全に行うプロトコル
□電子メールのセキュリティ…SMTP-AUTHなど
□WPA…無線LANのセキュリティ方式
□デジタルフォレンジックス…コンピュータ犯罪に対するITを用いた捜査

■ 暗号化

暗号化アルゴリズムは，大きく共通鍵暗号方式と公開鍵暗号方式に分けられる。

共通鍵暗号方式は，送信者と受信者で同一の鍵を持ちデータの暗号化と復号を行う。通信相手が多くなるに従って，利用者が管理する鍵の数が増大し，鍵管理の手間が増える。

公開鍵暗号方式は，公開鍵と秘密鍵のペアを用いて暗号化と復号を行う。暗号化通信を行う場合，送信者は受信者の公開鍵を取得してメッセージを暗号化する。利用者は自分の秘密鍵のみを管理すればよいので，鍵管理の手間は少ない。

次に代表的な暗号化アルゴリズムを整理する。

暗号化方式

共通鍵暗号方式 … 暗号化と復号に同じ鍵を用いる

DES	米国の国家暗号に用いられた共通鍵暗号化アルゴリズム 54ビットの鍵を用いて，64ビット単位で暗号化
AES	DESに替わる米国の国家暗号規格

公開鍵暗号方式 … 暗号化と復号に異なる鍵を用いる

RSA	**素因数分解**の困難さを利用した公開鍵暗号化アルゴリズム
楕円曲線暗号	ICカードなどでよく用いられる公開鍵暗号化アルゴリズム

▶暗号化アルゴリズム

AESは，無線LANのセキュリティ方式であるWPA2で利用される。

■ デジタル証明書の発行

デジタル証明書とは，配送されてきた公開鍵の所有者の真正性を確認するために添付されてくるデータセットである。

サーバに設定するデジタル証明書（サーバ証明書）を用意する場合，デジタル証明書の所有者は自身のサーバなどで秘密鍵を生成してからCSR（Certificate Signing Request；証明書署名要求）を生成し，認証局に提出する。CSRには，生成した秘密鍵とペアになる公開鍵や，デジタル証明書の所有者を表す情報である識別名（DN：Distinguished Name）が含まれる。認証局はCSRを確認し，正しければCSRに署名し，デジタル証明書として返す。

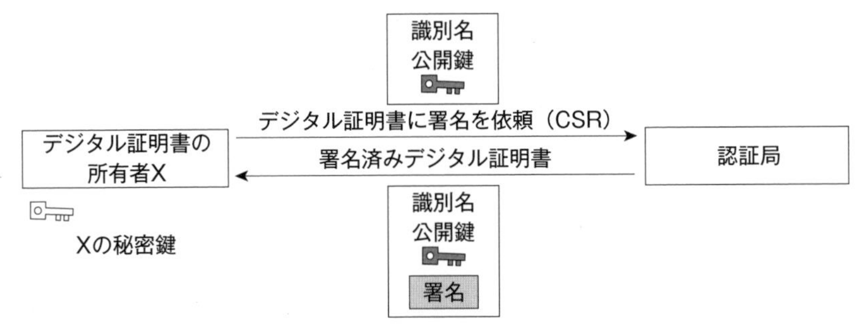

▶デジタル証明書の発行

■ デジタル証明書の失効

デジタル証明書の有効期間内であるにも関わらず，デジタル証明書の内容を変更する必要が生じた場合，新しい内容のデジタル証明書を発行するとともに，古いデジタル証明書を無効とする必要がある。これを失効という。主な失効事由には，次のようなことが考えられる。

- 記載内容（ドメイン名など）の変更
- 鍵ペアの再発行（秘密鍵の紛失や漏洩・危殆化が疑われる場合）

また，入手したデジタル証明書が有効であるかを確認するための手段には，次のようなものがある。

▶デジタル証明書の失効状態の確認手段

項目	説明
CRL（Certificate Revocation List；証明書失効リスト）	失効したデジタル証明書のシリアル番号の一覧を記載したリスト。認証局によって定期的に公開される
OCSP（Online Certificate Status Protocol）	オンラインでデジタル証明書の有効性をOCSPサーバ（OCSPレスポンダ)に問い合せ，確認するプロトコル

■ デジタル署名

データの正当性を保証するため，データに送信者の署名を電子的に施す。この一連の技術を，**デジタル署名**と呼ぶ。デジタル署名は公開鍵暗号方式を用いており，送信者の秘密鍵を用いて作成する。

送信データにデジタル署名を付加することで，

・データが送信者本人によって作成されたこと

・データが改ざんされていないこと

を保証できる。

■ リプレイ攻撃とワンタイムパスワード（OTP：One Time Password)

リプレイ攻撃とは，通信経路を流れるユーザーIDとパスワードを盗聴し，これをそのまま再生することで不正にログインする攻撃である。リプレイ攻撃を防ぐためには，毎回パスワードが変わるワンタイムパスワードが有効である。

ワンタイムパスワードの実現方法には，チャレンジレスポンス方式と呼ばれるソフトウェアを用いた方式や，セキュリティトークンと呼ばれるワンタイムパスワード生成装置などを使う方法がある。

■ チャレンジレスポンス方式

チャレンジレスポンス方式は，認証のためにパスワードを送るのではなく，「パスワードを知っている」ことを証明する方式である。

サーバは乱数（チャレンジ）を生成し，クライアントに送付する。クライアントは，パスワードを使ってチャレンジを変換（暗号化やハッシュ値を算出）し，結果（レスポンス）をサーバに返送する。サーバは，チャレンジを正しい手順で変換し，送られてきたレスポンスと比較する。両者が一致すれば，サーバとクライアントは同じパスワードを使って変換処理を行ったことになるので，「パスワードを知っている」ことが証明される。

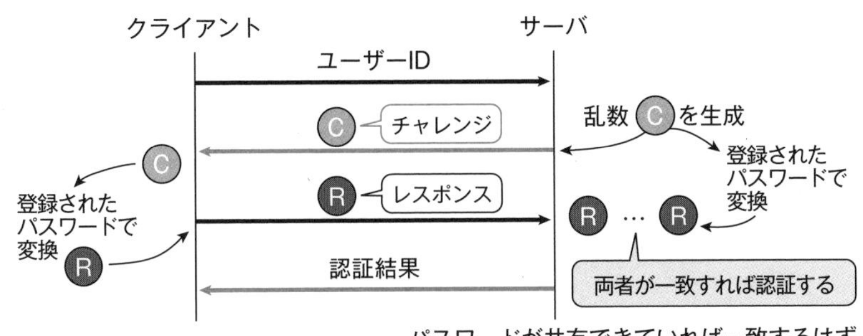

▶チャレンジレスポンス方式

■ シングルサインオン（SSO：Single Sign-On）

サーバが複数台設置されている大規模システムでは，サーバごとに認証を行うと利用者の負担が大きくなる。そこで，一度認証されれば，その後は各サーバでの認証は必要ないとする仕組みが用いられる。これを**シングルサインオン**と呼ぶ。

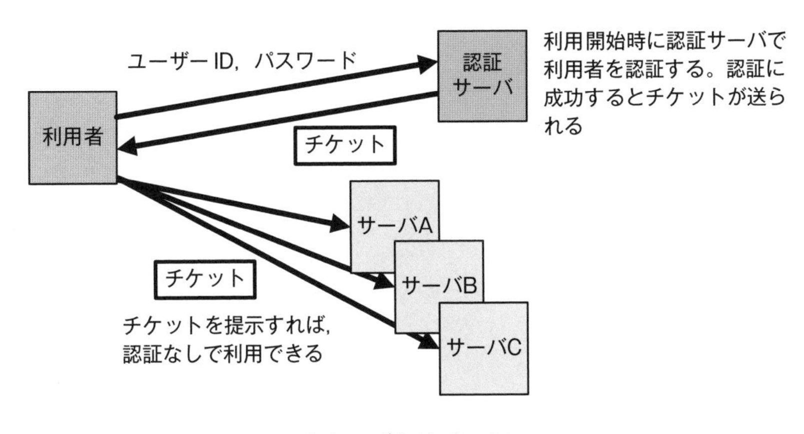

▶シングルサインオン

■ バイオメトリクス認証

生体情報を利用した認証方式を**バイオメトリクス認証（生体認証）**と呼ぶ。バイオメトリクス認証には次の方式がある。

▶バイオメトリクス認証方式

身体的特徴によるもの	顔認証	顔画像から個人を識別するパターンを抽出し照合する
	指紋	光学式センサーや薄型静電式センサーなどを用いて，特徴点抽出方式やパターンマッチングにより照合する
	虹彩（こうさい）	虹彩（眼の奥の模様）のパターンを照合する
	網膜	網膜（目の奥の薄膜組織）のパターンを照合する
	手のひらの静脈	LED光源からの近赤外線照射を行い，静脈のパターンを照合する
行動的特徴によるもの	署名	署名（サイン）速度や筆圧を検知・照合する
	声紋	事前に収録した音声の周波数パターンと照合する

■ 多要素認証

ユーザーIDとパスワード以外に認証手続を増やして，認証を強化することである。例えば，ユーザーID，パスワードに加えて電子証明書やUSBトークンを使った認証などを併用する。この場合は二つの認証を組み合わせているので，二要素認証（デュアルファクタ認証）となる。

■ プロキシ（proxy）サーバ

プロキシサーバはインターネットとのやり取りを中継するサーバである。具体的には，利用者とインターネットとの間に立ち，利用者の代理となって，インターネット上のWebサーバにアクセスし，結果を利用者に戻す。プロキシサーバにウイルスチェックやコンテンツフィルタなどのセキュリティ機能を持たせることで，悪意のあるWebページから利用者を守ることができる。

プロキシサーバとは逆に，インターネットからのアクセスを中継するサーバを，**リバースプロキシサーバ**と呼ぶ。リバースプロキシサーバからの接続先をWebサーバに限定しておけば，インターネットからWebサーバ以外のサーバへの攻撃を防ぐことができる。

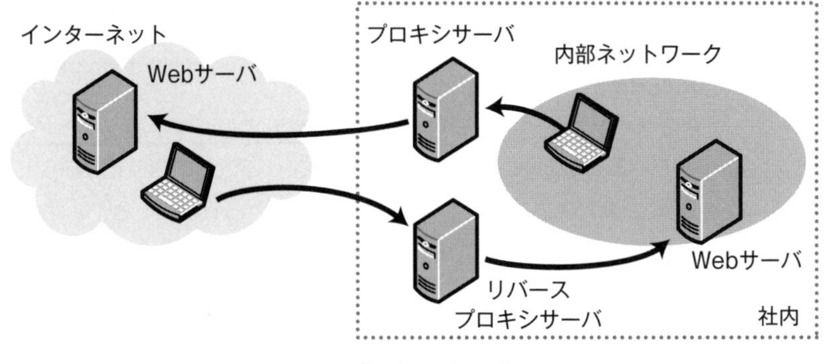

▶プロキシサーバ

■ IDS（Intrusion Detection System：侵入検知システム）

IDSは，アクセス状況を監視して侵入を検出する仕組みである。IDSは，機器と一体化したネットワーク型IDSと，各コンピュータにソフトウェアとしてインストールされるホスト型IDS に大別できる。現在では，侵入の検出だけでなく防御（通信の遮断など）も行うIPS（Intrusion Protection（(Prevention)）System：侵入防御システム）も用いられる。

■ UTM（Unified Threat Management：統合脅威管理）

より強固なセキュリティを実現するためには，ファイアウォールによるフィルタリング機能やIDS，IPSによる侵入防止機能，ウイルス検知などの複数の機能を組み合わせて実施することが必要である。これを，UTM（統合脅威管理）と呼ぶ。なお，これらの機能を1台の機器にまとめた製品のことをUTMと呼ぶこともある。

■ SSL（Secure Socket Layer）

インターネットを用いた通信では，クライアントとWebサーバ間のやり取りを安全に行わなければならない。そのための代表的なプロトコルに，SSLがある。SSLはその後継規約のTLS（Transport Layer Security）と併せて，SSL/TLSと呼ぶこともある。

SSLはWebサーバとのやり取り（HTTP通信）を安全に行う目的で多く利用される。SSLは，ファイル転送などにも利用することがある。SSLを用いたHTTP通信を，特にHTTPS（HTTP Secure）と呼ぶ。

SSL処理は，Webサーバに大きな負担をかける。それを避けるため，SSL/TLS処理を実行する専用の機器であるSSLアクセラレータをWebサーバに組み入れることもある。

■ SSH（Secure SHell）

SSHは，遠隔ログインや遠隔操作を行うためのプロトコル（またはツール）で，セッション鍵方式による暗号化や認証機能を持つ。従来，遠隔地のコンピュータに対するログインや操作には，Telnetなどのプロトコルが用いられた。しかし，Telnetには暗号化機能がないため非常に危険であった。今では，SSHのような暗号化機能を持つプロトコルが用いられる。

■ 電子メールのセキュリティ

電子メールの安全性を高めるために，電子メールの本文や添付ファイルを暗号化し，デジタル署名の機能を提供するプロトコルがある。電子メールのセキュリティを高めるプロトコルには次のものがある。

▶電子メールのセキュリティプロトコル

S/MIME (Secure MIME)	インターネット技術を定める団体であるIETFが定めた方式。公開鍵の正当性を保証するため，認証局を必要とする
PGP (Pretty Good Privacy)	Philip Zimmermannが開発した方式。公開鍵は利用者同士が保証しあうことで信頼性を高める

なお，メールサーバが踏み台に利用されないためには，SMTP-AUTHを利用する，第三者中継を禁止するなどの処置を行う必要がある。

- SMTP-AUTH…電子メール送信時にユーザー認証を行う。なお，標準のSMTPは，認証は行わない
- 第三者中継…メールサーバが電子メールの外部からの送信依頼を受け付けること

■ WPA（Wi-Fi Protected Access）

WPAは，無線LANを用いた環境で用いられる，盗聴や不正接続への対策方式である。現在では，より暗号強度を高めたWPA2が用いられる。WPA2では，暗号化アルゴリズムにAESが用いられる。そのため，WPA2-PSK（AES）と表記されることもある。

■ **デジタルフォレンジックス**

インターネットやコンピュータに関する犯罪が発生した場合には，不正アクセスの追跡や証拠データの解析，保全などの「捜査」活動が重要になる。これらをITを利用して行うこと，及びそのための技術を，**デジタルフォレンジックス**と呼ぶ。

！ポイントテーマ PKI（公開鍵基盤）とCA（認証局）

公開鍵を安全に運用するためには，その公開鍵が「確かに本人のもの」であることを保証しなければならない。これを実現する「信頼できる第三者機関」を**認証局**（**CA**：Certificate Authority）と呼ぶ。

公開鍵を証明してほしい利用者は，CAにデジタル証明書の発行を申請する。CAは何らかの方法で利用者の本人確認を行いデジタル証明書を発行する。デジタル証明書は，利用者の公開鍵などを含む証明用のデータにCAの署名を施したもので，デジタル証明書から入手した公開鍵はCAによって正当性が保証されたものとなる。このデジタル証明書を利用して安全に公開鍵暗号を利用する仕組みを**PKI**（Public Key Infrastructure：**公開鍵基盤**）と呼ぶ。

PKIに含まれる認証局は一つではなく，様々な組織が認証局の役割を担っている。また，認証局は次のような階層構造になっていることがある。

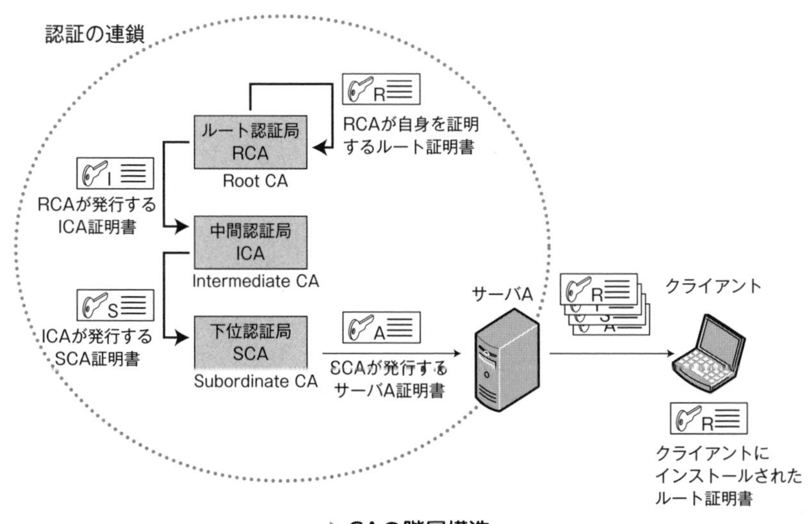

▶CAの階層構造

サーバやクライアントを下位認証局が認証し，下位認証局を中間認証局が認証し，中間認証局を最上位の認証局が認証している。このような認証のつながりを，認証チェーン（認証の連鎖）と呼ぶ。階層構造の最上位に位置する認証局をルート認証局と呼ぶ。ルート認証局は上位局を持たないため，自分で自分を認証する。つまり，自分の公開鍵を添付したデータに自分の署名を施したデジタル証明書を発行する。このようなデジタル証明書をルート証明書と呼ぶ。

認証チェーンを持つサーバが，クライアントに対して「自分が偽物ではない」ことを証明する場合を考える。

サーバは認証チェーンに含まれる全てのデジタル証明書をクライアントに送る。このデジタル証明書群にはルート証明書が含まれていなければならない。一方で，クライアントには，代表的なルート認証局のルート証明書がインストールされている。そこでクライアントは，サーバから受け取ったルート証明書を，自身にインストールされているルート証明書と比較する。一致すれば，そのルート認証局は信頼できるということになる。後は認証チェーンに沿って署名の検証を繰り返し，サーバが正しいことを確認する。

確認問題

問1 ✔□ □□ ソーシャルエンジニアリング手法を利用した標的型攻撃メールの特徴はどれか。
(H25春午前Ｉ問14)

ア　件名に“未承諾広告※”と記述されている。
イ　件名や本文に，受信者の業務に関係がありそうな内容が記述されている。
ウ　支払う必要がない料金を振り込ませるために，債権回収会社などを装い無差別に送信される。
エ　偽のホームページにアクセスさせるために，金融機関などを装い無差別に送信される。

問1 解答解説

標的型攻撃とは，不特定多数を対象とするのではなく，特定の企業や組織を対象とした攻撃のことである。主な手口は電子メールを使ってマルウェアに感染させてから機密情報の窃取や改ざんなどを行うというもので，電子メールの件名，差出人名，本文などが受信者本人の業務に関連の深そうな内容に工夫されていることが多い。

他の選択肢は，特に攻撃対象の所属や業務内容を考慮した内容ではないので，標的型攻撃メールには該当しない。

《解答》イ

問2 ☑☐ ☐☐ ブルートフォース攻撃に該当するものはどれか。

(H27秋午前Ⅰ問14)

ア Webブラウザとwebサーバの間の通信で，認証が成功してセッションが開始されているときに，Cookieなどのセッション情報を盗む。
イ 可能性がある文字のあらゆる組合せのパスワードでログインを試みる。
ウ コンピュータへのキー入力を全て記録して外部に送信する。
エ 盗聴者が正当な利用者のログインシーケンスをそのまま記録してサーバに送信する。

問2 解答解説

ブルートフォース攻撃とは，パスワードとして用いることができる文字の全ての組合せでログインを試みるパスワード解析手法の一種である。使用可能な文字の全組合せを試行するという特徴から時間さえかければ必ずログインに成功するが，パスワードに使用する文字の種類を増やす，パスワードの文字数を増やす，一定回数ログインに失敗したら一定時間ログインを不可能にするアカウントロックアウトの仕組みを導入するなどの対策によって，実質的に攻撃を防ぐ効果が期待できる。

《解答》イ

問3 ☑☐ ☐☐ サイバー攻撃に関する脅威に対処するために，非合法な手段を使わずに入手できる公開情報について，収集，分析及び活用が進んでいる。公開情報を収集，分析し，得られる知見，若しくは知見を得るために公開情報を収集，分析する活動，方法などを指すものはどれか。

(R5問25)

ア IoC　イ OSINT　ウ SIEM　エ TTP

問3 解答解説

OSINT（Open Source Intelligence）とは，公開されている情報源からデータ（非合法な手段を使わずに入手できるデータ）を収集，分析する手法である。サイバー攻撃のルート情報を調査するなど，特にサイバーセキュリティ分野での活用が進んでいる。

IoC（Indicator of Compromise）：攻撃発生や侵害に使われたツールの手掛りを得るための情報。「侵害指標」「痕跡情報」と呼ばれる
SIEM（Security Information and Event Management）：ファイアウォールや不正検知

システムなどからログ情報を収集，分析してサイバー攻撃などのセキュリティインシデントを検知する仕組み

TTP：サイバー攻撃者の手口を分析する観点で，戦術（Tactics），技術（Techniques），手順（Procedures）を示す

《解答》イ

問4 ✔□ □□ 格納型クロスサイトスクリプティング（Stored XSS又はPersistent XSS）攻撃に該当するものはどれか。（R3問23，H30問24）

ア　Webサイト上の掲示板に攻撃用スクリプトを忍ばせた書込みを攻撃者が行い，その後に当該掲示板を閲覧した利用者のWebブラウザで，攻撃用スクリプトが実行された。

イ　Webブラウザへの応答を生成する処理に脆弱性のあるWebサイトに対して，不正なJavaScriptコードを含むリクエストを送信するリンクを攻撃者が用意し，そのリンクを利用者がクリックするように仕向けた。

ウ　攻撃者が，乗っ取った複数のPC上でスクリプトを実行して大量のリクエストを攻撃対象のWebサイトに送り付け，サービス不能状態にした。

エ　攻撃者がスクリプトを使って，送信元IPアドレスを攻撃対象のWebサイトのIPアドレスに偽装した大量のDNSリクエストを多数のDNSサーバに送信することによって，大量のDNSレスポンスを攻撃対象のWebサイトに送り付けるようにした。

問4 解答解説

クロスサイトスクリプティング攻撃は，Webサイトの脆弱（ぜい）性を利用し，その脆弱サイトをアクセスしたWebブラウザにて，攻撃者が作成した不正なデータ（攻撃用スクリプト）を実行させるという攻撃の手口である。格納型クロスサイトスクリプティング攻撃は，攻撃用スクリプトを忍ばせた書込みを掲示板やデータベースに対して行い，その掲示板やデータベースにアクセスしたWebブラウザにて，その攻撃用スクリプトを実行させる。

イ　反射型クロスサイトスクリプティング攻撃に該当する。

ウ　DDoS（Distributed Denial of Service attack：分散型サービス拒否攻撃）に該当する。

エ　DNSリフレクション攻撃に該当する。

《解答》ア

問5 ✔□ □□ ゼロデイ攻撃の特徴はどれか。（H27秋午前Ⅰ問13）

ア　セキュリティパッチが提供される前にパッチが対象とする脆弱（ぜい）性を攻撃する。

イ　特定のWebサイトに対し，日時を決めて，複数台のPCから同時に攻撃する。
ウ　特定のターゲットに対し，フィッシングメールを送信して不正サイトへ誘導する。
エ　不正中継が可能なメールサーバを見つけた後，それを踏み台にチェーンメールを大量に送信する。

問5　解答解説

ゼロデイ攻撃（zero day attack）とは，ある脆弱性が発見されたとき，対応策や修正用プログラムが公表・配布される前に，その脆弱性を利用して行う攻撃である。

イ　DDoS（Distributed Denial of Service：分散サービス拒否）攻撃の説明である。
ウ　典型的なフィッシング詐欺の手口の説明である。送信されるメールは金融機関などを装っていることが多い。
エ　踏み台攻撃（コンピュータを乗っ取り，不正メール転送などの中継点にする）を用いたチェーンメール攻撃の説明である。　《解答》ア

問6

☑☐☐☐　個人情報の漏えいリスクに関するリスク対応のうち，リスク回避に該当するものはどれか。（H30問25）

ア　個人情報の重要性と対策費用を勘案し，あえて対策をとらない。
イ　個人情報の保管場所に外部の者が侵入できないように，入退室をより厳重に管理する。
ウ　個人情報を含む情報資産を外部のデータセンタで保管する。
エ　取得済みの個人情報を消去し，新たな取得を禁止する。

問6　解答解説

リスク対応には，大きく分けてリスクコントロールとリスクファイナンスがある。リスクコントロールは，リスクがもたらす損失を最小にするために，リスクが発生する以前に行う備えである。リスクファイナンスは，実際にリスクが発生してしまった場合の損失や，リスクコントロールで処理しきれなかったリスクに対する損失に備える資金的対策のことである。

リスク回避は，リスクコントロールに含まれ，リスク発生にかかわる経営資源との関係を断つことによってリスクコントロールを達成することである。個人情報の漏えいに関するリスク対応において，セキュリティリスクを発生させる情報の新たな取得を禁止し，取得済みの個人情報を消去することは，リスク回避に該当する。

ア　リスクファイナンスにおける，リスク受容（リスク保有）に該当する。

イ　リスクコントロールにおける，損失予防に該当する。

ウ　リスクコントロールにおける，リスク移転（リスク共有）に該当する。　《解答》エ

問7 ✔□ □□　暗号技術のうち，共通鍵暗号方式のものはどれか。　(R5問24)

ア　AES　イ　ElGamal暗号　ウ　RSA　エ　楕円曲線暗号

問7 解答解説

暗号化と復号に共通の鍵を用いる共通鍵暗号方式の代表的な暗号規格として，DES，トリプルDES，AESなどがある。AES（Advanced Encryption Standard）は，DES（Data Encryption Standard）に続く米国政府の次世代標準暗号規格で，Rijndael（ラインダール）と呼ばれる共通鍵暗号化アルゴリズムを採用している。

一方，暗号化と復号に異なる鍵を用いる公開鍵暗号方式の代表的な暗号規格として，離散対数暗号，RSA，楕円曲線暗号などがある。

ElGamal（エルガマル）暗号：離散対数暗号（素数nの離散対数問題を応用した暗号化アルゴリズム）を用いた公開鍵暗号方式の暗号規格

RSA：非常に大きな二つの素数の積の素因数分解が難解であることを暗号化アルゴリズムに用いた公開鍵暗号方式の暗号規格

楕円曲線暗号：楕円曲線上の特殊な演算を用いて暗号化する公開鍵暗号方式の暗号規格

《解答》ア

問8 ✔□ □□　総務省及び経済産業省が策定した“電子政府における調達のために参照すべき暗号のリスト（CRYPTREC暗号リスト）”を構成する暗号リストの説明のうち，適切なものはどれか。　(R4問23)

ア　推奨候補暗号リストとは，CRYPTRECによって安全性及び実装性能が確認された暗号技術のうち，市場における利用実績が十分であるか今後の普及が見込まれると判断され，当該技術の利用を推奨するもののリストである。

イ　推奨候補暗号リストとは，候補段階に格下げされ，互換性維持目的で利用する暗号技術のリストである。

ウ　電子政府推奨暗号リストとは，CRYPTRECによって安全性及び実装性能が確認された暗号技術のうち，市場における利用実績が十分であるか今後の普及が見込まれると判断され，当該技術の利用を推奨するもののリストである。

エ　電子政府推奨暗号リストとは，推奨段階に格下げされ，互換性維持目的で利用す

る暗号技術のリストである。

問8 解答解説

CRYPTREC（CRYPTography Research and Evaluation Committees）は，日本の暗号技術評価プロジェクトであり，安全性及び実装性能を評価した“電子政府における調達のために参照すべき暗号のリスト（CRYPTREC暗号リスト）”を策定している。CRYPTREC暗号リストは，電子政府推奨暗号リスト，推奨候補暗号リスト，運用監視暗号リストに分けられている。

電子政府推奨暗号リストは，CRYPTRECにより安全性及び実装性能が確認された暗号技術について，市場における利用実績が十分であるか今後の普及が見込まれると判断され，当該技術の利用を推奨するもののリストである。

ア　推奨候補暗号リストではなく，電子政府推奨暗号リストの説明である。推奨候補暗号リストは，CRYPTRECにより安全性及び実装性能が確認され，今後，電子政府推奨暗号リストに掲載される可能性のある暗号技術のリストである。推奨候補暗号リストに掲載された暗号技術のうち，今後普及して採用実績が十分と判断されれば，電子政府推奨暗号に格上げされる可能性がある。

イ，エ　互換性維持目的での利用を容認する暗号技術のリストは，運用監視暗号リストである。

《解答》ウ

問9

☑☐
☐☐

“政府情報システムのためのセキュリティ評価制度（ISMAP）管理基準（令和5年9月22日最終改定）”に関する記述のうち，適切なものはどれか。（R6問25，R4問24）

ア　ISMAP管理基準は，ガバナンス基準，マネジメント基準，管理策基準，監査基準の四つから構成されている。

イ　ガバナンス基準の実施主体は経営陣であり，情報セキュリティガバナンスのプロセスとして，評価，指示，モニタ，コミュニケーション及び保証の各プロセスが定められている。

ウ　管理策基準は，管理者が実施すべき事項として，情報セキュリティマネジメントの計画，実行，点検，処置及びリスクコミュニケーションに必要な事項を定めている。

エ　マネジメント基準は，組織における情報セキュリティマネジメントの確立段階において，リスク対応方針に従って管理策を選択する際の選択肢を与えている。

問9 解答解説

政府情報システムのためのセキュリティ評価制度（ISMAP：Information system SecurityManagement and Assessment Program）は，日本政府が求めるセキュリティ要件を満たすクラウドサービスを調達できるようにするための評価制度であり，ISMAP管理基準を策定している。

ISMAP管理基準は，ガバナンス基準，マネジメント基準，管理策基準の三つで構成されている。ガバナンス基準は経営陣が実施すべき事項，マネジメント基準は管理者が実施すべき事項，管理策基準は業務の実施者が実施すべき事項を定めている。

ア　ISMAP管理基準は，ガバナンス基準，マネジメント基準，管理策基準の三つで構成されている。

ウ　管理策基準ではなく，マネジメント基準に関する記述である。

エ　マネジメント基準ではなく，管理策基準に関する記述である。　《解答》イ

問10 ✔□ □□　参加者が毎回変わる100名程度の公開セミナにおいて，参加者に対して無線LAN接続環境を提供する。参加者の端末以外からのアクセスポイントへの接続を防止するために効果がある情報セキュリティ対策はどれか。　（R4問25）

ア　アクセスポイントがもつDHCPサーバ機能において，参加者の端末に対して動的に割り当てるIPアドレスの範囲をセミナごとに変更する。

イ　アクセスポイントがもつURLフィルタリング機能において，参加者の端末に対する条件をセミナごとに変更する。

ウ　アクセスポイントがもつ認証機能において，参加者の端末とアクセスポイントとの間で事前に共有する鍵をセミナごとに変更する。

エ　アクセスポイントがもつプライバシセパレータ機能において，参加者の端末へのアクセス制限をセミナごとに変更する。

問10 解答解説

WPA2などの無線LANで用いられている暗号化技術では，アクセスポイントと端末の間で，事前にPSK（Pre-Shared Key：事前共有鍵）と呼ばれる暗号化鍵を共有することができる。この鍵を所有していない端末は，アクセスポイントに接続できない。

セミナごとに鍵を変更するようにすれば，あるセミナの参加者が他のセミナで接続することはできなくなる。結果として，参加者の端末以外からのアクセスポイントへの接続を防止できる。

ア　DHCPで割り当てるIPアドレスの範囲を変更しても，アクセスポイントへの接続は防止できない。
イ　URLフィルタリングは，URLを用いて接続できるWebサイトを制限するセキュリティ機能であり，アクセスポイントへの接続は防止できない。
エ　プライバシセパレータは，同じアクセスポイントに接続している端末同士での通信を禁止する機能であり，アクセスポイントへの接続は防止できない。　《解答》ウ

問11 ☑□ □□　ディジタル証明書が失効しているかどうかをオンラインで確認するためのプロトコルはどれか。　（R3問24，H29問25）

ア　CHAP　イ　LDAP　ウ　OCSP　エ　SNMP

問11　解答解説

OCSP（Online Certificate Status Protocol）は，ディジタル証明書の失効情報問合せに用いるプロトコルである。OCSPを用いることで，各クライアントがCRL（失効リスト）を保持・検索する方法と比べ，リアルタイム性の向上，クライアント負荷の軽減などが期待できる。

CHAP（Challenge Handshake Authentication Protocol）：PPP接続で用いられるユーザー認証方式の一つ
LDAP（Lightweight Directory Access Protocol）：X.500 に対応したディレクトリサービスにアクセスするためのプロトコル
SNMP（Simple Network Management Protocol）：ネットワーク上の機器を管理するためのプロトコル
《解答》ウ

問12 ☑□ □□　チャレンジレスポンス認証方式の特徴はどれか。
（H28秋午前Ⅰ問13）

ア　TLSによって，クライアント側で固定パスワードを暗号化して送信する。
イ　端末のシリアル番号を，クライアント側で秘密鍵を使って暗号化して送信する。
ウ　トークンという装置が自動的に表示する，認証のたびに異なるデータをパスワードとして送信する。
エ　利用者が入力したパスワードと，サーバから送られたランダムなデータとをクライアント側で演算し，その結果を送信する。

問12 解答解説

チャレンジレスポンス方式は，利用者が作成するチャレンジコード（要求文字列）をもとに，被認証主体が暗号技術を適用してレスポンスコードを生成し，レスポンスコードを認証主体が検証することで被認証主体の実体の真正性を認証する方式である。パスワードをそのまま通信することがないため，パスワードを窃取されることを防止できる。また，チャレンジコードは毎回変わるので，リプレイアタックにも対抗できる。 《解答》エ

問13 ☑□ □□ 送信者Aは，署名生成鍵Xを使って文書ファイルのデジタル署名を生成した。送信者Aから，文書ファイルとその文書ファイルのデジタル署名を受信者Bが受信したとき，受信者Bができることはどれか。ここで，受信者Bは署名生成鍵Xと対をなす，署名検証鍵Yを保有しており，受信者Bと第三者は署名生成鍵Xを知らないものとする。 (R5問23)

ア 文書ファイルが改ざんされた場合，デジタル署名，文書ファイル及び署名検証鍵Yの整合性を確認することによって，その改ざん部分を判別できる。

イ 文書ファイルが改ざんされていないこと，及びデジタル署名が署名生成鍵Xによって生成されたことを確認できる。

ウ 文書ファイルがマルウェアに感染していないことを認証局に問い合わせて確認できる。

エ 文書ファイルとデジタル署名のどちらかが改ざんされた場合，どちらが改ざんされたかを判別できる。

問13 解答解説

問題文に示された手順は，デジタル署名の手順を示している。

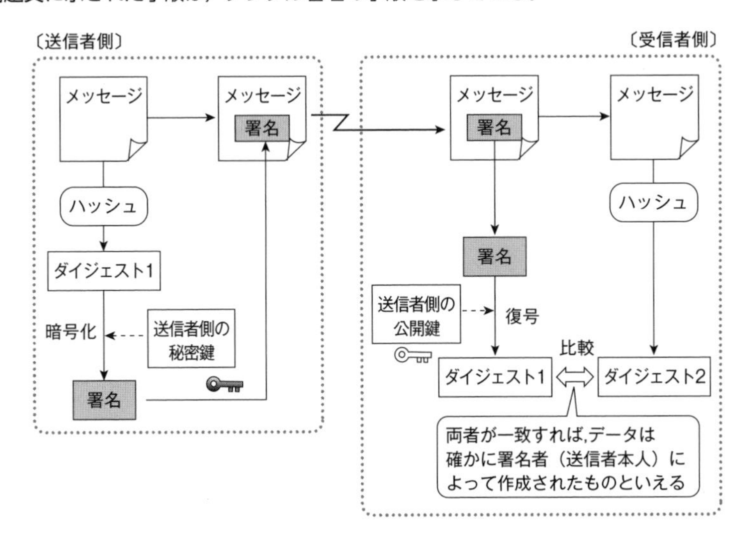

受信者Bが行う署名の検証は，署名検証鍵Y（送信者Aの公開鍵）で署名を復号し，受信したメッセージから作成したダイジェストと比較照合することで行う。署名の検証に成功した（適切に復号が行え，照合結果も一致した）場合は，

- 署名は送信者Aの秘密鍵（署名生成鍵X）によって生成された
  (⇒送信者A本人によるものである)
- 文書ファイルは送信時のものから改ざんされていない

ことが確認できる。

《解答》イ

問14 ✔□ □□ SSHの説明はどれか。 (H26春午前Ⅰ問15)

ア　MIMEを拡張した電子メールの暗号化とディジタル署名に関する標準

イ　オンラインショッピングで安全にクレジット決済を行うための仕様

ウ　対称暗号技術と非対称暗号技術を併用した電子メールの暗号化，復号の機能をもつ電子メールソフト

エ　リモートログインやリモートファイルコピーのセキュリティを強化したツール及びプロトコル

問14 解答解説

SSH（Secure SHell）は，暗号化された経路を利用して，リモートコンピュータの操作を実現するためのプロトコルである。telnetの代替としてよく用いられる。【SSHの本文参照】

ア　S/MIMEの説明である。
イ　SET（Secure Electronic Transaction）の説明である。
ウ　PGP（Prety Good Privacy）の説明である。　《解答》エ

問15 ☑□□□　SMTP-AUTH（SMTP Service Extension for Authentication）における認証の動作を説明したものはどれか。　（H26秋午前Ⅰ問12）

ア　SMTPサーバは，クライアントがアクセスしてきた場合に利用者認証を行い，認証が成功したとき電子メールを受け付ける。
イ　サーバは認証局のディジタル証明書をもち，クライアントから送信された認証局の署名付きクライアント証明書の妥当性を確認する。
ウ　電子メールを受信した際にパスワード認証が成功したクライアントのIPアドレスは，一定時間だけSMTPサーバへの電子メールの送信が許可される。
エ　パスワードを秘匿するために，パスワードからハッシュ値を計算して，その値で利用者が電子メールを受信する際の利用者認証を行う。

問15 解答解説

SMTP-AUTH認証は，SASL（Simple Authentication and Security Layer）と呼ばれる認証フレームワークを利用し，メールクライアントがSMTPサーバにアクセスしたときに適用可能な認証方式による利用者認証を行い，許可された利用者だけから電子メールを受け付け，そのSMTPサーバを使った中継を許可する認証方式である。

イ　PKIの仕組みを利用したクライアント認証の説明である。
ウ　POP before SMTPの説明である。
エ　APOP（Authentication POP）を用いたダイジェスト認証の説明である。《解答》ア

問16 ☑□□□　メールサーバ（SMTPサーバ）の不正利用を防止するために，メールサーバにおいて行う設定はどれか。　（H27問25）

ア　ゾーン転送のアクセス元を制御する。
イ　第三者中継を禁止する。
ウ　ディレクトリに存在するファイル名の表示を禁止する。

エ　特定のディレクトリ以外でのCGIプログラムの実行を禁止する。

問16 解答解説

メールサーバ（SMTPサーバ）は，インターネット上においてクライアントからの電子メール送信及び電子メール中継を行うサーバである。このメール送信・中継サーバを不正に利用して行う攻撃の手口として，メールサーバの配送規則の脆弱（ぜいじゃく）性を利用する攻撃，メール爆弾などによるDoS攻撃，メールサーバ用ソフトウェアの管理者権限奪取による不正行為などがある。このうち，メールサーバの配送規則の脆弱性を利用する攻撃は，配送規則に，インターネット側から届いた電子メールをインターネット側に中継するという，第三者中継を許可する設定がされているメール中継サーバを利用する。この攻撃を受けたメール中継サーバは，スパムメールのような悪意のある電子メールを中継させられ，電子メールの受信者にスパムメールの送信元と誤解されたり，攻撃者と誤解されたりして，社会的な信用やイメージが失墜してしまう場合がある。これらを防ぐために，配送規則で第三者中継を許可しないように設定する。

ア　DNSサーバに対する攻撃を防止するための設定である。
ウ　機密情報などが記録されているファイルにアクセスさせないための設定である。
エ　ディレクトリトラバーサルを利用した攻撃を防ぐための設定である。ディレクトリトラバーサルとは，ファイル名やディレクトリ名の指定に相対パスを用いることで，本来許可されていないファイルやディレクトリへのアクセスができてしまうことをいう。

《解答》イ

問17 ☑☐ ☐☐

ディジタルフォレンジックスの説明として，適切なものはどれか。

（H26春午前Ⅰ問14）

ア　あらかじめ設定した運用基準に従って，メールサーバを通過する送受信メールをフィルタリングすること
イ　サーバに対する外部からの攻撃や不正なアクセスを防御すること
ウ　磁気ディスクなどの書換え可能な記憶媒体を単に初期化するだけではデータを復元できる可能性があるので，任意のデータ列で上書きすること
エ　不正アクセスなどコンピュータに関する犯罪の法的な証拠性を確保できるように，原因究明に必要な情報の保全，収集，分析をすること

問17 解答解説

ディジタルフォレンジックス（digital forensics）とは，コンピュータに関する法的な証拠性を明らかにするために，原因究明に必要な情報を収集して分析・保全し，その後の訴訟

などに備える手段や技術のことである。ディジタル鑑識ともいい，不正アクセスなどの犯罪行為に対する証拠保全を目的に行われることが多い。

ア　メールフィルタの説明である。
イ　サーバの要塞化などの情報セキュリティ対策の説明である。
ウ　磁気ディスク装置の内容消去（ワイプ）の説明である。　《解答》エ

午後Ⅰ試験対策

午後Ⅰ試験の概要と解き方

1.1 午後Ⅰ試験の概要

1 午後Ⅰ試験の目的

■ITプロフェッショナルエンジニアの養成

情報技術のすさまじい進歩に伴い，システム開発は巨大化・複雑化してきている。このような状況下では，専門スキルを持ったITプロフェッショナルエンジニアの存在が不可欠である。ITプロフェッショナルエンジニアのうち，ITストラテジストに求められる専門スキルは，ITを活用した業務改革と新事業の立上げである。

■専門スキルレベルと問題解決能力の判定

ITプロフェッショナルエンジニアには，実務において，専門スキルを適用して問題を解決する能力が求められる。専門スキルの知識レベルを判定するだけであれば，午前試験の４択形式の問題で十分である。午後Ⅰ試験の記述式試験では，具体的な事業における業務の事例を提示し，その事例の中で受験者に専門スキルを適用させることで，専門スキルの活用レベルを判定すると同時に，実務における問題解決能力を判定している。

2 記述式試験を突破するための前提知識

記述式試験は次に説明する特徴を持っている。これらの特徴は，正解するためのヒントや条件につながる。

■正解を一つに絞るための制約・根拠

ここでいう専門スキルとは，体系化された専門知識とそれを適用できる専門技能を指している。ただ，受験者の持つ専門スキルは微妙に異なっているので，一つの問題に対して様々な解答がなされることになる。そこで，問題文や設問文には，受験者の答案を一つの解答＝正解に収斂させるために，正解を一つにするための制約や根拠が挿入されている。

また，問題文には，文章だけでなく，システムの構成や概要を表した図，スケジュール，性能や容量などを示した表を用いて，業務事例が説明されている。図表が提示されている場合，その**図表が解答の導出にかかわってくること**がある。

■ 設問の種類

設問には，空欄に入る字句や数値を答える設問と，制限字数内で理由・原因・対策・リスクなどを答える設問がある。設問にも，正解を一意にするための条件や制限が付されていることが多い。

記述式試験を突破するには，このような記述式試験の特性を認識し，**自分の実務経験に固執せずに解答を作成する必要**がある。

問○　XXXXXXに関する次の記述を読んで，設問○～○に答えよ。

〔XX社の概要〕

〔XX社システムの概要〕

〔XX社システムの開発〕

〔XX社で起こった事件〕

〔XX社業務の問題点〕

など，専門分野に関する事例

設問○　［　　　］に入れる適切な字句を答えよ。

設問○　XXXXXXXXXXXXの問題点を，XX字以内で述べよ。

設問○　XXXXXXXXXXXXに対する解決策を，XX字以内で述べよ。

など，問題の事例に即した設問

▶記述試験問題の形式

3 記述式試験を突破するためのアドバイス

■「正解は一つ」であること

記述試験の解答は，ある程度の幅を持った内容で正解できそうに思えるが，先に述べたように，記述試験問題は，問題文や設問文に記述されている制約や根拠で，正解が一つになるように作られている。したがって，解答欄に自由な内容を記述してよいのではなく，**「正解は一つ」と思って解答を導く姿勢**が必要である。

■「正解は明快な日本語表現」のアドバイス

解答を作成する際には，必要な内容を明快な日本語で表現する姿勢が重要である。その理由は，採点者は短時間で大量の答案を採点するので，**あいまいな日本語表現の解答は誤って理解**されてしまうからである。

また，美しい文章を書く必要もなく，制限字数いっぱいに着飾って表現しても，無駄な日本語の中に必要な内容が埋もれてしまっては低い評価になってしまう。

4 記述式試験における専門用語の重要性

■ 問題文の読解

記述式問題でとり上げる業務事例は，**ITストラテジストが実際に活動している現場を表現**したものである。問題文では，**必要な内容を少ない文章で正確に受験者に提示するため**，専門用語を多用している。

例えば，受注処理について，与信限度のチェック，与信限度額，売掛金残高などの専門用語が用いて説明されている場合，これらの意味が分からなければ，受注処理の内容は理解できないことになる。したがって，短時間で正確に問題文の内容を把握するには，その業務事例の領域における専門用語の知識が不可欠となってくる。

■ 解答の根拠の発見

また，問題文に埋め込まれている**解答の根拠は，客観的で誤解のないものにするために**，専門用語を用いて表現されていることが多い。したがって，習得している専門用語が少ないと，解答の根拠を見つけることができない。逆に，多くの専門用語を習得していれば，解答の根拠を短時間で正確に発見することができることになる。

■ 解答の記述

専門用語は，問題文を読むときに限らず，解答を作成する際にも必要となる。解答の根拠を発見して解答すべき内容が分かっても，適切な専門用語が分からなければ**制限字数内に収まらなくなってしまう**からである。

また，**解答を客観的で説得力のあるもの**にするためにも，専門用語は有用である。

例えば，「システム開発において，成果物に誤りがないかどうか確認する作業」を説明するとき，「レビュー」という専門用語を使うと端的に伝わる。

このように自由に使いこなせる専門用語を数多く習得しておくと合格への道も近い。

1.2 記述式問題の解き方

1 記述式試験突破のポイント

記述式試験を突破するポイントは，

❶ 問題文を“読解”する
❷ “解き方”に従って解く

の二つに集約される。この二つのどちらが欠けても本試験突破はおぼつかない。

問題文に目を通した程度では内容は頭に入らない。その状態でいくら“解き方”を駆使しようとしても，時間がかかるだけである。また，問題文を的確に“読解”できたとしても，“解き方”が誤っていると正解をずばり記述できないことがある。

だが，問題文を読むことも，解き方に従うことも，次のトレーニング方法で簡単に身につけることができる。

- **問題文の読解法…「二段階読解法」**
- **解き方…「三段跳び法」**

二つのトレーニングのねらい，方法，そして最終目標をよく理解した上で，実践してほしい。

2 問題文の読解トレーニング―二段階読解法

問題文は，概要を理解しつつもしっかりと細部まで読み込む必要がある。

そのためのトレーニング法が「概要読解」と「詳細読解」の二段階に分けて読み込んでいく二段階読解法である。トレーニングを繰り返していくと，全体像を意識しつつ詳細に読み込むことができるようになる。

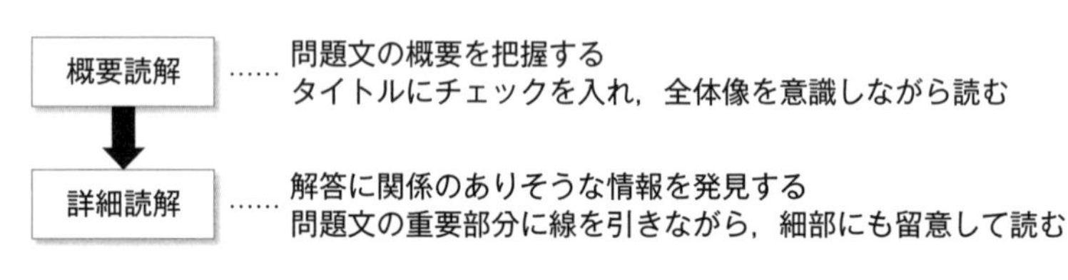

▶記述試験問題の形式

2.1 全体像を意識しながら問題文を読む―概要読解

長文読解のコツは「何について書かれているか」を常に意識しながら読むことにある。長文を苦手とする受験者は，全体像を理解できていないことが多い。

問題文を理解する最大の手がかりは〔タイトル〕にある。記述式試験の問題文は複数のモジュールから構成され，モジュールには必ず〔タイトル〕が付けられる。〔タイトル〕は軽視されがちだが，これを意識して読み取ることで，長文に対する苦手意識はずいぶん改善される。

H26問3より抜粋

事例の事業は，洋食レストランT社である

ライバルU社との競合状況について述べられている

T社の現状分析について述べている
・オーダの受け方
・予約受付
・ピーク時の対応
・調理現場
・食材仕入

競争力向上のための施策について述べられている

レストラン事業のストラテジの立案について述べている
・オーダをIT化
・広報業務をIT化

問3　洋食レストランの競争力の向上に関する次の記述を読んで，設問1～3に答えよ。

T社は，10年前から大都市の住宅地で洋食レストランを営んでいる。

〔他社との競合状況〕

最近，大手イタリアンレストランチェーン（以下，U社という）が，T社の最寄り駅の駅前広場に面して，若年層・ファミリー客向けのレストランを開店した。

〔店舗の運営状況〕

1．オーダの受け方とメニューの構成

ホールスタッフは，前菜，メインディッシュ，デザートについて，メニューアイテムごとにオーダを受ける。

2．予約の受付状況

予約は，電話で受け付け，予約管理表に記入する。

3．ピーク時の対応状況

最近，テレビのレストラン紹介番組で，T社のレストランが取り上げられたことをきっかけに，遠方からも客が来店するようになった。

4．ちゅう房での調理状況

ホールスタッフからのオーダ票に基づいて，オーダの順番に調理を行っている。

5．食材の仕入状況

シェフは，卸売市場の仕入先まで出向いて，良質の食材を仕入れている。

〔競争力の向上策〕

T社は，競争力を増すために，次の施策を立案した。

・客がまた来店したいと思えるようなサービスの提供

〔店舗運営のIT化〕

1．オーダエントリシステム

最近，導入費用，運営費用が安価なクラウドコンピューティングサービスによるレストラン向けオーダエントリシステムが普及している。

2．レストラン紹介サイト

テレビのレストラン紹介番組でT社のレストランが取り上げられたことを契機に，インターネットのレストラン紹介サイトの営業員から，サイトへの登録を提案されている。

▶タイトルをマークした概要読解

2.2 アンダーラインを引きながら問題文を読む─詳細読解

次に，問題文に埋め込まれている解答を導くための情報を探しながら，詳細に読み込むためのトレーニングである。このトレーニングは，問題文を読みながら，その中に次のような情報を見いだして，アンダーラインを引いていく方法である。

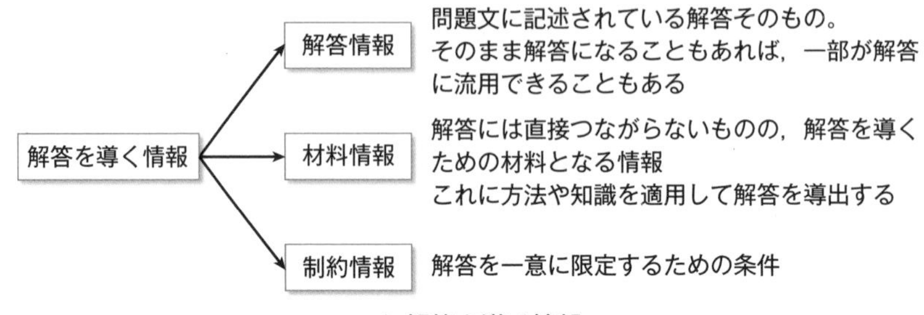

▶解答を導く情報

■ アンダーラインを引く

「アンダーラインを引く」という行為は，問題文をじっくり読むことにつながっていく。ただし，慣れないうちは問題文が線だらけになってしまい，かえって見づらくなるので，次のことを目安に線を引くとよい。

▶アンダーラインを引くべき情報

目安となる観点	着目度	説明
良いこと	★	「顧客の意見を十分反映した」など，ポジティブに記述されている部分。解答に直接つながるというより，解答を限定する情報になることが多い。
悪いこと	★★★	「チェックは特に行っていない」など，ネガティブに記述されている部分。技術的な欠点や要員の問題行動を表していることが多く，解答に直接つながりやすい。
目立った現象・行動・決定	★★★	悪いことと同様，技術的な欠点や要員の問題行動を表していることが多い。解答に直接つながりやすい。
数字や例	★★	例を用いて説明している部分は，問題のポイントになることが多い。 「例に倣って計算する」など，材料情報になることもある。
唐突な事実	★★★	「プログラムの著作権は，原則としてE社に帰属するものとした」など，唐突に現れる事実。わざわざ説明するからには何かがある！
キーワード	★★	問題文で定義される用語や分野特有のキーワード。 解答で使用することが多い。

タイトルもチェック！

H26問3より抜粋

〔他社との競合状況〕

最近，大手イタリアンレストランチェーン(以下，U社という)が，T社の最寄り駅の駅前広場に面して，若年層・ファミリー客向けのレストランを開店した。この店は，安価なメニューアイテムを取りそろえている。また，お得感のある多数のセットメニューを取りそろえ，客単価(客1人当たりのオーダ金額合計)を引き上げている。U社では，オーダが多いセットメニューについて，事前に途中まで調理しておき，オーダを受けたら直ちに仕上げて品出ししている。

T社は，U社の進出に対して客層が重ならないように，店内の装飾を豪華にし，料理と飲物の質を上げて，メニューの価格帯も少し高めに設定した。一方で，U社の店舗よりも雰囲気が良く，気軽に入店しやすいというイメージをもたせられるよう配慮した。しかし，実際は，売上高，来店客数，原価率ともにU社に比べて悪く，早急に改善が必要である。

ライバルU社の良いこと(T社の業務改善のヒント)

ライバルU社の良いこと(T社の業務改善のヒント)

自社の悪いこと(T社の業務改善目標)

▶詳細読解―アンダーラインの例

2.3 トレーニングとしての二段階読解法

二段階読解法は，読解力を訓練するためのトレーニング法である。目指すのは，本試験において，問題文を二段階に分けて別々の目的を持って読み解くことではなく，**少ない回数で解答に必要な情報を集める**こと，あるいは解答することである。

時間配分としては，1問の持ち時間の$\frac{1}{3}$の時間内に読み込めるよう，トレーニングしよう。

3 設問の解き方—正解発見の三段跳び法

記述式試験の正解の条件は，次の二点である。

❶ 設問の要求事項に正しく答えている
❷ 解答の根拠が問題文にある

❶の要求事項は設問が受験者に答えさせたい内容で，これを満たしていない解答は正解になり得ない。

❷は見落とされやすい。経験や技術のある受験者ほど，設問に対して「自分の経験や業界の知識」から答えてしまいがちだからだ。しかし，記述式試験が求めているのはあくまでも問題文の条件や制約に沿った解答であり，個人的な経験や勝手な解釈ではない。経験や業界知識は重要だが，それらはあくまでも問題文を踏まえた上で適用しなければならない。

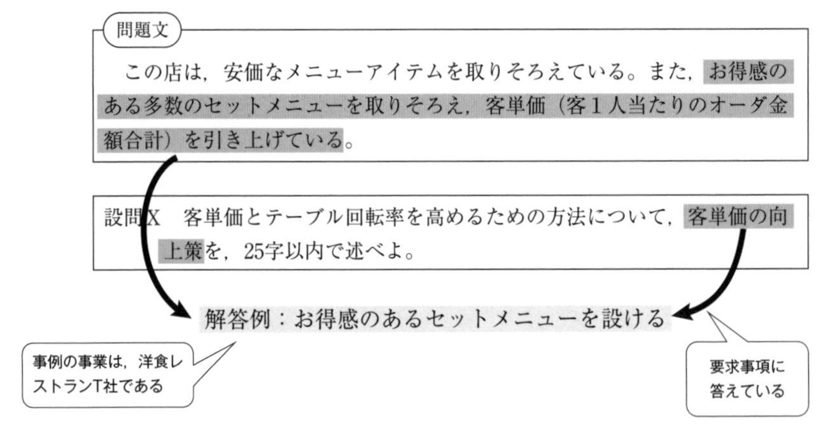

▶正解の条件

3.1 三段跳び法

正解の条件を満たす答案を導くためのテクニック，あるいはトレーニング法が，三段跳び法である。これは，

❶ **設問のキーワードから問題文へ「ホップ」する**
❷ **問題文のキーワードから，解答を導く情報へ「ステップ」する**
❸ **❷で発見した情報をもとに，正解に向けて「ジャンプ」する**

という，三段跳びで解答を作成していく方法である。

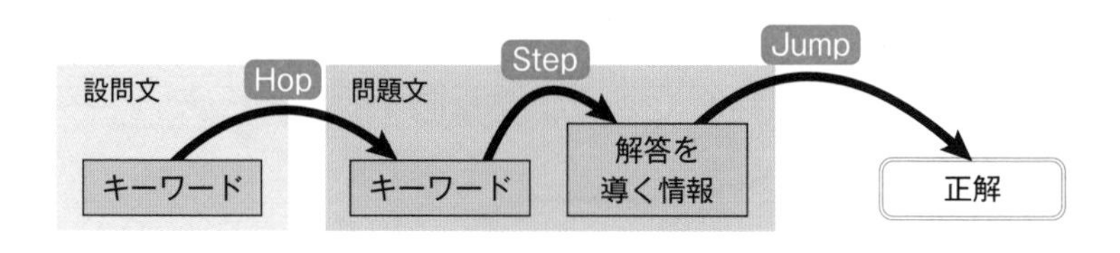

▶**三段跳び法の手順**

■ **ホップ（Hop）**

設問を特徴づけるキーワードやキーフレーズを見つける。キーワードやキーフレーズは，問題文にそのまま現れたり，同等の内容が記述されていたりするので，それらを探す。

■ **ステップ（Step）**

ホップで見つけた場所の近くまたは，意味的つながりのある部分に，**解答を導くための情報**が記述されている。設問の要求事項に注意して，その情報を探す。

■ **ジャンプ（Jump）**

ステップで見つけた情報をもとに，**制限字数に注意して解答を作成**する。その際，設問の要求事項に適合しているかどうかを必ず確かめるようにする。設問にもよるが，ステップで見つけた情報の流用が可能であれば，一部でもよいので流用する。

3.2 ステップの繰り返しが必要な場合

ステップの作業を何度か繰り返さなければ解答情報にたどり着けない場合もある。一度のステップで解答情報にたどり着かなくてもあきらめずに，さらにステップしてほしい。その例を，次に挙げる。

例1

(H26問3より抜粋)

設問1

(1) 客単価の向上策を，25字以内で述べよ。

Hop

問題文①

この店は，安価なメニューアイテムを取りそろえている。また，お得感のある多数のセットメニューを取りそろえ，客単価（客1人当たりのオーダ金額合計）を引き上げている。

Step❶
具体的な方法

Step❷
メニューについてさらに調べる

問題文②

1. オーダの受け方とメニューの構成

ホールスタッフは，前菜，メインディッシュ，デザートについて，メニューアイテムごとにオーダを受ける。オーダが多いメニューアイテムは決まっており，これに飲物と1～2アイテムを加えることが多い。

Jump

お得感のある多数のセットメニューを設ける

(右頁：解説)

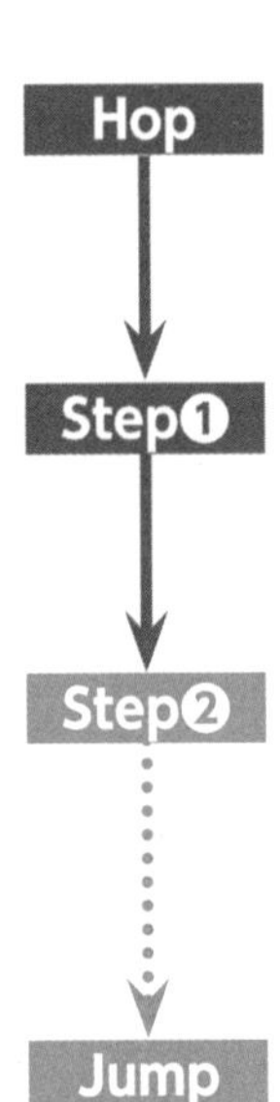

設問の「客単価」について言及している部分を問題文から探す。すると「**客単価（客1人当たりのオーダ金額合計）を引き上げている**」が見つかる。U社は，すでに客単価を引き上げていることが分かる。

この「**客単価を引き上げている**」より，そのためにどのような方策を講じているのかを探す。すると「**お得感のある多数のセットメニューを取りそろえ**」とある。これが「**客単価向上策**」である。

Step❶で見つけた「**客単価向上策**」は，U社の方法である。T社の現状は「**メニューアイテムごとにオーダを受ける**」となっている。T社がメニューアイテムごとにオーダを受ける理由は，セットメニューを販売していないからであることが分かる。

問題文から見つけた情報をもとに，解答を作成する。Step❶で見つかった，お得感のある多数のセットメニューを設けるが解答となる。

Tips ホップ・ステップの失敗を恐れない

ホップに用いるキーワードとして一般的な用語を選んでしまうと，問題文のいたるところにたどり着いてしまい，どれが正しい情報であるか分からなくなってしまう。そのような場合は，別の用語を選んで絞り込むとよい。ただし，絞り込みすぎると，今度はホップ・ステップする場所が見当たらなくなってしまうこともある。

キーワードの絞り込みの加減は，トレーニングを繰り返すと徐々に分かってくる。最初のうちは，ホップ・ステップに失敗することが多くなるかもしれないが，いずれはうまくできるようになる。それを信じてトレーニングに取り組んでほしい。

例2

(H26問3より抜粋)

設問1

(2) ピーク時におけるテーブル回転率の向上策を，35字以内で述べよ。

Hop

問題文①

Step❶
現状の問題点

3．ピーク時の対応状況

現在の手作業によるオーダ処理では効率の良い店舗運営ができない状態になった。来店客数がピークとなる平日の昼食と週末の夜間の時間帯では，通常10分で提供できる料理が20〜30分も掛かることがある。この影響で，予約客を長時間待たせてしまうことがある。

Step❷
ライバル社の対応

問題文②

U社では，オーダが多いセットメニューについて，事前に途中まで調理しておき，オーダを受けたら直ちに仕上げて品出ししている。

Jump

オーダが多いメニューアイテムは，事前に途中まで調理しておく

(右頁：解説)

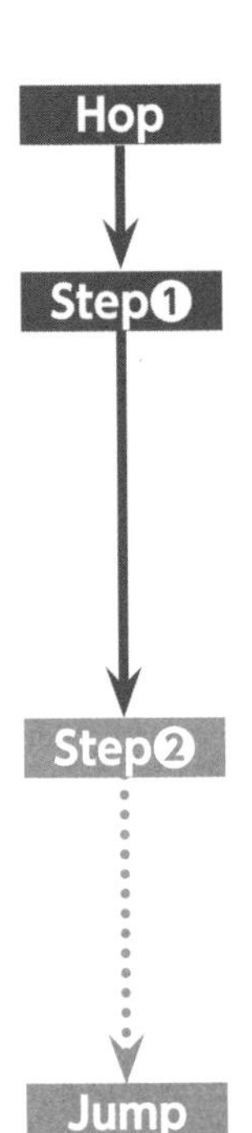

設問の「ピーク時」について言及している部分を問題文から探す。すると「**3. ピーク時の対応状況**」というタイトルが見つかる。

次に，設問で要求されている回転率に関する記述を探す。すると「**通常10分で提供できる料理が20〜30分も掛かることがある**」が見つかる。客の注文に対する調理時間が通常の数倍掛かっているが，特別な対策を講じていないことが分かる。これでは，客の滞在時間を長くし，回転率を下げてしまう。客の回転率を上げるには，調理時間を短くするのが最適である。

Step❶で見つけたのは，T社の現状なので，U社のやり方を探す。すると「**オーダが多いセットメニューについて，事前に途中まで調理しておき，オーダを受けたら直ちに仕上げて品出ししている**」が見つかる。この方法で調理時間を短縮できれば，客の回転率を上げることができる「**テーブル回転率向上策**」となる。

問題文から見つけた情報をもとに，解答を作成する。Step❷で見つかった，**オーダが多いメニューアイテムは，事前に途中まで調理しておく**が解答となる。

3.3 テクニックが目指す先

三段跳び法は，記述式試験を突破するための重要なテクニックである。

矛盾するようだが，二段階読解法と同様，三段跳び法の最終目標は「三段跳び法を使わずに問題を解く」ことである。

- **手がかりを見落とさないように問題文をしっかり読む**
- **設問と問題文を関連させ，解答情報を探す**

これらが適切にできれば，二段階読解法や三段跳び法などの手順を省略して，正解を導くことができる。テクニックは，そこに至るための練習方法だと認識して，トレーニングを繰り返そう。

記述式問題の解き方の例

ここでは，三段跳び法を使った解き方の例を示す。キーワードからどのようにホップ，ステップして解答情報を探しているか，ジャンプでどのような検討を加えているかなどに注意して，解き方の感覚をつかんで欲しい。問題を解いた後で，解き方を確認するとさらに効果的である。

ヒント付!!

具体例1　自転車シェアリング事業の展開　（H25問1）

問1　地方自治体による自転車シェアリング事業の展開に関する次の記述を読んで，設問1～3に答えよ。

A市は，歴史的な町並みの保存と併せて，中心市街地の区画整理，道路の拡幅，自転車専用レーンの設置，及び中心市街地の周辺地区にある複数の駐車場の整備を行ってきた。しかし，これらの取組みにもかかわらず，A市では，通勤者・買物客・レジャー施設利用客の自家用車での中心市街地への乗入れ，又は観光名所などへの観光バス・自家用車の集中によって，道路は慢性的に交通渋滞に陥っている。また，路上の放置自転車も交通の大きな妨げになっている。

〔自転車シェアリング事業計画の概要〕

A市は，穏やかな気候に恵まれ，一年中，自転車の利用が可能であることから，誰でも自由に利用できる自転車（以下，共有自転車という）を配置し，市街地交通に活用する方針を定めた。放置自転車対策及び中心市街地・観光名所周辺の交通渋滞対策として，自転車シェアリング事業を展開することにした。自転車シェアリング事業計画の概要は，次のとおりである。

・バスターミナル及び中心市街地の周辺地区の各駐車場に，共有自転車の保管場所（以下，駐輪ステーションという）を設けて，そこから共有自転車を借り出して利用できるようにする。
・中心市街地の要所要所に駐輪ステーションを設け，利用者は，借り出した場所とは別の駐輪ステーションに共有自転車を返却することもできる。
・観光客向けに，観光名所の集客施設に駐輪ステーションを設置する。
・自転車シェアリングの利用を促進するために，バスターミナル，観光名所の集客施設などに，案内板を設置するなどして周知する。
・駐輪ステーションがどこにあるのか分かるように，スマートフォン向けWebサイトを開設し，地図を掲載する。 設問3（1） このWebサイトには，観光名所，おすすめのサイクリングコースなど，利用者から投稿された情報も掲載する。 設問3（2）

〔自転車シェアリング事業の社会実験〕

国内では，自転車シェアリング事業について先行した取組み例が少なく，期待した効果が得られるかどうか分からない。そこでA市は，本格的な事業展開に先立ち，民間事業者（以下，事業運営者という）と共同して社会実験を行った。

・駐輪ステーションには，共有自転車の前輪をロックする装置（以下，自動ロック装置という）複数台と，自動精算機1台を設置する。
・利用者は，市役所に設けられた利用登録窓口で，住所・氏名・電話番号を届け出て利用者登録を行い，利用者カードを受け取る。
・共有自転車を借りるときは，自動精算機に利用者カードをかざして登録データを読み込ませ，利用料金を投入して，自動ロック装置から共有自転車を引き出す。返却するときは，空いている自動ロック装置に押し込む。返却が完了したら，利用者は，新たな借り出しが可能になる。
・事業運営者は，共有自転車が特定の駐輪ステーションに偏在しないように，駐輪ステーションを回って集配作業を行う。
・事業運営者は，自動精算機に投入された現金を回収し，釣銭を補充する。

〔社会実験の結果と課題〕

社会実験の結果から，自転車シェアリング事業は，交通渋滞の緩和に寄与していることが確認できた。また，次の利用状況と本格的な事業展開に向けての課題を確認できた。

1. 利用状況
・利用者の行動特性：中心市街地の商店街と観光名所近辺において，利用者の行動圏の拡大という現象が見られたことから，地域経済の活性化につながる可能性がある。
・企業の利用：企業の従業員が，得意先まわり，商談など業務目的で利用する例がある。 設問1（1）
・観光客の利用：観光客は，利用登録方法と利用登録窓口の場所を知らなかったり，自転車シェアリングに不慣れであったりするので，利用件数が伸びない。特に，バスターミナルと観光名所の集客施設では，観光客からの問合せが多い。 設問1（2） また，Webサイトに投稿された情報の場所について，経路や所要時間などの問合せもある。 設問3（2）
・駐輪ステーションの利用：中心市街地の周辺地区にある駐車場の駐輪ステーションでは，平日の朝は郊外からの通勤者への貸出しで共有自転車が不足し，夕方は返却された共有自転車で満杯になってしまうことがある。 設問2（2） その際に，最寄りの駐輪ステーションに回って返却する利用者もいる。一方，日中（9：00～17：00）は，全般的にどの駐輪ステーションも朝夕に比べて利用者が少ない。

2. 本格的な事業展開に向けての課題

(1) A市の認識
・駐輪ステーションで，共有自転車が出払ってしまっていたり，満杯で返却できなかったりして，別の駐輪ステーションに回る利用者もいるので， 設問3（1） 利用者への駐輪ステーションの情報提供の方法の見直しも併せて，何らかの対策が必要である。
・自動精算機に投入された現金の取扱業務は，金銭トラブルの発生リスクを伴うので，ク

第2部 午後Ⅰ試験対策

レジットカード又は交通系ICカード（以下，この二つを決済用カードという）の利用を考慮すべきである。

(2) 事業運営者の認識

・朝に貸出しがピークとなる駐輪ステーションでは，自動精算機に長い待ち行列ができる。決済用カードで貸出処理に要する時間を短縮できれば，待ち行列の緩和が期待できる。 設問2（1）

・日中の利用者を増やしたい。そのためには，パッケージツアーを販売する旅行業者と提携し，観光客の利用を増やす必要がある。また，Webサイトに投稿された情報の活用方法の検討と企業への働きかけも必要である。 設問1（2）

〔今後の取組み〕

自転車シェアリング事業は，事業収益が見込め，交通渋滞の緩和，地域経済の活性化及び市民生活の向上に寄与できることが分かった。そこでA市は，次の3点に留意して，本格的に事業を展開することにした。

・事業運営収入を高める。
・事業運営の効率を高める。
・利用者の利便性を高める。

設問1　事業運営収入を高めるための施策について，(1)，(2) に答えよ。

(1) 企業に対して働きかける内容を，15字以内で述べよ。

(2) 観光客の利用を促進するための具体的な方策を二つ挙げ，それぞれ40字以内で述べよ。

設問2　事業運営の効率を高めるための施策について，(1)，(2) に答えよ。

(1) 駐輪ステーションにおける，利用者への貸出処理を迅速にするために必要な機能を，25字以内で述べよ。

(2) 駐輪ステーションの利用状況を考慮して共有自転車の配置数を決めるために必要な情報を，40字以内で述べよ。

設問3　利用者の利便性を高めるための施策について，(1)，(2) に答えよ。

(1) 駐輪ステーションに関し，スマートフォンを通して利用者に提供すべきサービスを，40字以内で述べよ。

(2) Webサイトに投稿された情報に関し，スマートフォンを通して利用者に提供すべきサービスを，40字以内で述べよ。

解答MEMO

解答例

<table>
<tr><td rowspan="3">設問(1)</td><td>(1)</td><td colspan="2">業務目的での利用の促進</td></tr>
<tr><td rowspan="2">(2)</td><td>①</td><td>・常設の利用登録窓口を，バスターミナルと観光名所の集客施設に設ける。</td></tr>
<tr><td>②</td><td>・旅行業者と提携し，自転車シェアリングの利用を推奨してもらう。</td></tr>
<tr><td rowspan="2">設問(2)</td><td>(1)</td><td colspan="2">自動精算機での決済用カードによる貸出処理</td></tr>
<tr><td>(2)</td><td colspan="2">駐輪ステーション・曜日・時間帯ごとの共有自転車の貸出と返却の台数</td></tr>
<tr><td rowspan="2">設問(3)</td><td>(1)</td><td colspan="2">貸出しまたは返却が可能な最寄りの駐輪ステーションまでの経路を表示する。</td></tr>
<tr><td>(2)</td><td colspan="2">観光名所までの経路，サイクリングのコース，所要時間等を表示する。</td></tr>
</table>

※IPA発表

●三段跳び法●

設問1（1）

事業運営収入を高めるための施策について，(1)，(2) に答えよ。

(1) 企業に対して働きかける内容を15字以内で述べよ。

Hop❶
設問のキーワードを
問題文に探す

問題文

Hop❷
「企業」をキーワード
に再度本文へ

〔社会実験の結果と

社会実験の結果，　リング事業は，交通渋滞の緩和に寄与していることが確認できた。　　　　　況と本格的な事業展開に向けての課題を確認できた。

1. 利用状況

・利用者の行動特性：中心市街地の商店街と観光名所近辺において，利用者の行動圏の拡大という現象が見られたことから，地域経済の活性化につながる可能性がある。

・企業の利用：企業の従業員が，得意先まわり，商談など業務目的で利用する例がある。

⋮

Step❸
「企業の利用」に関しての
説明がある

・駐輪ステ　　　　　　街地の周辺地区にある駐車場の駐輪ステーションでは，平　　　　　者への貸出しで共有自転車が不足し，夕方は返却された共有自転車で満杯になってしまうことがある。その際に，最寄りの駐輪ステーションに回って返却する利用者もいる。一方，日中（9：00～17：00）は，全般的にどの駐輪ステーションも朝夕に比べて利用者が少ない。

2. 本格的な事業展開に向けての課題

⋮

Step❷
その背景にあることが
見つかる

(2) 事業運営者の認識

⋮

・日中の利用者を増やしたい。そのためには，パッケージツアーを販売する旅行業者と提携し，観光客の利用を増やす必要がある。また，Webサイトに投稿された情報の活用方法の検討と企業への働きかけも必要である。

Step❶
企業の従業員の利用目的
が見つかる

（右頁：解説）

Hop❶ 「**企業に対して働きかける内容**」をキーワードに問題文へ

〔社会実験の結果と課題〕に「**企業への働きかけ**」が見つかる

Step❶ 企業に働きかける理由として「**日中の利用者を増やしたい**」がある。

Step❷ さらにその背景として「**日中（9：00～17：00）は，全般的にどの駐輪ステーションも朝夕に比べて利用者が少ない**」も見つけることができる。ここまでで明らかになった事実をまとめると次のようになる。

・企業に対しての働きかけは，日中の利用者を増やしたいから
・現状は，日中の利用者が朝夕に比べて少ない

これらから導き出せる企業に対しての働きかけは「**日中の利用を促するよう働きかける**」となるが，具体的ではない。
そこで，さらに関連情報を探す。
企業に対して働きかけるため，企業の活動や利用状況が分かれば，正解の糸口がつかめるかもしれない。

Hop❷ そこで「**企業**」をキーワードに再度問題文へ

〔社会実験の結果と課題〕に「**企業の利用**」が見つかる

Step❸ 企業の利用に関して，企業の従業員が「**得意先回り，商談など業務目的で利用する。**」とある。

Jump ここまでで明らかになった事実をまとめる。

・企業に対しての働きかけは，日中の利用者を増やしたいから
・現状は，日中の利用者が朝夕に比べて少ない
・企業の従業員が，得意先まわり，商談など業務目的で利用する

得意先回り，商談などの「企業の業務」は日中行われる。そのような利用を増やすことで日中の利用者が増えて朝夕との不均衡を解消することにつながる。よって解答は，**業務目的での利用の推進**となる。

設問１（2）

(2)　観光客の利用を促進するための具体的な方策を二つ挙げ，それぞれ40字以内で述べよ。

Hop❶
設問のキーワードを問題文に探す

問題文

〔社会実験の結果と課題〕

社会実験の結果から，自転車シェアリング事業は，交通渋滞の緩和に寄与していることが確認できた。また，次の本格的な事業展開に向けての課題を確認できた。

⋮

Step❶
「観光客の利用」について現状の問題点が見つかる

・観光客の利用：観光客は，利用登録方法と利用登録窓口の場所を知らなかったり，自転車シェアリングに不慣れであったりするので，利用件数が伸びない。特に，バスターミナルと観光名所の集客施設では，観光客からの問合せが多い。また，Webサイトに投稿された情報の場所について，経路や所要時間などの問合せもある。

Hop❷
「観光客の利用」をキーワードに再度問題文へ

・日中の利用者を増やしたい。そのためには，パッケージツアーを販売する旅行業者と提携し，観光客の利用を増やす必要がある。また，Webサイトに投稿された情報の活用方法の検討と企業への働き

Step❷
「観光客の利用を増やす」方策が見つかる

（右頁：解説）

Hop❶ **「観光客の利用を促進する」**をキーワードに問題文へ

〔社会実験の結果と課題〕に**「観光客の利用」**が見つかる。

Step❶ 「観光客の利用」には，現状の問題点として❶～❸が挙げられている。

❶ **観光客は（自転車シェアリングの）利用登録情報と利用登録窓口の場所を知らない**

❷ **（観光客は）自転車シェアリングに不慣れ**

❸ **バスターミナルと観光名所の集客施設では（自転車シェアリングに対する）観光客からの問合せが多い**

Hop❷ **「観光客の利用」**をキーワードに再度問題文へ

Step❷ 「観光客の利用を増やす」ための方策として，❹が分かる。

❹パッケージツアーを販売する旅行業者と提携

Jump ２度のホップとステップから分かった❶～❹について検討する。

❶～❸を改善するためには，観光客と自転車シェアリングの利用登録窓口を結びつける方策が必要である。仮に「バスターミナルと観光名所に登録場所と登録方法の案内を掲示する」を解答とし，この解答を観光客の目線で検討してみよう。

観光客がバスターミナルに降り立ったところに駐輪ステーションがあり，共有自転車が置いてある。案内板を見ると，利用登録方法と登録場所が示されている。（ここでは抽出していないが）利用登録窓口は市役所とある。これでは，「目の前に共有自転車があるのに，市役所に行かなければ利用できない」「今日は休日だが，市役所は業務をしているのだろうか」等の不満が生じることになる。これらの問題を解決する方法として解答は，**常設の利用登録窓口を，バスターミナルと観光名所の集客施設に設ける**とすべきである。

二つ目の解答は，❹「パッケージツアーを販売する旅行業者と提携する」が該当しそうであるが，提携して何をするのかという具体性に欠ける。観光客の利用を増やすことが提携の目的であることを考えると，自転車シェアリングの利用を推奨してもらう，あるいは，行程の一部に自転車シェアリングを組み込んでもらうなどの具体策が見えてくる。文字数を考えて，例えば，**旅行業者と提携し，自転車シェアリングの利用を推奨してもらう**などと答えればよい。

設問２（1）

事業運営の効率を高めるための施策について，（1），（2）に答えよ。

（1）駐輪ステーションにおける，利用者への貸出処理を迅速にするために必要な機能を，25字以内で述べよ。

問題文

Hop❶
設問のキーワードを問題文に探す

〔社会実験の結果と課題〕

社会実験の結果から，自転車シェアリング事業は，交通渋滞の緩和に寄与していることが確認できた。また，次の利用状況と本格的な事業展開に向けての課題を確認できた。

Hop❷
「貸出処理」をキーワードに再度問題文へ

⋮

・駐輪ステーションの利用：中心市街地の周辺地区にある駐車場の駐輪ステーションでは，平日の朝は郊外からの通勤者への貸出しで共有自転車が不足し，夕方は返却された共有自転車で満杯になってしまうことがある。その際に，最寄りの駐輪ステーションに回って返却する利用者　　日中（9:00〜17:00）は，全般的にどの駐輪ステーションも朝夕に　　ない。

Step❶
「現状の問題点」が見つかる

⋮

・朝に貸出しがピークとなる駐輪ステーションでは，自動精算機に長い待ち行列ができる。決済用カードで貸出処理に要する時間を短縮できれば，待ち行列の緩和が期待できる。

Step❷
「貸出処理時間を短縮するその効果」が見つかる

（右頁：解説）

Hop❶ 「**貸出**」をキーワードに問題文へ

貸出処理を迅速にするための方策が求められているので，「貸出し」あるいは「貸出処理」をキーワードにホップする。
「貸出し」については，問題文〔社会実験の結果と課題〕に「**通勤者への貸出しで共有自転車が不足**」にたどり着く。ただし，これは共有自転車の不足について述べており，貸出処理の迅速化とは無関係であるため，Hop❶は失敗に終わる。

Hop❷ 「**貸出処理**」をキーワードに再度問題文へ

次に「貸出処理」をキーワードに問題文を探すと，同じく〔社会実験の結果と課題〕に「**決済用カードで貸出処理に要する時間を短縮**」が見つかる。

Step❶

現状の課題として「**自動精算機に長い待ち行列ができる**」ことが説明されている。このような待ち行列が，自転車シェアリングの事業運営の効率を低下させているであろうことは，容易に想像できる。ここにはとり上げていないが，決済用カードにクレジットカードまたは交通系ICカードの利用を考慮すべきや，現状は自動精算機に現金が投入されていることが，問題文に記載されている。

Step❷

決済用カードを利用すれば，結果として（現金精算に比べ）利用者への貸出処理が迅速化され「**長い待ち行列の緩和が期待できる**」とある。

Jump

Hop❷で見つけた「**決済用カードで貸出処理に要する時間を短縮**」できることがそのまま解答につながる。Step❶ Step❷で明らかになった事実は，決済用カードで事業運営効率が高まることの裏付けとなる。よって解答は，**自動精算機での決済用カードによる貸出処理**となる。

設問2（2）

(2) 駐輪ステーションの利用状況を考慮して共有自転車の配置数を決めるために必要な情報を，40字以内で述べよ。

Hop
設問のキーワードを問題文に探す

問題文

〔社会実験の結果と課

社会実験の結果から，自転車シェアリング事業は，交通渋滞の緩和に寄与していることが確認できた。また，次の利用 …な事業展開に向けての課題を確認できた。

Step
「現状の問題点」が見つかる

⋮

・駐輪ステーションの利用：中心市街地の周辺地区にある駐車場の駐輪ステーションでは，平日の朝は郊外からの通勤者への貸出しで共有自転車が不足し，夕方は返却された共有自転車で満杯になってしまうことがある。その際に，最寄りの駐輪ステーションに回って返却する利用者もいる。一方，日中（9：00〜17：00）は，全般的にどの駐輪ステーションも朝夕に比べて利用者が少ない。

（右頁：解説）

「**駐輪ステーションの利用状況**」をキーワードに問題文へ

〔社会実験の結果と課題〕に「**駐輪ステーションの利用**」が見つかる。

中心市街地の周辺地区にある駐車場の駐輪ステーションの利用状況の課題として次のことが挙げられている。

- **平日の朝は郊外からの通勤者への貸出しで共有自転車が不足する**（貸出しできないこともある）
- **平日の夕方は返却されて共有自転車で満杯になる**（返却できないこともある）
- **日中（9：00～17：00）は，朝夕に比べて利用者が少ない**

Step の問題点を解消するためには，各駐輪ステーションにおいて，貸出台数に足りる共有自転車を配置し，返却台数を受け入れられる余裕を持たせる必要がある。ただし。共有自転車の貸出台数や返却台数は，駐輪ステーションごとに異なるだけではなく，平日，朝，夕方，日中などの曜日や時間帯によっても異なる。よって，共有自転車の適切な配置数を決めるためには，**駐輪ステーション・曜日・時間帯ごとの共有自転車の貸出しと返却の台数**の情報が必要となる。

Step で見つけた記述には，駐輪ステーションだけではなく「平日，朝，夕方，日中」などのキーワードが含まれている。これを解答に反映できるかどうかがポイントである。

設問3（1）

利用者の利便性を高めるための施策について，(1)，(2) に答えよ。
(1) 駐輪ステーションに関し，スマートフォンを通して利用者に提供すべきサービスを，40字以内で述べよ。

Hop❶
設問のキーワードを問題文に探す

問題文

〔自転車シェアリング事業計画の概要〕
A市は，穏やかな気候に恵まれ，一年中，自転車の利用が可能であることから，誰でも自由に利用できる自転車（以下，共有自転車という）を配置し，市街地交通に活用する方針を定めた。
⋮
・駐輪ステーションがどこにあるのか分かるように，スマートフォン向けWebサイトを開設し，地図を掲載する。このWebサイトには，観光名所，おすすめのサイクリングコースなど，利用者から投稿された情報も掲載する。

Step❶
「Webサイト開設」の理由が見つかる

問題文

〔社会実験の結果と課題〕
社会実験の結果から，自転車シェアリング事業は，交通渋滞の緩和に寄与していることが確認できた。また，次の利用状況［…］向けての課題を確認できた。

Hop❷
「利用者」「提供」をキーワードに再度問題文へ

⋮
・駐輪ステーションの利用：中心市街地の周辺地区にある駐車場の駐輪ステーションでは，平日の朝は郊外からの通勤者への貸出しで共有自転車が不足し，夕方は返却された共有自転車で満杯になってしまうことがある。その際に，最寄りの駐輪ステーションに回って返却する利用者もいる。一方，日中（9:00～17:00）は，全般的にどの駐輪ステーションも朝夕に比べて利用者が少ない。

Step❷
具体例も見つかる

⋮
・駐輪ステーションで，共有自転車が出払ってしまっていたり，満杯で返却できなかったりして，別の駐輪ステーションに回る利用者もいるので，利用者への駐輪ステーションの情報提供の方法の見直しも併せて，何らかの対策が必要である。

Step❸
「情報提供する」理由が見つかる

(右頁：解説)

Hop❶　「**スマートフォン**」をキーワードに問題文へ

〔自転車シェアリング事業計画の概要〕に「**スマートフォン向けWebサイトを開設**」が見つかる。

Step❶　Webサイト開設の理由として,「**駐輪ステーションがどこにあるのか分かるように**」「**地図を掲載**」とある。

Hop❷　「**利用者**」「**提供**」をキーワードに再度問題文へ

Step❷　「**利用者への駐輪ステーションの情報提供**」をする理由は,「**共有自転車が出払ってしまっていたり,満杯で返却できなかったりして,別の駐輪ステーションに回る利用者**」への配慮である。

Step❸　共有自転車を返却できなかった利用者は「(空きのある)**最寄りの駐輪ステーションに回って返却する**」行動をとることも分かる。

Jump　ここまでで明らかになった事実をまとめる。

- スマートフォン向けWebサイトには,駐輪ステーションの地図を掲載する
- 地図を掲載する理由は,共有自転車の貸出しを受けられなかったり,返却できなかったりした利用者が,最寄りの駐輪ステーションに回るための配慮である

これらより,スマートフォンの地図に掲載する情報は,貸出しや返却が可能な最寄りの駐輪ステーションに関するものであることが分かる。これに,スマートフォンのGPS機能やマップの道案内(経路表示)機能を考え合わせて,**貸出しまたは返却が可能な最寄りの駐輪ステーションまでの経路を表示する**とすれば,より具体性が増す。

設問3（2）

利用者の利便性を高めるための施策について，(1)，(2) に答えよ。

(2) Webサイトに投稿された情報に関し，スマートフォンを通して利用者に提供すべきサービスを，40字以内で述べよ。

Hop❶ 設問のキーワードを問題文に探す

問題文

〔自転車シェアリング事業計画の概要〕

⋮

・駐輪ステーションがどこにあるのか分かるように，スマートフォン向けWebサイトを開設し，地図を掲載する。このWebサイトには，観光名所，おすすめのサイクリングコースなど，利用者から投稿された情報も掲載する。

Step❶

問題文

〔社会実験の結果と課題〕

社会実験の結果から，自転車シェアリング事業は，交通渋滞の緩和に寄与していることが確認できた。また，次の利用状況と本格的な事業展開に向けての課題を確認で

Hop❷ 設問のキーワードを問題文に探す

・観光客の利用：観光客は，利用登録方法と利用登録窓口の場所を知らなかったり，自転車シェアリングに不慣れであったりするので，利用件数が伸びない。特に，バスターミナルと観光名所の集客施設では，観光客からの問合せが多い。また，Webサイトに投稿された情報の場所について，経路や所要時間などの問合せもある。

Step❷

（右頁：解説）

「**Webサイトに投稿された情報**」をキーワードに問題文へ

〔自転車シェアリング事業計画の概要〕から「**利用者から投稿された情報**」と〔社会実験の結果と課題〕の「**Webサイトに投稿された情報の場所**」が見つかる。

Hop❶ の「利用者から（Webサイトに）投稿された情報」の内容は「**観光名所，おすすめのサイクリングコース**」であること，Hop❷ の「Webサイトに投稿された情報の場所」に関して「**経路や所要時間などの問合せもある**」とある。

Step❶ Step❷ で集めた解答情報をまとめて，**観光名所やサイクリングコースの経路や所要時間を表示する**と解答する。より明確に，**観光名所までの経路，サイクリングのコース，所要時間などを表示する**としてもよい。

具体例2　小売業のリフォーム事業の拡大戦略　ヒントなし!!　(H26問2)

問2　小売業におけるリフォーム事業の拡大戦略に関する次の記述を読んで，設問1～3に答えよ。

M社は，全国の大都市近郊に出店している大手ホームセンタである。地域ごとに，中核となる大型店舗と，数店舗のM社が標準として定める売場面積をもつ店舗（以下，標準型店舗という）で，家具・照明などのインテリア用品，日用雑貨，DIY用品，資材，園芸用品などを販売している。M社では，国内外の仕入業者からの大量仕入れで仕入原価を抑えることによって，低価格で商品を提供し，事業を拡大している。

〔リフォーム事業の概要〕

M社では，数年前から大型店舗でキッチン・バス・トイレ・リビング・寝室などの小規模な増改築を中心とするリフォーム事業を展開している。

店内には，消費者のライフスタイルに合わせた，和風，洋風などの様々な仕様のリフォーム展示ブースを複数設置している。

大型店舗には，設計に関して責任を負う社員（以下，設計責任者という），施工管理に関して責任を負う社員（以下，施工責任者という），建築関連の知識をもつ社員（以下，リフォーム担当者という）及びインテリア関連の知識をもつ社員（以下，インテリア担当者という）を配置している。

リフォームに関する客からの相談・問合せからリフォーム完了までの流れは，次のとおりである。

① リフォームに関する客からの相談・問合せは，大型店舗の店頭又は電話でリフォーム担当者が受ける。その際，客の住所，氏名，電話番号，住宅に関する情報などの属性情報，及びリフォーム箇所や希望などのリフォームニーズを確認し，設計責任者の支援を受けて，相談・問合せに回答する。リフォームニーズが具体的でない場合は，客にリフォーム展示ブースを見ることを勧め，具体化している場合は，リフォーム担当者と設計責任者が客先に出向いて現場を調査する（以下，訪問調査という）。このとき，リフォームニーズに合った仕様のリフォーム展示ブースの見学を勧めることがある。

② 設計責任者は，リビングや寝室のリフォームの場合など必要に応じてインテリア担当者と相談して，リフォームニーズに合ったリフォームプランを作成する。リフォーム展示ブースを見学した客に対しては，客の具体的な声を聞いてリフォーム内容を設計できるので，客の満足度が高い。

③ 施工責任者は，設計段階で地域の工務店，建築事業者及び土木事業者（以下，これら3者を総称して施工事業者という）を選択し，施工事業者と調整して見積書を作成する。

④ リフォーム担当者と設計責任者は，設計したリフォームプランを客に提案して，契約を結ぶ。

⑤ 工事開始後，リフォーム担当者と施工責任者は，客先に出向いてリフォームプランと現場の状況を見比べ，工事の進捗状況を確認する。工事完了後は，客に工事の内容を確

認してもらう。

⑥ 工事完了後に，実施したリフォームの仕様に合ったインテリア商品に関する問合せを客から電話などで受けることがある。その場合は，リフォーム担当者が客先に出向き，商品のカタログ，商品が掲載されているチラシを見せて，来店を勧める。客が来店したら，インテリア担当者が客のニーズに合ったインテリア商品を推奨する。

〔リフォーム事業の課題〕

・リフォーム担当者は，設計責任者とともに客との打合せを行ったり，施工責任者とともに工事現場を訪問したりする。そのための，設計責任者，施工責任者との日程調整に手間取る場合がある。
・施工事業者ごとに，それぞれ対応できるリフォームの仕様が異なるので，施工責任者は，リフォーム案件ごとに，施工が可能かどうか，工事に必要な作業員数，工事の日程・費用を施工事業者に問い合わせている。リフォーム案件が重なった場合は，施工責任者は施工事業者の選定と調整に時間が掛かり，客から苦情を受けることがある。
・相談・問合せをした客は，休日に来店してリフォーム展示ブースを見学することが多い。客からは，リフォーム展示ブースに来る予定日時を事前に知らせてもらうことはないので，設計責任者，インテリア担当者は適切に対応できない場合がある。
・施工後の写真がないので，インテリア担当者は工事完了後に来店した客に，リフォームの仕様に合わせてトータルコーディネートしたインテリア商品を推奨できていない。

〔リフォーム事業の拡大戦略〕

近年，消費者のリフォーム需要が増加していることから，M社では，リフォーム事業の拡大を決定し，次のような戦略を立案した。

・客に対して，大型店舗を持っているM社の強みを生かしたリフォームを提案する。
・客の利便性向上と業務の効率向上を両立できるようにして，全店舗及びWebサイトを活用したリフォーム事業を展開する。
・標準型店舗にもリフォーム担当者を配置し，大型店舗の設計責任者，施工責任者と連携したリフォーム対応を行う。
・全店舗のリフォーム担当者と大型店舗の各責任者などがリフォームに関する情報を連携するためのリフォーム管理システムを構築する。リフォーム担当者には，写真撮影が可能なタブレット端末を配布する。
・施工責任者が迅速に施工事業者を選定し，リフォーム案件ごとの見積りを作成するための施工事業者選定システムを構築する。施工事業者は，施工に関する情報及び施工責任者からの要請に対する回答を，施工事業者選定システムに登録する。

〔リフォーム事業の拡大戦略における新たな業務〕

リフォーム事業の拡大戦略では，新たに次のような業務を実施する。

・Webサイトからリフォームの相談・問合せを受けるために，必要な情報・内容を客に入力してもらう。客から店頭又は電話で相談・問合せを受けた場合は，リフォーム担当者がリフォーム管理システムに必要な情報・内容を入力する。

・Webサイトからの相談・問合せに対しては，客の居住地域にある最寄りの店舗のリフォーム担当者が対応する。リフォーム担当者は，大型店舗の設計責任者のアドバイスを得て，客の相談・問合せに電子メール又は電話で回答し，訪問調査の日程を調整する。
・リフォーム担当者は，訪問調査を行い，タブレット端末で撮影した現場写真と調査結果をリフォーム管理システムに登録する。また，客に対しては大型店舗のリフォーム展示ブースの見学を勧める。設計責任者は，相談・問合せの内容によって，必要に応じて訪問調査を行う。
・設計責任者とインテリア担当者は，客の来店時にリフォーム管理システムに登録されている情報を参照して，リフォームニーズに合った仕様のリフォーム展示ブースを案内し，リフォームプランを提案する。設計責任者は，現場写真，調査結果及び客の具体的な声を基に，リフォームニーズに合ったリフォーム内容を設計する。
・施工責任者は，施工事業者選定システムを活用して迅速に施工事業者を選定し，見積りに必要な情報を入手して見積書を作成する。
・工事期間中は，リフォーム担当者が客先に出向き，タブレット端末を活用して施工責任者と連携して工事を管理する。施工責任者は，必要に応じて客先に出向き，工事内容を確認する。
・工事完了後に，客からWebサイト又は電話でインテリア商品に関する問合せを受けた場合は，リフォーム担当者がインテリア担当者と相談した後，客先に出向いて，タブレット端末で具体的な商品を推奨し，来店を勧める。

設問1　リフォーム事業の拡大戦略における新たな業務のうち，リフォーム担当者の業務について，(1)，(2)に答えよ。

(1)　訪問調査を行って，客がリフォーム展示ブースの見学を希望した際に行うことを，35字以内で述べよ。

(2)　インテリア商品に関する問合せを受けて，客先に出向いたとき，タブレット端末を用いて行うことを45字以内で述べよ。

設問2　リフォーム事業の拡大戦略における新たな業務で，リフォーム管理システムが取り扱う情報について，(1)，(2)に答えよ。

(1)　設計責任者が客の相談・問合せに対してアドバイスするときに，Webサイト及びリフォーム担当者から引き継いで参照する情報を，二つ答えよ。

(2)　施工責任者がリフォーム担当者と連携して工事を管理する際に，リフォーム担当者と共有して参照する情報を25字以内で述べよ。

設問3　施工責任者が，施工事業者選定システムで迅速に施工事業者を選定して見積りをするために，施工事業者が実施すべきことについて，(1)，(2)に答えよ。

(1)　施工事業者が施工事業者選定システムに事前に登録する情報を，25字以内で述べよ。

(2)　施工責任者からの要請に対して施工事業者が回答する内容を，25字以内で述べよ。

解答MEMO

解答例

設問	小問	解答
設問(1)	(1)	リフォーム展示ブースの見学予定日時を決めて登録する。
	(2)	リフォームの仕様に合わせてトータルコーディネートしたインテリア商品を推奨する。
設問(2)	(1)	① ・属性情報 ② ・リフォームニーズ
	(2)	写真撮影した工事の内容と進捗状況
設問(3)	(1)	施行が可能なリフォームの仕様
	(2)	工事に必要な作業員数，工事の日程・費用

※IPA発表

●三段跳び解法●

設問1（1）

設問1　リフォーム事業の拡大戦略における新たな業務のうち，リフォーム担当者の業務について，(1)，(2) に答えよ。

(1)　訪問調査を行って，客がリフォーム展示ブースの見学を希望した際に行うことを，35字以内で述べよ。

Hop❶
設問のキーワードを問題文に探す

問題文

〔リフォーム事業の拡大戦略における新たな業務〕

⋮

・リフォーム担当者は，訪問調査を行い，タブレット端末で撮影した現場写真と調査結果をリフォーム管理システムに登録する。また，客に対しては大型店舗のリフォーム展示ブースの見学を勧める。設計責任者…の内容によって，必要に応じて訪問調査を行う。

Step❶
「見学を勧める理由」が見つかる

・設計責任者とインテリア担当者は，客の来店時にリフォーム管理システムに登録されている情報を参照して，リフォームニーズに合った仕様のリフォーム展示ブースを案内し，リフォームプランを提案する。

特に問題は見当たらない

Hop❷
「リフォーム展示ブース」をキーワードに再度問題文へ

問題文

〔リフォーム事業の課題〕

⋮

・相談・問合せをした客は，休日に来店してリフォーム展示ブースを見学することが多い。客からは，リフォーム展示ブースに来る予定日時を事前に知らせてもらうことはないので，設計責任者，インテリア担当者は適切に対応できない場合がある。

Step❷
「見学時の問題点」が見つかる

Step❸
「その原因」も見つかる

（右頁：解説）

Hop❶ 「**訪問調査**」「**リフォーム展示ブース**」をキーワードに問題文へ

〔リフォーム事業の拡大戦略における新たな業務〕に「**訪問調査を行い**」「**リフォーム展示ブースの見学を勧める**」が見つかる。

Step❶ このことに対しては，「**リフォーム展示ブースを案内し，リフォームプランを提案する**」というリフォーム担当者の業務が見つかるが，この業務には問題点は見当たらない。

Hop❷ 「**リフォーム展示ブース**」をキーワードに再度問題文へ

〔リフォーム事業の課題〕に「**リフォーム展示ブースを見学する**」が見つかる。

Step❷ このことに対しては，見学する客に「**設計責任者，インテリア担当者は適切に対応できない場合がある**」という問題点が見つかる。

Step❸ その原因は，客から「**リフォーム展示ブースに来る予定日時を事前に知らせてもらうことはない**」ことにある。突然見学に来た客に対して，対応できないことがあるのはごく自然なことである。

Jump Step❸で見つけた原因が解答情報になる。つまり，リフォーム展示ブースの見学予定日時を客から事前に知らせてもらい，設計責任者やインテリア担当者がその情報を共有することが求められる。リフォームに関する情報を連携するためにリフォーム管理システムが存在するのであるから，見学予定日時をリフォーム管理システムに登録してもらい管理すべきである。よって解答は，**リフォーム展示ブースの見学予定日時を決めて登録する**となる。

設問１（2）

(2) インテリア商品に関する問合せを受けて，客先に出向いたとき，タブレット端末を用いて行うことを45字以内で述べよ。

Hop
設問のキーワードを問題文に探す

問題文

〔リフォーム事業の拡大戦略における新たな業務〕

⋮

・工事完了後に，客からWebサイト又は電話でインテリア商品に関する問合せを受けた場合は，リフォーム担当者がインテリア担当者と相談した後，客先に出向いて，タブレット端末で具体的な商品を推奨し，来店を勧める。

Step❶
タブレットで行う「具体的な商品の推奨」とは何かを探す

問題文

〔リフォーム事業の概要〕

⋮

⑥　工事完了後に，実施したリフォームの仕様に合ったインテリア商品に関する問合せを客から電話などで受けることがある。その場合は，リフォーム担当者が客先に出向き，商品のカタログ，商品が掲載されているチラシを見せて，来店を勧める。客が来店したら，インテリア担当者が客のニーズに合ったインテリア商品を推奨する。

Step❷
「ニーズに合う」とは何かを探す

問題文

〔リフォーム事業の課題〕

⋮

・施工後の写真がないので，インテリア担当者は工事完了後に来店した客に，リフォームの仕様に合わせてトータルコーディネートしたインテリア商品を推奨できていない。

Step❸
「インテリア商品を推奨できていない理由」を探す

（右頁：解説）

Hop 「**インテリア商品に関する問合せ**」「**タブレット端末**」をキーワードに問題文へ

〔リフォーム事業の拡大戦略における新たな業務〕に「**客先に出向いて，タブレット端末で具体的な商品を推奨し，来店を勧める**」が見つかる。これでは漠然としていて，解答情報にはならない。この新たな業務が，どんな問題点の解決策として誕生したのかを，「**推奨する具体的な商品**」とは何かという観点でステップする。

Step❶ 〔リフォーム事業の概要〕の⑥に，「インテリア商品の問合せ」を受けた場合，「**客に来店を勧め，インテリア担当者が客のニーズに合ったインテリア商品を推奨する**」が見つかる。しかし，これではタブレット端末がどのようにかかわるのか分からない。

Step❷
Step❸ そこで，「**インテリア商品の推奨**」について，さらにステップする。すると，〔リフォーム事業の課題〕に「**工事完了後にリフォームの仕様に合わせてトータルコーディネートしたインテリア商品を推奨することができていない**」が見つかり，「**施工後の写真がない**」ことが原因であることが分かる。
ここで，ようやくタブレット端末とのかかわりが浮上してくる。

Jump 新たな業務ではタブレット端末で現場を撮影できるため，インテリア担当者は施工後の画像をタブレット端末で確認して，トータルコーディネートしたインテリア商品を検討できる。施工後の画像にインテリア商品の画像を重ねてシミュレーションすることも可能になるので，これまでできなかった**リフォーム仕様に合わせてトータルコーディネートしたインテリア商品を推奨する**ことができるようになる。

設問2（1）

設問2　リフォーム事業の拡大戦略における新たな業務で，リフォーム管理システムが取り扱う情報について，(1)，(2) に答えよ。

(1)　設計責任者が客の相談・問合せに対してアドバイスするときに，Webサイト及びリフォーム管理システムで参照する情報を，二つ答えよ。

Hop　設問のキーワードを問題文に探す

問題文

〔リフォーム事業の拡大戦略における新たな業務〕

リフォーム事業の拡大戦略では，新たに次のような業務を実施する。

・Webサイトからリフォームの相談・問合せを受けるために，必要な情報・内容を客に入力してもらう。

⋮

・Webサイトからの相談・問合せに対しては，客の居住地域にある最寄りの店舗のリフォーム担当者が対応する。リフォーム担当者は，大型店舗の設計責任者のアドバイスを得て，客の相談・問合せに電子メール又は電話で回答し，訪問調査の日程を調整する。

Step❶　アドバイスを得る目的が分かる

Step❷　「相談・問合せに関する情報」を探す

Step❹　「相談・問合せに関する情報」を探す

問題文

〔リフォーム事業の概要〕

⋮

① リフォームに関する客からの相談・問合せは，大型店舗の店頭又は電話でリフォーム担当者が受ける。その際，客の住所，氏名，電話番号，住宅に関する情報などの属性情報，及びリフォーム箇所や希望などのリフォームニーズを確認し，設計責任者の支援を受けて，相談・問合せに回答する。

⋮

Step❸　「現業務で入手できる情報」が見つかる

（右頁：解説）

「**アドバイス**」をキーワードに問題文へ

設計担当者がどのような情報に基づいてアドバイスするかが問われている。そこで，「アドバイス」をキーワードに問題文へホップする。

リフォーム担当者が客の「**相談・問合せ**」に回答するために「**設計担当者**」から「**アドバイス**」をもらうことが分かる。この「客の相談・問合せ」の内容が明らかになれば，設計担当者がそれにアドバイスするために必要になる情報も明らかになる。

そこで，「**相談・問合せ**」をキーワードに，さらにステップする。すると，現業務では，相談・問合せに回答する際には「**客の……属性情報**」や「**リフォームニーズ**」を確認していることが分かり，新業務では，それらの情報は「**Webサイトから……必要な情報・内容を客に入力してもらう**」ことが分かる。

Step❸で見つけた現業務と新業務が解答情報になる。現業務で確認している客の**属性情報**や**リフォームニーズ**は，新業務では確認方法や入力方法が電話からWebサイトに変わるだけで，情報そのものは変わらない。設計担当者はこれらの情報をWebサイトやリフォーム担当者から引き継いで，相談・問合せにアドバイスすればよい。

設問２（2）

(2)　施工責任者がリフォーム担当者と連携して工事を管理する際に，リフォーム担当者と共有して参照する情報を25字以内で述べよ。

Hop
設問のキーワードを問題文に探す

Step
「リフォーム担当者が実施すること」が分かる

問題文

〔リフォーム事業の拡大戦略における新たな業務〕
　⋮
・工事期間中は，リフォーム担当者が客先に出向き，タブレット端末を活用して施工責任者と連携して工事を管理する。施工責任者は，必要に応じて客先に出向き，工事内容を確認する。

Step
「施行責任者が実施すること」が分かる

Step
「リフォーム担当者と施行責任者が実施すること」が分かる

問題文

〔リフォーム事業の課題〕
・リフォーム担当者は，設計責任者とともに客との打合せを行ったり，施工責任者とともに工事現場を訪問したりする。そのための，設計責任者，施工責任者との日程調整に手間取る場合がある。

Step
「実施する上での問題点」が分かる

問題文

Step
「リフォーム担当者と施行責任者が実施すること」が分かる

〔リフォーム事業の概要〕
　⋮
⑤　工事開始後，リフォーム担当者と施工責任者は，客先に出向いてリフォームプランと現場の状況を見比べ，工事の進捗状況を確認する。

（右頁：解説）

Hop 「**施工責任者**」と「**リフォーム担当者**」をキーワードに問題文へ

施工責任者とリフォーム担当者がどのような情報をもとに，連携して工事を管理しているかか問われている。「施工責任者」と「リフォーム担当者」をキーワードにして問題文にホップする。

Step 工事期間中に施工責任者とリフォーム担当者が実施することとして，次の三つが明らかになる。

- 現場に出向いて工事を管理する（リフォーム担当者）
- 現場に出向いて工事内容を確認する（施工責任者）
- 現場に出向いて進捗状況を確認する（リフォーム担当者と施工責任者）

そして，**リフォーム担当者と施工責任者が一緒に現場に出向く**ことがあり，その際には**日程調整に手間取る**ことが分かる。

Jump Step で見つけた施工責任者が行うことが解答情報になる。新業務では，リフォーム担当者に写真撮影が可能なタブレット端末が配付される。これを用いて現場の写真を撮り，リフォーム管理システムで共有すれば，施工責任者が現場に出向くことがなくなり，日程調整も不要となる。また，進捗状況もリフォーム管理システムで共有すれば，両者が一緒に現場に出向いて確認する必要がなくなる。よって，工事の管理において両者が共有して参照する情報は，**写真撮影した工事の内容と進捗状況**となる。

設問3

設問3　施工責任者が，施工事業者選定システムで迅速に施工事業者を選定して見積りをするために，施工事業者が実施すべきことについて，(1)，(2) に答えよ。

(1)　施工事業者が施工事業者選定システムに事前に登録する情報を，25字以内で述べよ。

(2)　施工責任者からの要請に対して施工事業者が回答する内容を，25字以内で述べよ。

Hop
設問のキーワードを
問題文に探す

問題文

〔リフォーム事業の拡大戦略における新たな業務〕

⋮

・施工責任者は，施工事業者選定システムを活用して迅速に施工事業者を選定し，見積りに必要な情報を入手して見積書を作成する。

問題文

Step❶
「システムに登録すること」が見つかる

〔リフォーム事業の拡大戦略〕

⋮

・施工責任者が迅速に施工事業者を選定し，リフォーム案件ごとの見積りを作成するための施工事業者選定システムを構築する。施工事業者は，施工に関する情報及び施工責任者からの要請に対する回答を，施工事業者選定システムに登録する。

具体的なヒントは見つからない

問題文

Step❸
「作業が必要な理由」が見つかる

〔リフォーム事業の課題〕

⋮

・施工事業者ごとに，それぞれ対応できるリフォームの仕様が異なるので，施工責任者は，リフォーム案件ごとに，施工が可能かどうか，工事に必要な作業員数，工事の日程・費用を施工事業者に問い合わせている。リフォーム案件が重なった場合は，施工責任者は施工事業者の選定と調整に時間が掛かり，客から苦情

Step❷
「業者選定に必要な作業」が見つかる

（右頁：解説）

Hop 「**施工事業者選定システム**」「**施工事業者を選定**」をキーワードに問題文へ

施工責任者が施工事業者選定システムによって施工事業者を迅速に選定するために必要な情報や，施工事業者が回答すべき内容が問われている。「施工事業者選定システム」「施工事業者を選定」をキーワードにして問題文へホップする。

Step❶
Step❷
Step❸

〔リフォーム事業の拡大戦略〕から，施工事業者が施工事業者選定システムに情報を入力することが読み取れるが，これ以上具体的なヒントは見つからない。さらに問題文を遡ると〔リフォーム事業の課題〕において，「**施工責任者は，リフォーム案件ごとに，施工が可能かどうか，工事に必要な作業員数，工事の日程・費用を施工事業者に問い合わせている**」こと，「**施工事業者ごとに，それぞれ対応できるリフォームの仕様が異なる**」ことが判明する。

Jump

施工責任者がリフォーム案件ごとに「施工が可能かどうか」を問い合わせるのは，施工事業者ごとに対応できるリフォーム仕様が異なることを，施工責任者が把握できていないからである。これが把握できていれば，

- 案件に対応可能な施工事業者を抽出する
- 抽出した施工事業者に対して工事に必要な作業員数，工事の日程・費用を問い合わせる

という手順が可能となり，問い合わせる事業者数を大幅に減らせる。案件に対応可能な施工事業者を抽出するには，各施工事業者はあらかじめ**施工が可能なリフォームの仕様**を施工事業者選定システムに登録しておく必要がある。施工責任者は登録された施工の可能なリフォーム仕様をもとに施工事業者を抽出する。施工責任者から問合わせを受けた各施工事業者は，**工事に必要な作業員数，工事の日程・費用**を施工事業者選定システムに入力して回答する。施工責任者は，入力された回答を比較して施工事業者を選定すればよい。

記述式問題の演習

記述式問題の概要を把握し，問題文の読解法と設問の解き方を練習した後，実際の試験問題を使ってトレーニングをしてみよう。試験会場では，１問を45分で解くことになるが，実力養成のための演習では，慌てないで１問に90分を使って解いてほしい。解くための第１作業が問題文の読解であり，第２作業が三段跳び法の正解探しである。

演習問題は大きく２つのテーマに分かれている。問２から問６のテーマが「ビジネス戦略」で，問７から問13のテーマが「情報戦略」である。なお，最新の本試験問題として，令和６年度本試験午後Ｉ問題を問１に掲載している。この問題のテーマは「情報戦略」である。

問1 インターネットサービス事業者による総合金融サービスの提供

(出題年度：R6問１)

インターネットサービス事業者による総合金融サービスの提供に関する次の記述を読んで，設問に答えよ。

A社は，検索サイト事業やECサイト事業を運営する企業である。積極的なサービス開発とM&Aによって，インターネットバンキング（以下，ネットバンキングという）やインターネット証券，インターネット保険などの金融サービス事業や広告事業，旅行仲介事業を傘下に収め，これまで金融市場をはじめとする様々な市場で事業を拡大させてきた。A社はこうした拡大を将来にわたり継続しながら，今後は顧客のあらゆる経済活動を，A社グループのサービスを組み合わせたデジタル空間で実現，循環させる，デジタル経済圏（以下，A経済圏という）の確立を目指している。

J銀行は，A社の子会社である。元は大手都市銀行の子会社として設立され，数年前にM&AによってA社の傘下に加わった，国内ネットバンキングのパイオニアである。シンプルで分かりやすいUIとサービスの安定性によって顧客を集め，インターネット専業銀行として独自の地位を築いている。

〔A社の戦略〕

近年，A社は新たなサービスとしてQRコード決済サービス（以下，A-Payという）の提供を開始した。A-Payは，申込みから利用開始，決済までを全てスマートフォンで完結できる利便性が評価され，多くの利用者を集めている。また，加盟店からは店頭取引に専用の決済端末を必要としない利便性が評価され，QRコード決済サービスの市場で大きなシェアを獲得し，国内キャッシュレス取引の拡大をけん引している。

A社は，今後の金融サービスは，デジタル空間での取引が中心になると考えており，A-Payの成功を足掛かりに，“銀行，証券，保険などのあらゆる金融サービス機能を，デジタル空間で統合した総合金融サービス”（以下，A-Includeという）を提供することによって，A経済圏への顧客囲い込みを強化できると考え，次の施策を行うことにした。

- A-Pay利便性強化のための，A-Payの決済サービスとJ銀行の決済サービス連動
- 顧客がA-Includeを利用するための，スマートフォン用のアプリケーションプログラム（以下，Aアプリという）の開発
- A-Includeの実現に必要となる，J銀行勘定系システムの再構築

〔A-Payの利便性強化〕

A-Payでは，次の方式によってQRコード決済サービスを実現している。

① 利用者はスマートフォンを利用し，銀行口座又はクレジットカードを通じてA-Pay内で使える電子マネー（以下，Aポイントという）を購入する。

② 利用者はA-Pay加盟店で商品やサービスを購入する際に，スマートフォンで加盟店が示すQRコードを読み取り，保有する自分のAポイントで支払う。

③ 利用者がAポイントを購入するときは手数料を支払わないが，Aポイントを利用者の銀行口座に預金として払い戻すときは，手数料が差し引かれる。

④ 加盟店が受け取ったAポイントは1か月に2回集計され，所定の手数料率による手数料を差し引いた払戻金が，数日後に加盟店の銀行口座に入金される。

A-Payの利用者からは，クレジットカードなどでは実質的に無料で決済サービスを利用できることと異なり，A-Payでは銀行口座にAポイントを払い戻すときに手数料が生じる点に不満が寄せられていた。また加盟店からも，売上げから入金までに最大半月程度のタイムラグがあり，資金繰りが悪化するなどの理由で，入金の早期化と手数料率の引下げを求められていた。競合事業者の追上げもあり，これらの状況を放置すれば，シェアの低下を招く懸念があった。

そこでA社は，J銀行口座を保有するA-Payの利用者と加盟店に，表1に示す決済サービスを提供し，J銀行の決済サービスとA-Payの決済サービスの相互利用時の利便性を強化することによって，顧客ニーズに対応することにした。

表1 顧客ニーズへの対応

提供条件	顧客	提供決済サービス	対応する顧客ニーズ
払戻金の入金先にJ銀行口座を指定する	利用者	手数料を差し引かずに銀行口座に預金として払い戻す	ア
	加盟店	受け取ったAポイントを毎日集計し，翌日以降の加盟店が指定した日に払戻金を入金する	イ
		受け取ったAポイントを他加盟店とのBtoB取引に利用できる	手数料負担の軽減

〔Aアプリの開発〕

A社がA-Includeの主要な顧客として注目する世代は，1990年代以降に出生した若者世代である。他の世代と比較して顧客としての継続期間が長い可能性があり，顧客生涯価値が高いことを期待できる。生活においては多様な価値観と効率性を重視し，親世代が経験した経済不況の影響による将来不安を反映して，生活防衛や資産形成に潜在的な関心があると推定されている。

しかし，この世代への金融サービス販売は進んでいない。テストサイトなどを用いた調査の結果，保険や投資などに関心をもって検索する人はいても，どの商品が良いかが分からないなど，多くは契約に至っていないことが分かった。また，申込書類など資料の取り寄せはスマートフォンで行えても，正式な契約手続として，手書きによる契約書の提出や本人確認書類の郵送が，契約の都度必要となるなどの煩雑さも原因と推定された。

このことを踏まえA社は，次の機能を備えたAアプリを開発することにした。

① J銀行のネットバンキング機能をはじめ，A-Payやインターネット証券，インターネット保険など，A社グループの全ての金融サービス機能を，Aアプリを通じて提供する。これらサービス機能は，サービスの追加に対応して順次追加する。
② Aアプリ内では共通通貨として，多様な決済にAポイントを利用できる。
③ 検索サイトやECサイトなど金融サービス機能以外のA社グループのサービスもAアプリを通じて提供し，全てのサービスの利用履歴をAアプリに記録する。
④ 将来のサービスの追加に備え，十分な柔軟性と拡張性を確保する。
⑤ Aアプリに利用者が登録した個人情報などのデータを保存し，利用者の操作によって，以後のAアプリで行う処理に利用できる。
⑥ AIによる家計分析を行い，顧客の志向に沿った生活防衛や資産形成を提案する。

〔J銀行勘定系システムの再構築〕

J銀行の勘定系システムは，親会社であった大手都市銀行のソフトウェア資産を流用して構築され，"預金"，"為替"などの業務の間でシステム機能同士が密接に連動しており，これまでもサービスの追加や修正において，影響範囲の特定に多大な時間を要することや，システム改修に多くの費用を要することなどが，構想実現の足かせとなっていた。

そこでA社は，J銀行勘定系システムの機能を再編し，細分化して整理した機能を組み合わせて業務を実現する形態にシステムを再構築した上で，Aアプリに提供する次の機能を，Ｊ銀行勘定系システムに追加することにした。

① ネットバンキングAPI

“預金”，“為替”などの業務を，API機能としてＡアプリに提供する。

② データマネジメントAPI

顧客の属性や認証データをプロファイルデータとして保管する。API呼出しによって，保管したプロファイルデータをＡアプリに提供する。

③ Ａポイント残高管理

Ｊ銀行勘定系システム内で，Ａポイント残高に預金残高と等価交換できる価値をもたせ，相互に両替できる。

設問１〔Ａ社の戦略〕について答えよ。

(1) Ａ社がA-Includeを構築する目的は，Ａ社のどのような戦略を実現するためか。35字以内で答えよ。

(2) A-Includeの提供に当たり，Ａ社が生かすことができると考えた，市場における自社の競争優位性を二つ挙げ，それぞれ35字以内で答えよ。

設問２〔A-Payの利便性強化〕について答えよ。

A-Payの利便性強化は，どのような顧客ニーズに対応する狙いがあるか。表１中の［ア］，［イ］に入れる適切な字句を，それぞれ15字以内で答えよ。

設問３〔Ａアプリの開発〕について答えよ。

(1) Ａ社が金融サービスの新たな顧客層として若者世代に注目する理由を二つ挙げ，それぞれ25字以内で答えよ。

(2) Ａ社が次の機能をＡアプリに備えることにした目的を，それぞれ35字以内で答えよ。

(ア) 全てのサービスの利用履歴をＡアプリに記録

(イ) 個人情報などのデータを保存

設問４〔Ｊ銀行勘定系システムの再構築〕について答えよ。

(1) Ａ社がＪ銀行勘定系システムにＡポイント残高管理機能を追加した目的は何か。Ａアプリの機能に着目して，35字以内で答えよ。

(2) Ａ社はＡ社事業におけるどのようなA-Includeの将来構想に基づき，Ｊ銀行勘定系システムの再構築を行ったか，35字以内で答えよ。

問1 解説

[設問1](1)

問題文冒頭に「今後は顧客のあらゆる経済活動を，A社グループのサービスを組み合わせたデジタル空間で実現，循環させる，デジタル経済圏（以下，A経済圏という）の確立を目指している」，〔A社の戦略〕に「“銀行，証券，保険などのあらゆる金融サービス機能を，デジタル空間で統合した総合金融サービス”（以下，A-Includeという）を提供することによって，A経済圏への顧客囲い込みを強化できると考え」とある。そして，実現するための三つの施策が挙げられている。これらから，A社は，デジタル空間で統合した総合金融サービスであるA-Includeを構築することによって，デジタル空間で実現，循環させるA経済圏への顧客の囲い込みを強化するという戦略を考えたことが分かる。

よって，A社がA-Includeを構築する目的は，A社の**デジタル空間において，A経済圏への顧客の囲い込みを強化する戦略**を実現するためとなる。

[設問1](2)

A-Includeの提供に関する記述を探すと，〔A社の戦略〕に「A-Payの成功を足掛かりに，“銀行，証券，保険などのあらゆる金融サービス機能を，デジタル空間で統合した総合金融サービス”（以下，A-Includeという）を提供する」とある。

これから，A-IncludeではA-Payを用いることが分かる。そこで，市場においてA-Payにどのような競争優位性があるのかを探すと，「QRコード決済サービスの市場で大きなシェアを獲得し，国内キャッシュレス取引の拡大をけん引している」が見つかる。A-PayがQRコード決済サービスの市場においてすでに大きなシェアを獲得しているということは，競合相手よりも有利な立場にあることを意味する。よって，競争優位性の一つ目は，**QRコード決済サービスで大きなシェアを獲得していること**となる。

また，A-Includeは，銀行，証券，保険などのあらゆる金融サービス機能を，デジタル空間で統合した総合金融サービスである。そこで，金融サービスにおいてどのような競争優位性があるかを探すと，問題文冒頭の「積極的なサービス開発とM&Aによって，インターネットバンキング（以下，ネットバンキングという）やインターネット証券，インターネット保険などの金融サービス事業や広告事業，旅行仲介事業を傘下に収め，これまで金融市場をはじめとする様々な市場で事業を拡大させてきた」が見つかる。市場で事業を拡大するために，銀行，証券，保険などの金融サービス事業をすでに傘下に収めていることは，競合相手よりも有利な立場にあることを意味する。よって，もう一つの競争優位性は，**銀行，証券，保険などの金融サービス機能を傘下にもつこと**となる。

[設問2]

アについて

「表１　顧客ニーズへの対応」の空欄アは，「払戻金の入金先にJ銀行口座を指定」すれば「手数料を差し引かずに銀行口座に預金として払い戻す」ことが「利用者」のどのような顧客ニーズに基づいているのかを問うている。

「手数料」「銀行口座」「預金」「払い戻す」に関連する記述を探すと，〔A-Payの利便性強化〕に「③　……Aポイントを利用者の銀行口座に預金として払い戻すときは，手数料が差し引かれる」「A-Payの利用者からは，……銀行口座にAポイントを払い戻すときに手数料が生じる点に不満が寄せられていた」とある。払い戻すときに手数料が生じるという利用者の不満は，払い戻すときに手数料が生じないようにしてほしいという利用者の顧客ニーズである。よって，表１の「手数料負担の軽減」という表現に倣い，**手数料の無料化**が空欄アに入る。

イについて

表１の空欄イは，「払戻金の入金先にJ銀行口座を指定」すれば「受け取ったAポイントを毎日集計し，翌日以降の加盟店が指定した日に払戻金を入金する」ことが「加盟店」のどのような顧客ニーズに基づいているのかを問うている。

「Aポイント」「集計」「払戻金」「入金」に関連する記述を探すと，〔A-Payの利便性強化〕に「④　加盟店が受け取ったAポイントは１か月に２回集計され，所定の手数料率による手数料を差し引いた払戻金が，数日後に加盟店の銀行口座に入金される」「売上げから入金までに最大半月程度のタイムラグがあり，資金繰りが悪化するなどの理由で，入金の早期化……を求められていた」とある。よって，**入金の早期化**が空欄イに入る。

[設問3](1)

〔Aアプリの開発〕に「A-Includeの主要な顧客として注目する世代は，……若者世代である」「この世代への金融サービス販売は進んでいない」とあり，A社では若者世代を，「他の世代と比較して顧客としての継続期間が長い可能性があり，顧客生涯価値が高いことを期待できる」「生活においては多様な価値観と効率性を重視し，親世代が経験した経済不況の影響による将来不安を反映して，生活防衛や資産形成に潜在的な関心がある」と捉えている。

A社は，金融サービス販売が進んでいない若者世代を，継続期間の長い顧客になる可能性が高く，将来的な収益に繋げることができるため顧客生涯価値が高い，生活防衛や資産形成に潜在的な関心があるため金融サービス販売のチャンスがある，と考えたと推測できる。よって，A社が金融サービスの新たな顧客層として若者世代に注目する理由は，**顧客生涯価値が高いから，生活防衛や資産形成に潜在的な関心があるから**となる。

[設問3](2)(ア)

〔Aアプリの開発〕に「③　検索サイトやECサイトなど金融サービス機能以外のA社グループのサービスもAアプリを通じて提供し，全てのサービスの利用履歴をAアプリに記録する」「⑥　AIによる家計分析を行い，顧客の志向に沿った生活防衛や資産形成を提案する」とある。AIによる家計分析の精度を上げるにはより多くの情報が必要となるため，Aアプリに記録した利用履歴を使用すると考えられる。よって，全てのサービスの利用履歴をAアプリに記録する機能をAアプリに備えることにした目的は，**AIによる分析に基づいた資産形成を，利用者の志向に沿って提案するため**となる。

[設問3](2)(イ)

〔Aアプリの開発〕「⑤　Aアプリに利用者が登録した個人情報などのデータを保存し，利用者の操作によって，以後のAアプリで行う処理に利用できる」とある。個人情報などのデータを必要とする処理に関連する記述として，「正式な契約手続として，手書きによる契約書の提出や本人確認書類の郵送が，契約の都度必要となるなどの煩雑さも原因と推定された」とあり，これを踏まえて「Aアプリを開発する」とある。これらから，Aアプリで行う各種契約手続において，個人情報などのデータが必要な場合は，保存したデータを利用して入力できるようにしようとしていると考えられる。よって，個人情報などのデータを保存する機能をAアプリに備えることにした目的は，**利用者がAアプリ内の契約手続で利用できるようにするため**となる。

[設問4](1)

設問文の「Aアプリの機能に着目して」に留意する。

〔J銀行勘定系システムの再構築〕③Aポイント残高管理に「J銀行勘定系システム内で，Aポイント残高に預金残高と等価交換できる価値をもたせ，相互に両替できる」，〔Aアプリの開発〕に「②　Aアプリ内では共通通貨として，多様な決済にAポイントを利用できる」とある。これらから，A社は，Aアプリ内での多様な決済にAポイントを利用できるように，預金をAポイントに両替する機能を提供したと読み取れる。よって，Aポイント残高管理機能を追加した目的は，**Aアプリ内で，多様な決済にAポイントを利用できるようにするため**となる。

[設問4](2)

〔J銀行勘定系システムの再構築〕に「J銀行の勘定系システムは，……これまでもサービスの追加や修正において，……多大な時間を要することや，……多くの費用を要することなどが，構想実現の足かせとなっていた」とあり，これを解消するために，「J銀行勘定系システムの機能を再編し……システムを再構築した」とある。そして，再構築後の勘定系システムに，Aアプリに提供する三つの機能を追加している。また，問題文冒頭に「A社は，……様々な市場で事業を拡大させてきた」「A社はこうした拡大を将来にわたり継続しながら……デジタル経済圏（以下，A経済圏という）の確立を目指している」とある。これらから，A社の継続した事業拡大（サービスの追加）に対応して，A-Includeにサービス機能を追加していくことがA-Includeの将来構想であり，そのためには，J銀行勘定系システムの再構築が必要であったことが分かる。よって，J銀行勘定系システムの再構築は，A-Includeの**継続的なサービスの追加に対応し，サービス機能を順次追加する構想**に基づいている。

問1 解答

設問			解答例・解答の要点
設問1	(1)		デジタル空間において，A経済圏への顧客囲い込みを強化する戦略
	(2)	①	・QRコード決済サービスで大きなシェアを獲得していること
		②	・銀行，証券，保険などの金融サービス機能を傘下にもつこと
設問2	ア		手数料の無料化
	イ		入金の早期化
設問3	(1)	①	・顧客生涯価値が高いから
		②	・生活防衛や資産形成に潜在的な関心があるから
	(2)	(ア)	AIによる分析に基づいた資産形成を，利用者の志向に沿って提案するため
		(イ)	利用者がAアプリ内の契約手続で利用できるようにするため
設問4	(1)		Aアプリ内で，多様な決済にAポイントを利用できるようにするため
	(2)		継続的なサービスの追加に対応し，サービス機能を順次追加する構想

※IPA発表

問2 スーパーマーケットにおけるITを活用した事業拡大

（出題年度：R４問３）

スーパーマーケットにおけるITを活用した事業拡大に関する次の記述を読んで，設問１～３に答えよ。

B社は全国展開のスーパーマーケットである。地域密着型の直営店舗を展開することで業績を伸ばしてきた。企業戦略としては拡大路線をとっており，店舗数も急増している。近年ECサイトでの販売も開始している。

〔B社の現状〕

(1) 店舗運営と課題

B社はこれまで店舗の出店の際に，本社が店長に対して店舗運営，ヒト，モノ，カネの管理などの教育を実施し，その教育を受けた店長が，地域の実情を考慮した店舗運営を行ってきた。個々の店舗では店長の裁量は大きく，店舗ごとに生産者の直売コーナー（以下，産直コーナーという）を設け，地域の特産を前面に押し出した販売を行っている。産直コーナーでは，店舗内の陳列方法や顧客とのコミュニケーションの取り方など，出品する生産者を全面的に支援している。農産物や水産物について，生産者が自ら商品への思いや生産方法を説明することで顧客の共感を得ている。

しかし，最近では，地域の実情を産直コーナーの販売に考慮しきれない店長が見受けられ，店舗ごとで産直コーナーの売上げのばらつきが大きくなっている。そこで売上げが低い店舗の店長が他店舗の成功事例を短時間で学べるなど効果のある施策が必要となっている。

B社は店舗で会員カードを発行している。発行した会員カードの会員情報や店舗POSシステムから吸い上げた購買履歴は店舗購買管理システムで管理している。店舗購買管理システムのデータをそれぞれの店舗の店長が確認し，店舗での販売促進に活用している。

(2) ECサイトと課題

ECサイトは会員制であり本社が全面的に運営している。ECサイトの顧客は全国を対象にしており，店舗で発行した会員カードとは別の会員管理を行っている。店舗と同様にECサイトにも産直コーナーが存在し（以下，EC産直コーナーという），商品に注文が入り次第，本社から生産者へ伝票が送られ，生産者から直接顧客に商品を届けている。EC産直コーナーを含むECサイトの売上げは，本社に計上される。商品は，本社の担当者が全国の店舗の商品情報を基に，地域の特産品から選定してEC産直コーナーで販売している。各店舗から得た情報をECサイトで紹介しているものの，店舗のように生産者からの情報を発信するなど，顧客に商品を訴求することができていない。

生産者は店舗での販売を優先しているので，EC産直コーナーへ出品をする際に商品の数量を少なめに設定している。注文が入ったときの生産者への連絡は，ファックスによって伝票が送られる仕組みなので，半日から１日程度のタイムラグが発生しており，生産者は欠品になっていないのかなどの情報をリアルタイムでは把握できずにいた。また，生産者から本社への出品に関する情報伝達も同様にタイムラグが発生していた。そのため，生産者からの出品情報がタイムリーにECサイトに反映されず，ECサイト上の欠品状態が長く続き，Ｂ社としても生産者としても機会損失が大きくなっていた。

生産者が出品している店舗の店長はECサイトの売上げが伸びることによって，店舗の売上げが下がるのではないかという懸念もあり，ECサイトへの支援には消極的である。

本社は，顧客のECサイトでの購買履歴を管理するEC購買管理システムを運営しており，顧客に商品をお勧め表示するなどのダイレクトマーケティングに活用している。しかし，ECサイトと店舗は別の会員管理なので，前日に店舗で購入したものをECサイトでお勧め表示してしまうことがあった。

〔Ｂ社のIT戦略〕

Ｂ社は店舗運営やECサイトの課題を解決し，事業の継続的拡大を達成するためにIT戦略を立案し，次の施策を設定した。

① 店舗運営ノウハウの活用によるEC産直コーナーの強化
② 会員データの一元管理によるダイレクトマーケティングの強化
③ 動画配信によるラーニングシステムの構築

まずは，店舗の産直コーナーの売上げが高くITリテラシの高い店長と生産者がいる店舗を全国から選定し，パイロット店舗として，これらの施策を実施し，その効果測定や要因分析を行った上で全国展開を行う。

〔店舗運営ノウハウの活用によるEC産直コーナーの強化〕

B社はEC産直コーナーを強化するために，本社で全て運営するのではなく，商品や生産者のアピール方法やEC産直コーナーの商品情報の表示については，店長が積極的に施策に加わるように，ある仕組みを取り入れた。

また，生産者の情報や商品ごとの特徴，販売履歴などを保有するシステム（以下，生産者管理システムという）を構築する。生産者管理システムでは生産者と店長の意見や要望を反映できる生産者のページを用意し，EC産直コーナーで表示する。さらに，生産者管理システムを生産者に貸与するモバイル端末と連携させて，モバイル端末で出品から伝票回送まで全ての処理が完結できるようにする。生産者はモバイル端末を用いて出品した商品の販売状況をリアルタイムで確認でき，在庫が少なくなってきた場合は商品の数量を適切に設定することができる。また，EC産直コーナーの生産者のページに顧客とメッセージのやり取りができる機能を設け，メッセージを通じて商品への思いや生産方法を，生産者自ら説明できるようにする。

〔会員データの一元管理によるダイレクトマーケティングの強化〕

会員データを一元管理の上，店舗購買管理システムとEC購買管理システムを統合し新たに統合購買管理システムとし，店舗運営，ECサイトともに統合購買管理システムのデータを基にダイレクトマーケティングを実施できるようにする。店舗での購買履歴とECサイトでの購買履歴の融合ができるようになり，購買履歴から顧客が欲しい情報や，買いたい商品をタイムリーにお勧め商品としてECサイトにログインしたときに提示できるようにする。また，購買履歴を基に，EC産直コーナーの商品の中で顧客が好みそうな商品をマッチングさせる機能を設けるなど，顧客へ効果的なマーケティングを行えるようにする。

〔動画配信によるラーニングシステムの構築〕

動画を投稿して視聴できるシステム（以下，動画ラーニングシステムという）を新たに構築する。パイロット店舗の店長に依頼し，産直コーナーの運営のポイントや解説を動画にして動画ラーニングシステムに投稿してもらう。投稿された動画は産直コーナーの売上げが低い店舗の店長が視聴して，活用することを狙いとする。動画を充実させるために，積極的に投稿したくなるような仕組みを用意する。マニュアルではなく動画にして，店舗運営をイメージできるようにすることでベストプラクティスを取り入れやすくする。動画を視聴した店長が役に立ったかどうかを“いいね”ボタンで評価することができる。

店長の基本属性情報や評価情報を管理する人事システムに対して動画ラーニングシステムで取得する評価データを連携し，人事システムで新規に管理する。

動画は最長でも３分までとする。また，動画にはタグを付けてタグで検索できたり，いいね数で検索できたりするなど検索機能を充実させる。動画の再生回数，いいね数をカウントする機能を有し，再生回数やいいね数によって動画を投稿した店長の評価にもつなげられるようにする。

設問１　〔店舗運営ノウハウの活用によるEC産直コーナーの強化〕について，(1)～(3)に答えよ。

(1)　EC産直コーナーにおいて顧客に商品を訴求するために店舗運営におけるどのようなノウハウを活用しようとしたか，30字以内で述べよ。

(2)　店長が積極的に施策に加わるように取り入れた仕組みは具体的にどのようなものか，35字以内で述べよ。

(3)　生産者がモバイル端末で情報を受け渡すことによる生産者の利点を，機会損失の観点から25字以内で述べよ。

設問２　〔会員データの一元管理によるダイレクトマーケティングの強化〕について，(1)，(2)に答えよ。

(1)　店舗購買管理システムとEC購買管理システムを統合することで解決しようとした問題点は何か，40字以内で述べよ。

(2)　生産者の商品の中で顧客が好みそうな商品をマッチングさせるために購買履歴と組み合わせて活用する生産者管理システムのデータを二つ答えよ。

設問３　〔動画配信によるラーニングシステムの構築〕について，(1)～(3)に答えよ。

(1)　動画ラーニングシステムで取得し，人事システムで新規に管理する店長の評価データを二つ答えよ。

(2)　動画に時間制限を設けた上で検索機能を充実させる狙いは何か，20字以内で述べよ。

(3)　動画を投稿した店長を評価する仕組みを新たに取り入れたことは，どのような懸念への対応であるか，25字以内で述べよ。

問2 解説

[設問1](1)

〔B社の現状〕⑴店舗運営と課題に「店舗ごとに生産者の直売コーナー（以下，産直コーナーという）を設け，地域の特産を前面に押し出した販売を行っている」「産直コーナーでは，店舗内の陳列方法や顧客とのコミュニケーションの取り方など，出品する生産者を全面的に支援している」「農産物や水産物について，生産者が自ら商品への思いや生産方法を説明することで顧客の共感を得ている」とある。これらから，店舗には産直コーナーがあり，産直コーナーに出品している生産者が顧客とのコミュニケーションをとるために，店舗は生産者自ら商品への思いや生産方法を説明する機会を設けていることが分かる。これが，産直コーナーにおいて顧客に商品を訴求するための店舗運営のノウハウである。このノウハウをEC産直コーナーで活用しているのが，〔店舗運営ノウハウの活用によるEC産直コーナーの強化〕の「EC産直コーナーの生産者のページに顧客とメッセージのやり取りができる機能を設け，メッセージを通じて商品への思いや生産方法を，生産者自ら説明できるようにする」である。

よって，EC産直コーナーにおいて顧客に商品を訴求するために活用しようとした店舗運営におけるノウハウは，**生産者が自ら商品への思いや生産方法を説明すること**となる。

[設問1](2)

〔B社の現状〕⑵ECサイトと課題に「EC産直コーナーを含むECサイトの売上げは，本社に計上される」とあり，「生産者が出品している店舗の店長はECサイトの売上げが伸びることによって，店舗の売上げが下がるのではないかという懸念もあり，ECサイトへの支援には消極的である」という店長に対する課題がある。EC産直コーナーの売上げが店舗の売上げとして反映されれば，EC産直コーナーの強化という施策に店長は積極的に加わると考えられる。

よって，店長が積極的に施策に加わるように取り入れた仕組みは，**EC産直コーナーの売上げは各店舗の売上げに反映されるようにした**となる。

[設問1](3)

〔B社の現状〕⑵ECサイトと課題に「商品に注文が入り次第，本社から生産者へ伝票が送られ，生産者から直接顧客に商品を届けている」「注文が入ったときの生産者への連絡は，ファックスによって伝票が送られる仕組みなので，半日から１日程度のタイムラグが発生しており，生産者は欠品になっていないのかなどの情報をリアルタイムでは把握できずにいた」「生産者から本社への出品に関する情報伝達も同様にタイムラグが発生していた」「生産者からの出品情報がタイムリーにECサイトに反映されず，ECサイト上の欠品状態が長く続き，B社としても生産者としても機会損失が大きくなっていた」とある。これらから，本社と生産者間の注文の連絡や出品の情報伝達にタイムラグがあることで，ECサイト上の欠品状態が長く続き，生産者とB社のそれぞれが販売機会を失っていることが分かる。

〔店舗運営ノウハウの活用によるEC産直コーナーの強化〕に「モバイル端末で出品から伝票回送まで全ての処理が完結できるようにする」「生産者はモバイル端末を用いて出品した商品の販売状況をリアルタイムで確認でき，在庫が少なくなってきた場合は商品の数量を適切に設定することができる」とある。モバイル端末で情報を受け渡せばタイムラグをなくすことができ，生産者はリアルタイムで，出品した商品の販売状況を確認して，商品の数量を適切に設定することができる。つまり，生産者が在庫が少なくなってきた商品をリアルタイムで出品することによって，欠品状態を短くすることができるため，生産者とB社のそれぞれの販売の機会損失が小さくなると考えられる。

よって，機会損失の観点から，生産者がモバイル端末で情報を受け渡すことによる生産者の利点は，**在庫が少ない商品をすぐに出品できる**となる。

［設問２］(1)

店舗購買管理システムに関しては，〔B社の現状〕(1)店舗運営と課題に「発行した会員カードの会員情報や店舗POSシステムから吸い上げた購買履歴は店舗購買管理システムで管理している」「店舗購買管理システムのデータをそれぞれの店舗の店長が確認し，店舗での販売促進に活用している」，EC購買管理システムに関しては，(2)ECサイトと課題に「本社は，顧客のECサイトでの購買履歴を管理するEC購買管理システムを運営しており，顧客に商品をお勧め表示するなどのダイレクトマーケティングに活用している」とあり，店舗購買管理システムもEC購買管理システムも購買履歴を販売促進に利用している。そして，(2)ECサイトと課題に「ECサイトと店舗は別の会員管理なので，前日に店舗で購入したものをECサイトでお勧め表示してしまうことがあった」「ECサイトの顧客は全国を対象にしており，店舗で発行した会員カードとは別の会員管理を行っている」とあり，店舗購買管理システムとEC購買管理システムは会員データの管理を個々に行っているため，顧客が前日に店舗で購入した商品をECサイトで勧めてしまうという不都合が生じていることが分かる。

この不都合を解決する施策が，〔会員データの一元管理によるダイレクトマーケティングの強化〕の「会員データを一元管理の上，店舗購買管理システムとEC購買管理システムを統合し新たに統合購買管理システムとし，店舗運営，ECサイトともに統合購買管理システムのデータを基にダイレクトマーケティングを実施できるようにする」「店舗での購買履歴とECサイトでの購買履歴の融合ができるようになり，購買履歴から顧客が欲しい情報や，買いたい商品をタイムリーにお勧め商品としてECサイトにログインしたときに提示できるようにする」である。よって，店舗購買管理システムとEC購買管理システムを統合することで解決しようとした問題点は，**前日に店舗で購入したものをECサイトでお勧め表示してしまうこと**となる。

[設問2](2)

〔店舗運営ノウハウの活用によるEC産直コーナーの強化〕に「生産者の情報や商品ごとの特徴，販売履歴などを保有するシステム（以下，生産者管理システムという）を構築する」とあり，生産者管理システムのデータは「生産者の情報」「商品ごとの特徴」「販売履歴」であることが分かる。これらのうち，生産者が販売した商品の履歴は，顧客が好みそうな商品を検討する際には不要と考えられる。よって，購買履歴と組み合わせて活用する生産者管理システムのデータは，**生産者の情報**，**商品ごとの特徴**の二つとなる。

[設問3](1)

〔動画配信によるラーニングシステムの構築〕に「動画を視聴した店長が役に立ったかどうかを“いいね”ボタンで評価することができる」「動画の再生回数，いいね数をカウントする機能を有し，再生回数やいいね数によって動画を投稿した店長の評価にもつなげられるようにする」とあり，「再生回数」「いいね数」を投稿した店長の評価につなげようとしていることが分かる。よって，動画ラーニングシステムで取得し人事システムで新規に管理する店長の評価データは，**投稿した動画の再生回数**，**投稿した動画のいいね数**となる。

[設問3](2)

〔動画配信によるラーニングシステムの構築〕に「投稿された動画は産直コーナーの売上げが低い店舗の店長が視聴して，活用することを狙いとする」とある。これは，〔B社の現状〕(1)店舗運営と課題の「売上げが低い店舗の店長が他店舗の成功事例を短時間で学べる」ための施策である。そして，〔動画配信によるラーニングシステムの構築〕には「動画は最長でも3分までとする」「動画にはタグを付けてタグで検索できたり，いいね数で検索できたりするなど検索機能を充実させる」とあり，「短時間で学べる」ことを追求した施策となっている。

よって，動画に時間制限を設けた上で検索機能を充実させる狙いは，**短時間で学べるようにするため**となる。

[設問3](3)

〔動画配信によるラーニングシステムの構築〕に「パイロット店舗の店長に依頼し，産直コーナーの運営のポイントや解説を動画にして動画ラーニングシステムに投稿してもらう」とある。動画ラーニングシステムの動画を充実させるにはパイロット店舗の店長の積極的な投稿が必要である。しかし，パイロット店舗の店長にとっては，動画の投稿は業務が増えることになり，動画を投稿しようと思わないことが憂慮される。そのため，〔動画配信によるラーニングシステムの構築〕に「動画を充実させるために，積極的に投稿したくなるような仕組みを用意する」「再生回数やいいね数によって動画を投稿した店長の評価にもつなげられるようにする」「店長の基本属性情報や評価情報を管理する人事システムに対して動画ラーニングシステムで取得する評価データを連携し，人事システムで新規に管理する」というパイロット店舗の店長に積極的に動画を投稿させる施策が用意されている。

よって，動画を投稿した店長を評価する仕組みを新たに取り入れたことは，**店長が動画を投稿しようと思わない懸念**への対応となる。

問2 解答

設問		解答例・解答の要点
設問1	(1)	生産者が自ら商品への思いや生産方法を説明すること
	(2)	EC産直コーナーの売上げは各店舗の売上げに反映されるようにした。
	(3)	在庫が少ない商品をすぐに出品できる。
設問2	(1)	前日に店舗で購入したものをECサイトでお勧め表示してしまうこと
	(2)	①　・生産者の情報 ②　・商品ごとの特徴
設問3	(1)	①　・投稿した動画の再生回数 ②　・投稿した動画のいいね数
	(2)	短時間で学べるようにするため
	(3)	店長が動画を投稿しようと思わない懸念

※IPA発表

問3 印刷会社の写真事業における新規ビジネスの企画

(出題年度：R 3問3)

印刷会社の写真事業における新規ビジネスの企画に関する次の記述を読んで，設問1～3に答えよ。

B社は，大手印刷会社である。事業部門として出版事業，広告事業，写真事業を有しており，機能部門としてデザイン部門，研究開発部門を有している。

〔B社の写真事業〕

B社の写真事業は，全国主要都市に写真スタジオを有しており，同一都市に複数の写真スタジオを展開している。写真スタジオでは，個人向けに七五三，成人式，結婚式などのライフイベントにおける写真撮影を行っており，撮影した写真をプリントし，販売している。写真スタジオには，カメラマンと事務スタッフがそれぞれ複数名勤務している。カメラマンはスタジオでの写真撮影を行うほか，出版事業，広告事業における写真撮影も行っている。しかし，近年高性能化したスマートフォン内蔵カメラの普及によって，かつてよりもカメラマンの稼働率が下がっている。

写真事業では，撮影した写真をプリント販売するのに加え，デザイン部門の協力を得て，撮影した写真を紙のアルバムとして編集し，販売している。B社Webサイトでは顧客別の専用ページ作成が可能になっている。専用ページにはB社で撮影した写真が保存されており，顧客は個人で撮影したディジタル写真をアップロードして追加することもできる。専用ページからアルバムに収録したい写真を選定することで，七五三，成人式，結婚式などの各ライフイベントに限定したアルバムや，ライフイベントを横断的に整理したアルバムを作成できる。アルバムは，デザイン性の高さから顧客の思い出に残るものとして，非常に高い評価を得ている。

研究開発部門では，ディープラーニングの顔認識技術を研究しており，写真事業に関する領域では，写真に写っている“顔の識別”や“表情の分析”を行う機能を開発した。また，近年の法整備やプライバシー意識の高まりを踏まえて，写真の一部に対して自動でぼかしをいれる機能も開発した。

〔小中学校の状況〕

B社は人的リソースの有効活用を事業課題とし，一層のビジネス拡大に向けて，潜在顧客として写真撮影の機会が多いと思われる小中学校を対象としてニーズの有無に関する調査を行った。調査結果の概要は次のとおりであった。

・全国の小中学校では遠足，運動会，文化祭などの学校行事に際して写真撮影を行っていることが多い。
・写真撮影は学校の職員が行うケースと外部のカメラマンに外注するケースがある。
・撮影した写真は都度保護者に販売することに加え，卒業アルバムの掲載写真としても利用している。
・学校は，卒業アルバムを思い出に残る良いものにするために毎年非常に苦労している。

B社は，学校行事における写真撮影について，近隣の大規模中学校であるC中学校にヒアリングを行った。C中学校には各学年に複数のクラスが存在し，学校行事で撮影される写真も多数に上る。C中学校では次のプロセスで学校行事の写真を保護者に販売していることが分かった。

① 学校の職員が，学校行事に際して写真を撮影する。
② プリントした写真を学校の職員が校内に掲示する。
③ 保護者が来校し，購入する写真を選定する。
④ 保護者が，購入希望の写真を注文票に記入し学校の職員に提出する。
⑤ 学校の職員が写真の注文を取りまとめる。
⑥ 注文票と撮影媒体を業者に渡し，業者が写真をプリントして保護者に受け渡す。

現在C中学校では，学校の職員が写真撮影を行っている。これは，同一都市の小中学校が同一日に学校行事を実施することが多く，カメラマンを調達することに苦労した経験によるものである。学校の職員は，上記プロセスを行う上で多くの手作業を行う必要があり，業務負荷が高いと感じている。また，保護者は写真の閲覧をするためだけに来校する必要があることや，掲示されている多数の写真の中から自分の子供を探し出すこと，自分の子供が良い表情で写っている写真を探し出すことが手間であると感じている。

B社は以上の状況をチャンスと見て，主要都市の大規模小中学校における行事写真ビジネス（以下，新規ビジネスという）を立ち上げることにした。

〔新規ビジネスの概要〕

・図1に示す写真購入システムを新たに開発し，次のプロセスで写真撮影販売サービスを実施する。
  ① B社が小中学校と写真撮影，販売代行契約を締結する。

② B社カメラマンが，学校行事に派遣されて写真を撮影し，写真をストレージにアップロードする。
③ 保護者が，B社に対して氏名，住所，電子メールアドレス，パスワード，子供の所属学校名とともにアカウントの発行を申請する。
④ B社が，保護者に対してアカウントを発行する。
⑤ 保護者がアカウントページから写真を閲覧し，購入希望の写真を選択する。
⑥ B社が購入希望情報を確認し，各保護者に写真を紙媒体又はデータで送付する。

・写真購入システムに表示する写真は“sample”のすかし文字を表示する。
・写真購入システムには写真レコメンド機能を実装する。写真レコメンド機能では，研究開発部門で開発をしたディープラーニング技術を活用し“顔の識別”と“表情の分析”を行う。“顔の識別”ではまず，保護者が自分の子供の写っている写真を数枚選択する。すると，それらの写真に共通して写っている顔を識別し，ストレージから当該識別した顔と似た顔が写っている写真を優先してレコメンドする。また，“表情の分析”では，撮影した写真の中から表情が笑顔のものを優先してレコメンドする。

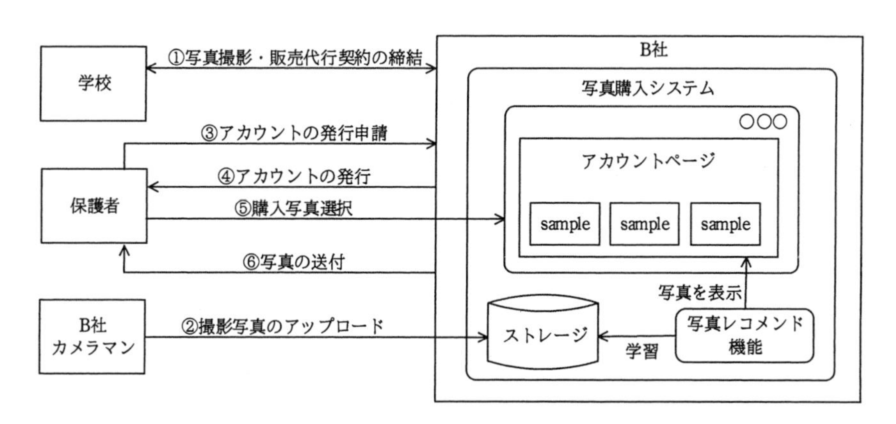

図1 写真購入システムの概要

〔保護者説明会と要望への対応〕

B社は新規ビジネスの検討を踏まえ，C中学校で新規事業のトライアルを行うことにした。トライアルに先立ち保護者説明会を実施し，今回の取組について保護者から同意を得た。保護者からはITの利用に習熟していない人にも分かりやすくしてほしいとの要望があった。また，学校の担当者からは，保護者から“自分の子供の顔が写っている写真を，他の保護者に購入されたくない”という要望が出た場合の対応方法も検討してほしいとの依頼を受けた。

保護者からの要望を受け，B社は操作方法が直感的に分かるシンプルなページにするとともに，“よくある質問”や“お問合せ先”といったページを設けて保護者の疑問点を解消できるようにした。また学校の担当者の依頼に対応するために，複数の生徒が1枚の写真に写り込んでいる場合には，B社の技術を生かした対応を行うことができるようにした。

さらにB社は一層のビジネス拡大を念頭に，学校の課題を解決でき，B社の既存ビジネスにおける強みを生かした，“写真撮影販売サービス以外の新たな提案”を行った。

設問1　〔小中学校の状況〕について，B社が新規ビジネスを展開していく上でもっている強みは何か。人的リソースの観点から35字以内で述べよ。

設問2　〔新規ビジネスの概要〕について，(1)〜(3)に答えよ。

(1)　B社が新規ビジネス立ち上げによって対応しようとした，写真事業における事業課題の背景となる問題は何か。15字以内で述べよ。

(2)　C中学校の職員へのメリットのうち，写真購入システムが提供するものを二つ，それぞれ20字以内で具体的に述べよ。

(3)　C中学校の保護者へのメリットのうち，写真レコメンド機能が提供するものを二つ，それぞれ30字以内で具体的に述べよ。

設問3　〔保護者説明会と要望への対応〕について，(1)，(2)に答えよ。

(1)　学校の担当者の依頼に対応するために，B社が実装できる機能は何か。30字以内で述べよ。

(2)　“写真撮影販売サービス以外の新たな提案”とは何か。15字以内で述べよ。

問3 解説

［設問1］

設問文に「人的リソースの観点」から「B社が新規ビジネスを展開していく上でもっている強み」とある。新規ビジネスについて，〔新規ビジネスの概要〕に「写真購入システムを新たに開発し，次のプロセスで写真撮影販売サービスを実施する」「②

B社カメラマンが，学校行事に派遣されて写真を撮影し」とある。新規ビジネスは写真撮影販売サービスの提供であり，B社のカメラマンを学校行事に派遣して写真を撮影し，その撮影した写真を写真購入システムを使って保護者に販売するものであることが分かる。したがって，新規ビジネスに必要な人的リソースはカメラマンとなる。B社のカメラマンが新規ビジネスでどのような強みとなるのかを検討する。

カメラマンに関連する記述を探すと，〔小中学校の状況〕に「写真撮影は……外部のカメラマンに外注するケースがある」とあり，外注するケースに関して「同一都市の小中学校が同一日に学校行事を実施することが多く，カメラマンを調達することに苦労した」とある。一方，B社のカメラマンについて，〔B社の写真事業〕に「写真スタジオには，カメラマンと事務スタッフがそれぞれ複数名勤務している」「全国主要都市に写真スタジオを有しており，同一都市に複数の写真スタジオを展開している」とある。

これらより，学校の職員が外部のカメラマンの調達に苦労した原因は，同一日に同一都市の複数の小中学校が学校行事を実施することにある。それに対してB社は，同一都市に複数の写真スタジオがあり，そのスタジオごとに複数名のカメラマンが勤務しているので，同一日に同一都市の複数の小中学校それぞれにカメラマンを派遣できると考えたと読み取ることができる。よって，人的リソースの観点からB社が新規ビジネスを展開していく上でもっている強みは，**同一日に同一都市の複数の小中学校にカメラマンを派遣できること**となる。

なお，「人的リソース」とあるので，B社の強みであるアルバムのデザイン性の高さやディープラーニングの顔認識技術は解答の対象にはならない。

［設問2］(1)

設問文に「B社が新規ビジネス立ち上げによって対応しようとした，写真事業における事業課題の背景となる問題」とある。事業課題は，〔小中学校の状況〕に「B社は人的リソースの有効活用を事業課題とし」とある。B社の写真事業における人的リソースに関する記述を探すと，〔B社の写真事業〕に「近年高性能化したスマートフォン内蔵カメラの普及によって，かつてよりもカメラマンの稼働率が下がっている」とある。また，新規ビジネスは，設問1の解説のとおり，写真撮影販売サービスの提供であり，B社のカメラマンを学校行事に派遣して写真を撮影し，その撮影した写真を写真購入システムを使って保護者に販売するものである。

これらより，B社の写真事業ではカメラマンの稼働率が下がっており，新規ビジネス立ち上げによって，その稼働率の下がっているカメラマンという人的リソースを有効活用することを考えたと読み取ることができる。よって，B社が新規ビジネス立ち上げによって対応しようとした，写真事業における事業課題の背景となる問題は，**カメラマンの稼働率低下**となる。

なお，スマートフォン内蔵カメラの普及は，事業課題である「人的リソースの有効活用」を解決するものではないため解答の対象にはならない。

[設問2](2)

設問文に「C中学校の職員へのメリットのうち，写真購入システムが提供するものを二つ」とある。B社の写真購入システムについて，〔新規ビジネスの概要〕と図1に，次の①～⑥が示されている。

①写真撮影・販売代行契約の締結
②撮影写真のアップロード
③アカウントの発行申請
④アカウントの発行
⑤購入写真選択
⑥写真の送付

写真購入システムは，学校行事の写真撮影から撮影した写真の販売・送付までを行うことが分かる。

C中学校の職員の学校行事の写真撮影から撮影した写真の販売・送付までについて，〔小中学校の状況〕に，次の①～⑥が示されている。

①学校の職員が，学校行事に際して写真を撮影する。
②プリントした写真を学校の職員が校内に掲示する。
③保護者が来校し，購入する写真を選定する。
④保護者が，購入希望の写真を注文票に記入し学校の職員に提出する。
⑤学校の職員が写真の注文を取りまとめる。
⑥注文票と撮影媒体を業者に渡し，業者が写真をプリントして保護者に受け渡す。

さらに，①～⑥について「学校の職員は，上記プロセスを行う上で多くの手作業を行う必要があり，業務負荷が高いと感じている」とある。

B社の写真購入システムとC中学校の職員，それぞれの①～⑥を比較すると，C中学校の職員の②がB社の写真購入システムの②に，また，C中学校の職員の⑤がB社の写真購入システムの③～⑤に置き換えられることで，C中学校の職員の業務負荷を下げることができると考えられる。よって，C中学校の職員へのメリットのうち，写真購入システムが提供するものは，**写真を掲示する業務負荷の軽減**，**注文を取りまとめる業務負荷の軽減**となる。

なお，B社カメラマンの写真撮影そのものの行為は，図1に含まれておらず，写真購入システムには含まれないため解答の対象とはならない。

[設問2](3)

設問文に「C中学校の保護者へのメリットのうち，写真レコメンド機能が提供するものを二つ」とある。写真レコメンド機能について，〔新規ビジネスの概要〕に「写真レコメンド機能では，研究開発部門で開発をしたディープラーニング技術を活用し“顔の識別”と“表情の分析”を行う」「“顔の識別”ではまず，保護者が自分の子供の写っている写真を数枚選択する。すると，それらの写真に共通して写っている顔を識別し，ストレージから当該識別した顔と似た顔が写っている写真を優先してレコメンドする」「“表情の分析”では，撮影した写真の中から表情が笑顔のものを優先してレコメンドする」とある。写真レコメンド機能は，多数ある写真より保護者の自分の子供が写っている写真，また，笑顔の写真をレコメンドする機能であることが分かる。この写真レコメンド機能に関連したC中学校の保護者に関する記述を探すと，〔小中学校の状況〕に「保護者は……，掲示されている多数の写真の中から自分の子供を探し出すこと，自分の子供が良い表情で写っている写真を探し出すことが手間であると感じている」とある。

これらより，写真レコメンド機能によって，保護者の，写真の中から自分の子供が写っている写真を探し出す手間と，自分の子供が良い表情で写っている写真を探し出す手間を減らすことができると考えられる。よって，C中学校の保護者へのメリットのうち，写真レコメンド機能が提供するものは，**自分の子供が写っている写真を探す手間の軽減**，**自分の子供が良い表情で写っている写真を探す手間の軽減**となる。

[設問3](1)

設問文に「学校の担当者の依頼に対応するために，B社が実装できる機能は何か」とある。学校の担当者の依頼は，〔保護者説明会と要望への対応〕に「保護者から“自分の子供の顔が写っている写真を，他の保護者に購入されたくない”という要望が出た場合の対応方法も検討してほしい」とある。そして「学校の担当者の依頼に対応するために，複数の生徒が1枚の写真に写り込んでいる場合には，B社の技術を生かした対応を行うことができるようにした」とある。そのB社の技術を探すと，〔B社の写真事業〕に「写真事業に関連する領域では，写真に写っている“顔の識別”や“表情の分析”を行う機能を開発した」「近年の法整備やプライバシー意識の高まりを踏まえて，写真の一部に対して自動でぼかしをいれる機能も開発した」と，二つ挙げられている。

これらより，自分の子供の顔が写っている写真を購入されたくないとする保護者の要望への対応方法として，子供の顔が写っている写真に対しては，次のように考えられる。

① 自分の子供の顔が写っている写真を他の保護者に購入されたくないと要望する保護者の子供の顔を指定してもらう。

② B社の“顔の識別”を行う機能を使って，①で指定した子供の顔が写っている写真を抽出する。

③ B社の写真の一部に対して自動でぼかしをいれる機能を使って，②で識別した顔の部分にぼかしをいれる。

このように，B社の技術を生かして，購入用の写真に，指定した子供の顔にぼかしをいれる機能を提供できると読み取ることができる。よって，学校の担当者の依頼に対応するために，B社が実装できる機能は，**指定した子供の顔に自動でぼかしを入れる機能**となる。

[設問3](2)

設問文に「“写真撮影販売サービス以外の新たな提案”とは何か」とある。その提案について,〔保護者説明会と要望への対応〕に「B社は一層のビジネス拡大を念頭に,学校の課題を解決でき，B社の既存ビジネスにおける強みを生かした，“写真撮影販売サービス以外の新たな提案”を行った」とある。B社の既存ビジネスは写真事業であり，その写真事業における強みに関する記述を探すと，〔B社の写真事業〕に「写真事業では，撮影した写真をプリント販売するのに加え，デザイン部門の協力を得て，撮影した写真を紙のアルバムとして編集し，販売している」「アルバムは，デザイン性の高さから顧客の思い出に残るものとして，非常に高い評価を得ている」とある。B社の既存ビジネスにおける強みは，アルバムの制作力であることが分かる。写真撮影販売サービス以外での学校の課題に関する記述を探すと,〔小中学校の状況〕に「学校は，卒業アルバムを思い出に残る良いものにするために毎年非常に苦労している」とある。

これらより，B社の強みであるアルバムの制作力を生かして，学校の課題である思い出に残る良い卒業アルバムの制作という新たな提案ができることが読み取れる。よって，“写真撮影販売サービス以外の新たな提案”は，**卒業アルバムの制作**となる。

問3 解答

<table>
<tr><th colspan="2">設問</th><th colspan="2">解答例・解答の要点</th></tr>
<tr><td colspan="2">設問1</td><td colspan="2">同一日に同一都市の複数の小中学校にカメラマンを派遣できること</td></tr>
<tr><td rowspan="5">設問2</td><td>(1)</td><td colspan="2">カメラマンの稼働率低下</td></tr>
<tr><td rowspan="2">(2)</td><td>①</td><td>・写真を掲示する業務負荷の軽減</td></tr>
<tr><td>②</td><td>・注文を取りまとめる業務負荷の軽減</td></tr>
<tr><td rowspan="2">(3)</td><td>①</td><td>・自分の子供が写っている写真を探す手間の軽減</td></tr>
<tr><td>②</td><td>・自分の子供が良い表情で写っている写真を探す手間の軽減</td></tr>
<tr><td rowspan="2">設問3</td><td>(1)</td><td colspan="2">指定した子供の顔に自動でぼかしを入れる機能</td></tr>
<tr><td>(2)</td><td colspan="2">卒業アルバムの制作</td></tr>
</table>

※IPA発表

問4 保険会社の新事業の企画 （出題年度：R元問2）

保険会社の新事業の企画に関する次の記述を読んで，設問1～3に答えよ。

B社は，中堅の損害保険会社である。業績が伸び悩んでおり，新たな保険商品による収益増加を，新しい中期計画の重点施策にした。保険業界では，近年，ITを業務効率化や生産性向上だけではなく，革新的な商品に活用する場面が増えてきている。B社でも，自動車保険でドライブレコーダを装着した契約者向けに特約を提供することで，契約件数を伸ばすことができ成功した。これに倣って，ITを活用した新たな医療保険の導入を企画した。

〔新たな医療保険の概要〕

医療保険は，生命保険会社と損害保険会社の双方が取り扱えることから，市場には多くの商品が登場している。B社は，これまでも医療保険を取り扱ってきたが，競争優位性の確保が難しく販売実績は低迷している。近年の人生100年時代の背景もあり，医療保険契約者の傾向として，健康に気を配っている層が増えている。これらの層には入院や治療などのいざというときには備えたいが，日頃から健康には気を配っていることが保険料に反映されないことに不公平感をもち，契約をためらっている潜在的な契約者も少なくない。

そこでB社では，契約者にセンサデバイスを装着してもらい，得られるデータに応じて月額保険料を割引する医療保険（以下，新商品という）を開発し，新たに販売することにした。健康に気を配っている潜在的な契約者のニーズに応え，見込み客を取り込み，販売を拡大したいと考えている。B社としては，契約者が健康であり続けることで，保険料を割引しても長期にわたり安定的に収入を得られ，かつ，保険金の支払を軽減することが期待できる。

B社は，これまでは，年齢，性別，り患率，治療費などを統計処理した結果に基づき，月額保険料を算定してきた。そのため，センサデバイスから得られるデータに応じた月額保険料の割引率体系の確定のためには，データを収集し，さらに統計処理して，新商品の採算性を見極める必要があると考えている。

新商品を提供するには，センサ技術とAI技術の活用が必要になるので，取引先であるデバイスメーカC社とスタートアップ企業D社と協議して，図1に示す事業スキームを構築することにした。その概要は次のとおりである。

(1) C社は，センサが内蔵されたリストバンド型デバイス（以下，リストデバイスという）をB社へ販売する。B社はリストデバイスを新商品の契約者に提供する。

(2) 契約者は，リストデバイスを着用し，Bluetoothで自身のスマートフォントと連携させる。リストデバイスで収集される心拍や血圧のバイタルデータ，歩数，移動のデータ（以下，まとめて，健康データという）は，クラウドサービス上のシステム（以下，新商品システムという）に，スマートフォン用アプリケーションプログラムを通じてアップロードされる。新商品システムのためのクラウドサービスや，スマートフォン用アプリケーションプログラムは，C社が提供する。新商品システムはB社が管理する。

(3) B社は，D社のAIエンジン技術を利用して，収集した健康データ，及び病気にかかったり入院したりして保険金が請求された履歴情報（以下，保険金請求情報という）から学習し，それらをAIエンジン学習済モデル（以下，学習済モデルという）として蓄積する。その結果から，契約者別にポイントを計算し，算出されたポイントに応じて，当該契約者の月額保険料の割引率を算定する。その結果を受けて，各人の月額保険料の請求額は四半期ごとに改定する。

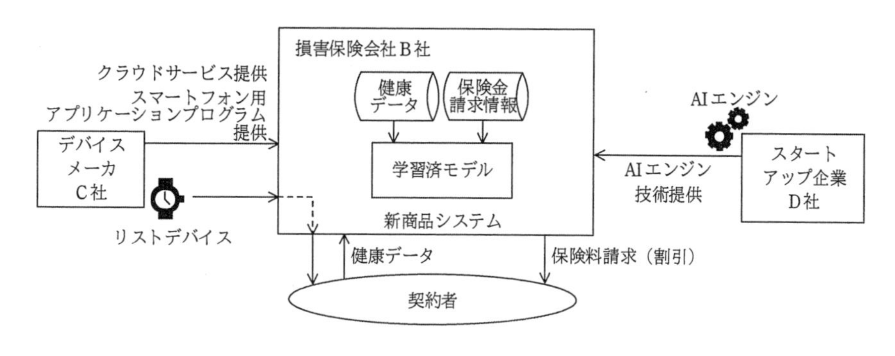

図1　事業スキーム

B社は，新商品の正式販売には割引率体系の確定が必要であり，一部の顧客や特定地域をターゲットにして割引率をいろいろ変えながら，試行販売を行うことにした。その結果から，学習済モデルの精度を向上させていく予定である。

C社，D社とも，自社技術・サービスの適用事例は少なく，売上げの拡大が期待できることから，今回のB社の新商品の取組には積極的に協力する意向である。特に，D社は，今後実用化領域の広がりが予想されるAIエンジンの適用拡大に向けた良い機会と捉えている。B社では，今回の新商品が他社に真似をされないよう，新商品システムの管理を徹底する。

〔新たな事業への取組〕

B社では，試行販売と並行し，新商品の事業スキームを活用して，新たな事業に取り組むことを計画した。新たな事業の主要な顧客は，多くの被保険者を有していて，大量のデータの入手が期待できることから，健康保険組合にした。健康保険組合は，近年，医療費負担の高額化などによって保険給付金や拠出金が増加していて，その削減のために，健康指導などの健康増進活動・予防活動に力を入れている。これらの活動の成否は，健康保険組合の被保険者に，自ら健康増進に取り組んでもらえるかどうかに懸かっている。そのためには，被保険者自らが自身の健康状態を把握できて，健康の維持や改善を実感できることが重要になっている。

B社か計画する新たな事業は，被保険者が自身で健康状態を把握できる仕組みを健康保険組合に提供するもので，その概要は次のとおりである。

(1) B社は健康保険組合と契約し，健康保険組合を通してリストデバイスを被保険者に提供する。健康保険組合では，被保険者の匿名化を行い，リストデバイスのIDで対象の健康データをひも付けできるようにする。B社は，被保険者のリストデバイスから健康データを取得し，管理する。

(2) B社は，定期的にリストデバイスごとの健康データと健康データの統計分析結果を健康保険組合に提供する。

(3) 健康保険組合は，被保険者の同意を得て，匿名化した被保険者の保険給付に関する疾病情報にリストデバイスIDを付与してB社へ提供する。

(4) B社は，取得した健康データや疾病情報を，新商品の学習済モデルに追加して学習させる。

〔健康保険組合からの要望への対応〕

新たな事業に取り組む中で，健康保険組合からは，被保険者の健康診断の結果などの追加のデータの登録機能，及びWebによる健康指導を支援する機能の追加に関する要望が出てきた。B社はこれを受けて，３社でこの要望への対応を検討した。その結果，追加機能については新商品の割引率体系の確定には関与しないことから，C社とD社が中心になって取り組むことにし，B社は健康保険組合に両社を紹介することにした。C社とD社の取組内容は次のとおりである。

(1) 被保険者は，健康診断の結果をC社が新たに構築するクラウドサービス上のシステムにアップロードできるようにする。また，自身で取得した，BMI，体脂肪率，睡眠時間，摂取カロリなどのデータも，C社クラウドサービス上のシステムに自発的にアップロードできるようにする。

(2) D社は，(1)でアップロードされたデータを学習させ，学習済モデルをD社自身で新たに構築して，アップロードしたデータに応じた傾向分析を行う。

(3) 健康保険組合及び被保険者は，C社クラウドサービス上のシステムのWebページで，健康データ，アップロードされたデータ及び傾向分析結果をモニタリングできる。

(4) 健康保険組合では，(3)のデータを用いて，必要に応じて被保険者向け健康指導を行う。また，健康保険組合は，傾向分析結果から健康状態の維持や改善が見られる被保険者に対しては，福利厚生サービスの特典提供などを行う予定にしている。

設問1 〔新たな医療保険の概要〕について，(1)～(3)に答えよ。

(1) B社が新商品を開発する狙いは何か。25字以内で述べよ。

(2) B社が試行販売する狙いは何か。30字以内で述べよ。

(3) B社が，新商品システムを自ら管理するようにした理由は何か。25字以内で述べよ。

設問2 〔新たな事業への取組〕について，(1)～(3)に答えよ。

(1) B社から提供されるデータなどの健康保険組合での活用方法はどのようなものか。25字以内で述べよ。

(2) B社が新たな事業に取り組む狙いは何か。25字以内で述べよ。

(3) B社が，被保険者の健康データに加えて，疾病情報を学習させる理由は何か。35字以内で述べよ。

設問3 〔健康保険組合からの要望への対応〕について，(1)，(2)に答えよ。

(1) 健康保険組合が追加機能を要望した背景はどのようなものか。30字以内で述べよ。

(2) C社とD社が追加機能の要望に取り組むことにした狙いは何か。それぞれ20字以内で述べよ。

問4 解説

[設問1](1)

新商品について，〔新たな医療保険の概要〕に「契約者にセンサデバイスを装着してもらい，得られるデータに応じて月額保険料を割引する医療保険（以下，新商品という）」とあり，この新商品を開発し販売することで「健康に気を配っている潜在的な契約者のニーズに応え，見込み客を取り込み，販売を拡大したいと考えている」とある。これらより，Ｂ社はITを活用した新商品を開発することで，健康に気を配っている潜在的な契約者を取り込むことを考えていることが分かる。

よって，Ｂ社が新商品を開発する狙いは，**健康に気を配っている潜在的な契約者の取込み**となる。

[設問1](2)

試行販売について，〔新たな医療保険の概要〕に「新商品の正式販売には割引率体系の確定が必要であり，一部の顧客や特定地域をターゲットにして割引率をいろいろ変えながら，試行販売を行うことにした」とあり，月額保険料の割引率体系を確定するために試行販売を行うことが分かる。また，新商品の月額保険料の割引率体系の確定について，〔新たな医療保険の概要〕に「センサデバイスから得られるデータに応じた月額保険料の割引率体系の確定のためには，データを収集し，さらに統計処理して，新商品の採算性を見極める必要がある」とあり，新商品の月額保険料の割引率体系を確定するには，試行販売によって採算の取れる割引率を見極めなければならないことが分かる。

よって，Ｂ社が試行販売する狙いは，**月額保険料の割引に対する商品の採算性を見極めること**となる。

[設問1](3)

新商品システムの管理について，〔新たな医療保険の概要〕の（2）に「新商品システムはＢ社が管理する」とあり，「Ｂ社では，今回の新商品が他社に真似をされないよう，新商品システムの管理を徹底する」とある。よって，Ｂ社が新商品システムを自ら管理するようにした理由は，**新商品が他社に真似をされないようにしたいから**となる。

[設問2](1)

B社から健康保険組合に提供されるデータについて，〔新たな事業への取組〕（2）に「定期的にリストデバイスごとの健康データと健康データの統計分析結果を健康保険組合に提供する」とある。一方，健康保険組合の取組みについて，〔新たな事業への取組〕に「医療費負担の高額化などによって保険給付金や拠出金が増加していて，その削減のために，健康指導などの健康増進活動・予防活動に力を入れている」とある。その健康増進活動と予防活動の成否は「健康保険組合の被保険者に，自ら健康増進に取り組んでもらえるかどうかに懸かっている」とあり，被保険者自らが健康増進に取り組んでもらえるために重要なことは「被保険者自らが自身の健康状態を把握できて，健康の維持や改善を実感できること」とある。これらより，健康保険組合は，健康指導などの健康増進活動・予防活動を成功させるためには，被保険者自らが自身の健康状態を把握できて，健康の維持や改善を実感できるデータが必要であると認識していることが分かる。そのデータの一例として，B社が提供する健康データと健康データの統計分析結果が利用できる。

よって，B社から提供されるデータなどの活用方法は，**健康指導などの健康増進活動・予防活動への利用**となる。

[設問2](2)

B社の新たな事業への取組みについて，〔新たな事業への取組〕に「試行販売と並行し，新商品の事業スキームを活用して，新たな事業に取り組むことを計画した」とある。

その新たな事業の顧客は「多くの被保険者を有していて，大量のデータの入手が期待できることから，健康保険組合にした」とあり，その被保険者から取得した大量のデータを，（4）に「新商品の学習済モデルに追加して学習させる」とある。新商品の学習済モデルに被保険者から取得した大量データを学習させれば，新商品の学習済モデルの精度を向上させることができることが予測できる。

一方，試行販売と並行してとあるので，試行販売と学習済モデルに関連する記述を探すと，〔新たな医療保険の概要〕に「新商品の正式販売には割引率体系の確定が必要であり，一部の顧客や特定地域をターゲットにして割引率をいろいろ変えながら，試行販売を行うことにした」とあり，「その結果から，学習済モデルの精度を向上させていく予定である」とある。新商品の割引率体系を確定するには，学習済モデルの精度を向上させなければならないことが分かる。

これらより，Ｂ社は，新商品の試行販売中（割引率体系が確定していない）という状況において，被保険者から取得したデータを利用して，学習済モデルの精度を向上させて，割引率体系の確定に役立てようとしていることが分かる。

よって，Ｂ社が新たな事業に取り組む狙いは，**被保険者のデータによる学習済モデルの精度向上**となる。

なお，被保険者のデータは，〔新たな事業への取組〕（１）の「Ｂ社は，被保険者のリストデバイスから健康データを取得し」，（３）の「匿名化した被保険者の保険給付に関する疾病情報……Ｂ社へ提供する」より，健康保険組合の被保険者の健康データと疾病情報であることが分かる。

[設問２](3)

健康データと疾病情報の学習について，〔新たな事業への取組〕（４）に「取得した健康データや疾病情報を，新商品の学習済モデルに追加して学習させる」とある。その新商品の学習済モデルについて，〔新たな医療保険の概要〕（３）に「収集した健康データ，及び病気にかかったり入院したりして保険金が請求された履歴情報（以下，保険金請求情報という）から学習し，それらをAIエンジン学習済モデル（以下，学習済モデルという）として蓄積する」とある。これらより，新商品の学習済モデルは健康データと保険金請求情報から構築すること，新たな事業では学習済モデルを健康データと疾病情報から構築することが分かる。両者とも健康データは共通しているが，一方は保険金請求情報，もう一方は疾病情報となっている。

さらに，新商品の学習済モデルについて，〔新たな医療保険の概要〕に「新商品の正式販売には割引率体系の確定が必要」とあり，試行販売の結果から「学習済モデルの精度を向上させていく予定である」とある。

これらより，新商品の月額保険料の割引率体系を確定するには，学習済モデルの精度を向上させる必要があり，それには，健康データと保険金請求情報が必要であるが，健康保険組合から被保険者の健康データは取得できるが，保険金請求情報は取得できない。そのため，保険金請求情報に代わる情報として疾病情報を利用したことが分かる。

よって，疾病情報を学習させる理由は，**保険金請求情報に代わる情報として割引率体系の確定に必要だから**となる。

[設問3](1)

健康保険組合が要望した追加機能について，〔健康保険組合からの要望への対応〕に「被保険者の健康診断の結果などの追加のデータの登録機能」と「Webによる健康指導を支援する機能」とあり，（4）に「健康保険組合では，（3）のデータを用いて，必要に応じて被保険者向け健康指導を行う」とある。その被保険者向け健康指導に関連する健康保険組合の取組みについて，〔新たな事業への取組〕に「医療費負担の高額化などによって保険給付金や拠出金が増加していて，その削減のために，健康指導などの健康増進活動・予防活動に力を入れている。これらの活動の成否は，健康保険組合の被保険者に，自ら健康増進に取り組んでもらえるかどうかに懸かっている」とある。これらより，健康保険組合は，保険給付金や拠出金を削減するためには，被保険者が自ら健康増進に取り組んでもらう必要があり，そのために機能追加を要望したと考えられる。

よって，健康保険組合が追加機能を要望した背景は，**被保険者が自ら健康増進に取り組んでもらうため**となる。

[設問3](2)

C社とD社の取組みについて，〔新たな医療保険の概要〕に「C社，D社とも，自社技術・サービスの適用事例は少なく，売上げの拡大が期待できることから，今回のB社の新商品の取組には積極的に協力する意向である」とあり，C社とD社は，自社技術・サービスの適用事例を増やし，売上げを拡大したいと考えていることが分かる。

● **C社について**

C社の健康保険組合からの要望に対する取組みについて，〔健康保険組合からの要望への対応〕（1）に「被保険者は，健康診断の結果をC社が新たに構築するクラウドサービス上のシステムにアップロードできるようにする」「自身で取得した，BMI，体脂肪率，睡眠時間，摂取カロリなどのデータも，C社クラウドサービス上のシステムに自発的にアップロードできるようにする」とある。これらより，健康保険組合からの追加機能の要望に取り組むことによって，C社は，クラウドサービスの適用事例を増やすことができることが分かる。よって，C社が追加機能の要望に取り組むことにした狙いは，**クラウドサービスの適用拡大**となる。

● D社について

D社の健康保険組合からの要望に対する取組みについて，〔健康保険組合からの要望への対応〕（2）に「(1）でアップロードされたデータを学習させ，学習済モデルをD社自身で新たに構築して，アップロードしたデータに応じた傾向分析を行う」とある。これより，健康保険組合からの追加機能の要望に取り組むことによって，D社は，自社のAIエンジン技術を活用した適用事例を増やすことができることが分かる。よって，D社が追加機能の要望に取り組むことにした狙いは，**AIエンジン技術の適用拡大**となる。

問4 解答

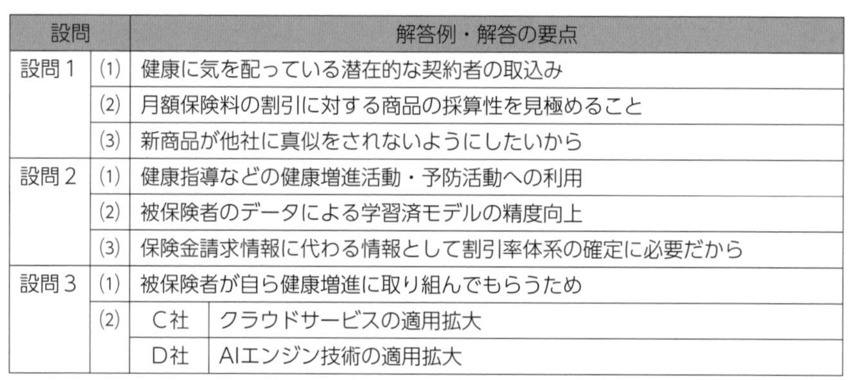

設問		解答例・解答の要点	
設問1	(1)	健康に気を配っている潜在的な契約者の取込み	
	(2)	月額保険料の割引に対する商品の採算性を見極めること	
	(3)	新商品が他社に真似をされないようにしたいから	
設問2	(1)	健康指導などの健康増進活動・予防活動への利用	
	(2)	被保険者のデータによる学習済モデルの精度向上	
	(3)	保険金請求情報に代わる情報として割引率体系の確定に必要だから	
設問3	(1)	被保険者が自ら健康増進に取り組んでもらうため	
	(2)	C社	クラウドサービスの適用拡大
		D社	AIエンジン技術の適用拡大

※IPA発表

問5 コンテンツ制作会社の事業展開 (出題年度：H30問3)

コンテンツ制作会社の事業展開に関する次の記述を読んで，設問１～３に答えよ。

Ｃ社は，広告などのコンテンツ制作を事業とする中堅企業である。制作部のほか，営業部，総務人事部，及び財務経理部がある。

Ｃ社は，多くの広告代理店から，図，写真及び文章から成るコンテンツ制作の案件を受注している。業務は時期によって繁閑の差が大きいこともあり，コンテンツ制作を行う制作部はデザイナをあまり抱えておらず，社外の個人や法人のデザイナによるネットワークを組織して，案件の内容に応じてその分野を得意とする社外のデザイナに外部委託している。案件を受注する都度，社内のデザイナを指名し，営業担当者とともに案件担当者として割り当て，外部委託の手続や案件遂行に関するとりまとめの作業に当たる。案件ごとに社内のデザイナを割り当てるので，組織に業務ノウハウが蓄積しにくく，顧客によっては継続的な対応を依頼されるが，十分な取組みができていない。受注案件の採算は，コンテンツ制作に要する外部委託費と社内工数に大きく影響され，採算の改善が課題となっている。

Ｃ社でコンテンツ制作に用いている情報システムとしては，制作業務を支援するコンテンツ管理システム，及び案件を管理する案件管理ツールがある。案件管理ツールは今後，案件管理システムとして整備する方針である。

Ｃ社では，これまでは雑誌やリーフレットといった紙媒体のコンテンツ制作が中心であったが，受注量が漸減傾向にあることから，ディジタルコンテンツ制作にも取り組み始めている。紙媒体のコンテンツであってもディジタルデータで納品することがほとんどである。ディジタルコンテンツを取り扱っても業務プロセスに変更はないが，情報システムについては見直しを行い，ディジタルコンテンツへの取組みを拡大していきたい。

〔制作業務の現状〕

Ｃ社では，制作業務の実施に当たり，コンテンツ管理システムを利用している。コンテンツ管理システムは，図，写真及び文章から成るコンテンツの登録や編集などの機能がある。

案件の中には，企業の新製品の発表や決算報告用資料の印刷原稿の作成など，公開されるまでは極めて機密性の高いものもある。このような機密保持が必要な案件は，情報漏えいの防止及び監査対応が必要なので，コンテンツ管理システムにおいて，当該案件のコンテンツへのアクセスは案件担当者に限り，コンテンツへのアクセス履歴を保管している。

コンテンツは，素材となる幾つかのコンテンツ部品（以下，部品という）を組み合わせて制作する。部品は複数の社外のデザイナに分けて外部委託することが多い。社外のデザイナから全ての部品が納品されたら，社内のデザイナがそれらをコンテンツ管理システムに登録し，編集機能を使用して部品を組み合わせて，最終的にコンテンツを完成させる。社外のデザイナからは，部品の納品に際して著作権を譲渡してもらい，著作者人格権は行使しない契約を締結している。

案件によっては，過去の部品の形状や位置を少し変えるだけで再利用可能な場合もある。しかし，社内のデザイナのセンスや編集スキルでは部品のテイストが損なわれる可能性もあるので，納品された部品の形状や位置をC社で変更することはない。このため，異なる案件で類似の部品が必要となった場合でも，改めて部品を制作することになり，外部委託費が掛かるほか，契約や関連資料の授受といった事務手続のための社内工数が掛かっている。

〔制作業務への新たな取組みの試行〕

そこで，ブロックチェーン（分散型台帳）技術を応用したシステムを構築して，著作権は社外の各デザイナに留保させたままにして，社外のデザイナと広告代理店から成る取引先とC社の間で，部品を融通させる新たな取組みを試行することにした。ブロックチェーンには，部品のデータのハッシュ値，取引履歴などの情報に，社外のデザイナが電子署名をして利用する。ブロックチェーンは全ての取引先で共有することを予定している。この仕組みによって，著作権を保有する社外のデザイナから部品を購入することができるようになるので，改めて制作する必要も減り，C社での外部委託費はあまり変わらないものの，事務手続のための社内工数の削減が期待できる。C社は，この試行が成功したら，参加取引先を拡大させて，“コンテンツ流通のプラットフォーム運用事業”として事業化する予定である。

試行の成否は，KPIを設定して確認する予定である。KPIとしては，財務の視点からは“売上高利益率の増加率”を，顧客の視点からは“受注件数の増加率”を，業務プロセスの視点からは制作業務の観点に着目して“［ a ］”を，学習と成長の視点からは“システムの操作の習熟度”を設定する。

〔案件管理の改善〕

案件管理ツールは，スプレッドシートを利用して，引合いや受注した案件の内容，広告代理店名，広告主名，見積額，受注額，納期などを記録し，予算・実績の管理と営業部全員の情報共有に活用されている。

広告主の中には，費用削減を目的に，複数の広告代理店へ見積依頼することもある。多くの広告代理店と取引のあるC社では，一つの広告主からの同じ案件を，複数の広告代理店から別々に見積依頼されることもある。このような場合でも，それぞれに対して同一の見積額を提示するように徹底している。

案件管理ツールについては，ディジタルコンテンツの取扱いや今後の事業拡大を視野に入れ，広告代理店からの引合いや受注の情報を確実に管理できるよう，案件管理システムとして整備する方針である。案件管理システムでは，案件情報や見積条件から，一つの広告主からの同じ案件と判断できる別の広告代理店からの引合いは，関連付けて管理する機能を設ける。

〔事業拡大の取組み〕

コンテンツ管理システムの機能を向上させ，案件管理システムを整備することによって，紙媒体やディジタルコンテンツ制作だけでなく，動画と音声を含めたWebデザインの業務まで拡大し，“Webの構築や運用の事業”に取り組みたいと考えている。“コンテンツ流通のプラットフォーム運用事業”や“Webの構築や運用の事業”の事業拡大に当たっては，制作部でのWebデザイン業務の追加のほか，運用部を新設する必要があると考えている。

設問 1　〔制作業務への新たな取組みの試行〕について，(1)，(2)に答えよ。

(1)　C社や取引先の間で部品を融通する仕組みに取り組むメリットは何か。C社のメリットと社外のデザイナのメリットを，それぞれ30字以内で述べよ。

(2)　本文中の［　a　］に入れる適切な字句を，15字以内で述べよ。

設問 2　〔案件管理の改善〕について，(1)，(2)に答えよ

(1)　情報漏えいの防止及び監査対応のために，案件管理システムに追加すべき機能は何か。25字以内で述べよ。

(2)　案件管理システムにおいて，同じ案件と判断できる引合いを関連付けて管理する理由は何か。30字以内で述べよ。

設問３　〔事業拡大の取組み〕について，(1)，(2)に答えよ。

(1)　Webデザイン業務の取組みに際して，現状のコンテンツ管理システムでは不足する編集機能は何か。25字以内で述べよ。

(2)　C社が運用業務のための運用部を新設する狙いは何か。25字以内で述べよ。

問5 解説

[設問１](1)

〔制作業務への新たな取組みの試行〕に「ブロックチェーン（分散型台帳）技術を応用したシステムを構築して，著作権は社外の各デザイナに留保させたままにして，社外のデザイナと広告代理店から成る取引先とC社の間で，部品を融通させる新たな取組みを試行することにした」とある。

●C社のメリットについて

〔制作業務への新たな取組みの試行〕に「この仕組みによって，……C社での外部委託費はあまり変わらないものの，事務手続のための社内工数の削減が期待できる」とある。そこで，事務手続の社内工数についての記述を探す。すると，問題文冒頭に「受注案件の採算は，コンテンツ制作に要する外部委託費と社内工数に大きく影響され，採算の改善が課題となっている」，〔制作業務の現状〕に「異なる案件で類似の部品が必要となった場合でも，改めて部品を制作することになり，外部委託費が掛かるほか，契約や関連資料の授受といった事務手続のための社内工数が掛かっている」が見つかる。これらから，事務手続の社内工数の削減はC社の課題であり，この課題を解決するのが，C社や取引先の間で部品を融通する仕組みであることが分かる。

よって，C社のメリットは，**事務手続のための社内工数が削減できること**となる。

●社外のデザイナのメリットについて

〔制作業務の現状〕に「社外のデザイナからは，部品の納品に際して著作権を譲渡してもらい，著作者人格権は行使しない契約を締結している」とある。また，「案件によっては，過去の部品の形状や位置を少し変えるだけで再利用可能な場合もある」にもかかわらず，「部品の形状や位置をC社で変更することはない」ため，「異なる案件で類似の部品が必要となった場合」，C社は外部委託することになる。しかし，C社からの委託で部品を制作した社外のデザイナであっても，著作権を譲渡してしまっているため，部品の一部変更による再利用ができず「改めて部品を制作」しなければならない。〔制作業務への新たな取組みの試行〕の「著作権は社外の各デザイナに留保させたまま」にすることは，この問題点を解決するものであり，「著作権を保有する社外のデザイナから部品を購入することができるようになるので，改めて制作する必要も減り」という記述につながる。つまり，部品の著作権を持つ社外のデザイナは，類似の部品の制作を委託された場合，部品を再利用して依頼された部品を制作できるということになる。

よって，社外デザイナのメリットは，**過去の部品の再利用が可能になること**となる。

[設問1](2)

●aについて

〔制作業務への新たな取組みの試行〕に，「KPIとしては，……業務プロセスの視点からは制作業務の観点に着目して“［ a ］”」とある。そこで，新たな取組みによって解決を図ろうとしている制作業務における業務プロセスの課題に関する記述を探す。すると，〔制作業務の現状〕に「異なる案件で類似の部品が必要となった場合でも，改めて部品を制作することになり，……契約や関連資料の授受といった事務手続のための社内工数が掛かっている」が見つかる。そして，この課題の解決方法として，(1)で解説したように，〔制作業務への新たな取組みの試行〕の「著作権は社外の各デザイナに留保させたまま」「著作権を保有する社外のデザイナから部品を購入することができる」ようにしたのである。つまり，異なる案件で類似の部品が必要となった場合に，部品を再利用させる取組みの有効性を評価するKPIが，空欄aに該当する。この有効性は，社外のデザイナに制作を委託した部品において，デザイナが著作権を保有する部品を再利用して制作した部品がどのくらいあるかによって評価できる。

よって，空欄aには，**部品の再利用率**が入る。

[設問2](1)

〔案件管理の改善〕に「案件管理ツールは，スプレッドシートを利用して，引合いや受注した案件の内容，広告代理店名，広告主名，見積額，受注額，納期などを記録し，予算・実績の管理と営業部全員の情報共有に活用されている」とあり，案件管理においては，情報漏えいの防止及び監査対応に関する仕組みがないことが分かる。一方，〔制作業務の現状〕には「案件の中には，企業の新製品の発表や決算報告用資料の印刷原稿の作成など，公開されるまでは極めて機密性の高いものもある」「機密保持が必要な案件は，情報漏えいの防止及び監査対応が必要なので，コンテンツ管理システムにおいて，当該案件のコンテンツへのアクセスは案件担当者に限り，コンテンツへのアクセス履歴を保管している」とあり，コンテンツ管理においては，機密保持が必要な案件の情報漏えい防止及び監査対応に関する仕組みがあることが分かる。

これらから，案件管理システムにも，コンテンツ管理システムのように，案件の情報へのアクセスは案件担当者に限り，情報へのアクセス履歴を保管する仕組みを追加すればよいことになる。ここで気をつけなければならないのが，〔案件管理の改善〕の「案件管理ツールは，……営業部全員の情報共有に活用されている」で，案件の情報へのアクセスは案件担当者に限定できないということである。監査のために情報へのアクセス履歴を保管する仕組みだけを追加すればよい。

よって，案件管理システムに追加すべきセキュリティ機能は，**案件へのアクセス履歴を保管する機能**となる。

[設問2](2)

〔案件管理の改善〕に「一つの広告主からの同じ案件を，複数の広告代理店から別々に見積依頼されることもある」「それぞれに対して同一の見積額を提示するように徹底している」とある。これらより，一つの広告主からの同じ案件と判断できる複数の広告代理店からの引合いに同一の見積額を提示するために，同じ案件と判断できる引合いを関連付けて管理する機能が必要であることが分かる。

よって，同じ案件と判断できる引合いを関連付けて管理する理由は，**複数の広告代理店に同一の見積額を提示するので**となる。

[設問3](1)

〔事業拡大の取組み〕に「紙媒体やディジタルコンテンツ制作だけでなく，動画と音声を含めたWebデザインの業務まで拡大し，“Webの構築や運用の事業”に取り組みたい」とあり，動画や音声のコンテンツも扱おうとしていることが分かる。一方，〔制作業務の現状〕に「コンテンツ管理システムは，図，写真及び文章からなるコンテンツの登録や編集などの機能がある」とあり，コンテンツ管理システムには，図と写真と文章から成るコンテンツの編集機能しかないことが分かる。つまり，Webデザイン業務に取り組むには，動画や音声のコンテンツに関する編集機能が必要になる。

よって，現状のコンテンツ管理システムでは不足する編集機能は，**動画と音声のコ**

ンテンツの編集機能となる。

［設問3］(2)

〔事業拡大の取組み〕に「“コンテンツ流通のプラットフォーム運用事業”や“Webの構築や運用の事業”の事業拡大に当たっては，……，運用部を新設する必要がある」とある。また，問題文冒頭に「C社は，……制作部のほか，営業部，総務人事部，及び財務経理部がある」とある。これらから，C社は，コンテンツ流通のプラットフォーム運用事業，Webの構築事業，Webの運用事業に事業拡大を図ろうとしていること，構築事業については制作部で対応できるが，運用事業については対応できる部門が存在しないことが分かる。したがって，運用事業の拡大に継続的に対応できるようにするためには，運用部を新設する必要がある。

よって，C社が運用業務のための運用部を新設する狙いは，**拡大する運用事業の継続的な業務運営**となる。

問5 解答

設問		解答例・解答の要点		
設問1	(1)	C社	事務手続のための社内工数が削減できること	
		社外のデザイナ	過去の部品の再利用が可能になること	
	(2)	a	部品の再利用率	
設問2	(1)	案件へのアクセス履歴を保管する機能		
	(2)	複数の広告代理店に同一の見積額を提示するので		
設問3	(1)	動画と音声のコンテンツの編集機能		
	(2)	拡大する運用事業の継続的な業務運営		

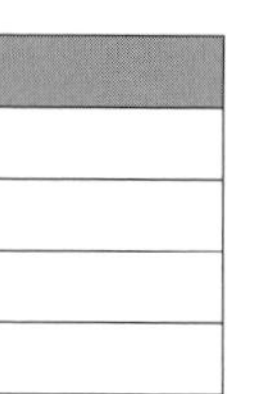

※IPA発表

問6 大型機器製造業におけるIoTを活用したビジネスモデル構築

（出題年度：H29問１）

大型機器製造業におけるIoTを活用したビジネスモデル構築に関する次の記述を読んで，設問１，２に答えよ。

A社は，輸送用，生産用の大型機器・車両（以下，製品という）の製造を得意とする製造業であり，個別受注生産方式で，製品の設計，調達，製造，保守，整備を行っている。

A社の今年度の業績は，売上げが目標を達成できず，利益も前年度を下回っている。この状況を打開するために，A社の経営層は，新年度の経営計画において，次の柱を決めた。

・サービス事業拡大による売上げ増加

・業務プロセスの見直しによる固定費の削減

また，関係各部の部長で構成する事業改革推進チーム（以下，推進チームという）を組織し，活動を開始した。

〔A社の課題〕

推進チームは，A社の各部の課題を洗い出すところからスタートした。

A社は，営業部，設計部，製造部，研究部，エンジニアリングサービス部（以下，ES部という）及び本社部門で構成されている。各部の課題は次のとおりである。

・営業部

受注確保のために顧客からの新機能や機能改善の要求をできる限り受けている。一方で，その要求を実現するために設計・製造のリードタイムが長くなってしまい，顧客から納期遅延のクレームを受けることも多い。顧客からの引き合い時に，対応可能な納期を提示できれば，このようなクレームもなくなり，顧客の満足度を高めることができると考えている。

・設計部

製品の型式ごとに専任の技術者を置いている。それぞれの技術者が多忙であり，製品の型式間で部品の標準化や共通化の取組みが進んでいない。顧客から機能の変更要求があった場合，ベースとなる製品の形式を基に，仕様を変更して派生モデルを設計することがある。派生モデルもその都度専任の技術者が設計しているので，全社で見ると，同じような部品を重複して設計してしまうことがある。

営業部が受けた顧客からの新機能や機能改善の要求についても，技術者の余裕がなく，設計部として迅速に対応できていない。

・製造部

納期遵守のために，加工機械の稼働率は高い。製造部の要員も超過勤務で業務をこなすことが多く，原価を押し上げる原因となっている。複数の製品を並行して製造する場合，ある工程で製品ごとに必要な工数を累積した工数が稼働可能な要員の総工数を超えてしまい，全体の納期を遅らせる工程（以下，ボトルネック工程という）が発生し，製造の計画を変更せざるを得ないことがある。ボトルネック工程は，製品の組合せによって変動するので，どこで発生するか予測することが難しく，要員を効率よく配置できず，顧客に約束した納期が遅延する大きな要因となっている。

・研究部

最近では，IoTに関する技術の発展で，個々の機器の制御情報や稼働状況の情報（以下，機器情報という）を長期間保存できる機器が開発され，そこから通信回線を介して収集し，時系列データとして蓄積できるようになっている。また，その時系列データと他のデータを組み合わせてビッグデータ解析を行い，様々な切り口で相関関係を把握して，製品で発生した障害の原因を推定するAIを活用したソフトウェアパッケージも出回っている。研究部では，専任のデータアナリストを育成し，ビッグデータの活用方法を探っている。この試みの一環として，製品の機器情報を保存して送信できる組込みユニット（以下，ユニットという）を開発した。今後，どの製品にこのユニットが適用可能かどうかを見極めた上で，できるだけ多くの製品にこのユニットを組み込み，顧客に納入することにした。

・ES部

顧客に製品を納入した後の，顧客ごとの製品の保守・修理は，ES部が担当している。ES部は，A社の全ての製品について，全国のMRO（Maintenance，Repair and Overhaul：整備，修理，分解点検）を担当している。ES部は，顧客からの利用上の問合せに迅速に対応したり，障害発生時の運転や整備の履歴の調査結果を基に運転や整備に対する改善提案をしたりしており，顧客に密着した高い品質のサービスを提供することで業界での評判も高い。最近では，他社製品への対応を有償で依頼されることも増えてきている。その結果としてMROに関して豊富な事例をもち，製品で発生した障害と，その時点での運転や整備の履歴との関係や，製品の型式ごとの障害の特徴などをナレッジシステムとして保有している。

ES部としては，顧客が継続的に記録してきた，製品の運転や整備の履歴情報を得ることができれば，自社でもつナレッジシステムの情報と組み合わせて分析ができ，障害に関するノウハウをより高めることができると考えている。また，研究部で開発したユニットを多くの顧客の製品に組み込んでもらい，機器情報を継続的に入手し，障害のノウハウを適用できれば，予防的なMROの提案が可能になると考えている。顧客の協力のもとで，このような情報の活用ができれば，顧客にとっては，機器の障害による業務の停止を防止するというメリットを得ることができると考えている。

〔顧客の状況〕

推進チームは，顧客の要求を把握するために，A社の大口顧客であるP社からヒアリングを行った。

P社は歴史がある大手輸送業であり，A社の製品を中心に，多くの大型車両を保有して全国で事業を展開している。P社の整備部門は，P社が保有する大型車両の整備を担当している。P社として修理や交換が必要になった場合は，A社の車両であればA社に依頼する。

近年，P社の整備部門への新規要員の採用が難しく，技術者の高齢化と作業負荷の増大という問題を抱えている。熟練社員の退職も多く，整備業務全体を管理できる要員も少なくなっている。

このような状況を受け，P社は緊急課題として，整備部分を縮小しつつも，大型車両の運用を継続できる施策の検討を開始した。また，この検討に加え，長期的な検討課題として，保有する車両の障害による業務の停止を防ぎ，より効率的かつ安定的に運用することを可能にする施策についても検討する必要があると考えている。

〔業務プロセスの見直し〕

推進チームは，まず，業務プロセスの見直しから着手することにした。

情報システムの整備の一環として，過去に実際に顧客へ納入した全製品の仕様，部品構成，派生モデルの有無とその仕様などのデータベース（以下，製品DBという）の整備を実施した。

その上で，推進チームは，設計部に対して，製品の設計完了段階で，①原価低減を主眼とした設計レビュー（以下，DRという）の徹底を指示した。また，原価低減以外の観点での課題にも対応するために，②営業部の担当者と研究部の担当者も交えてDRを行い，それぞれの部門の視点からのレビューも併せて行うこととした。

推進チームは，製造部に対して，整備した製品DBを利用し，製品ごとに，製造の工程ごとに必要となる標準工数を算出するよう指示した。その上で，③複数の製品を受注した場合に，工程ごとに累積工数を算出するように指示した。また，稼働可能な要員の配置計画と，製品の納品までの日程計画を対比できるようにした上で，④営業部と定例的なミーティングを実施することを指示した。

〔サービス事業拡大〕

次に，推進チームは，サービス事業拡大を目指して，IoTを活用した新ビジネスモデルを企画することにした。

そのためには，顧客の課題を実際に解決する方策を顧客と共同で検討することが有効だと考え，大口顧客のＰ社に対して，緊急課題への対応として，⑤A社の強みを生かしたあるサービスについて，共同で実証検討を開始する提案を行った。Ｐ社としても，自社だけでは実現できないと考えていたところであり，共同での検討を進めることに合意した。

さらに，推進チームは，Ｐ社の長期的な検討課題に対応するために，⑥Ｐ社に対して，ある協力依頼をすることにした。

設問１ 〔業務プロセスの見直し〕を読んで，(1)～(4)に答えよ。

(1) 本文中の下線①の原価低減を主眼としたDRのポイントについて，30字以内で述べよ。

(2) 本文中の下線②で，営業部の担当者と研究部の担当者に求められている役割について，それぞれ35字以内で述べよ。

(3) 本文中の下線③で，工程ごとに累積工数を算出するよう指示した狙いについて，20字以内で述べよ。

(4) 本文中の下線④の営業部との定例的なミーティングで協議すべき内容について，25字以内で述べよ。

設問２ 〔サービス事業拡大〕を読んで，(1)，(2)に答えよ。

(1) 本文中の下線⑤の，A社の強みを生かしたあるサービスについて共同で実証検討を開始する提案の内容について，30字以内で述べよ。

(2) A社が，本文中の下線⑥でＰ社に対して行う協力依頼の内容について，40字以内で述べよ。

問6 解説

[設問1](1)

〔業務プロセスの見直し〕の下線①「原価低減を主眼とした設計レビュー（以下，DRという）の徹底を指示した」の直前に「推進チームは，設計部に対して，製品の設計完了段階で」とある。これより，DRには設計部が関係していることが分かる。設計部に関する記述を探すと，〔A社の課題〕設計部に「製品の型式間で部品の標準化や共通化の取組みが進んでいない」「派生モデルもその都度専任の技術者が設計しているので，全社で見ると，同じような部品を重複して設計してしまうことがある」とある。似たような製品の設計において，同じような部品を重複して設計することは効率が悪く，原価を高める要因になる。したがって，原価低減を主眼としたDRでは，部品の標準化や共通化の取組みができているかがポイントとなる。よって，原価低減を主眼としたDRのポイントは，**部品の標準化や共通化の取組みが徹底されていること**となる。

[設問1](2)

〔業務プロセスの見直し〕の下線②「営業部の担当者と研究部の担当者も交えてDRを行い，それぞれの部門の視点からのレビューも併せて行うこととした」の直前に「原価低減以外の観点での課題にも対応するために」とある。これより，営業部と研究部の原価低減以外の課題を探す。

営業部の課題について，〔A社の課題〕営業部に「顧客からの新機能や機能改善の要求をできる限り受けている」とある。これより，営業部は，顧客から受けた要求を実現できているかを確認する必要があることが分かる。よって，営業部の担当者に求められている役割は，**顧客からの新機能や機能改善の要求を満たしているかを確認すること**となる。

研究部の課題について，〔A社の課題〕研究部に「製品の機器情報を保存して送信できる組込みユニット（以下，ユニットという）を開発した」「今後，どの製品にこのユニットが適用可能かどうかを見極めた上で，できるだけ多くの製品にこのユニットを組み込み，顧客に納入することにした」とある。これらより，研究部は，製品へのユニットの組込みの可否を判断する必要があることが分かる。よって，研究部の担当者に求められている役割は，**製品にユニットが適用可能かどうかを見極めること**となる。

[設問1](3)

〔業務プロセスの見直し〕の下線③「複数の製品を受注した場合に，工程ごとに累積工数を算出するように指示した」の直前に「製造部に対して，整備した製品DBを利用し，製品ごとに，製造の工程ごとに必要となる標準工数を算出するよう指示した」とある。これより，累積工数には，製造部が関係することが分かる。

製造部の課題について，〔A社の課題〕製造部に「複数の製品を並行して製造する場合，ある工程で製品ごとに必要な工数を累積した工数が稼働可能な要員の総工数を超えてしまい，全体の納期を遅らせる工程（以下，ボトルネック工程という）が発生し，製造の計画を変更せざるを得ない」「ボトルネック工程は，製品の組合せによって変動するので，どこで発生するか予測することが難しく」とある。

工程ごとの標準的な工数を製品DBに登録しておけば，複数の製品を受注した場合，製品DBを利用して工程ごとの累積工数の算出が可能となり，ボトルネック工程を予測することができる。よって，工程ごとに累積工数を算出するよう指示した狙いは，**ボトルネック工程を予測するため**となる。

[設問1](4)

〔業務プロセスの見直し〕の下線④「営業部と定例的なミーティングを実施することを指示した」の直前に「稼働可能な要員の配置計画と，製品の納品までの日程計画を対比できるようにした上で」とある。これより，製品DBの整備によって，正確な要員の配置計画や納品までの日程計画が得られることを前提にして，製造部が営業部との定例的なミーティングで協議すべき内容を考えればよいことが分かる。

営業部に関係するのは納品までの日程計画であり，要員の配置計画には直接関係しない。営業部は，製造工程が日程計画どおり進んでいるか否かを確認し，顧客に正確な納期を報告する必要がある。よって，営業部との定例的なミーティングで協議すべき内容は，**顧客に対して提示できる対応可能な納期**となる。

[設問2](1)

〔サービス事業拡大〕の下線⑤「A社の強みを生かしたあるサービスについて，共同で実証検討を開始する提案を行った」の直前に「顧客の課題を実際に解決する方策を顧客と共同で検討することが有効だと考え，大口顧客のP社に対して，緊急課題への対応として」とある。

大口顧客P社の緊急課題について，〔顧客の状況〕に「P社は緊急課題として，整備部門を縮小しつつも，大型車両の運用を継続できる施策の検討を開始した」とある。大型車両の運用に関してはＡ社ES部の担当であるので，大型車両の整備に関するES部の強みを探すと，〔Ａ社の課題〕ES部に「最近では，他社製品への対応を有償で依頼されることも増えてきている。その結果としてMROに関して豊富な事例をもち，製品で発生した障害と，その時点での運転や整備の履歴との関係や，製品の型式ごとの障害の特徴などをナレッジシステムとして保有している」「顧客が継続的に記録してきた，製品の運転や整備の履歴情報を得ることができれば，自社でもつナレッジシステムの情報と組み合わせて分析ができ，障害に関するノウハウをより高めることができる」とある。これらより，Ａ社は，自社でもつナレッジシステムの情報を生かして，Ｐ社の整備部門の業務である大型車両の運用を請け負おうとしていることが推測できる。Ａ社が請け負うには，Ｐ社が継続的に記録してきた製品の運転や整備の履歴情報を提供してもらえるように，Ｐ社に提案する必要がある。よって，共同で実証検討を開始する提案の内容は，**Ｐ社の整備部門の業務をＡ社のES部が受託する提案**となる。

[設問２](2)

〔サービス事業拡大〕の下線⑥「Ｐ社に対して，ある協力依頼をすることにした」の直前に「Ｐ社の長期的な検討課題に対応するために」とある。

Ｐ社の長期的な検討課題について，〔顧客の状況〕に「長期的な検討課題として，保有する車両の障害による業務の停止を防ぎ，より効率的かつ安定的に運用することを可能にする施策についても検討する」とある。Ｐ社が保有する車両の障害による業務の停止を回避するために，Ｐ社がＡ社に協力できることについて，〔Ａ社の課題〕ES部に「研究部で開発したユニットを多くの顧客の製品に組み込んでもらい，機器情報を継続的に入手し，障害のノウハウを適用できれば，予防的なMROの提案が可能になる」「顧客の協力のもとで，このような情報の活用ができれば，顧客にとっては，機器の障害による業務の停止を防止するというメリットを得ることができる」とある。つまり，Ａ社のユニットを組み込んだ機器の情報を，Ｐ社から継続的に提供してもらうことで，Ａ社は予防的なMROが可能になり，Ｐ社は車両の障害による業務停止を回避できるということになる。よって，Ｐ社に対して行う協力依頼の内容は，**Ｐ社の製品へのユニットの組込みと，運転や整備の履歴情報の提供**となる。

問6 解答

設問		解答例・解答の要点	
設問 1	(1)	部品の標準化や共通化の取組みが徹底されていること	
	(2)	営業部	顧客からの新機能や機能改善の要求を満たしているかを確認すること
		研究部	製品にユニットが適用可能かどうかを見極めること
	(3)	ボトルネック工程を予測するため	
	(4)	顧客に対して提示できる対応可能な納期	
設問 2	(1)	P社の整備部門の業務をA社のES部が受託する提案	
	(2)	P社の製品へのユニットの組込みと，運転や整備の履歴情報の提供	

※IPA発表

問7 SNS運営会社のブロックチェーンを活用したIT戦略

(出題年度：R５問１)

SNS運営会社のブロックチェーンを活用したIT戦略に関する次の記述を読んで，設問に答えよ。

A社は，ブログやコミュニケーションサイト，ソーシャルメディアに関連するアプリケーションソフトウェアの提供などのソーシャルネットワーキングサービス（以下，SNSという）を運営する企業で，A社の会員とともにA社を取り巻くデジタル空間内の経済活動（以下，A社経済圏という）を拡大する経営方針を掲げている。A社は，主にスポンサー企業からの広告収入，会員からの課金収入，提携企業へのマーケティングに関するデータ提供サービス事業の収入がビジネスの柱になっている。近年，積極的なM&Aを行い，プリペイド型の電子マネーを扱う電子決済サービス事業，暗号資産取引サービス事業などを獲得し，SNSを中核にしてサービスの種類を拡張させてきた。

A社の会員は，A社のSNSを利用して，デジタルコンテンツを参照したり電子マネーを利用したりする。それだけでなく，デジタルコンテンツを活用した投稿や評価コメントの投稿など，積極的に情報を発信（以下，貢献活動という）して，A社のサービスの活性化や発展に貢献してくれている。そこで，A社は会員との互恵関係を強化することで，A社経済圏を拡大する新たなIT戦略を検討することとし，現状の課題を分析した。

〔A社が抱える課題〕

A社は，会員との互恵関係の状況を把握する重要な経営指標として，会員のSNS利用におけるアクティブ会員数の月間伸び率（以下，MAU伸び率という）を測定している。しかし，最近は，サービスの種類を拡張しているにもかかわらず，MAU伸び率は鈍化している。このまま鈍化の傾向が続いていくと，スポンサー企業や提携企業からの収入に影響するだけでなく，IT戦略の前提にも影響があるとA社は考えている。

A社は，会員が行った貢献活動に対して，A社サービス内で使えるポイントを付与する仕組みによって顧客体験価値（UX）を高めている。しかし，現在の仕組みでは，M&Aで新サービスを獲得した場合，そのサービスの既存のポイント付与システムを，都度A社システムと連携させて動かしているので，A社システム全体への影響を調査し，対応を検討して，慎重に進める必要があり，拡張は容易ではない。今後は，A社サービス共通に使えるポイントを所定の条件を満たせばすぐに付与したいが難しく，会員が期待するUXをタイムリーに提供できていない。このことが，MAU伸び率を鈍化させている原因とA社は認識している。

A社は，会員が行った貢献活動に関する所定の条件が満たされれば，A社サービス共通に使えるポイントがすぐに付与される仕組みを提供することでUXを高め，顧客の囲い込みを図ることができると考えている。

そこでA社は，ブロックチェーンの技術を応用し，改ざんや取引履歴の削除が困難な自律分散システムであるプライベート型のブロックチェーンネットワークを構築し，A社経済圏の拡大を実現するIT戦略を立案することにした。

〔新しいポイント付与システム〕

A社は，プライベート型のブロックチェーンネットワークを活用して，貢献活動を行った会員に対して，迅速に，公正で，より魅力的なポイント付与の仕組みを構築して，MAU伸び率を改善することを計画した。

A社は，新たなサービスを獲得した際にも，会員の貢献活動に関する所定の条件に応じてポイントを自動的に付与するための検討を行った。A社は，ブロックチェーンに，設定されたルールに従って取引を自動的に実行するスマートコントラクトを組み合わせたポイント付与システムを構築することとした。スマートコントラクトは，ルールを事前にプログラムとして実装する仕組みであり，会員の貢献活動に関する所定の条件が満たされれば，ポイントを付与するプログラムが自動実行され，ポイントが自動的に付与される。サービス間を横断するキャンペーンなどの複雑な条件判定が必要な場合でも，自動的にポイントが付与される仕組みを実現できる。

A社は，会員が，付与されたポイントをA社の全ての有償サービスに利用したり，会員同士で贈呈したりできるようにする。さらに，プリペイド型の電子マネーを扱う電子決済サービスと連携し，A社経済圏の外部でも使える専用のコインへの交換を可能にすることにした。この交換によって，外部の経済圏と連携できるようになり，A社の各サービスの中でもポイントの流動化が促進され，会員との互恵関係が強化されると考えた。

〔信頼度スコアによる監視の仕組み〕

A社は，SNS上の様々な会員の行動から信頼度スコアを記録し，それを基に会員向けに信頼度ランクを公開している。具体的には，会員の投稿の閲覧数やコメント投稿数などを定量化して記録するものである。信頼度スコアの高い会員には，ポイントの付与率を高く設定する仕組みがある。また，A社は，会員に対してガイドラインを定めており，コミュニティ内における過度な中傷などの重要なトラブルについては，会員からの通報やAI検知による監視によって，加害者への注意喚起やアカウント停止などを行う仕組みで対処してきた。A社は，信頼度スコアの仕組みと監視の仕組みとを連携させて，会員が安心してSNSを楽しめる仕組みを提供することで，更なるコミュニティの活性化を図ることとした。

〔マーケットプレイスの構築〕

A社は，具体的な取組を進めていく際に，自社のSNS上の公式アカウントを使って議論や情報交換を行うコミュニティを立ち上げて，会員同士で様々な意見を取り交わしてもらいながら会員の声を吸い上げた。

その結果，A社の会員には，デジタルコンテンツをより利活用したり，貢献活動に対してさらに充実した特典を獲得したり，同じ趣味し好をもった会員同士でもっと簡単に交流したいニーズがあることが分かった。

これらのニーズに対してA社は，プライベート型のブロックチェーンネットワーク上でデジタルコンテンツに唯一性を付与する非代替性トークン（以下，NFTという）を活用することにした。A社は，自社や提携企業がもつ画像や音声などのデジタルコンテンツのメタデータが含まれるNFTをポイントで取引できるマーケットプレイスを構築して，会員が，アート，写真，イラスト，音楽などの様々なジャンルのNFTを取引できるようにする。①NFTには，独自にスマートコントラクトを実装できるので，単純なNFT取引だけではなく，A社からのコミュニティへの参加権や限定商品の購買権の付与など，柔軟な特典の提供が可能である。

また，NFTでは一般的に，一次流通の際に著作者に収益の還元を行うが，A社は，独自に実装したスマートコントラクトを用いて転売などの二次流通においても，その収益の一部を著作者に自動的に還元する仕組みを構築することにした。

マーケットプレイスにおいては，会員に対して，所有するNFTや取引するためのポイントを管理するウォレット機能，所有するNFTを出品する機能，NFTを購入する機能を提供する。A社は，マーケットプレイスの機能の提供によって，ポイントを獲得するための会員の貢献活動や，NFTを取引するための会員同士の交流が活発になり，スポンサー企業や提携企業からの収入にも波及して，A社経済圏が成長していくと考えた。

A社は，NFTの取引履歴やスマートコントラクトの実行履歴などを収集し，匿名化した上で趣味し好などの傾向を可視化しようと考えている。A社はこのブロックチェーンの特性を生かして，可視化したデータを用いて提携企業とのビジネスの拡大も企画した。

設問1　〔A社が抱える課題〕について，MAU伸び率の鈍化によって影響を受けるIT戦略の前提とは何か。40字以内で答えよ。

設問2　〔新しいポイント付与システム〕について，A社は，新しいポイント付与システムでどのような仕組み上の課題に対処しようとしたか。40字以内で答えよ。

設問3　〔信頼度スコアによる監視の仕組み〕について，A社は，会員が安心してSNSを楽しめるようにするために，信頼度スコアの仕組みと監視の仕組みとを連携させた，どのような仕組みを提供しようと考えたか。35字以内で答えよ。

設問4　〔マーケットプレイスの構築〕について答えよ。

(1)　A社は，本文中の下線①の仕組みを活用することで，会員のどのようなニーズに応えることを狙ったのか。35字以内で答えよ。

(2)　A社は，本文中の下線①の仕組みを用いて，会員間の取引や，会員への特典提供以外のどのような仕組みにも活用しようと計画しているか。35字以内で答えよ。

(3)　A社は，可視化した趣味し好の傾向のデータを，提携企業へのどのような事業で生かそうと考えたか。30字以内で答えよ。

問7 解説

[設問1]

設問文に「MAU伸び率の鈍化によって影響を受けるIT戦略の前提とは何か」とある。

A社がIT戦略を立てる目的は，問題文冒頭の「A社は会員との互恵関係を強化することで，A社経済圏を拡大する」であり，〔A社が抱える課題〕の「ブロックチェーンの技術を応用し……プライベート型のブロックチェーンネットワークを構築し，A社経済圏の拡大を実現する」がA社のIT戦略である。そのプライベート型のブロックチェーンネットワークを構築するのは，〔新しいポイント付与システム〕の「新たなサービスを獲得した際にも，会員の貢献活動に関する所定の条件に応じてポイントを自動的に付与するため」であり，ポイントを付与することは，〔A社が抱える課題〕に「会員が行った貢献活動に対して……顧客体験価値（UX）を高めている」とある。

一方，〔A社が抱える課題〕に「会員との互恵関係の状況を把握する重要な経営指標として，会員のSNS利用におけるアクティブ会員数の月間伸び率（以下，MAU伸び率という）を測定している」とあり，A社は，MAU伸び率が鈍化すると会員との互恵関係が悪くなると考えていることが推測できる。よって，MAU伸び率の鈍化によって影響を受けるIT戦略の前提とは，**会員との互恵関係を強化することでA社経済圏を拡大できるという前提**となる。

[設問2]

設問文に「新しいポイント付与システムでどのような仕組み上の課題に対処しようとしたか」とある。

新しいポイント付与システムは，〔新しいポイント付与システム〕に「プライベート型のブロックチェーンネットワークを活用して，貢献活動を行った会員に対して，迅速に，公正で，より魅力的なポイント付与の仕組み」とあり，迅速にポイントが付与できる仕組みとなっていることが分かる。しかし，〔A社が抱える課題〕に「会員が行った貢献活動に対して，A社サービス内で使えるポイントを付与する仕組みによって顧客体験価値（UX）を高めている」とあり，すでにポイント付与システムがあることが分かる。さらに，既存のポイント付与システムの仕組みでは「M&Aで新サービスを獲得した場合……ポイントを……すぐに付与したいが難しく」そのため「会員が期待するUXをタイムリーに提供できていない」とある。よって，新しいポイント付与システムで，**新サービスを獲得しても会員が期待するUXをタイムリーに提供できていない**という既存のポイント付与システムの仕組み上の課題に対処したとなる。

［設問3］

設問文に「会員が安心してSNSを楽しめるようにするために，信頼度スコアの仕組みと監視の仕組みとを連携させた，どのような仕組みを提供しようと考えたか」とある。

信頼度スコアの仕組みは，〔信頼度スコアによる監視の仕組み〕に「SNS上の様々な会員の行動から信頼度スコアを記録し，それを基に会員向けに信頼度ランクを公開している。具体的には，会員の投稿の閲覧数やコメント投稿数などを定量化して記録するものである」「信頼度スコアの高い会員には，ポイントの付与率を高く設定する仕組みがある」とある。これらより，信頼度スコアの仕組みは，会員のポイント付与率を信頼度スコアによって決める仕組みといえる。そして，信頼度スコアは，会員の投稿に対して，他の会員が閲覧した回数（閲覧数），他の会員のコメント投稿数などで決まり，信頼度スコアが高ければ，ポイント付与率も高くなる。

一方，監視の仕組みは「コミュニティ内における過度な中傷などの重要なトラブルについては，会員からの通報やAI検知による監視によって，加害者への注意喚起やアカウント停止などを行う仕組み」とある。つまり，コミュニティ内における重要なトラブルの加害者を特定する仕組みといえる。

これらより，加害者と特定した会員の信頼度スコアは，当然低くなると推測でき，A社は，信頼度スコアの低い会員（加害者）のポイント付与率を下げること，場合によっては，ポイントの付与を停止することができることが分かる。信頼度スコアは，信頼度ランクとして会員に公開されているため，会員は信頼度ランクを見ることによって，トラブルに巻き込まれることなく，安心してSNSを楽しめるようになると考えられる。

よって，会員が安心してSNSを楽しめるようにするために，信頼度スコアの仕組みと監視の仕組みとを連携させた，**加害者のポイント付与率を減らしたり，付与を停止したりする仕組み**を提供しようと考えたとなる。

［設問4］(1)

設問文に，下線①「NFTには，独自にスマートコントラクトを実装」するという

第2部 午後Ⅰ試験対策

仕組みを活用することで「会員のどのようなニーズに応えることを狙ったのか」とある。

会員のニーズは，〔マーケットプレイスの構築〕に「デジタルコンテンツをより利活用」「貢献活動に対してさらに充実した特典を獲得」「同じ趣味し好をもった会員同士でもっと簡単に交流したい」と三つ挙げられている。

また，スマートコントラクトを実装したNFTの活用方法として，「会員が，アート，写真，イラスト，音楽などの様々なジャンルのNFTを取引できる」などの「単純なNFT取引」以外に，「A社からコミュニティへの参加権や限定商品の購買権の付与など，柔軟な特典の提供が可能」とある。これは，会員のニーズの「貢献活動に対してさらに充実した特典を獲得」に応えるものと考えられる。

また「NFTでは一般的に，一次流通の際に著作者に収益の還元を行うが，A社は，独自に実装したスマートコントラクトを用いて転売などの二次流通においても，その収益の一部を著作者に自動的に還元」とあるが，これは，会員のニーズのいずれにも該当しない。

よって，NFTには，独自にスマートコントラクトを実装するという仕組みを活用することで会員の**貢献活動に対してさらに充実した特典を獲得したいというニーズ**に応えることを狙ったとなる。

[設問4](2)

設問文に，下線①「NFTには，独自にスマートコントラクトを実装」するという仕組みを用いて「会員間の取引や，会員への特典提供以外のどのような仕組みにも活用しようと計画しているか」とある。

会員間の取引と会員への特典提供以外で，スマートコントラクトを実装したNFTの活用に関連する記述としては，設問4（1）の解説にも挙げているが，〔マーケットプレイスの構築〕に「NFTでは一般的に，一次流通の際に著作者に収益の還元を行うが，A社は，独自に実装したスマートコントラクトを用いて転売などの二次流通においても，その収益の一部を著作者に自動的に還元する仕組みを構築する」がある。よって，「NFTには，独自にスマートコントラクトを実装」する仕組みを，**NFTの二次流通においてもその収益の一部を著作者に還元させる**仕組みにも活用しようと計画しているとなる。

[設問4](3)

設問文に「可視化した趣味し好の傾向のデータを，提携企業へのどのような事業で生かそうと考えたか」とある。

趣味し好に関する記述は，〔マーケットプレイスの構築〕に「同じ趣味し好をもった会員同士でもっと簡単に交流したいニーズがあることが分かった」とあるぐらいで，A社の提携企業への事業に関連するような記述はない。

そこで，A社にはどのような提携企業への事業があるかを探す。すると，問題文冒頭に「提携企業へのマーケティングに関するデータ提供サービス事業」「電子決済サービス事業，暗号資産取引サービス事業」が見つかる。これらのうち，可視化した趣味し好の傾向のデータを生かすことのできるA社の事業は「マーケティングに関するデータ提供サービス事業」と考えられる。よって，可視化した趣味し好の傾向のデータを，提携企業への**マーケティングに関するデータ提供サービス事業**で生かそうと考えたとなる。

問7 解答

設問		解答例・解答の要点
設問1		会員との互恵関係を強化することでA社経済圏を拡大できるという前提
設問2		新サービスを獲得しても会員が期待するUXをタイムリーに提供できていない。
設問3		加害者のポイント付与率を減らしたり，付与を停止したりする仕組み
設問4	(1)	貢献活動に対してさらに充実した特典を獲得したいというニーズ
	(2)	NFTの二次流通においてもその収益の一部を著作者に還元させる。
	(3)	マーケティングに関するデータ提供サービス事業

※IPA発表

問8 タクシー会社におけるデジタルトランスフォーメーション

(出題年度：R 3問1)

タクシー会社におけるデジタルトランスフォーメーションに関する次の記述を読んで，設問1～4に答えよ。

A社は，主に首都圏の顧客を対象としたタクシー会社で，約3,000台の車両を保有している。タクシー業界ではドライバの雇用環境を守る観点から増車が制限されており，昨今のA社の収益は横ばいとなっている。A社は，こうした事業環境の中でも収益を伸ばすために，顧客が乗車した状態（以下，実車という）で走る距離の走行距離全体に対する割合である実車率の向上，及び顧客の利便性の向上に取り組む目的で，ITを活用した新サービスを検討することにした。

〔新サービス検討の背景〕

A社の売上げの多くは，顧客が乗車していない状態（以下，空車という）で走らせて顧客を獲得する流し営業によるもので，ドライバの経験やノウハウによって，実車率にばらつきがある。そこで，A社は，現状を把握するために，顧客へのアンケート調査とドライバへのヒアリング調査を行った。

顧客へのアンケート調査では，次に示す状況に不満足を示す回答が多かった。

・駅前などのタクシー乗り場へ行かないと，タイミングよくタクシーを拾えない。
・目的地によっては，顧客自身が道順を指示しなければならない。
・支払方法が限られている。

ドライバへのヒアリング調査では，次に示す回答が多かった。

・駅前などのタクシー乗り場は，空車が集中して効率よく顧客を獲得できない。
・目的地をカーナビゲーションシステムに登録する場合に手間が掛かり，顧客を待たせてしまう。
・顧客が希望する決済手段に対応できず，乗車してもらえないことがある。

こうした調査結果から，A社は，ITを活用して流し営業の実車率の向上と顧客の利便性の向上を実現するデジタルトランスフォーメーション（DX）による新サービスを提供することとなった。

〔A社の新サービス〕

新サービスでは，顧客がスマートフォン（以下，スマホという）からタクシーを呼ぶことができ，多様な決済手段で乗車料金を支払うことができる。また，ドライバが車載タブレット端末から，顧客を獲得できる可能性（以下，実車確率という）の高い地域の情報を確認することができる。

A社が新サービスを提供するために構築した，ビッグデータとAIを活用できるサービスプラットフォームを図1に示す。また，サービスプラットフォームに連携するドライバ用と顧客用のアプリケーションソフトウェア（以下，アプリという）を開発した。ドライバ用の車載タブレット端末アプリ（以下，車載アプリという）では，各種ビッグデータ情報を確認でき，また，顧客がスマホから予約した注文を受け付けることができる。顧客は，スマホ向けに開発した配車マッチングサービスアプリ（以下，配車アプリという）を使って予約注文することができる。

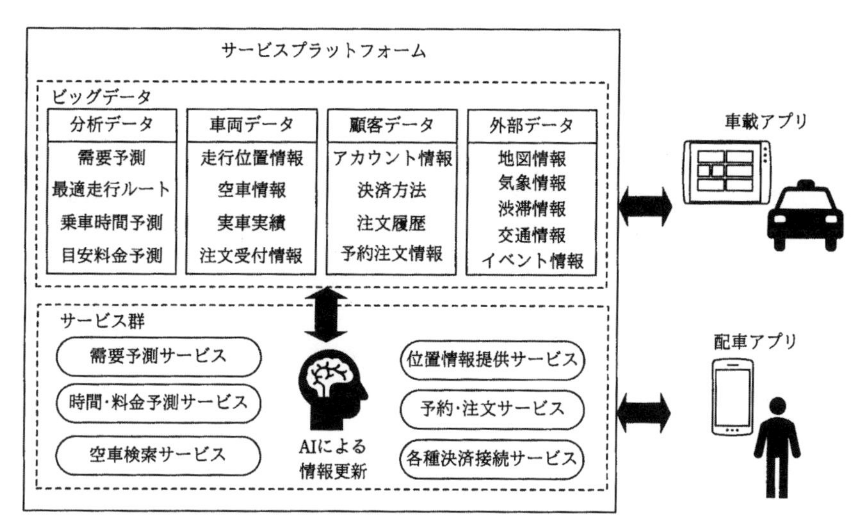

図1　ビッグデータとAIを活用できるサービスプラットフォーム

〔車載アプリとサービスプラットフォームの連携〕

サービスプラットフォーム上で行われる分析では，外部データである地図情報，気象情報，渋滞情報，交通情報，イベント情報なども取り込んだ分析が行われ，AIを活用した需要予測を行う。

需要予測サービスでは，車載アプリの地図情報に実車確率が高い場所が分かるよう色分けを表示する。また，車載アプリ上の色分けされた地図情報には，他の空車の位置情報も表示される。分析結果及び空車の位置情報はリアルタイムに更新され，ドライバは，常に最新の実車確率の高い場所を判断できる。

空車のドライバは，顧客の予約した注文情報を車載アプリで確認して，予約・注文サービスから注文を受け付ける。顧客が受付の内容を確認して注文を確定した場合は，ドライバは顧客をピックアップし，顧客に確定した注文の内容を確認した上で，車載アプリに表示される走行ルートをたどって，注文された降車地点まで運行する。

また，サービスプラットフォームには，多くの決済サービスが利用できるよう，各種決済接続サービスを提供する。これは，クレジットカードのほか，カード型電子マネー，QRコード決済，スマホ非接触決済といった決済サービスと接続できる環境を構築し，車載アプリ経由で各種決済サービスとつなぐことができる。

〔配車アプリとサービスプラットフォームの連携〕

A社が提供する配車アプリでは，顧客が乗車地点と降車地点を指定できる。顧客が乗車地点を指定しない場合は，顧客のスマホの現在地の情報が自動設定される。空車検索サービスは，顧客の乗車地点と渋滞情報などの外部データを基に，最も早く乗車地点に到着できる空車を検索して特定する。時間・料金予測サービスは，到着までの待ち時間と，降車地点までの乗車時間及び目安料金の予測を行い，配車アプリに表示する。顧客は配車アプリの表示内容を確認した上で，注文を予約することができる。さらに，AIが，蓄積されたビッグデータを用いて，予測と実績のかい離を分析するとともに，多くの外部データから抽出された特徴量の組合せを変えることで，予測の精度を向上させていく。

〔課題と対応策〕

サービスプラットフォームをリリースした後，再び顧客へアンケート調査を行った。顧客から多かった不満足な点は，地域によって空車検索サービスにおいて空車が配車アプリに表示されず，タクシーを呼べないことであった。A社は，この点について，地域によっては，配車可能な車両台数が少ないことが原因で，空車が配車アプリに表示されないと分析した。A社は，この課題を解決することで，配車アプリの利用者を増やし，A社の顧客も増やそうと考えた。

A社が単独で増車することは規則によって難しいことから，A社は，改善のための対応策として，多様な決済手段を保有していない他のタクシー会社との提携を検討した。配車が競合しないように，A社がもつ営業所から離れていてA社からの配車が行き届かず，配車アプリにA社の空車が表示されにくい地域を中心に運行しているタクシー会社と提携する。また，車載アプリを改修し，各タクシー会社の配車システムとの連携を可能にした上で，車載アプリ及びサービスプラットフォームの利用料を無償で提供して，提携先を多く確保する方針とした。提携会社が車載アプリとサービスプラットフォームを利用することによって，顧客は，配車アプリを利用しなかったとしても，これまでにないメリットを得ることができる。

A社は課題への対応を行い，新たなサービスプラットフォームによるDXを本格的に進めることになった。

設問1 〔A社の新サービス〕について，A社が収益を伸ばすために，サービスプラットフォームを構築した目的を二つ，それぞれ10字以内で述べよ。

設問2 〔車載アプリとサービスプラットフォームの連携〕について，(1)，(2)に答えよ。

(1) 車載アプリに，他の空車の位置情報をリアルタイムで表示する理由は何か。40字以内で述べよ。

(2) 車載アプリに，走行ルートが表示されることによって，どのような顧客の不満足を解決できるのか。30字以内で述べよ。

設問3 〔配車アプリとサービスプラットフォームの連携〕について，A社は，AIが多くの外部データを活用することで，どのような改善を期待できると考えたか。30字以内で述べよ。

設問4 〔課題と対応策〕について，(1)，(2)に答えよ。

(1) A社が，車載アプリとサービスプラットフォームの利用料を無償で提供して，提携先を多く確保しようと考えた具体的な狙いは何か。35字以内で述べよ。

(2) 提携会社の顧客が配車アプリを利用しなくても，顧客が提携会社に期待できるメリットは何か。30字以内で述べよ。

問8 解説

[設問1]

設問文に「A社が収益を伸ばすために，サービスプラットフォームを構築した目的」とある。サービスプラットフォームの構築について，〔A社の新サービス〕に「A社が新サービスを提供するために構築した，ビッグデータとAIを活用できるサービスプラットフォームを……」とあり，新サービスを提供するためにサービスプラットフォームを構築したことが分かる。その新サービスについて，問題文冒頭に「収益を伸ばすために，……実車率の向上，及び顧客の利便性の向上に取り組む目的で，ITを活用した新サービスを検討することにした」，〔新サービス検討の背景〕に「ITを活用して流し営業の実車率の向上と顧客の利便性の向上を実現するデジタルトランスフォーメーション（DX）による新サービスを提供することとなった」とある。よって，設問にある「10字以内」にそれぞれをまとめると，サービスプラットフォームを構築した目的は，A社が収益を伸ばすための**実車率の向上**，及び，**顧客の利便性の向上**となる。

[設問2](1)

設問文に「車載アプリに，他の空車の位置情報をリアルタイムで表示する理由」とある。車載アプリの他の空車の位置情報に関する記述を探すと，〔車載アプリとサービスプラットフォームの連携〕に「車載アプリの地図情報に実車確率が高い場所が分かるよう色分けを表示する」「車載アプリ上の色分けされた地図情報には，他の空車の位置情報も表示される」「分析結果及び空車の位置情報はリアルタイムに更新され，ドライバは，常に最新の実車確率の高い場所を判断できる」とある。一方，ドライバへのヒアリングの調査結果として，〔新サービス検討の背景〕に「駅前などのタクシー乗り場は，空車が集中して効率よく顧客を獲得できない」とある。これらより，車載アプリの地図情報に表示された実車確率の高い場所に移動すると，実車率を向上させることができる。しかし，その移動先に空車が集中すると，顧客の獲得ができず，実車率を向上させることが難しくなる。したがって，実車確率の高い場所で空車が集中していない場所に移動すると，実車率を向上させることができると読み取れる。空車が集中していない場所に移動するには，他の空車の位置情報をリアルタイムで知る必要がある。よって，車載アプリに他の空車の位置情報をリアルタイムで表示する理由は，**空車が集中していない場所に移動することによって，実車率を向上させたいから**となる。

[設問2](2)

設問文に「車載アプリに，走行ルートが表示されることによって，どのような顧客の不満足を解決できるのか」とある。顧客の不満足について，〔新サービス検討の背景〕に，
・駅前などのタクシー乗り場へ行かないと，タイミングよくタクシーを拾えない。

・目的地によっては，顧客自身が道順を指示しなければならない。
・支払方法が限られている。
の三つが示されている。このうち，走行ルートに関する不満足は「目的地によっては，顧客自身が道順を指示しなければならない」である。この不満足は，〔車載アプリとサービスプラットフォームの連携〕の「ドライバは……，車載アプリに表示される走行ルートをたどって，注文された降車地点まで運行する」ことで解決できる。よって，車載アプリに走行ルートが表示されることによって解決できるのは，顧客の**目的地までの道順をドライバに指定しなければならない不満足**となる。

[設問3]

設問文に「A社は，AIが多くの外部データを活用することで，どのような改善を期待できると考えたか」とある。「図１　ビッグデータとAIを活用できるサービスプラットフォーム」を見ると，AIが活用する外部データが「地図情報」「気象情報」「渋滞情報」「交通情報」「イベント情報」であることが分かる。〔配車アプリとサービスプラットフォームの連携〕に「空車検索サービスは，顧客の乗車地点と渋滞情報などの外部データを基に，最も早く乗車地点に到着できる空車を検索して特定する」「時間・料金予測サービスは，到着までの待ち時間と，降車地点までの乗車時間及び目安料金の予測を行い，配車アプリに表示する」とある。これらより，AIは多くの外部データを活用して，乗車地点に到着できる空車を特定しその到着までの待ち時間の予測，降車地点までの乗車時間の予測，さらにその目安料金の予測を行うことが分かる。そして，この予測については「AIが，……，多くの外部データから抽出された特徴量の組合せを変えることで，予測の精度を向上させていく」とある。よって，A社がAIが多くの外部データを活用することで期待した改善は，**待ち時間，乗車時間及び目安料金の予測の精度が向上する**こととなる。

[設問4](1)

設問文に「A社が，車載アプリとサービスプラットフォームの利用料を無償で提供して，提携先を多く確保しようと考えた具体的な狙い」とある。提携先の確保に関する記述を探すと，〔課題と対応策〕に「顧客から多かった不満足な点は，地域によって空車検索サービスにおいて空車が配車アプリに表示されず，タクシーを呼べないこと」「A社は，この点について，地域によっては，配車可能な車両台数が少ないことが原因で，空車が配車アプリに表示されないと分析した」「A社は，この課題を解決することで，配車アプリの利用者を増やし，A社の顧客も増やそうと考えた」「A社が単独で増車することは規制によって難しいことから，A社は，改善のための対応策として，……他のタクシー会社との提携を検討した」とある。これらより，A社は，配車アプリでタクシーが呼べないという利用者の不満足を解決することで，配車アプリの利用者とA社の顧客を増やそうとしていることが分かる。

配車アプリでタクシーが呼べるようにするには，配車可能な車両台数を増やす必要がある。しかし，規制によってA社単独で車両台数を増やすことは難しい。そこで，他のタクシー会社との提携を検討したことが分かる。提携先については「配車が競合しないように，A社がもつ営業所から離れていてA社からの配車が行き届かず，配車アプリにA社の空車が表示されにくい地域を中心に運行しているタクシー会社と提携する」とある。このような提携先を多く確保することで，A社だけでは配車アプリに空車が表示されにくい地域に配車可能な車両を増やすことができる。よって，A社が，車載アプリとサービスプラットフォームの利用料を無償で提供して，提携先を多く確保しようと考えた具体的な狙いは，**配車可能な車両を増やし，配車アプリの利用者とA社の顧客を増やす狙い**となる。

[設問4](2)

設問文に「提携会社の顧客が配車アプリを利用しなくても，顧客が提携会社に期待できるメリット」とある。〔課題と対応策〕に「A社は，改善のための対応策として，多様な決済手段を保有していない他のタクシー会社との提携を検討した」とあり，提携会社の選定基準が，顧客が多様な決済手段を利用できていないタクシー会社であることが分かる。多様な決済手段に関する記述を探すと，〔課題と対応策〕に「車載アプリ及びサービスプラットフォームの利用料を無償で提供して，提携先を多く確保する」，〔車載アプリとサービスプラットフォームの連携〕に「サービスプラットフォームには，多くの決済サービスが利用できるよう，各種決済接続サービスを提供する」「これは，クレジットカードのほか，カード型電子マネー，QRコード決済，スマホ非接触決済といった決済サービスと接続できる環境を構築し，車載アプリ経由で各種決済サービスとつなぐことができる」とある。これらより，提携会社の顧客は車載アプリを利用することで，多様な決済手段で乗車料金を支払うことができるようになることが分かる。よって，提携会社の顧客が配車アプリを利用しなくても，顧客が提携会社に期待できるメリットは，**顧客が，多様な決済手段から支払方法を選択できること**となる。

問8 解答

設問		解答例・解答の要点
設問1		① ・実車率の向上 ② ・顧客の利便性の向上
設問2	(1)	空車が集中していない場所に移動することによって，実車率を向上させたいから
	(2)	目的地までの道順をドライバに指示しなければならない不満足
設問3		待ち時間，乗車時間及び目安料金の予測の精度が向上する
設問4	(1)	配車可能な車両を増やし，配車アプリの利用者とA社の顧客を増やす狙い
	(2)	顧客が，多様な決済手段から支払方法を選択できること

※IPA発表

問9 化学品メーカにおけるデジタルトランスフォーメーションの推進

(出題年度：R元問１)

化学品メーカにおけるデジタルトランスフォーメーションの推進に関する次の記述を読んで，設問１～４に答えよ。

Ａ社は，ビューティケア用品やヘルスケア製品の製造・販売を行う化学品メーカである。５年前に，海外の子会社・関連会社を含めたＡ社グループ全体の業務の効率化及び品質の向上を目的として，シェアードサービスセンタをアジアの新興国に設立した。Ａ社は，グループ各社の業務の異なる手順を標準化して，シェアードサービスセンタへの業務の移管を進めてきた。今般，Ａ社輸出入業務が，シェアードサービスセンタへ移管された。

〔Ａ社輸出入業務の現状と課題〕

Ａ社は，最近，アジア市場で売上げを伸ばしていることから，Ａ社輸出入業務における作業量は大きく増えている。さらに，新興国の離職率は日本に比べて高く，業務ノウハウが定着しないことによって，入力ミスや書類の入力待ちの滞留など，Ａ社輸出入業務の品質の低下が懸念されている。そこでＡ社は，入力ミスのない正確性と書類が滞留しない即時性を向上させるために，ITを活用して，Ａ社輸出入業務のデジタルトランスフォーメーション（DX）を推進することとした。

(1) Ａ社輸出入業務の現状

Ａ社は，ITの活用によってＡ社輸出入業務の品質を向上させるに当たり，現状を把握することとした。Ａ社輸出入業務のシステム関連図を，図１に示す。

Ａ社輸出入業務では，主に貿易システムが利用されている。関連するシステムである受注・購買システム及びインターネットバンキングを連携先として，日次でのデータ交換が行われている。受注・購買システムとのデータ交換は，前日に更新された契約情報を，貿易システムに夜間バッチ処理で取り込む方法で行われている。Ａ社輸出入業務では，信用状による取引を行っている。インターネットバンキングとのデータ交換によって，信用状通知データのダウンロード作業と信用状発行依頼データのアップロード作業を，担当者が１日１回実施している。輸出業務においては，輸出先の信用状通知を確認した後に船積書類を発行することとしており，輸入業務においては，輸入先がＡ社の信用状通知を確認した後でないと船積書類を受け取ることができない。

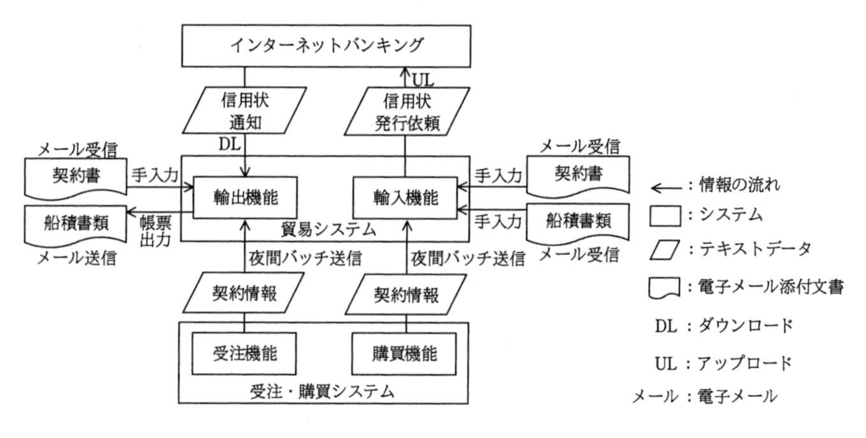

図１　A社輸出入業務のシステム関連図

(2)　A社輸出入業務の課題

A社は，負荷が大きい作業に，A社輸出入業務の品質低下のリスクがあると考え，それぞれの作業に掛かる時間や人数を定量的に調査した。

担当者の作業量を測定した結果，メールで受信した契約書のイメージファイルや船積書類から，引渡条件や保険に関する情報を貿易システムに手入力する作業の負荷が，最も大きいことが分かった。手入力の際には，貿易システムがもつ契約情報を照会して，海外の子会社・関連会社からメールで送られてくる契約書のイメージファイルや船積書類の内容と相違がないかを目視で照合している。作業の担当者は，入出荷の予定日を確認しながら，入力作業の優先順位をつけて対応している。このとき，契約書や船積書類の到着遅れや入力ミスがあると，貨物が滞留することがある。契約書のイメージファイルの内容は，商品コードや出荷先住所などの文字がかすれていることがある。作業の担当者は，目視で読みにくい箇所について，マスタを検索したり，過去の契約情報と照合したりして確認するか，海外の子会社・関連会社に連絡して確認するなどの対応を行っている。

メール送信作業・メール受信作業は，単純作業の組合せで負荷は低いが，頻度としては多い。インターネットバンキングでのダウンロード作業・アップロード作業は，１回当たりの操作に手間が掛かるので，１日１回しか行っていない。A社は，１日当たりの回数を増やすことで，データの送信待ちや受信待ちを減らして，作業の即時性を高めることを検討した。しかし，A社輸出入業務のボトルネックとなる作業を改善しない限り，改善効果は小さいと考えた。

〔IT活用の検討〕

A社では，DXの推進計画として，人がPC上で行う操作を記憶できるソフトウェア型の仮想ロボット（以下，ソフトウェアロボットという）とOCRとを組み合せて作業を自動化することで，作業の正確性と即時性を高めることを目的とした実証実験を行った。実証実験は，A社のシェアードサービスセンタとIT部門とが協力して行われた。A社は，テスト環境でソフトウェアロボットの動作を確認しながら修正開発とテスト検証を繰り返すアジャイル型開発で実施した。ソフトウェアロボットは，人が行う作業と同じように，複数の作業を，複数のソフトウェアロボットで分担する作り方ができる。A社のシェアードサービスセンタの作業の担当者は，IT部門から開発手順のアドバイスを受けながら，ソフトウェアロボットを作成して，活用の検討を進めた。また，契約書をOCRで識別する識字率が低い場合は，修正作業が必要となり，かえって作業負荷が高まるので，識別ができなかった場合に担当者が行っている作業を，ソフトウェアロボットが行うことができるかどうかも検証した。

〔実証実験の評価〕

実証実験では，作業の正確性と即時性の二つの観点で評価を行った。まず，正確性の観点では，おおむね想定どおりに，ソフトウェアロボットの誤作動や異常停止もなく，作業の自動化が可能であることを確認できた。具体的には，ファイルのアップロード作業・ダウンロード作業については，人の介在なく自動化できると評価された。メール送信作業も同様の評価とされた。メール受信作業は，受信するメールの内容が多岐にわたるので，自動化を進めるには，作業を詳細に整理する必要があると評価された。入力作業に関係するOCRの識字率は，OCR単体では期待値よりも低かったが，ソフトウェアロボットとの連携によって，識字率は上がり，入力作業の正確性が向上すると評価された。

次に，即時性の観点では，複数のソフトウェアロボットを並列稼働させることによって，作業全体の即時性を上げられることも確認できた。ただし，作業の自動化が進むことによって，A社輸出入業務のボトルネックとなる作業が解消された場合は，貿易システムと関連するシステムとの連携上のプロセスが次のボトルネックになると考え，改善できる点を検討した。

実証実験を行う中で，作業の担当者は，ソフトウェアロボット作成の習熟度が上がるにつれて，自ら思い思いに多くの種類のソフトウェアロボットを作成していった。A社のIT部門は，作業の自動化が進むことで，どこでどのようなソフトウェアロボットが稼働しているかを把握するのが難しくなった。このような管理が不十分な状況で，複数のソフトウェアロボット間で連携して作業を行っている場合，一つのソフトウェアロボットの修正が，他のソフトウェアロボットの誤作動や異常停止の原因になり，A社輸出入業務の継続性が脅かされるおそれもあった。

〔本格導入の計画策定〕

A社のIT部門は，本格導入を進めることで，A社輸出入業務の改善を図れると考える一方で，実証実験を通じて分かったA社輸出入業務の統制上の課題を解決するために，ソフトウェアロボットの利用ガイドラインを作成することとした。利用ガイドラインでは，ソフトウェアロボットの作成ルールだけでなく，テスト環境の利用ルール，誤作動や異常停止時のリカバリ手順作成要領，本番稼働前のIT部門によるレビュー実施などを定めることとした。IT部門によるレビューでは，ソフトウェアロボットの動作確認だけでなく，誤作動や異常停止した際の影響範囲の特定や対応方法などのA社輸出入業務の継続性の観点も確認することとした。A社は，IT部門によるレビューなしには，ソフトウェアロボットを本番稼働させない方針とした。

本格導入の計画では，A社のIT部門とシェアードサービスセンタで協力しながら，利用ガイドラインに沿って，実証実験で自動化しやすいと評価された作業から段階的に導入し，A社輸出入業務のDXを推進することとした。

設問1 〔A社輸出入業務の現状と課題〕について，(1)，(2)に答えよ。

(1) A社は，ITの活用によって，具体的にA社輸出入業務のどのような品質を向上しようと考えたか。30字以内で述べよ。

(2) A社輸出入業務のボトルネックとなる作業とは何か。35字以内で述べよ。

設問2 〔IT活用の検討〕において，OCRで識別ができなかった場合に，ソフトウェアロボットで具体的にどのような作業を行うことを検証したか。35字以内で述べよ。

設問3 〔実証実験の評価〕において，作業の自動化が進んだ場合に，貿易システムと関連するシステムとの連携上のプロセスについて改善できる作業は何か。30字以内で述べよ。

設問4 〔本格導入の計画策定〕について，(1)，(2)に答えよ。

(1) A社のIT部門が，実証実験を通じて分かったA社輸出入業務の統制上の課題とは何か。40字以内で述べよ。

(2) A社が，IT部門によるレビューなしには，ソフトウェアロボットを本番稼働させない方針とした理由として，実証実験で，どのようなリスクがあると考えたからか。40字以内で述べよ。

問9 解説 

[設問1](1)

設問に「A社輸出入業務のどのような品質を向上しようと考えたか」とある。そのA社輸出入業務の品質に関する記述を探すと，〔A社輸出入業務の現状と課題〕に「新興国の離職率は日本に比べて高く，業務ノウハウが定着しないことによって，入力ミスや書類の入力待ちの滞留など，A社輸出入業務の品質の低下が懸念されている」とある。業務の品質での懸念事項は，入力ミスと，入力待ちの書類の滞留であることが分かる。その懸念事項を具体的に「入力ミスのない正確性と書類が滞留しない即時性を向上させるために，ITを活用して」解決しようとしていることが記述されている。

よって，A社は，ITの活用によって，A社輸出入業務の**入力ミスのない正確性と書類が滞留しない即時性**という品質を向上しようと考えたとなる。

[設問1](2)

設問に「A社輸出入業務のボトルネックとなる作業とは何か」とある。そのA社輸出入業務での作業に関する記述を探すと，〔A社輸出入業務の現状と課題〕(2)A社輸出入業務の課題に，次の二つが挙げられている。

① メールで受信した契約書のイメージファイルや船積書類から，引渡条件や保険に関する情報を貿易システムに手入力する作業

② メールの送信作業・メールの受信作業

①の作業は「負荷が，最も大きいことが分かった」とあり，ボトルネックとなる作業であると考えることができる。

②の作業は「単純作業の組合せで負荷は低い」「作業の即時性を高めることを検討した。しかし，A社輸出入業務のボトルネックとなる作業を改善しない限り，改善効果は小さいと考えた」とあり，ボトルネックとなる作業ではないと考えることができ

る。

よって，A社輸出入業務のボトルネックとなる作業とは，**引渡条件や保険に関する情報を貿易システムに手入力する作業**となる。

[設問2]

設問に「OCRで識別ができなかった場合に，ソフトウェアロボットで具体的にどのような作業を行うことを検証したか」とある。まず，ソフトウェアロボットに行うことができる作業に関する記述を探すと，〔IT活用の検討〕に「人がPC上で行う操作を記憶できるソフトウェア型の仮想ロボット(以下，ソフトウェアロボットという)」とある。ソフトウェアロボットが行える作業は，人がPC上で行う操作であることが分かる。

次に，OCRで識別ができなかった場合に人がPC上で行う操作に関する記述を探すと，〔IT活用の検討〕に，契約書をOCRで識別ができなかった場合に「担当者が行っている作業を，ソフトウェアロボットが行うことができるかどうかも検証した」とあり，その担当者が行っている作業は，〔A社輸出入業務の現状と課題〕(2)A社輸出入業務の課題に，担当者の目視で読みにくい箇所は「マスタを検索したり，過去の契約情報と照合」「海外の子会社・関連会社に連絡」して確認するとある。

これらより，海外の子会社・関連会社への連絡は，人がPC上で行う操作ではないこと，一方，マスタの検索と過去の契約情報との照合は，人がPC上で行う操作であることと考えられる。

よって，OCRで識別ができなかった場合に，ソフトウェアロボットで**マスタを検索したり過去の契約情報と照合したりして確認する**作業を行うことを検証したとなる。

[設問3]

設問の「作業の自動化が進んだ場合に，貿易システムと関連するシステムとの連携上のプロセスについて改善できる作業」に関する記述を探すと，〔実証実験の評価〕に「即時性の観点では，複数のソフトウェアロボットを並列稼働させることによって，作業全体の即時性を上げられることも確認できた。ただし，作業の自動化が進むことによって，A社輸出入業務のボトルネックとなる作業が解消された場合は，貿易システムと関連するシステムとの連携上のプロセスが次のボトルネックになると考え，改善できる点を検討した」とあり，設問では即時性の観点から，貿易システムと関連するシステムとの連携上のプロセスにおいて改善できる作業が問われていることが分かる。ここでの即時性とは，〔A社輸出入業務の現状と課題〕に「書類が滞留しない即時性」とある。

設問にある貿易システムと関連するシステムを探すと，〔A社輸出入業務の現状と課題〕(1)A社輸出入業務の現状に「受注・購買システム」と「インターネットバンキング」の二つが挙げられており，さらに，受注・購買システムと貿易システム間，インターネットバンキングと貿易システム間のそれぞれで「日次でのデータ交換が行われている」とある。

受注・購買システムと貿易システム間での日次データ交換の作業内容について，〔A社輸出入業務の現状と課題〕(1)A社輸出入業務の現状に「前日に更新された契約情報を，貿易システムに夜間バッチ処理で取り込む方法で行われている」とある。契約情報の取込み作業は夜間バッチ処理で自動化されているため，即時性には関係しないと考えられる。

一方，インターネットバンキングと貿易システム間での日次データ交換の作業内容について，〔A社輸出入業務の現状と課題〕(1)A社輸出入業務の現状に「A社輸出入業務では，信用状による取引を行っている」とあり，その信用状に関する具体的な業務内容は「インターネットバンキングとのデータ交換によって，信用状通知データのダウンロード作業と信用状発行依頼データのアップロード作業を，担当者が１日１回実施している」「輸出業務においては，輸出先の信用状通知を確認した後に船積書類を発行する」「輸入業務においては，輸入先がA社の信用状通知を確認した後でないと船積書類を受け取ることができない」とある。その信用状に関するアップロード作業とダウンロード作業について，〔A社輸出入業務の現状と課題〕(2)A社輸出入業務の課題に「１日当たりの回数を増やすことで，データの送信待ちや受信待ちを減らして，作業の即時性を高めることを検討した」とある。インターネットバンキングとのデータ交換の回数を１日１回より増やすことで，作業の即時性を高めることができると考えられる。

よって，作業の自動化が進んだ場合に，貿易システムと関連するシステムとの連携上のプロセスについて改善できる作業は，**インターネットバンキングとの間で行う日次でのデータ交換**となる。

[設問４](1)

設問に「実証実験を通じて分かったA社輸出入業務の統制上の課題とは何か」とあ

る。そのA社輸出入業務の統制に関する記述を探すと，〔実証実験の評価〕に「実証実験を行う中で，作業の担当者は，ソフトウェアロボット作成の習熟度が上がるにつれて，自ら思い思いに多くの種類のソフトウェアロボットを作成していった」「A社のIT部門は，作業の自動化が進むことで，どこでどのようなソフトウェアロボットが稼働しているかを把握するのが難しくなった」とあり，このような状況を「このような管理が不十分な状況」と表現している。さらに，ソフトウェアロボットの管理が不十分な状況を改善するために，〔本格導入の計画策定〕に「ソフトウェアロボットの利用ガイドラインを作成することとした」とある。

これらより，A社IT部門は，ソフトウェアロボットの稼働に関する管理が不十分であるため，ソフトウェアロボットの利用ガイドラインを作成すると考えられる。

よって，A社のIT部門が，実証実験を通じて分かったA社輸出入業務の統制上の課題とは，**ソフトウェアロボットの稼働に関する管理が十分でないこと**となる。

[設問4](2)

設問に「IT部門によるレビューなしには，ソフトウェアロボットを本番稼働させない方針とした理由」とある。そのIT部門によるレビューに関する記述を探すと，〔本格導入の計画策定〕に「利用ガイドラインでは，ソフトウェアロボットの作成ルールだけでなく，テスト環境の利用ルール，誤作動や異常停止時のリカバリ手順作成要領，本番稼働前のIT部門によるレビュー実施などを定めることとした」「IT部門によるレビューでは，ソフトウェアロボットの動作確認だけでなく，誤作動や異常停止した際の影響範囲の特定や対応方法などのA社輸出入業務の継続性の観点も確認することとした」とある。そのA社輸出入業務の継続性に関する記述を探すと，〔実証実験の評価〕に，実証実験を通じて分かったこととして「管理が不十分な状況で，複数のソフトウェアロボット間で連携して作業を行っている場合，一つのソフトウェアロボットの修正が，他のソフトウェアロボットの誤作動や異常停止の原因になり，A社輸出入業務の継続性が脅かされるおそれもあった」とある。

これらより，ソフトウェアロボットの管理が不十分な状況では，一つのソフトウェアロボットの修正が，他のソフトウェアロボットの誤作動や異常停止を引き起こし，過ぎては，業務の継続性を脅かす事態にまで発展しかねないことが，実証実験を通じて分かったことであり，その対策として，利用ガイドラインに本番稼働前のIT部門によるレビュー実施を定めたと考えられる。

よって，A社が，IT部門によるレビューなしには，ソフトウェアロボットを本番稼働させない方針とした理由として，実証実験で，**一つのソフトウェアロボットの修正により，業務の継続性が脅かされるリスク**があると考えたからとなる。

問9 解答

設問		解答例・解答の要点
設問1	(1)	入力ミスのない正確性と書類が滞留しない即時性
	(2)	引渡条件や保険に関する情報を貿易システムに手入力する作業
設問2		マスタを検索したり過去の契約情報と照合したりして確認する。
設問3		インターネットバンキングとの間で行う日次でのデータ交換
設問4	(1)	ソフトウェアロボットの稼働に関する管理が十分でないこと
	(2)	一つのソフトウェアロボットの修正により，業務の継続性が脅かされるリスク

※IPA発表

問10 証券会社のコールセンタにおけるAIの機能を活用した新サービスの検討

(出題年度：H30問1)

証券会社のコールセンタにおけるAIの機能を活用した新サービスの検討に関する次の記述を読んで，設問1～3に答えよ。

A社は，中堅の証券会社である。主に，電話やオンラインによる個人顧客向けのトレーディングサービスに強みをもっている。A社は，半年前にオンラインによるトレーディングサービスのシステムを刷新した。ユーザビリティが大幅に向上し，顧客は，より簡便にオンラインによるトレーディングサービスを利用できるようになった。その結果，A社の証券口座をもつ既存顧客のサービス利用頻度が増え，A社で証券口座を開設する新規顧客も増加傾向にある。

A社は，自社でコールセンタを運営しており，顧客から電話による注文と問合せ，及び電子メール（以下，メールという）による問合せを受け付けている。

電話による注文と問合せは，平日・土曜日の8時から19時までを受付時間としている。オペレータは，この時間帯の中でシフト体制を組んで対応している。

メールによる問合せは，19時までに受け付けたメールに対して，翌営業日の21時までに初回の回答を返信することにしている。顧客からのメールを受信すると直ちに受付完了メールを自動返信する。その後，電話による問合せに対応するオペレータが，手すきのときに，メールに回答する。

これらとは別に，A社は，顧客がA社のWebサイトを参照して，FAQやヘルプの検索などによって自らの問題解決を促すセルフサービス機能も提供している。

最近，電話による問合せ件数が増加傾向にあるので，コールセンタのオペレーション業務を見直すことにした。

〔電話による問合せ対応の現状〕

電話による問合せへの対応では，オペレータの経歴の程度によって対応品質に差が生じていた。経験の浅いオペレータに対しては，コールセンタの指導員が指導を行い，対応品質の向上を図っていたが，指導員が指導に携わることができる時間に限りがあり，思うように進まなかった。さらに，電話による注文の件数が多い場合，A社は，オペレータを問合せへの対応から業績へのインパクトが大きい注文への対応へシフトさせるので，問合せへの対応が手薄になるという問題を抱えていた。

このため，A社では，音声認識技術とAIの機能を組み込んだオペレータサポートシステムを導入して活用してきた。本システムでは，通話の音声は，音声認識技術によってリアルタイムにテキストデータへ変換される。AIの機能が，そのテキストデータを解析し，FAQやオペレータ用のリファレンスマニュアルと関連付けて，回答候補をオペレータの端末の画面上に表示する。オペレータは，回答候補を参照しながら顧客に回答する。オペレータが選択した回答はオペレータサポートシステムに記録され，AIが学習して，表示する回答候補の精度が向上していく。ただし，適切な回答候補がないとオペレータが判断した場合，オペレータはFAQやオペレータ用のリファレンスマニュアルから探して回答する。

電話による問合せがオペレータの応答待ちになった場合は，自動音声応答の案内によって，顧客をFAQやヘルプの検索及びメールでの問合せに誘導しているが，顧客が案内の途中で電話を切ってしまうことが多く，A社は，顧客満足度の低下を懸念している。

〔メールによる問合せ対応の現状〕

受信した問合せのメールは，オペレータサポートシステムによって，その内容を確認され，担当のオペレータへ割り振られる。オペレータは，AIの機能を利用して，回答候補を参照しながら顧客に返信する。オペレータが選択した回答は，電話による問合せへの対応と同様にオペレータサポートシステムに記録され，AIが学習する。

電話による問合せが多い日は，受付時間内にメールによる問合せへの回答に対応する時間が取れないこともある。その場合，19時まで勤務予定だったオペレータのうち必要な人員が，時間外勤務をして，初回回答の期限である21時までにメールへの返信を行っている。時間外勤務によって，業務コストも増加している。

〔新サービスの検討〕

A社は，業務コストを抑えながら顧客からの問合せ件数の更なる増加に対応するために，コールセンタのサービスの高度化が次の重要なテーマだと考え，AIの活用範囲を広げた新サービスを検討している。

新サービスの検討に当たって，問合せをしてきた顧客に簡単なアンケートを行った。その結果，問合せをした顧客の多くが，電話やメールで問合せをする前に，FAQやヘルプの検索などのセルフサービス機能での解決を試みていることが分かった。

そこで，A社は，新たに自動応答Webチャット（以下，チャットボットという）を利用するサービスを検討している。チャットボットは，セルフサービス機能をもち，電話・メールに続く第三の対応方法である。チャットボットではオペレータサポートシステムに蓄積されたデータを活用する。この新サービスは，Webサイト上から利用でき，AIの機能によってオペレータの介在を必要としないので，24時間365日いつでも提供できる。顧客がチャットボットだけで解決ができない場合は，顧客へのコールバックに切り替えることで解決できる仕組みとする。

〔新サービスの導入効果〕

A社は，新サービスの導入効果を測定するために，チャットボットの利用状況に関するKPIと，チャットボットだけで解決した問合せの割合に関するKPIを設定する。これらのKPIの目標値を継続的に達成し，新サービスの導入効果が確認できた場合は，オペレータによる問合せへの対応を平日だけにする計画である。また，A社は，新サービスの導入によって，オペレータの労働条件を改善でき，業務コストを抑制できると考えている。

設問1 〔電話による問合せ対応の現状〕について，(1)，(2)に答えよ。

(1) AIの機能によって，オペレータの問合せへの対応品質が向上していく理由について，具体的に，25字以内で述べよ。

(2) 更なる対応品質の向上のために，オペレータが選択したAIの回答に加えて，活用すべきデータは何か，35字以内で述べよ。

設問2 〔新サービスの検討〕について，(1)，(2)に答えよ。

(1) A社は，新サービスによって，顧客のどのようなニーズに応えようと考えているか，25字以内で述べよ。

(2) 新サービスにおいて，チャットボットだけで解決できる顧客を増やすためには，どのような情報をAIに学習させるべきか，35字以内で述べよ。

設問3 〔新サービスの導入効果〕について，(1)，(2)に答えよ。

(1) 新サービスの導入効果を測定するために設定するチャットボットの利用状況に関するKPIは何か，30字以内で述べよ。

(2) 新サービスによって，業務コストが抑制できる要因として，オペレータによる問合せへの対応を平日だけにすること以外に，どのようなことが考えられるか。その作業内容とその効果について，それぞれ20字以内で述べよ。

問10 解説

[設問1](1)

〔電話による問合せ対応の現状〕に「通話の音声は，音声認識技術によってリアルタイムにテキストデータへ変換される」「AIの機能が，そのテキストデータを解析し，FAQやオペレータ用のリファレンスマニュアルと関連付けて，回答候補をオペレータの端末の画面上に表示する」「オペレータは，回答候補を参照しながら顧客に回答する」「オペレータが選択した回答はオペレータサポートシステムに記録され，AIが学習して，表示する回答候補の精度が向上していく」とある。これらより，オペレータサポートシステムでは，AIが端末に表示する回答候補をオペレータが参照して顧客に回答すること，さらに，オペレータの回答をAIが学習して回答候補の精度を向上させることが分かる。つまり，回答するごとにAIが回答候補の精度を向上させ，その回答候補を参照して回答するオペレータの問合せへの対応品質も向上していくことになる。

よって，AIの機能によってオペレータの問合せへの対応品質が向上していく理由は，AIがオペレータの端末の画面上に**表示する回答候補の精度が向上するから**となる。

[設問1](2)

〔電話による問合せ対応の現状〕に「AIの機能が，……回答候補をオペレータの端末の画面上に表示する」「オペレータは，回答候補を参照しながら顧客に回答する」「オペレータが選択した回答はオペレータサポートシステムに記録され，AIが学習して，表示する回答候補の精度が向上していく」とある。つまり，AIが端末に表示した回答候補の中からオペレータが選択したAIの回答は，回答候補の精度向上に利用されていることが分かる。一方，オペレータがAIが端末に表示した回答候補の中に適切なものがないと判断した場合，「オペレータはFAQやオペレータ用のリファレンスマニュアルから探して回答する」とあるが，その回答が回答候補の精度向上に活用されているようすはない。したがって，オペレータ自らが探した場合の回答もAIに学習させれば，回答候補の精度が向上し，更なるオペレータの問合せへの対応品質の向上が期待できることになる。

よって，更なる対応品質向上のために活用すべきデータは，**回答候補がない場合にオペレータが自ら探した回答のデータ**となる。

[設問2](1)

〔新サービスの検討〕に「新サービスの検討に当たって，問合せをしてきた顧客に簡単なアンケートを行った」「その結果，問合せをした顧客の多くが，電話やメールで問合せをする前に，FAQやヘルプの検索などのセルフサービス機能での解決を試みていることが分かった」とある。これらから，問合せをした顧客の多くが，セルフサービス機能で解決できないために問合せをしており，セルフサービス機能で解決できることを望んでいることが読み取れる。この状況を踏まえて，A社は，「新たに自動応答Webチャット（以下，チャットボットという）を利用するサービスを検討している」のである。チャットボットについては，「セルフサービス機能をもち，電話・メールに続く第三の対応方法である」とあり，A社がセルフサービス機能を持つチャットボットを利用するサービスを提供することで，顧客が問合せをせずに自ら問題を解決できるようにすることを目指していることが分かる。

よって，A社が応えようと考えた顧客のニーズは，**新サービスによって自ら問題を解決できること**となる。

[設問2](2)

設問文に「チャットボットだけで解決できる顧客を増やすため」とあるので，チャットボットだけで解決できなかった顧客への対応に関する記述を探す。すると，〔新サービスの検討〕に「顧客がチャットボットだけで解決ができない場合は，顧客へのコールバックに切り替えることで解決できる仕組みとする」が見つかる。そして，チャットボットが活用する情報については「オペレータサポートシステムに蓄積されたデータ」とある。一方，〔電話による問合せ対応の現状〕と〔メールによる問合せ対応の現状〕には，回答をAIが学習することで，オペレータサポートシステムに蓄積された回答候補の精度を向上させている旨の記述がある。

これらから，電話やメールによる問合せ（質問）に対する回答だけでなく，顧客へのコールバックによって解決した問合せ（質問）と回答もオペレータサポートシステムに記録し，AIに学習させれば，回答候補の精度が上がり，チャットボットだけで解決できる顧客を増やすことが可能であると考えられる。

よって，AIに学習させるべき情報は，**顧客へのコールバックに切り替えることで解決できた質問及び回答**となる。

[設問3](1)

KPI（Key Performance Indicators）とは，重要業績評価指標と呼ばれ，目標達成度合いを評価する指標である。

〔新サービスの導入効果〕に「新サービスの導入効果が確認できた場合は，オペレータによる問合せへの対応を平日だけにする」とある。一方，問題文冒頭には，オペレータは「平日，土曜日の８時から19時まで」対応しているとある。これらより，オペレータが対応しなければならない問合せの件数を減らすことを，新サービスに期待していることが分かる。電話，メール，チャットボットによる問合せのうち，チャットボットによる問合せはオペレータが対応しない。つまり，チャットボットによる問合せの件数が増加し，電話やメールによる問合せの件数が減少することが新サービスの導入目的であり，問合せ全体に占めるチャットボットへの問合せの割合が大きいほど，新サービスの導入効果が高いことになる。

よって，導入効果を測定するために設定するチャットボットの利用状況に関するKPIは，**全体の問合せに対するチャットボットへの問合せの割合**となる。

[設問3](2)

業務コストに関する記述を探すと，〔メールによる問合せ対応の現状〕に「電話による問合せが多い日は，受付時間内にメールによる問合せへの回答に対応する時間が取れないこともある」「19時まで勤務予定だったオペレータのうち必要な人員が，時間外勤務をして，……メールへの返信を行っている」「時間外勤務によって，業務コストも増加している」が見つかる。メールによる問合せへの回答の仕組みについては，問題文冒頭に，「電話による問合せに対応するオペレータが，手すきのときに，メールに回答する」とある。これらから，電話による問合せが多いと，オペレータに手すきの時間がなく，メールによる問合せへの回答が受付時間内にできず，オペレータは時間外勤務をして回答を行っていることが分かる。これが，業務コストが増加している原因である。

チャットボットを利用する新サービスの導入によって，電話による問合せが減れば，オペレータに手すきの時間が増え，受付時間内にメールによる問合せへの回答ができるようになり，時間外勤務の減少が期待できる。

よって，新サービスによって業務コストが抑制できる要因となる作業内容は，**メールによる問合せへの回答**，その効果は，**時間外勤務による業務コストの削減**となる。

問10 解答

設問		解答例・解答の要点	
設問1	(1)	表示する回答候補の精度が向上するから	
	(2)	回答候補がない場合にオペレータが自ら探した回答のデータ	
設問2	(1)	新サービスによって自ら問題を解決できること	
	(2)	顧客へのコールバックに切り替えることで解決できた質問及び回答	
設問3	(1)	全体の問合せに対するチャットボットへの問合せの割合	
	(2)	作業内容	メールによる問合せへの回答
		効果	時間外勤務による業務コストの削減

※IPA発表

問11 住宅設備メーカのシステム導入

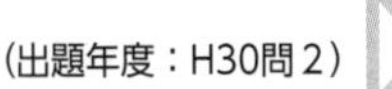

住宅設備メーカのシステム導入に関する次の記述を読んで，設問1～3に答えよ。

B社は，住宅設備のトイレ設備を製造するメーカである。トイレ設備の販売製品には，一般家庭向けの標準品とマンションやホテル向けの受注生産品がある。受注生産品には，複数の種類の製品がある。

受注生産品の主要顧客であるデベロッパは，分譲マンションと賃貸マンションの建築を請け負っている。分譲マンションは土地取得からのプロジェクトなので，納入まで数年にわたる長期の商談が多い。賃貸マンションは土地所有者がオーナであることが多く，その場合には土地取得が不要なので商談の発生から納入まで1年以内の短期の商談が多い。新築マンションの供給戸数は，横ばいかやや減少の傾向である。

B社では，標準品を製造するための生産計画ツールと組立管理システムを活用して受注生産品の製造を行ってきたが，機能が不足しているので，受注生産品に対応する新システムを導入することにした。新システムでは，生産計画の情報共有による見える化を図ることによって営業活動を活性化するとともに，正確な製造状況をリアルタイムに把握する。

〔営業部門の現状〕

営業部門は，受注生産品について年度の初めに一度，年間の販売目標と月別に展開した販売計画を立てる。販売計画には，長期の商談は受注確度が低い商談まで含めるが，短期の商談は受注が確実な商談以外は含めない。販売計画に対し，毎月末に翌月から3か月間の製品の納期と数量を見直して，翌月以降の販売見込みを作成している。

販売見込みに含めていない短期の商談が発生しても，生産可否の判断ができないので，原則として取り組まない。

〔トイレ設備事業部門の現状〕

製品の年間と月別の生産計画は，年度の初めに，生産管理部門の担当者が専用のツールを使って，販売計画に基づいて作成し，併せて工場の要員計画を作成している。さらに，毎月末に，営業部門が見直した販売見込みに基づいて月別の生産計画の見直しを行い，翌月から3か月間の日別の製造計画を作成する。製品は納期を基にして製造するので，年度の初めに立てた月別の販売計画に対して販売見込みの数量の増加が大きい場合には，総作業時間が増加し，製造部門で計画した要員では就業時間内に対応できず，時間外作業時間が増える。想定以上の時間外作業時間の増加はコスト増加につながるので，製造部門では課題と考えている。

トイレ設備の製品の製造は，陶製の便器（以下，便器という）を製作し，便器に水洗用付属機器（以下，付属機器という）を取り付けて行う。便器の製作は，原料調整工程，成形・乾燥工程，焼成工程，検査工程の順に行う。付属機器の取付けは，付属機器用の部品（以下，部品という）の組立工程，ユニット組立工程，検査工程の順に行う。便器の製作において，熟練作業者は作業開始時の温度と湿度の情報によって，成形後の乾燥時間，焼成の窯の温度をそれぞれ調整して不具合品の発生を防止している。

製造管理は，ユニット組立工程だけに組立管理システムを導入して作業実績を管理している。ユニット組立工程以外の工程の作業実績時間の取得と記録はできていない。

現在，１日に製造する製品の計画数量と実績数量の差は，当日の作業終了時に分かる。そのため，工場内の設備の故障や作業者などの問題で計画数量に対して実績数量の未達が発生しても必要な対応ができず，翌日以降の作業の変更などの影響が出る。

部品の組立工程において，使用する部品の準備は，製造する製品を組み立てるごとに，部品倉庫から部品リストに基づいて出庫して取りそろえているので，作業工数が掛かり，見直しが必要と考えている。部品倉庫からの出庫の順序管理はしていない。そのため，部品倉庫に古い部品が残ることがあり，水回りのゴム製の部品が劣化することもある。

部品は，在庫量が設定した発注点になったときに定量を発注する定量発注方式によって部品メーカに発注している。部品メーカの営業担当からは，自社の製造計画の作成のために“ある情報”が欲しいと要望されている。

〔トイレ設備事業部門のシステム導入の概要〕

今回，生産計画の情報共有のために生産計画システムの導入，及び製造状況を把握するために全工程を管理する製造管理システムの導入が取締役会で決定された。生産計画システムを生産管理部門が，製造管理システムを製造部門が，それぞれ導入を担当する。

営業部門でも，今回のシステム導入を機会に商談対応を見直し，受注拡大のために販売見込みに含めていない短期の商談にも積極的に取り組む方針である。

〔生産計画システムの導入計画〕

今回導入する生産計画システムによって，営業部門，生産管理部門及び製造部門は，販売計画，販売見込み，生産計画及び製造計画の共有が行えるようになる。生産計画システムでは，工場の生産能力の余力の状況を営業部門からも確認できるようにする。営業部門は，販売計画と販売見込みを生産管理部門に提供する。販売見込みは，見直し時に受注が確実になった短期の商談も含める。生産管理部門は，営業部門が作成する年度の初めに立てた販売計画と工場の生産能力を考慮して，年間と月別の生産計画を作成する。また，営業部門が月末に見直す販売見込みによって，月別の生産計画の見直しと日別の製造計画を作成する。日別の製造計画は，製造管理システムにおいても使用する。工場の生産能力は，生産設備の稼働時間と作業者の一定の時間外作業時間を勘案した上限から算出して設定する。

販売計画に対して販売見込みの数量の増加が大きい場合には，工場の生産能力を超えないように，生産する製品の順序を入れ替えて生産計画を作成する方法に変更する。

〔製造管理システムの導入計画〕

今回導入する製造管理システムは，工程管理，実績管理及び在庫管理の機能をもつ。製造管理システムでは，生産計画システムで作成した日別の製造計画を取り込み，工場で製造する製品の予定数量が分かる。工程管理は，その日に製造する製品の製造指示を行い，製品の複数の工程の進捗状況を管理する。製造指示は，1日分の複数の製品の製造する数量と，製品ごとに使用する部品リストをまとめて指示する。実績管理は，時間ごとに，工程ごとの作業実績時間，製造した製品の実績数量を記録する。工程ごとの作業実績時間を計測し，作業の予定時間との差異を比較することによって工程の問題を検出できる。今回導入する製造管理システムにおいて，現状，取得と記録ができていない，便器の製作の全工程の作業の実績時間と，焼成工程の窯の温度情報の実績が，自動的にシステムに記録される。在庫管理は，製品の在庫と工程で使用する部品の在庫を管理する。部品の在庫は，入出庫日付と数量を管理する。部品の発注は，定量発注方式によって部品メーカへ発注する。

熟練作業者が作業において参考にした情報を現場でその都度入力できるように，タブレット端末を導入する。

製造部門では，今回のシステム導入によって，次の事項の改善を図る計画である。

① 工場内で製造状況に何か問題があった場合の早期の把握

② 部品倉庫からの出庫に関する在庫管理の改善

③　製造管理システムへの機能追加による部品の取りそろえ作業の改善

〔トイレ設備事業部門の取組み〕

トイレ設備事業部門では，今回のシステム導入に当たって，生産管理部門と製造部門が協力して次の事項に取り組む計画である。

①　熟練作業者の退職に備えた不具合品防止のノウハウの収集と分析

②　部品メーカの要望への対応

③　生産計画の作成方法の変更

設問1　営業部門が今まで取り組めていない短期の商談について，生産計画システム導入後は商談発生時に何を確認すべきか，15字以内で述べよ。

設問2　製造部門が改善を計画していることについて，(1)～(3)に答えよ。

(1)　工場内の問題を早期に把握するために何を行うか。30字以内で述べよ。

(2)　部品倉庫からの出庫に関する在庫管理の改善に必要な機能は何か。30字以内で述べよ。

(3)　製造部門における取りそろえ作業の改善を行うために製造管理システムに追加する機能は何か。40字以内で述べよ。

設問3　生産管理部門と製造部門が協力して取り組むことについて,(1)～(3)に答えよ。

(1)　熟練作業者が不具合品防止のためにタブレット端末で入力すべき情報は何か。15字以内で述べよ。

(2)　部品メーカの要望に応えるために提供する“ある情報”の内容は何か。15字以内で述べよ。

(3)　生産計画の作成方法を変更することによって改善できることは何か。25字以内で述べよ。

問11 解説

[設問1]

営業部門が今まで取り組めていない短期の商談について,〔営業部門の現状〕に「販売見込みに含めていない短期の商談が発生しても，生産可否の判断ができないので，原則として取り組まない」とある。これより，営業部門が今まで取り組めていない短期の商談は，販売見込みに含めていない短期の商談であること，そして，生産管理システムに生産可否を判断できる情報があれば，その商談に取り組めることが読み取れる。生産可否を判断できる情報を生産計画システムから得ることができるかについて，〔生産計画システムの導入計画〕に「生産計画システムでは，工場の生産能力の余力の状況を営業部門からも確認できるようにする」とある。これより，営業部門が，工場の生産能力の余力の状況の情報を確認することで，商談の生産可否を判断できることが分かる。

よって，生産計画システム導入後は商談発生時に，**生産能力の余力の状況**を確認すれば，営業部門は販売見込みに含めていない短期の商談に取り組めるとなる。

[設問2](1)

工場内の問題について，〔トイレ設備事業部門の現状〕に「1日に製造する製品の計画数量と実績数量の差は，当日の作業終了時に分かる」「そのため，工場内の設備の故障や作業者などの問題で計画数量に対して実績数量の未達が発生しても必要な対応ができず，翌日以降の作業の変更などの影響が出る」とある。これらより，工場内の問題は，計画数量に対する実績数量の未達によって翌日以降の作業に影響が出ることと分かる。当日の作業終了時ではなく，作業中に実績数量の未達を把握できれば，この問題を早期に解決することができ，翌日以降に影響を出さないように対応できることも読み取れる。

これに対して，製造部門が計画している改善について，〔製造管理システムの導入計画〕に「実績管理は，時間ごとに，工程ごとの作業実績時間，製造した製品の実績数量を記録」「工程ごとの作業実績時間を計測し，作業の予定時間との差異を比較することによって工程の問題を検出できる」とある。これらより，作業の予定時間と作業実績時間の情報を使って，計画数量と実績数量の差異を時間ごとに比較すれば，作業中に計画数量に対する実績数量の未達を把握できるようになることが読み取れる。

よって，工場内の問題である計画数量に対する実績数量の未達を早期に把握するために，**計画数量と実績数量の差異を時間ごとに把握する**ことを行うとなる。

[設問2](2)

部品倉庫からの出庫に関する在庫管理について，〔トイレ設備事業部門の現状〕に「部品倉庫からの出庫の順序管理はしていない」「そのため，部品倉庫に古い部品が残ることがあり，水回りのゴム製の部品が劣化する」，〔製造管理システムの導入計画〕に

「在庫管理は，……工程で使用する部品の在庫を管理」「部品の在庫は，入出庫日付と数量を管理」とある。これらより，製造管理システムの在庫管理は，部品の入出庫日付を管理するようになるので，部品倉庫に古い部品，すなわち，入庫日付の古いものが残らないように，部品の入庫日付の古い部品から出庫(先入先出法)して使用するようにすればよいことが分かる。

よって，部品倉庫からの出庫に関する在庫管理の改善に必要な機能は，**部品の入庫日付がより古い部品から出庫させる機能**となる。

[設問2](3)

製造部門における取りそろえ作業について，〔トイレ設備事業部門の現状〕に「部品の組立工程において，使用する部品の準備は，製造する製品を組み立てるごとに，部品倉庫から部品リストに基づいて出庫して取りそろえているので，作業工数が掛かり，見直しが必要」とある。これより，製品を組み立てるごとに部品リストに基づいて部品を出庫していることが分かる。その日に製造する製品とその数量，さらに，製造する製品に必要な部品リストが分かれば，その日に必要な部品をまとめて出庫することができるようになり，作業工数を削減できることが予測できる。製造する製品とその製品に必要な部品に関する情報について，〔製造管理システムの導入計画〕に「製造指示は，1日分の複数の製品の製造する数量と，製品ごとに使用する部品リストをまとめて指示する」とある。この製造指示によって，その日に製造する製品とその数量とその部品リストが分かるので，製品ごとの部品リストに従って，その日に必要な部品とその数量のデータを作成すれば，必要な部品をまとめて出庫することが可能になり，出庫に掛かる作業工数を改善することができる。

よって，製造部門における取りそろえ作業の改善を行うために製造管理システムに追加する機能は，**複数の製品の製造に必要な部品の出庫指示データをまとめて作成する機能**となる。

[設問3](1)

不具合品防止について，〔トイレ設備事業部門の現状〕に「熟練作業者は作業開始時の温度と湿度の情報によって，成型後の乾燥時間，焼成の窯の温度をそれぞれ調整して不具合品の発生を防止」とある。また，熟練作業者とタブレット端末について，〔製造管理システムの導入計画〕に「熟練作業者が作業において参考にした情報を現場でその都度入力できるように，タブレット端末を導入」とある。これらより，熟練作業者が不具合品を防止するために参考にした情報は作業開始時の温度と湿度であること，また，その情報をタブレット端末で製造管理システムに入力するようになることが分かる。

よって，熟練作業者が不具合品防止のためにタブレット端末で入力すべき情報は，**温度と湿度の情報**となる。

[設問3](2)

部品メーカの要望について，〔トイレ設備事業部門の現状〕に「部品は，在庫量が設定した発注点になったときに定量を発注する定量発注方式によって部品メーカに発注」「部品メーカの営業担当からは，自社の製造計画の作成のために“ある情報”が欲しいと要望されている」とある。また，製造管理システムでの部品の発注方式について，〔製造管理システムの導入計画〕に「部品の発注は，定量発注方式によって部品メーカへ発注」とある。これらより，B社は定量発注方式，つまり定量で部品を発注することが分かる。部品メーカが自社の製造計画を作成するためには，B社の発注日と発注数量が必要である。発注日がいつになるかは特定できない。しかし発注数量については定量とあるので特定できる。したがって，部品メーカが欲しいとしている情報は，発注数量であることが分かる。

よって，部品メーカの要望に応えるために提供する“ある情報”は，**部品の発注予定数量**となる。

[設問3](3)

生産計画の作成方法の現状について，〔トイレ設備事業部門の現状〕に「製品は納期を基にして製造するので，……，製造部門で計画した要員では就業時間内に対応できず，時間外作業時間が増える」「想定以上の時間外作業時間の増加はコスト増加につながるので，製造部門では課題と考えている」とある。その課題である想定以上の時間外作業時間の増加に対する生産計画の作成方法の変更について，〔生産計画システムの導入計画〕に「工場の生産能力は，生産設備の稼働時間と作業者の一定の時間外作業時間を勘案した上限から算出して設定」「販売計画に対して販売見込みの数量の増加が大きい場合には，工場の生産能力を超えないように，生産する製品の順序を入れ替えて生産計画を作成する方法に変更」とある。これらより，工場の生産能力を算出する方法と，その算出した生産能力を超えないように生産計画を作成する方法に変更することで，生産能力を超える想定以上の時間外作業の発生を抑えようとしていることが読み取れる。

よって，生産計画の作成方法を変更することによって改善できることは，**想定以上の時間外作業時間を抑えられる**となる。

問11 解答

設問		解答例・解答の要点
設問1		生産能力の余力の状況
設問2	(1)	計画数量と実績数量の差異を時間ごとに把握する。
	(2)	部品の入庫日付がより古い部品から出庫させる機能
	(3)	複数の製品の製造に必要な部品の出庫指示データをまとめて作成する機能
設問3	(1)	温度と湿度の情報
	(2)	部品の発注予定数量
	(3)	想定以上の時間外作業時間を抑えられる。

※IPA発表

問12 クレジットカード会社の保有データを活用した取組み

(出題年度：H29問３)

クレジットカード会社の保有データを活用した取組みに関する次の記述を読んで，設問１～４に答えよ。

Ｃ社は，中堅の金融系クレジットカード会社である。主に，カード会員（以下，会員という）からのキャッシングやリボルビング支払での利息，加盟店からのクレジットカード取引の手数料によって，収益を得ている。

〔Ｃ社の状況〕

同業他社が景気や消費の回復によって業績を持ち直しているのに対し，Ｃ社は会員数が伸び悩んでおり，手数料収入の増加も見られず，利益率も同業他社よりも見劣りしている。

Ｃ社は，契約している加盟店が多いこと，加盟店の業種・業態が多岐にわたること，会員には個人事業主や会社員など様々な属性の者がいることが特徴である。また，Ｃ社は，各加盟店でのカード利用の決済データを取得できるが，POSのデータやECサイトでの購買データとは異なり，商品単位の決済データは取得できない。

このような状況を踏まえ，Ｃ社では，収益の改善を図る方針を打ち出した。

〔新たな取組みに向けた背景〕

他のクレジットカード会社では，親会社の事業と関連性が強いポイントシステム，マイレージシステムなどとの連携を進め，顧客の囲い込みを図り，有力な加盟店との取引規模の維持・拡大を狙う戦略を進めてきている。

Ｃ社でも，ポイントシステムは顧客のロイヤリティ維持に有効性が高いと考え，取引額に応じたポイントを付与する取組みを進めてきた。また，幾つかの加盟店から割引券などの特典（以下，特典という）を提供してもらい，その数量や特典内容に応じてＣ社で特典対象会員を決めて，利用明細書に特典を同封して送付するようなマーケティング活動も実施してきた。

しかし，会員の退会が毎年一定数発生し，新規会員獲得の効果をそいでいる状況である。データ分析をしたところ，次のことが分かった。

・会員，退会者ともポイントの利用は活発ながら，退会者は多くのポイントを残したまま退会しているケースが多い。

・会員の特典利用は活発である。
・送付された特典は退会後も利用できるが，退会者の特典の利用状況は把握できていない。

このことから，C社は特典提供の拡大に力点を置いてマーケティングを進める方針とした。

また，キャッシングやカード取引に関する延滞の取扱いについては，自社で回収業務を行う余裕がないことから，一定期間を超過した延滞債権は大幅に割引をして債権回収事業者に売却している。割引額は債権の内容などを基に交渉によって調整するが，債権回収見込みを客観的な証拠で示すことができると交渉は有利になる。

C社は，保有する大量の会員データ，決済データ，請求データなどを活用した新たな取組みを検討することにした。

〔営業部門の取組み〕

C社は，会員の属性や購買履歴を基に，加盟店の特定商品に利用できる特典を付与するサービスを提供し，カード取引量を増やすことで収益拡大を目指すことにした。

これまでも類似のサービスを実施してきたが，会員からは特典を持ち歩くのが面倒といった意見や，利用するタイミングを逸するといった意見が出ていた。このことから，会員が事前にC社のWebページで利用したい特典を登録しておけば，決済時に自動的に特典が受けられるようにすることにした。

また，過去には，特典を提供した会員を匿名にしていたにもかかわらず，特典の対象者が極めて少ない地域において，特典対象会員の決定のタイミングで加盟店によって会員を特定されてしまい，該当する会員に加盟店からダイレクトメールの送付などの営業活動が行われ，個人情報の流出事故を疑われる事案があった。

これらのことから，会員データの保護にも配慮した次の取組みを行うこととした。

(1) 特典の利用を申し込んだ会員の属性や購買履歴を基に，加盟店から要請があった条件（以下，抽出条件という）に合致する会員を抽出する。
(2) 改正個人情報保護法の趣旨にのっとり，加盟店の抽出条件において結果が一定数以下の極めて少数になるような場合には，営業部門が結果を確認して集計カテゴリの調整を行う。例えば，ある特定の地域で90歳以上の条件のような場合は70歳以上のカテゴリの条件に変更する。
(3) 抽出データは，加盟店に提供する。このとき加盟店から直接，会員に営業活動が行われることがないよう個人情報を匿名化する。

(4) 抽出された会員に対しては,利用明細書に特典の通知を印刷したり同封したりする。
(5) 会員は，通知を見て，C社のWebページで利用したい特典を登録する。
(6) 会員は，購買時に特典を提示しなくても，特典の利用に該当する取引をした場合，C社はカード利用料金の会員向け請求データ作成の際に，特典利用の清算処理を行う。C社はこのサービスを無償で提供し，加盟店は特典の利用額分を負担する。

加盟店はマーケティング効果を高めるために，必要に応じて，抽出条件を追加，変更することができる。ある加盟店で，近隣地域に住むことを抽出条件にしてこのサービスを試したところ，想定以上にサービス利用者が多く，特典に要する費用が多くなった。このことから，この加盟店では，対象者を絞るべく利用実績が高額であることを抽出条件に追加することにした。

加盟店からは，特定顧客向けに特定商品に利用できる特典を提供するなどの時宜を得たマーケティングの希望が多くあった。しかし，営業部門で検討した結果，特定商品に利用できる特典とはせず，特典を利用額に応じた割引とし，利用額と割引率の組合せを加盟店で選択できるサービスとすることにした。

〔審査部門の取組み〕

C社は，会員の新規入会時や既存会員のカード更新時には，利用限度額を適切に設定することで，カード利用の拡大を促しつつ，延滞になる事案も削減して債権割引額を減少させたい。利用限度額については,会員の住所や居住年数といった属性のほか,これまでの支払状況，未決済の残高に応じた評価（以下，クレジットスコアリングという）を行い，その評価結果を基に，金額を設定する。

C社では，クレジットスコアリングのシステム化を行うことにした。システム化に当たっては，表1の情報を入力して，利用限度額を設定できるようにする。ただし，全社の債権総額に応じて，各情報の重み付けの係数を微調整することがある。

表1　クレジットスコアリングのシステムへの入力

情報の種類	データ項目
現在設定情報	会員番号，現在の限度額（クレジットカード，キャッシング，リボルビング）
会員属性	会員番号，氏名，生年月日，性別，住所，居住開始年，勤務先，入社年，年収，口座開設日
購買履歴	会員番号，購入店舗名，購入日，購入額
支払状況	会員番号，月別請求日，月別入金日

カード利用額の請求後，継続して入金がない場合は，延滞会員の扱いとして利用限度額から請求額を減額して設定し直し，督促を行う。その後，更に一定期間経過しても入金が確認されなかった場合は，カード利用を停止し，個人信用情報機関に登録を行う。当該会員には入会時の約款に従って別の事業者に債権譲渡する旨を通知の上，債権回収事業者に当該会員の延滞債権を売却する。

審査部門では，これまでの経験から，延滞の増減は，顧客の年収や地域性との関係や，低額の日用品のような商品と，高額な耐久消費財のような商品の間の購買頻度の変化に関係があると仮説を立てている。システム化の後には，住所，年収，購入額などのデータ項目を匿名化して外部のデータ解析事業者に提供し，この仮説を検証したいと思っている。

〔情報システムに関する取組み〕

営業部門では，取組内容のプロトタイプを作成し，試行をした結果，収益が増加したことから，本格的な導入に取り組むことにした。また，審査部門では，取組内容を机上で検証した結果，延滞債権が減少する可能性があることが分かったので，施策に取り組むことにした。

情報企画部門は，営業部門と審査部門の取組みについて，試行や検証の際の仕様に基づいて，それぞれ，特典システム，クレジットスコアリングシステムとして情報システムを構築し，運用を開始した。

この結果，営業部門では加盟店からの抽出条件の変更が相次ぎ，業務が多忙になった。審査部門では，利用限度額の設定値と，机上の検証結果に差異が出てきていることが分かった。債権回収事業者への債権売却額は交渉によって，割引額の削減ができた。

設問1 〔新たな取組みに向けた背景〕について，C社が特典の取組みに力点を置くことに至ったポイントシステムの問題点について，30字以内で述べよ。

設問2 〔営業部門の取組み〕について，(1)，(2)に答えよ。

(1) 抽出条件における結果が一定数以下にならない仕組みとした理由を，30字以内で述べよ。

(2) 特典を利用額に応じた割引とし，利用額と割引率の組合せを加盟店側で選択できるサービスにした理由について，25字以内で述べよ。

設問3 〔審査部門の取組み〕について，(1)，(2)に答えよ。

(1) 債権割引額を減少させる効果が期待できる事項について，35字以内で述べよ。

(2) 審査部門における仮説の検証のために，延滞の増減情報と併せて，住所，年収，購入額の他に，外部へ提供すべきデータ項目は何か。表1のうち該当するものを全て挙げ，20字以内で答えよ。

設問4 〔情報システムに関する取組み〕について，(1)，(2)に答えよ。

(1) 営業部門の業務が多忙になったことを解決するために，特典システムに追加で組み込むべき機能について，25字以内で述べよ。

(2) 情報システムの結果と机上の検証結果に差異が出ないようにするために，クレジットスコアリングシステムへの入力として表1に追加すべきデータ項目を，15字以内で答えよ。

問12 解説

[設問1]

今までの取組みについて，〔新たな取組みに向けた背景〕に「会員の退会が毎年一定数発生し，新規会員獲得の効果をそいでいる」とあり，データ分析で判明したこととして，次の三つが挙げられている。

・多くのポイントを残したまま退会しているケースが多い

・特典利用は活発である

・退会後の特典の利用状況は把握できていない

これらより，顧客はポイントにはあまり魅力を感じていないため，多くのポイントを残したままで退会してしまうことが想像できる。よって，C社が特典の取組みに力点を置くことに至ったポイントシステムの問題点は，**ポイントの残高が退会の抑止になっていないこと**となる。

[設問2](1)

抽出条件における結果が一定数以下にならない仕組みについて，〔営業部門の取組み〕(2)に「加盟店の抽出条件において結果が一定数以下の極めて少数になるような場合には，営業部門が結果を確認して集計カテゴリの調整を行う」とある。また，〔営業部門の取組み〕の前半に「過去には，特典を提供した会員を匿名にしていたにもかかわらず，特典の対象者が極めて少ない地域において，特典対象会員の決定のタイミングで加盟店によって会員を特定されてしまい，該当する会員に加盟店からダイレクトメールの送付などの営業活動が行われ，個人情報の流出事故を疑われる事案があった」とある。これらより，この個人情報流出事故を疑われた事案から，特典対象会員が極めて少なくなることを避け，一定数以下にならないようにしたと考えられる。よって，抽出条件における結果が一定数以下にならない仕組みとした理由は，**加盟店が特典の対象者を特定できないようにしたいから**となる。

[設問2](2)

営業部門が検討したサービスについて，〔営業部門の取組み〕に「営業部門で検討した結果，特定商品に利用できる特典とはせず，特典を利用額に応じた割引率とし，利用額と割引率の組合せを加盟店で選択できるサービスとすることにした」とある。

特定商品に利用できる特典を提供するには，商品単位の決済データが必要である。しかし，問題文冒頭の「C社は，各加盟店でのカード利用の決済データを取得できるが，……商品単位の決済データは取得できない」より，C社は商品単位の決済データを取得できないことが分かる。したがって，特定商品を購入した会員を抽出することができない。一方，カード利用の決済データは取得できるので，利用額に応じて会員を抽出することはできる。つまり，抽出条件(利用額)に合致した会員を抽出することができる特典(利用額に応じた割引)としたのである。よって，特典を利用額に応じた割引とし，利用額と割引率の組合せを加盟店側で選択できるサービスにした理由は，**商品単位の決済データが提供できないから**となる。

[設問3](1)

債権割引額について，〔新たな取組みに向けた背景〕に「一定期間を超過した延滞債権は大幅に割引をして債権回収事業者に売却している」「割引額は債権の内容などを基に交渉によって調整するが，債権回収見込みを客観的な証拠で示すことができると交渉は有利になる」とある。よって，債権割引額を減少させる効果が期待できる事項は，**債権回収事業者に債権回収見込みの客観的な証拠を提供する**となる。

[設問3](2)

審査部門における仮説について，〔審査部門の取組み〕に「延滞の増減は，顧客の年収や地域性との関係や，低額の日用品のような商品と，高額な耐久消費財のような商品の間の購買頻度の変化に関係がある」とある。設問に「住所，年収，購入額の他に，……。表1のうち該当するものを全て」とあるので，顧客の延滞が，年収，地域性，日用品と耐久消費財の購買頻度の変化と，相関があるということを検証するために，「表1　クレジットスコアリングのシステムへの入力」のどのデータ項目が必要であるかを考える。

まず，〔審査部門の取組み〕に「データ項目を匿名化して外部のデータ解析事業者に提供」とあるので，誰の情報であるかは識別できるが，個人を特定できないデータ項目として，会員番号が必要である。次に，仮説にある地域性については，住所のほかに購入店舗名も必要である。さらに，仮説にある購買頻度については，品目も必要であるが，表1に品目はないので，購入店舗名や購入日からその店舗の品揃えを考慮して日用品か耐久消費財かの判断に使うことが考えられる。よって，外部へ提供すべきデータ項目は，**会員番号，購入店舗名，購入日**となる。

[設問4](1)

営業部門の業務が多忙になったことについて,〔情報システムに関する取組み〕に「営業部門では加盟店からの抽出条件の変更が相次ぎ，業務が多忙になった」とある。この加盟店からの抽出条件について，〔営業部門の取組み〕(2)に「加盟店の抽出条件において結果が一定数以下の極めて少数になるような場合には，営業部門が結果を確認して集計カテゴリの調整を行う」とある。これらより，集計カテゴリの調整が営業部門の業務を多忙にしている原因と考えられる。したがって，集計カテゴリが適切に設定できれば調整がなくなり，営業部門の業務多忙を解消できることになる。よって，特典システムに追加で組み込むべき機能は，**適切な集計カテゴリの設定を支援する機能**となる。

[設問4](2)

情報システムの結果と机上の検証結果に差異が出ることについて，〔情報システムに関する取組み〕に「審査部門では，利用限度額の設定値と，机上の検証結果に差異が出てきていることが分かった」とある。クレジットスコアリングシステムにおける利用限度額の設定値について，〔審査部門の取組み〕に「利用限度額については，会員の住所や居住年数といった属性のほか，これまでの支払状況，未決済の残高に応じた評価（以下，クレジットスコアリングという）を行い，その評価結果を基に，金額を設定する」「システム化に当たっては，表1の情報を入力して，利用限度額を設定できるようにする」とある。これらを参考に表1を見ると，利用限度額を設定するための評価に必要な未決済の残高に関するデータが，表1にないことが分かる。よって，クレジットスコアリングシステムへの入力として表1に追加すべきデータ項目は，**会員の未決済の残高**となる。

問12 解答

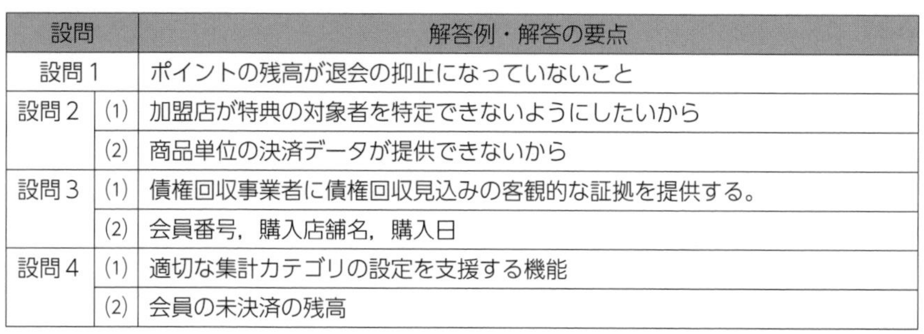

設問		解答例・解答の要点
設問1		ポイントの残高が退会の抑止になっていないこと
設問2	(1)	加盟店が特典の対象者を特定できないようにしたいから
	(2)	商品単位の決済データが提供できないから
設問3	(1)	債権回収事業者に債権回収見込みの客観的な証拠を提供する。
	(2)	会員番号，購入店舗名，購入日
設問4	(1)	適切な集計カテゴリの設定を支援する機能
	(2)	会員の未決済の残高

※IPA発表

問13 大学の業務及び情報システムの統合 （出題年度：H28問１）

大学の業務及び情報システムの統合に関する次の記述を読んで，設問１～３に答えよ。

A大学は，B県の公立総合大学である。少子化による志願者の減少や自治体財政のひっ迫による影響で，近年，運営費交付金が漸減している。そこで，B県では，A大学と，県立公立の看護科単科大学及び短期大学を，新たに設立する一つの法人（以下，新法人という）の下に再編することにした。さらに，３年後までには三つの大学を統合し，名称もA大学に一本化して，学部学科の見直しやキャンパスの集約を行うことによって，大学運営の効率向上を図る方針が県議会で承認された。

これに合わせて，各大学の情報システム部門のメンバから成る検討チームを立ち上げ，業務及び情報システムの現状を調査した後，業務及び情報システムを一元的に統合するための検討を開始した。

各大学で運用している情報システムのうち，ネットワーク（以下，NWという）システム，電子メールシステム，学務システム，財務会計システム及び人事給与システムが検討の対象となった。

〔業務及び情報システムの統合方針〕

新法人の下への三つの大学の再編と，その後の三つの大学の統合に合わせて，２段階で統合を進める業務及び情報システムの統合方針を策定した。

第１段階では，当面の対応として，新法人としての業務の円滑な実施を可能にすることを目的とし，各大学の業務の見直し及び情報システムの改修は最小限に抑え，その後，第２段階として，業務及び情報システムの統合を進め，大学の統合に備えていく。

情報システムの統合については，データセンタに構築するプライベートクラウドコンピューティングの基盤（以下，クラウド基盤という）の利用も考慮していく方針である。

〔情報システムの概要〕

情報システムの概要と現状，及び情報システムの統合に向けてのシステム機能要求事項は，表１のとおりである。

表1　情報システムの概要と現状，及びシステム機能要求事項

情報システム	情報システムの概要と現状	システム機能要求事項
NWシステム	・学内の通信管理を行う学内NWと，認証機能から成る情報システムである。学内NWは，キャンパス内の校舎間を接続する基幹NWと，それに接続され，校舎内に敷設された学部LANから成る。認証機能では，大学ごとにそれぞれの大学の学生・教職員に対して各種情報システムの認証を行う。 ・現状，NWシステムは大学ごとに別々に構築されており，大学間は接続されていない。	・各大学のNWシステム間を接続し，一元的に通信を管理できるようにする。 ・三つの大学の全ての学生・教職員が一意に認証できるようにする。
電子メールシステム	・学生・教職員の電子メールを管理する情報システムである。 ・現状，大学ごとに別々に構築されている。A大学では，学部で独自に構築されているものもある。	・三つの大学の全ての電子メールアカウントを一元的に管理できるようにする。
学務システム	・教務情報（履修要項，学生の履修状況・成績など）や学生の学納金の管理業務を行う情報システムである。 ・現状，大学ごとに別々に構築された情報システムを利用しており，業務手順も異なっている。	・学納金の請求・収納情報を財務会計システムと連携させる。
財務会計システム	・経理，予算管理といった財務会計業務を行う情報システムである。 ・現状，大学ごとに別々に構築された情報システムを利用しており，業務手順も異なっている。勘定科目や予算科目は，大学ごとに独自に規定し，運営している。学務システムとは連携していない。	・大学ごとに加えて，新法人としても一元的に財務諸表の作成，予算管理ができるようにする。
人事給与システム	・教職員の人事・給与の管理業務を行う情報システムである。給与の情報は，財務会計システムに連携される。 ・現状，大学ごとに別々に構築された情報システムを利用しており，業務手順も異なっている。	・大学ごとに加えて，新法人としても教職員の人事を一元的に管理できるようにする。

〔各大学の個別の状況〕

各大学とも，教員が所属する学部と，職員が所属する事務局がある。情報システムの運用管理は各大学の事務局内の情報システム部門が行っており，A大学では学術情報センタが，その他の大学ではそれぞれの大学の情報システム課が担当している。

A大学の学部LANでは，スイッチや無線LANアクセスポイントなどのNW機器を学部で独自に設置していることがあり，学術情報センタでは，学部LANの物理的な接

続状況などの詳細なNW構成情報を把握できていない。また，現状調査から，A大学の情報系学科には，情報技術の研究を目的とした研究用LANが設置されており，学部LANに接続していることが分かった。研究用LANは，外部のNWと接続し，大学のNWポリシでは認められていないプロトコルの通信実験などを行っており，情報系学科の教員が構築し，運用している。

教員の中には，大学間で兼務している者もいる。全ての大学の教職員はB県の地方公務員なので，人事給与体系については同一である。ただし，国からの補助金などによって各研究室が独自に雇用する臨時職員や各学部で採用する非常勤講師の人事給与体系については，大学や学部ごとに独自に規定している。また，A大学では，このような臨時職員や非常勤講師については，各学部で独自に電子メールアカウントの作成や削除の管理をしている。A大学の各学部では，正式な採用前に電子メールアカウントを作成することがある。

〔業務・情報システム統合計画〕

検討チームでは，業務及び情報システムの統合方針に従い，業務・情報システム統合計画について，第1段階を表2，第2段階を表3のとおり策定し，それぞれの大学の幹部に答申した。

表2　業務・情報システム統合計画の第1段階

業務・情報システム	内容
NWシステム	各大学の基幹NW間を接続する。各大学の学内NWは全てA大学の学術情報センタで管理する体制とする。スイッチや無線LANアクセスポイントなどのNW機器の設定を，NWポリシに合わせて学術情報センタで一元管理できるようにする。
[x]業務	大学間の相互運用を可能にするために，業務手順を統一する。
財務会計業務	情報システムはそのままで，各大学の財務諸表などの会計資料から，スプレッドシートなどによって新法人の財務諸表を作成する。

注記 [x]には，“学務”，“人事給与”のどちらかが入る。

表3　業務・情報システム統合計画の第２段階

業務・情報システム	内容
NWシステム	新法人として，NWシステムを再構築する。認証機能を一元化するために必要となる情報を，他システムと連携して取得する仕組みを整備する。
電子メールシステム	新法人で一つの情報システムに統合する。全ての電子メールアカウント管理を学術情報センタで一元化する。
[x]システム	新法人の統一された業務手順に基づいたシステム機能仕様を決定した上で一つの情報システムに統合し，クラウド基盤上に構築する。
[y]システム	各大学の情報システムをそれぞれクラウド基盤上へ移行する。
財務会計システム	新法人で業務手順を統一し，統一された業務手順に基づいたシステム機能仕様を決定した上で一つの情報システムに統合し，クラウド基盤上に構築する。

注記　[x]，[y]には，それぞれ“学務”，“人事給与”のどちらかが入る。

〔業務・情報システム統合計画の課題〕

策定された統合計画に対し，A大学の幹部から，“学部学科の見直しでは校舎の割当ての変更が予定されており，これを機に一部の教室の改修工事に早々に着手することから，NW工事を行うが，必要な情報が不足しているのではないか”といった意見があった。また，A大学以外の大学の事務局幹部から，“事務局の職員が業務で利用する情報システムの統合は，簡単にできないのではないか”との意見があった。その他にも他の幹部から，電子メールアカウント管理に関する懸念など，幾つかの意見があった。

これらの意見を受けて，検討チームは，検討体制を見直した上で，業務・情報システム統合計画を見直し，計画を推進することにした。

設問1　業務・情報システム統合計画の第１段階について，(1)〜(3)に答えよ。

(1)　財務会計業務に関する統合計画を実施するために整理すべきことを，30字以内で述べよ。

(2)　A大学幹部のNW工事に関する意見について，統合計画の実施において不足している情報は何か。20字以内で述べよ。

(3)　A大学において，NWポリシに沿った運営をするために検討すべきことは何か。15字以内で述べよ。

設問2　業務・情報システム統合計画の第２段階について，(1)〜(3)に答えよ。

(1) NWシステムの再構築における認証機能の整備に当たって，連携すべき情報は何か。15字以内で述べよ。

(2) 全ての電子メールアカウント管理を学術情報センタに一元化することによって想定される問題点について，40字以内で述べよ。

(3) [y]システムに関する統合計画を実施した場合に想定される問題点について，35字以内で述べよ。

設問3 業務・情報システム統合計画の推進に向けて，検討体制を見直した理由は何か。40字以内で述べよ。

問13 解説

[設問1](1)

財務会計業務の統合計画の第1段階の内容について，「表2　業務・情報システム統合計画の第1段階」に「情報システムはそのままで，各大学の財務諸表などの会計資料から，スプレッドシートなどによって新法人の財務諸表を作成する」とある。その財務諸表を作成するために必要な勘定科目などについて，「表1　情報システムの概要と現状，及びシステム機能要求事項」の財務会計システムの情報システムの概要と現状に「勘定科目や予算科目は，大学ごとに独自に規定し，運営している」とある。これらより，新法人の財務諸表を作成するには，大学ごとに独自に規定・運営されている勘定科目や予算科目を，新法人の財務諸表にどう対応させるかを整理する必要があることが分かる。よって，財務会計業務に関する統合計画を実施するために整理すべきことは，**新法人の財務諸表と各大学の勘定科目，予算科目間の対応**となる。

[設問1](2)

A大学幹部のNW工事に関する意見とは，〔業務・情報システム統合計画の課題〕に「学部学科の見直しでは校舎の割当ての変更が予定されており，これを機に一部の教室の改修工事に早々に着手することから，NW工事を行うが，必要な情報が不足しているのではないか」である。

NWシステムの統合計画の第1段階の内容について，表2に「各大学の基幹NW間を接続する。各大学の学内NWは全てA大学の学術情報センタで管理する体制とする」

とあるが，現状は〔各大学の個別の状況〕に「A大学の学部LANでは，スイッチや無線LANアクセスポイントなどのNW機器を学部で独自に設置していることがあり，学術情報センタでは，学部LANの物理的な接続状況などの詳細なNW構成情報を把握できていない」とある。これらより，NW工事を行うには，学術情報センタで把握できていない学部LANの物理的な接続状況などの詳細なNW構成情報が必要であることが分かる。よって，統合計画の実施において不足している情報は，**学部LANの詳細なNW構成情報**となる。

[設問1](3)

NWポリシについて，表2のNWシステムの内容に「スイッチや無線LANアクセスポイントなどのNW機器の設定を，NWポリシに合わせて学術情報センタで一元管理できるようにする」とある。しかし，現状は〔各大学の個別の状況〕に「A大学の情報系学科には，情報技術の研究を目的とした研究用LANが設置されており，学部LANに接続していることが分かった。研究用LANは，外部のNWと接続し，大学のNWポリシでは認められていないプロトコルの通信実験などを行っており，情報系学科の教員が構築し，運用している」とある。これらより，NWポリシに沿った運営をするには，NWポリシでは認められていないプロトコルの通信実験などを行っている研究用LANの運用方法を検討すべきであることが分かる。よって，NWポリシに沿った運営をするために検討すべきことは，**研究用LANの運用方法**となる。

[設問2](1)

NWシステムの統合計画の第2段階の内容について，「表3　業務・情報システム統合計画の第2段階」に「認証機能を一元化するために必要となる情報を，他システムと連携して取得する仕組みを整備する」とあり，表1のNWシステムのシステム機能要求事項に「三つの大学の全ての学生・教職員が一意に認証できるようにする」とある。これらより，教職員を認証するために教職員の人事・給与の管理業務を行う人事給与システムと連携して人事情報を取得しなければならないことが分かる。よって，認証機能の整備にあたって連携すべき情報は，**人事給与システムの人事情報**となる。

[設問2](2)

電子メールシステムについて，表3の電子メールシステムの内容に「新法人で一つの情報システムに統合する。全ての電子メールアカウント管理を学術情報センタで一元化する」とある。しかし，現状は表1の電子メールシステムの情報システムの概要と現状に「現状，大学ごとに別々に構築されている。A大学では，学部で独自に構築されているものもある」とあり，〔各大学の個別の状況〕に「A大学では，このような臨時職員や非常勤講師については，各学部で独自に電子メールアカウントの作成や削除の管理をしている。A大学の各学部では，正式な採用前に電子メールアカウントを作成することがある」とある。これらより，A大学では臨時職員や非常勤講師の電子メールアカウントの管理を独自に行っていることが分かる。したがって，電子メールアカウントを学術情報センタが一元管理するとなると，A大学の臨時職員や非常勤講師の電子メールアカウントの管理をどのようにするかが問題となることが予想できる。よって，全ての電子メールアカウント管理を学術情報センタに一元化することによって想定される問題点は，**A大学の臨時職員や非常勤講師の電子メールアカウントを適時に発行できない**となる。

[設問2] (3)

空欄x，空欄yは，どのシステムであるかを検討する。表3の注記に「[x]，[y]には，それぞれ“学務”，“人事給与”のどちらかが入る」とあり，表3のxシステムの内容に「新法人の統一された業務手順に基づいたシステム機能仕様を決定した上で一つの情報システムに統合し，クラウド基盤上に構築する」，yシステムの内容に「各大学の情報システムをそれぞれクラウド基盤上へ移行する」とある。これらより，xシステムは新法人で一つの情報システムに統合されることが分かる。また，電子メールシステムと財務会計システムも一つのシステムに統合されることが分かる。表1のシステム機能要求事項を見ると，電子メールシステムと財務会計システムにはそれぞれ，一元的に管理できるようにするという旨の記述があり，一元的に管理できるようにするというシステム機能要求事項を掲げる情報システムとして，人事給与システムがあることが分かる。したがって空欄xには人事給与が入り，空欄yには学務が入る。

学務システム(yシステム)に関する統合計画について，表3に統合計画の第2段階の内容として「各大学の情報システムをそれぞれクラウド基盤上へ移行する」とある。一方，表1の情報システムの概要と現状には「教務情報(履修要項，学生の履修状況・成績など)や学生の学納金の管理業務を行う情報システムである」「現状，大学ごとに別々に構築された情報システムを利用しており，業務手順も異なっている」とある。これらより，学務システムは，業務手順も情報システムも一元化されずに現状が維持されることが分かる。よって，学務システムに関する統合計画を実施した場合に想定される問題点は，**業務が統一されず，教務情報や学納金の管理業務が複雑になる**となる。

［設問3］

業務・情報システム統合計画の検討体制について，問題文冒頭に「各大学の情報システム部門のメンバから成る検討チームを立ち上げ，業務及び情報システムの現状を調査した後，業務及び情報システムを一元的に統合するための検討を開始した」とある。これより，検討チームに情報システムを利用する職員が加わっていないため，業務や情報システムの現状分析が適切にされずに統合計画が策定されてしまったことが考えられる。その結果，〔業務・情報システム統合計画の課題〕にある「事務局の職員が業務で利用する情報システムの統合は，簡単にできないのではないか」という意見が事務局幹部から出されているのである。よって，業務・情報システム統合計画の推進に向けて，検討体制を見直した理由は，**業務手順の検討には，情報システム部門以外の事務局の職員の参加が必要だから**となる。

問13 解答

設問		解答例・解答の要点
設問 1	(1)	新法人の財務諸表と各大学の勘定科目，予算科目間の対応
	(2)	学部LANの詳細なNW構成情報
	(3)	研究用LANの運用方法
設問 2	(1)	人事給与システムの人事情報
	(2)	A大学の臨時職員や非常勤講師の電子メールアカウントを適時に発行できない。
	(3)	業務が統一されず，教務情報や学納金の管理業務が複雑になる。
設問 3		業務手順の検討には，情報システム部門以外の事務局の職員の参加が必要だから

※IPA発表

午後Ⅱ試験対策

午後Ⅱ試験の概要と解き方

1.1 午後Ⅱ試験の概要

1 合格論文へのアプローチ

「論文を書くのは難しい」とよくいわれる。「800字以上1,600字以内とかいわれたって，いきなり書けるわけないよ」というのが理由である。確かに，「800字以上」をいきなり書けといわれても，すらすらと書ける人は，書くことを仕事にしている人くらいだろう。「クラウド技術に関して30分間話してくれ」といわれても，いきなり話せるのは，技術解説のプロだけなのと同じである。しかし，ここで紹介する「ユニット法」と「ステップ法」を使えば，合格論文を書くことは決して難しくない。

「800字以上」の文章を書くのは難しくても,「300字」の文書ならばどうだろうか。「30分間のプレゼンテーション」は難しくても，「3分間のスピーチ」なら，何とかなりそうな気がしないだろうか。「ユニット法」と「ステップ法」は，この考え方に基づいている。

800字以上を書く大変さに比べれば，300字を書くことははるかに楽である。300字の文章を一つの単位として，ユニットと呼ぶ。ユニットを三つ並べれば，もう900字の立派な文章になる。そこにタイトルを加えれば，さらに字数は増える。このように小さなユニットをいくつか積み上げて論文に仕上げる方法を，ここでは「**ユニット法**」と呼ぶ。

また，いきなり書くことは難しくても，小さな作業を積み上げていけば，その難易度はぐんと下がる。本書では，論文を五つのステップを踏んで仕上げる「**ステップ法**」を提案している。各ステップは，いずれも単純で平凡な作業で構成されている。ステップを踏むことで，文章を書くための特別な経験や技量がなくても，誰でも合格論文を書くことができるようになる。

- **全体を小さなユニットに分ける**
- **作業を単純なステップに分ける**

これらはプログラミングと同じと考えればよい。プログラムは，全体を小さなユニット（モジュール）に分けて，単純な作業を積み重ねることで作成する。本書で提案する「ユニット法」「ステップ法」は，プログラミングと同じことを論文作成でもやろうということなのである。

2 設問文の要求と問題文の誘導

問題文と設問文を正しく理解すれば，合格論文が見えてくる。その理由は，答案に何を書かなければならないか，何を書いたらよいかが，問題文と設問文に示されているからである。

問題文と設問文は，論文の仕様書に相当する。仕様を満たさなければパスできないことは，論文もプログラムも同じである。逆にいえば，仕様を満たせばパスすることができる。そこで，まず平成26年ST 午後Ⅱ問1を事例に，問題文と設問文から「仕様」を理解し，目指すべき「合格論文」の姿を明らかにしてみよう。

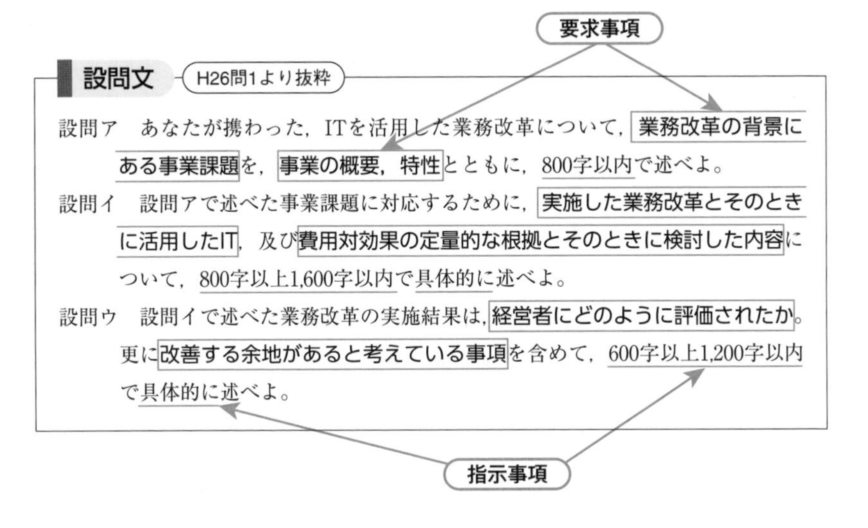

▶設問文の要求事項と指示事項

設問アは，ITを活用した業務改革について，「業務課題」と「事業の概要，特性」を「800字以内」で述べることを求めている。□で囲んだ「事業課題」と「事業の概要，特性」が要求事項で，下線を引いた「800字以内」が指示事項である。

設問イも次のように読解できる。「具体的に」という指示が含まれていることに注目することが大切だ。

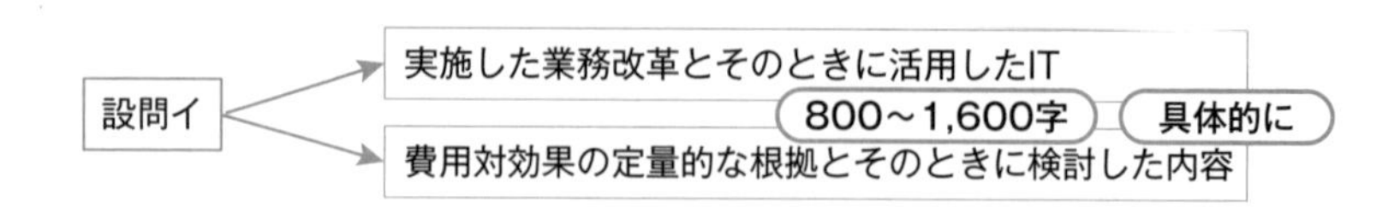

▶設問文の指示事項

問題文では，論述内容を出題者の望む方向へ誘導するために，設問文の要求事項を詳細化したり，例を挙げている。例えば，設問イは「費用対効果の定量的な根拠とそのときに検討した内容」を求めている。しかし，これでは範囲が広すぎて観点が定まらず，答案が発散するおそれがある。そこで，問題文で次のように誘導して，発散を防いでいる。

問題文 H26問1より抜粋

ITストラテジストは，ITを活用した業務改革を実施する際，事業課題に関連する業務の現状と将来見通し，複数の改革案と各案の効果の比較，活用するITの費用などを検討し，定量的な費用対効果の根拠を示して経営者に説明することが重要である。

この問題文の誘導に従って「設問要求に矛盾しない」かつ「設問要求に漏れがない」ことを大前提に論述すればよい。

3 合格論文／不合格論文の条件

大学の定期試験でも，各種の国家試験でも，合格点は決して100点ではない。必要最低限の条件を満たしていれば合格できる。午後Ⅱ試験も同様に，合格のための最低限の条件を満たしていればよいのである。合格論文の条件は，高度な戦略や技術について述べることでも，数学モデルに基づいた複雑な理論を展開することでもない。採点者を感心させたり，非の打ちどころのない100点満点を狙ったものでもない。次に挙げるような，午後Ⅱ試験に合格できる答案であればよいのである。

■ 合格論文の条件

合格論文の条件は，

設問で要求された事項を，指示を守って，問題文の誘導に従って論述していること

である。

合格論文の条件

❶ 設問で指定された要求事項について論述している
→ 要求されていないことは書かない
❷ 問題文の誘導に従って論述している
❸ 具体的なシステムや業務，実施した方策に言及している
❹ 指定された文字数の範囲を守っている

❶は，合格論文が満たす最も基本的な条件である。この当たり前の約束が守られていない答案が意外に多い。論述している間に次第に論点がずれてしまい，最後には全く別のことを主張してしまっているものや，マネジメントが問われる設問において技術的な側面を述べることに終始しているものなど，約束を守れていない答案が多分に見受けられる。このような答案は，書かれている内容がどんなに高度であっても，「設問で問われたことに解答していない」的外れな答案とみなされ，不合格である。

❷も大切な条件である。試験実施後の「採点講評」で，「一般論や問題文の引用に終始するものも目立った」と，しばしば警告されることがある。この警告を誤解して，「問題文を論述に使ってはいけないのだ」と思ってしまう受験者がいる。ここで重要なのは，採点講評は，「引用に終始する」ことを否定しているのであって，「問題文を使う」ことを否定しているのではないことである。「出題趣旨」を正しくとらえて，論述するよう求めているのだ。

例えば，問題文に，

問題文 TAC作成例

近年，ITには革新的な多くの新技術が出てきている。例えば，AI，FinTech，IoT，VR，API（Application Programming Interface）などである。このようなITの新技術を用いて，これまでの自社の商品やサービスの延長ではない，全く新しい商品やサービスを開発することによって，競合他社との差別化を図ったり，新しい事業領域に進出することができるようになってきた。

と提示されていた場合を考えてみよう。

ITの新技術として，AI，FinTech，IoT，VR，APIが例示されているので，「AIを用いた」「IoTを用いた」をネタとして論述してもかまわないということだ。これは，問題文の引用ではなく，**出題趣旨を正しくとらえて，具体的に論述していること**になる。

もちろん，問題文を無理に引用する必要はない。問題文を引用しなくても，論述内容が問題文の趣旨に沿っていれば合格できる。

❸は，設問文における「具体的に述べよ」という指示に沿うための条件である。具体性に欠ける論述は評価が低くなるので，システム，業務，手順などに関する具体的な内容を十分に論述する。「AIを用いた」と書くだけでは，切り口だけで具体性に欠ける。実際のITの新技術や業務に基づいた，具体的な言及が不可欠である。例えば，次のように展開できる。

論述例

1	2	3	4	5	6	7	8	9	10	11	12	13	14	15	16	17	18	19	20	21	22	23	24	25	
	顧	客	の	購	買	行	動	を	分	析	し	明	ら	か	に	な	っ	た	購	買	行	動	を	も	
と	に	，	タ	イ	ム	リ	に	商	品	を	市	場	投	入	す	る	。	・	・	・	顧	客	の	購	
買	行	動	を	分	析	す	る	こ	と	は	従	来	か	ら	行	わ	れ	て	き	た	が	，	近	年	
は	顧	客	の	多	種	多	様	な	デ	ー	タ	を	収	集	す	る	こ	と	が	容	易	に	な	っ	100字
て	お	り	，	そ	れ	ら	の	ビ	ッ	グ	デ	ー	タ	を	，	A	I	を	用	い	て	的	確	に	
分	析	す	る	こ	と	が	可	能	に	な	っ	て	き	て	い	る	。								
	コ	ー	ル	セ	ン	タ	ー	に	お	い	て	，	顧	客	の	問	合	せ	内	容	か	ら	最	適	
な	回	答	や	商	品	の	提	案	を	即	時	に	提	示	す	る	。	・	・	・	従	来	は	，	200字
既	存	の	問	い	合	わ	せ	記	録	の	デ	ー	タ	ベ	ー	ス	を	参	照	し	な	が	ら	人	
間	が	回	答	し	て	い	た	が	，	A	I	を	用	い	る	こ	と	に	よ	っ	て	，	よ	り	
迅	速	に	的	確	な	回	答	を	す	る	こ	と	が	可	能	に	な	る	。	ま	た	，	問	い	
合	わ	せ	に	関	連	す	る	商	品	を	提	示	す	る	こ	と	も	可	能	に	な	る	。		300字

もちろん，この記述はあくまで概略であって，この内容を膨らませてさらに詳細な内容を展開する必要がある。

❹は絶対条件である。制限字数の下限を満たしていなかったり，制限字数の上限を超えたりしている論文が，高い評価を得ることはまずない。

■ 字数は実質文字数でクリアする

本試験の答案用紙（原稿用紙）には，200字，400字などの字数が記されている。これはあくまでも目安であり，評価は実際に埋めたマス数（実質文字数）でされ，空白マスはカウントされないと考えたほうがよい。

改行の頻度やタイトルの付け方にもよるが，一般に，

実質文字数＝目安の字数の0.8～0.9倍

となる。仮に0.8倍と考えると，答案用紙で800字まで論述しても，実質文字数は640字程度になってしまう。「800字以上」という制限である場合，最低でも1,000字まで論述しなければならない。実際には，さらに100～200字の余裕を加えて1,100～1,200字を目標にするとよいだろう。

■ 不合格論文のパターン

最後に不合格論文に見られがちなパターンを挙げておく。

> ❶ 設問で問われたことではなく，体験の論述に終始している。
> ❷ 具体例には言及しているが，設問とは全く関係がない。（あるいは，具体例に乏しく，一般論に終始している）
> ❸ 論述が長くまとまりがない。論述の中で筋道がねじれてしまい，書出しとは異なる事項を論述している。

❶は当然として，❷は具体例に関する条件である。具体例がなく，一般論に終始するだけでは適切でない。しかし，設問の要求事項とは全く異なる具体例を論述しても不合格である。❸は一つのユニットに「高度で複雑な内容を盛りだくさん書こう」とした場合に陥りがちなパターンである。論述は複雑になり，至るところに不整合が生じ，結果不合格になってしまう。さらに悪いことに，本人がその不整合に気づかず，「あんなにがんばって書いたのに」と考え，「次はもっと高度なことを書くようにしよう」と，悪いスパイラルに陥ってしまうことさえある。

1.2 ユニット法

ユニット法とは**比較的短い文章（ユニット）をいくつか積み重ねることによって字数制限をクリアする論述法**である。ユニットは論述の最小単位であり，次の性質を満たす。

- **1ユニットは300字程度を目安とする，比較的短い文章である**
- **1ユニットは原則として一つの内容である**

字数の300字はあくまでも目安である。200字程度の簡単なユニットであってもよいし，500字を超える重厚なユニットがあってもよい。

ユニットを積み重ねて字数制限をクリアするということは，設問の要求事項に対して複数のユニットを作成するということである。例えば「事業の改善策について800字以下で述べよ」という設問に対して，一つの改善策を深く掘り下げて一つのユニットにするのではなく，**複数の改善策を挙げてそれぞれのユニットを作成する**のである。

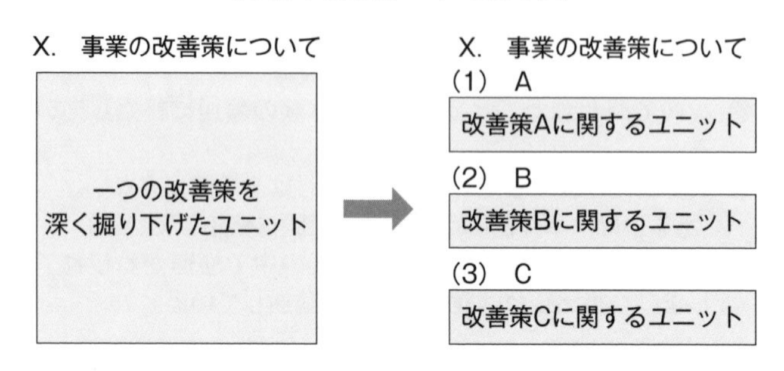

▶ユニット法

ユニットの内容においては，次の三点に注意する。

- **設問で指定された要求事項について論述している**
- **問題文の誘導に従って論述している**
- **具体的なシステムや業務，実施した方策に言及している**

これは，論述内容を限定する三つの条件である。まず，設問の要求事項全てについて論述しなければならない。そして，問題文で誘導している内容を論述することが望ましい。さらに，自ら経験した，または本で読んだ具体例を論述することが望ましい。

さらに付け加えれば，各ユニットは一つの“ネタ”で展開されるべきである。ネタとは，ユニットの内容となる具体的な論述材料のことである。先に挙げた「AIを用いた」や「IoTを用いた」はそれぞれ，一つのネタである。1ユニットに複数のネタを含むことは，それらを展開する際に，論点がぼけたり，話の筋がねじれる原因となる。

1.3 ステップ法

本書では，合格論文を書く手順として「ステップ法」を提案している。「ステップ法」は，五つのステップで構成される。

Step❶ 「章立て」を作る
設問文から章立てを作り，問題文と関連づける

Step❷ 「論述ネタ」を考える
問題文の誘導から素直に思いつく事柄を，ブレーンストーミング的に洗い出す

Step❸ 「事例」を選ぶ
論述ネタに整合する業務またはシステム事例を選ぶ

Step❹ 論述ネタを「チェック」する
事例に整合する論述ネタだけを残し，そうでない論述ネタはボツにする
設問の要求や問題文の誘導から外れていないことを確認する

Step❺ 論述ネタを「展開」し「論述」する
論述ネタに肉付けして，論述への準備を整える
展開の終えた論述ネタから論述する

▶ステップ法

ステップ法はユニット法と相性がよい。ステップ法とユニット法を併用した論文の構成は，次のようになる。

論文構成	設問との対応
第1章　事業の概要と業務課題 1.1　事業の概要，特性 ［事業概要，特性に関する論述したユニット］ 1.2　業務改革の背景にある事業課題 ［事業課題に関する論述したユニット］	【設問アに対応する論述】 ●字数の下限は指定されていないが，目安の字数で600字程度は論じよう ●業務事例はあらかじめ用意しておこう
第2章　実施した業務改革と費用対効果の検討 2.1　実施した業務改革と活用したIT (1)　顧客訪問件数，対応時間の増加 ［顧客訪問件数や対応時間の増加を論述ネタに展開したユニット］ (2)　適切な情報提供 ［適切な情報提供を論述ネタに展開したユニット］ 2.2　費用対効果の定量的な根拠と検討内容 ［費用対効果の定量的な根拠や検討内容を論述したユニット］	【設問イに対応する論述】 ●800～1,600字で論じる。目安の字数で1,200字程度は論じよう ●業務改革について二つのネタを選びそれぞれのユニットで論述する。ユニットの数やサイズは，最終的な字数と相談しながら調整する
第3章　経営者の評価と改善点 3.1　経営者の評価 ［経営者の評価について論述したユニット］ 3.2　改善すべき点 ［改善すべき点について論述したユニット］	【設問ウに対応する論述】 ●600～1,200字で論じる。目安の字数で900～1,000字は論じよう

▶ステップ法とユニット法

図は一つのユニットを300字程度で構成した例であるが，ユニットの字数に制限はない。ユニットの数やサイズは，最終的な字数と試験の残り時間を考えながら調整しよう。なお，第１章は，字数の上限が800字と指定されるが，下限が指定されていない。だからといって，あまりに少ない字数にしてしまうと，業務を十分に採点者に伝えることができない。採点者がイメージできるように伝えるためには，目安の字数で600字程度は論述したい。

Step1 章立てを作る

章立てとは，論文のアウトラインのことで，章・節から構成される。午後Ⅱ試験で求められるのは，**自分の考えや主張ではなく，設問に対する解答**である。そのため，**章立ては設問文及び問題文に沿って作る**。このように章立てを作成することで，採点者に対して「設問で問われていることにしっかり答えていますよ」というアピールができ，的外れで独りよがりな論文になるのを避けることができる。

設問文や問題文には出題者が「論述してほしい」と思っていることが書かれている。これをもとに，章立てを作ることで「論述すべき内容」を整理することができ，論述のための正しい着想を得ることにつながる。逆に，章立てを作る過程でなんの着想も得られなければ，その問題は選択すべき問題ではないといえるだろう。

■ 章と節に分けてタイトルを付ける

設問ア，設問イ，設問ウの解答それぞれが，第１章，第２章，第３章に該当する。一つの設問に要求事項が複数ある場合は，さらに，章の中を節に分ける。設問アで二つの要求事項がある場合，第１の要求事項の解答を1.1節に，第２の要求事項の解答を1.2節に述べていく。次の問題例で章立てを作ってみる。

「AとB」のように要求事項が二つある場合は
第1章　AとB
1.1　A
1.2　B
と章立てすればよい

設問文　H26問1より抜粋

設問ア　あなたが携わった，ITを活用した業務改革について，業務改革の背景にある事業課題を，事業の概要，特性とともに，800字以内で述べよ。

設問イ　設問アで述べた事業課題に対応するために，実施した業務改革とそのときに活用したIT，および費用対効果の定量的な根拠とそのときに検討した内容について，800字以上1,600字以内で具体的に述べよ。

設問ウ　設問イで述べた業務改革の実施結果は，経営者にどのように評価されたか。更に改善する余地があると考えている事項を含めて，600字以上1,200字以内で具体的に述べよ。

設問文を章と節に対応させる

章立ての例

第1章　事業の概要と業務課題
　1.1　事業の概要，特性
　1.2　業務改革の背景にある事業課題
第2章　実施した業務改革と費用対効果の検討
　2.1　実施した業務改革と活用したIT
　2.2　費用対効果の定量的な根拠と検討内容
第3章　経営者の評価と改善点
　3.1　経営者の評価
　3.2　改善すべき点

▶章立てを作る

■ 章・節のそれぞれに書くべき内容のヒントを問題文から抜き出す

問題文には，出題者が書いてほしいと考えているポイントや方向性が示されている。つまり，論述のヒントが記述されているので，これを確認しておこう。この確認がStep❷の「論述ネタを考える」ことへの布石となる。

問題文　H26問1より抜粋

「2.1　実施した業務改革と活用したIT」へのヒント

ITを活用した業務改革には，例えば，次のようなものがある。

・外勤業務サービスの差別化のために，営業員，サービス員にタブレット端末などのスマートデバイスを配備し，業務進捗状況の迅速な確認，顧客別情報の適時適切な提供などの業務改革を行い，顧客対応時間の増加，顧客サービスの強化を推進する。

・店舗の売上げ拡大のために，内部のPOS情報，外部のSNS・ブログの情報を活用した顧客の購買傾向の分析と的確な品ぞろえ，対象を絞り込んだ顧客への情報発信などの業務改革を行い，販売機会の創出，顧客の囲い込みを推進する。

・物流サービスの優位性確保のために，配送車両にGPS端末と各種センサーを配備し，位置確認道路情報に基づく配送経路の柔軟な変更，顧客への的確な情報提供などの業務改革を行い，顧客満足度の向上，物流サービスの品質向上を推進する。

ITストラテジストは，ITを活用した業務改革を実施する際，事業課題に関連する業務の現状と将来見通し，複数の改革案と各案の効果の比較，活用するITの費用などを検討し，定量的な費用対効果の根拠を示して経営者に説明することが重要である。

「2.2　費用対効果の定量的な根拠と検討内容」へのヒント

▶ヒントを抜き出す

Step2 論述ネタを考える

章立てができた後，章・節それぞれの内容に整合した，論述するネタを考える。論述ネタとは，**そのユニットで論述する材料**のことである。論述ネタを考える作業は，設問イ（第２章）と設問ウ（第３章）から先に行うほうがよい。設問ア（第１章）で述べる事例を先に決めてしまうと，設問イ（第２章）や設問ウ（第３章）の発想を自ら狭めてしまうことになりやすい。それよりも，まずは**自由に論述ネタを考えてから，それに合った事例を選んだほうが柔軟に対応できる**。

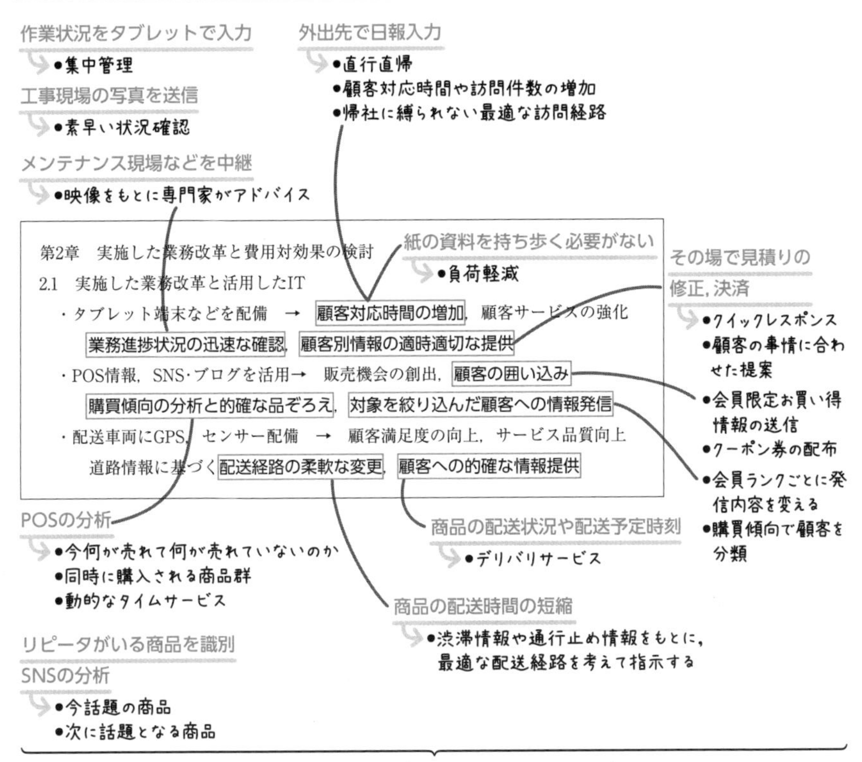

▶論述ネタを考える

論述ネタは，「高度なもの」「カッコいいもの」「画期的なアイディア」である必要はない。高度なものやカッコいいものを論述しようとすると，具体的な案が浮かばずに，文章を書く手が動かなくなる。むしろ平凡なこと，業務の中で誰もがやっている当たり前のことをネタにしたほうが，スムーズに論述できることが多い。

思いついた論述ネタは，問題文や「章立て」にメモするとよい。何を書くべきかを頭の中だけで考えていると，構想がループして作業が止まってしまったり，漏れや抜けが発生しやすい。紙に書き出すことで，構想を組み立て，形にすることができる。

例えば，「情報システムが活用されない真の原因について」（H21 問2 設問イ より）という要求事項については，

❶ 役に立たないと思っている
❷ 一手間増えるだけで面倒である
❸ 入力が面倒なのでだれも入力しない
❹ そもそも使い方がよく分からない
❺ システムがなくても，仕事はうまく回っていた
❻ 実際，役に立たない

などの論述ネタが思いつくであろう。❶❺❻及び❷❸は本質的には同じ原因から生じていることなので，それぞれ一つに集約できる。しかし，この段階ではそんなことは気にせず，思いつくまま列挙することが肝心である。とにかく手を動かして，作業をしよう。画期的なアイディアは不要だ。必要最低レベルの論述ネタを考えることができれば十分である。

Step❸ 事例を選ぶ

Step❷で選んだ論述ネタをもとに，**論述ネタに整合する事例を選定**する。つまり，論述対象となる業務やシステムを選択する。

事例についての概要は，設問ア（第１章）で論述することになる。事例を選ぶ際には，論述ネタに整合するもの，現実的なものを選ぼう。例えば，「現場を中継して専門家のアドバイスを得る」という論述ネタは，機器の設置やメンテナンス業務，施工管理などの事例とは相性がよいが，営業支援やネットショッピングなどの事例とは整合しない。

事例はあらかじめいくつか用意しておくと楽である。例えば，次のようなパターンで自分の経験をもとに事例を用意しておこう。経験の少ない受験者は，雑誌記事や書籍から取材して，事例集を作っておくとよい。

事例集を作る

パターン1 業務プロセスの改革

- 企業戦略の見直し
- 業務プロセスの標準化，効率化
- サプライチェーンの見直しなど

パターン2 業務改善

- 営業業務の改善，店舗業務の改善など
- POSデータやSNSの利用

パターン3 Webシステム

- 不特定多数の利用者を対象にしたシステムの導入
- 商品のレコメンデーション，電子商取引など

Step❷までの作業で，すでに論文全体の構想ができあがっている場合には，構想に合う事例を選ぶ。そうでない場合は，自信のあるネタをいくつか選び，それらに矛盾しない事例を選ぶ。

Step❹ 論述ネタをチェックする

ネタをチェックする際の重要なポイントは次の三点である。

論文ネタのチェックポイント

✓ 設問の全ての要求事項に答えているか？
　[例] 特徴が求められているにもかかわらず，背景だけに終始している

✓ 章立ての中で，ネタは必要十分か？
　[例] 2.1節のネタだけが残り，2.2節のネタが落ちてしまっている

✓ 事例と矛盾していないか？
　[例] バンキングシステムの事例なのに，在庫管理のネタが残っている

「ステップ法」は，一歩一歩着実に合格論文を作成する方法である。ミスの少ない方法ではあるが，ミスをゼロにできるわけではない。事例に合わないネタをボツにする際に，必要な論述ネタまで切り捨ててしまい，結果的に要求事項に関する論述に漏れが生じてしまうこともある。例えば「検討し，工夫した点」が求められているにもかかわらず，検討した点ばかりに偏ってしまい，工夫した点が抜けるようなこともあ

り得る。このようなことがないように，次のステップに移る前に，論述ネタを再度チェックする。チェック自体は簡単な作業であり，時間はかからない。そして，チェックと同時に，論点が同じ論述ネタは一つにまとめる。逆に，いくつかの論点を含むネタがあれば，分割することも検討する。最終的に，字数制限をクリアする分量の論述ネタに絞り込む。

問題点が見つかった場合，原則的には論述ネタを修正して対応する。ただし，次のステップである実際の論述時に対応できることもあるので，そこは臨機応変に行おう。

Step⑤ 論述ネタを展開し論述する

Step⑤では，論述ネタをもとに話を展開し，論述する。Step④で確認された論述ネタを詳細化して，ユニットを作成する。詳細化する際の観点は，例えば次のようなものが考えられる。

詳細化する際の観点

- 論述ネタの内容をより詳しく説明するフレーズ
- 適用したマネジメントや設計技法，改善手法
- 具体的な業務やシステムへの言及
- 対策が必要となった背景
- 対策の具体的な内容や手順
- 例外事項
- 対策による成果

先に挙げた問題例において，「第２章2.1⑴顧客訪問件数，対応時間の増加」（316頁図「ステップ法とユニット法」参照）のユニットを詳細化しながら展開してみる。

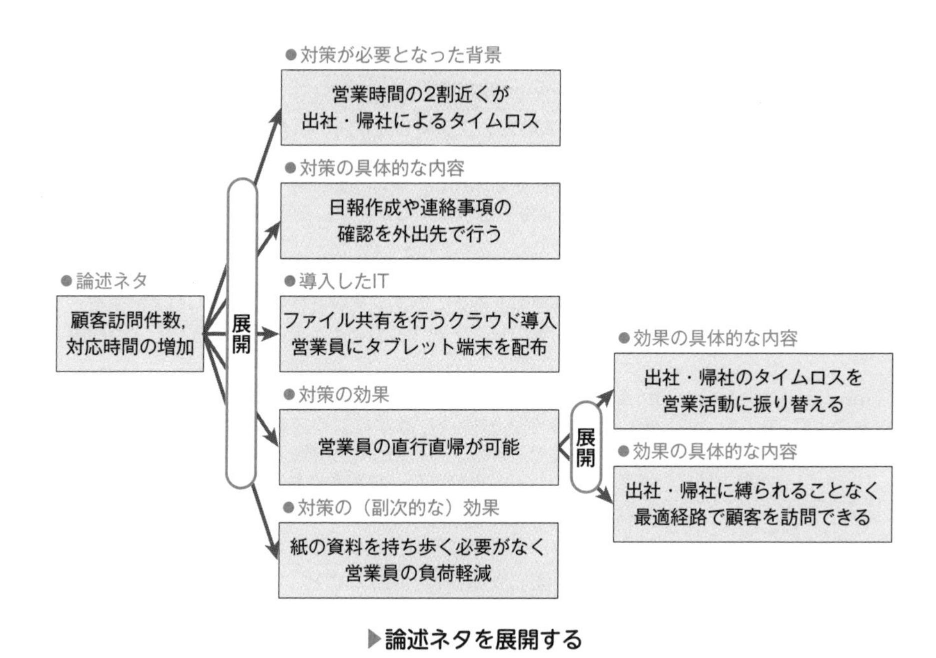

▶論述ネタを展開する

大まかな目安として，60字程度の文を五つ作成できれば，300字のユニットが一つ完成することになる。まずは一つのネタを五つの文で展開することを目標にしよう。

「文章を書くのが苦手！」という受験者は，次に述べる展開法を参考にしてほしい。

1.4 自由展開法

論述ネタを核とし，思いつくことを自由に書いていく展開法である。手軽で論述も膨らみやすい汎用的な展開法である。しかし，発想が発散しすぎると論理が不明確な「筋の通らない論文」になってしまうので注意してほしい。

基本は，5W 1Hの観点から展開する。

▶自由展開法の観点―その❶　5W1H

観点	重要度	内容と例
What （何を）	★★★	問題に対処するために適用した技法や改善策。核にしたネタそのものがWhatに該当することも多い ［例］営業活動を効率化し，顧客訪問件数や対応時間を増加させた ［例］（企画業務を効率化するために）会議の削減と効率化を実施した
Why （なぜ）	★★★	Whatを適用した理由や背景 ［例］営業時間の2割近くが出社や帰社に伴うタイムロスであった ［例］企画業務の6～7割が会議によって占められているような事例もあった
How （どのように）	★★	Whatを適用した方法や工夫 ［例］営業員が外出先から営業資料や連絡事項の閲覧や書込み，メールの送受信，日報の作成ができるようにした ［例］会議のゴールを設定し，結論を持ち越さないようにした
When （いつ）	★	Whatを適用した時期など，期限やタイミングなどに関すること ［例］業務プロセスの改善に先立って全体ミーティングを開催した
Who （誰が）	★	Whatにかかわった関係者に関すること ［例］利害が対立したため，上位の責任者に折衝を依頼した
Where （どこで）	★	場所に関すること（あまり使わない） ［例］顧客のオフィスに赴いてプロトタイプを実演した

5W 1Hの中でも，What，Why，Howは論述によく用いる観点である。展開に困った場合は，

- **何をしたのか？**
- **なぜしたのか？**
- **どのようにしたのか？**

と自分に問いかけ，掘り下げていくとよい。

さらに，5W 1Hに次の観点を加えると，展開が具体的になり論述に現実味が増す。

▶自由展開法の観点―その❷

観点	重要度	内容と例
具体的には	★★	技法や改善の詳細 ［例］具体的には，日報作成や連絡事項の確認をタブレット端末を用いて外出先から行えるようにした
例えば	★★	実例 ［例］例えば「月末」を，月の最後の日と定義している部署もあれば，月の最後の営業日と定義している部署もあった

■ 自由展開法の例

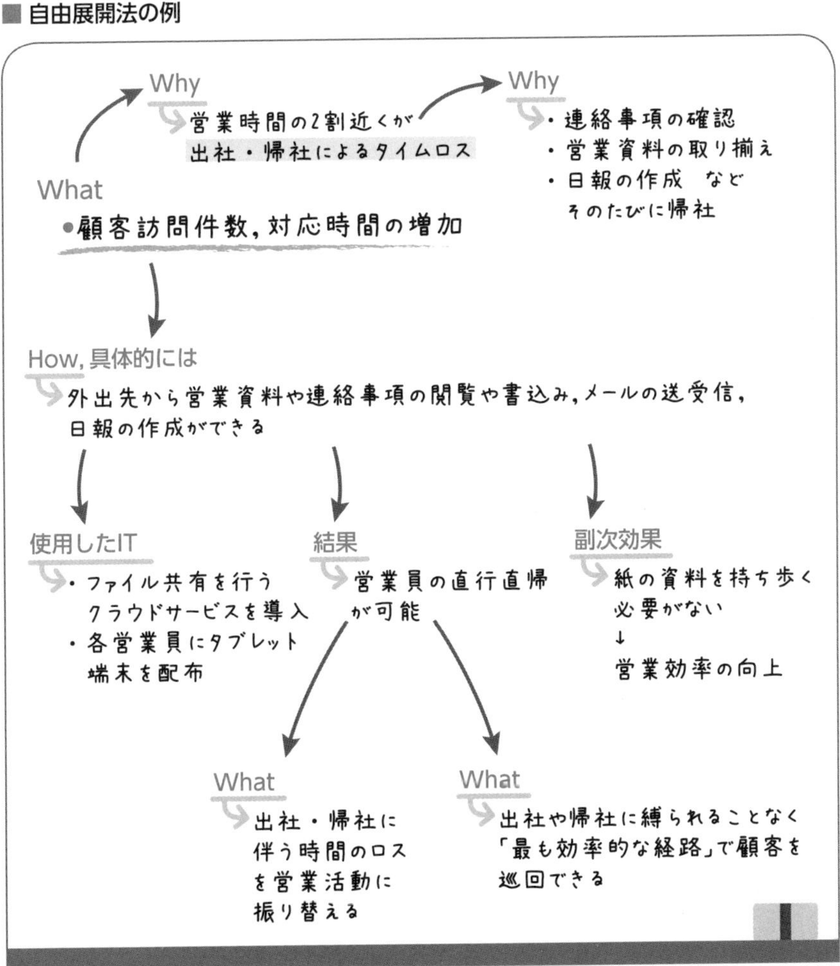

この例では，営業活動を効率化して「顧客訪問件数や対応時間を増加させる」という論述ネタを，自由展開法で展開している。営業活動の効率化の背景には，営業時間の２割近くが出社・帰社によるタイムロスであるという背景がある。なぜそのようなタイムロスが生じるかといえば，営業員には，顧客訪問以外に，社内連絡事項の確認や営業資料の取りそろえ，日報の作成などの業務があり，そのたびに一旦帰社しなければならないからだ。では，どのようにすればタイムロスをなくせるだろうかと，どんどん発想を広げて展開する。

論述にあたっては，矢印の前後関係を考慮し，適当な接続詞で文をつないで論述する。筋が通らない展開はボツにし，論述しながら思いついた展開は書き加えていけばよい。

文章の流れや表現にこだわってしまうと，そこでペンがとまって時間を浪費してしまう。最低限，文の前後関係だけ合っていれば，単純に並べただけでもそれなりに伝わる文章になる。正しく伝えることが目的であって，カッコよく論述する必要はどこにもない。気楽に論述しよう。

論述例

1 2 3 4 5 6 7 8 9 10 11 12 13 14 15 16 17 18 19 20 21 22 23 24 25

（X）　顧客訪問件数，対応時間の増加
　これまでの営業手順では，営業時間の２割近くが出社
・帰社によるタイムロスになっていた。なぜならば，各
営業員は顧客の訪問・対応ほかにも，社内連絡事項の確　100字
認や営業資料の取りそろえ，日報の作成などを行い，そ
のたびに一旦帰社していたからである。
　このようなタイムロスを避けるため，私はファイル共
有を行うクラウドサービスを導入し，各営業員にタブレ　200字
ット端末を配付し，外出先から営業資料や連絡事項の閲
覧や書込み，メールの送受信，日報の作成ができるよう
にした。その結果，営業員の直行直帰が可能となった。
　直行直帰により，出社・帰社に伴うタイムロスを営業　300字
活動に振り替えることができた。また，出社や帰社に縛
られることなく「最も効率的な経路」で顧客を巡回でき
るようになったことも，顧客訪問件数や対応時間の増加
につながった。　400字
　副次的な効果であるが，紙の資料を持ち歩く必要がな
くなったことも，営業活動の効率化につながった。

1.5 “そこで私は”展開法

前提となる状況や条件を説明した上で，「そこで私は」と受けて対処や改善策などを述べる展開法である。自由展開法には及ばないものの，汎用的に使うことができる上に，ほかの展開法にも流用できる。

前提から対処に展開するのが基本的な論述である。前提と対処で２文となるので，それぞれを１～２文増やすことで，５～６文の展開になる。

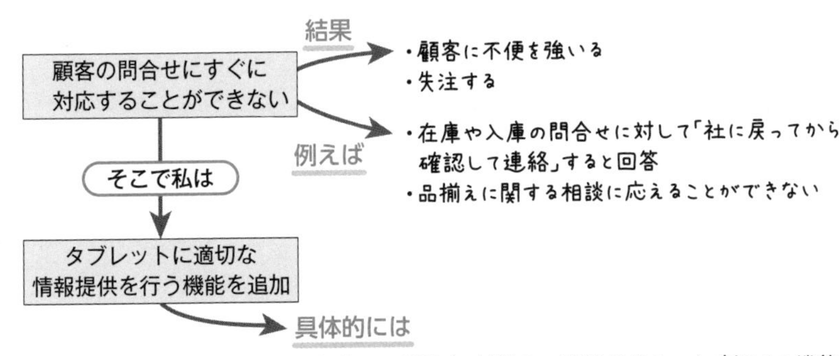

▶“そこで私は”展開法

この展開法のよいところは，論理の筋が通りやすく，理路整然と論述できることである。論理がしっかりしているので，展開が少々ぶれてもなんとか収めることができる。また，前提と対処の２段階に分けて展開するので，前段と後段の展開の難易度を低くできる。ただ，ユニットを書くのに時間がかかることが難点である。しかし，慣れてしまえばそれほど大変ではない。

論述例

1	2	3	4	5	6	7	8	9	10	11	12	13	14	15	16	17	18	19	20	21	22	23	24	25	
（	X	）		適	切	か	つ	迅	速	な	情	報	提	供											
	こ	れ	ま	で	は	，	商	談	に	お	い	て	顧	客	の	問	合	せ	に	営	業	員	が	す	
ぐ	に	回	答	す	る	こ	と	が	で	き	な	い	こ	と	が	あ	っ	た	。	例	え	ば	，	在	
庫	や	入	庫	の	問	合	せ	に	対	し	て	「	社	に	戻	っ	て	か	ら	確	認	し	て	連	100字
絡	」	す	る	こ	と	が	あ	っ	た	。	ま	た	，	顧	客	か	ら	品	揃	え	に	関	す	る	
相	談	を	受	け	た	と	き	に	も	，	的	確	に	応	え	る	こ	と	が	で	き	な	い	こ	

とがあった。結果として顧客に不便を強いることになり，これが失注につながることもあった。

　そこで私は，タブレットに必要な情報提供を行う機能を追加し，これらの要求に応えることにした。具体的には，タブレットには在庫や入荷予定，新製品の開発状況などを問い合わせる機能や地域の情報や季節，客層などのパラメータをもとに，製品の販売状況をシミュレーションする機能を追加した。

200字
300字

1.6 “最初に，次に”展開法

実務手順を展開するのに，ぴったりの方法である。どのように実施したか（あるいはどのように実施するのか）が求められる要求事項に対して，経験上の手順を，「最初に…」「次に…」と列挙していく展開法である。

この展開法は手順を説明するため，一般的に論述量が多くなり，比較的簡単に字数制限をクリアできるというメリットがある。ネタに乏しく，制限字数に満たないおそれがあるとき，この展開法はとても有効である。

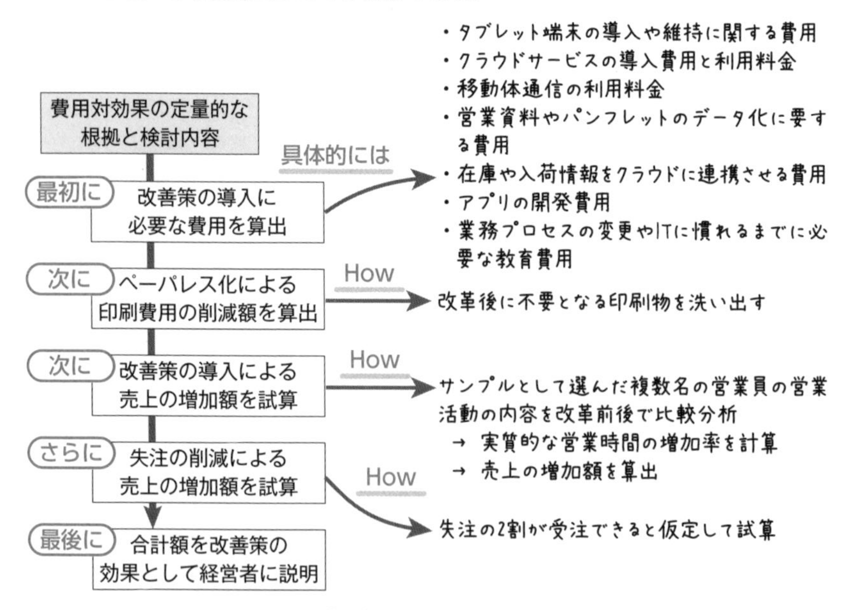

▶“最初に，次に”展開法

論述例

（X） 費用対効果の定量的な根拠と検討内容

改善を進めるにあたり，費用と効果をできるだけ正確に見積もることにした。

最初に，改善策の導入に必要な費用を算出した。具体的には，タブレット端末の導入や維持に関する費用，クラウドサービスの導入費用と利用料金，移動体通信の利用料金，営業資料やパンフレットのデータ化に要する費用，在庫や入荷情報をクラウドに連携させる費用，アプリの開発費用，業務プロセスの変更やＩＴに慣れるまでに必要な教育費用を集計した。

次にペーパレス化による効果として，改善後に不要となる印刷物を洗い出し，各種の印刷費用の削減額を集計することで算出した。

次に，顧客訪問件数や対応時間の増加による売上の増加額を試算した。試算にあたっては，サンプルとして選んだ複数名の営業員の営業活動の内容を改革前後で比較分析し，実質的な営業時間の増加率を計算し，これに現在の売上額を乗じて算出した。

さらに，失注の削減による売上の増加額を試算した。具体的には，過去の営業報告をもとに適切な情報提供ができなかったことによる失注額を集計し，その2割が受注できると仮定して算出した。

最後にこれらの費用と効果を合計し，合計額を改善策の効果として経営者に説明した。

1.7 テクニックの目指す先

記述式試験対策でも述べたことを繰り返すようだが，ステップ法の極意は「ステップを踏まずに論文を作成する」ことにある。

ステップ法を習熟すれば，自然に不要なステップを省略できるようになる。やがては，問題文にアイデアをメモするだけで，すぐに論述を開始できるようになるだろう。

それを信じてトレーニングに励んでほしい。

合格論文の作成例

ステップ法を使った合格論文の作成例を示す。自分の考えや経験をもとに「自分ならどんな論述ネタで，どのように論文を仕上げるか」，考えながら読んでみよう。

作成例1 ITを活用した事業戦略の策定 (H24問1)

問1 ITを活用した事業戦略の策定について

企業は市場における競争力を高めるために，競合他社との差別化を図った製品・サービスの提供，コストリーダシップの実現，ニッチ市場への参入・拡大などの競争戦略を立案する。立案した競争戦略に基づき，ITストラテジストは，業種ごとの事業特性を踏まえて，ITを活用した事業戦略を策定し，経営トップ，事業責任者に対して提案する。競争戦略を実現するための事業戦略の例を示す。

- 他社との差別化を図るために，店舗の販売責任者に，店内での売行き，顧客の動きをリアルタイムに提供して，サービス品質を向上させる。
- ローコストオペレーションのために，拠点間，企業間で情報を共有して連携し，バリューチェーンの再構築を行う。
- ニッチ市場での地位を確立するために，インターネット，モバイル機器などを活用した新しいサービスを提供する。

事業戦略の策定においては，その合理性，実現可能性などの観点から様々な検討を行う必要があり，ITストラテジストには，例えば，次のような分析が求められる。

- 先進のITを活用した事例の詳細な調査・分析
- 大幅な業務効率向上や他社との差別化が，ITの活用によって可能な業務プロセスの明確化と課題分析
- 活用するITの機能・性能・信頼性などについての要求レベルの分析

あなたの経験と考えに基づいて，設問ア～ウに従って論述せよ。

設問ア あなたが携わったITを活用した事業戦略の策定において，前提となった競争戦略について，事業特性とともに，800字以内で述べよ。

設問イ 設問アで述べた競争戦略に基づき，どのような検討を行い，どのような事業戦略を策定したか。活用したITを明確にして，800字以上1,600字以内で具体的に述べよ。

設問ウ 設問イで述べた事業戦略を経営トップ，事業責任者に対してどのように提案し，どう評価されたか。更に改善する余地があると考えている事項を含めて，600字以上1,200字以内で具体的に述べよ。

Step① 章立てを作る

設問文から章タイトル（上記　　部分）を作り，問題文から該当するヒントを抜き出す（上記　　部分）。章タイトルは，設問の要求事項に忠実に作成する。そうすることで，要求事項が抜けることによる不合格を防ぐことができる。

Step② 論述ネタを考える

続いてStep①で組み立てた章立てより論述ネタを考える。

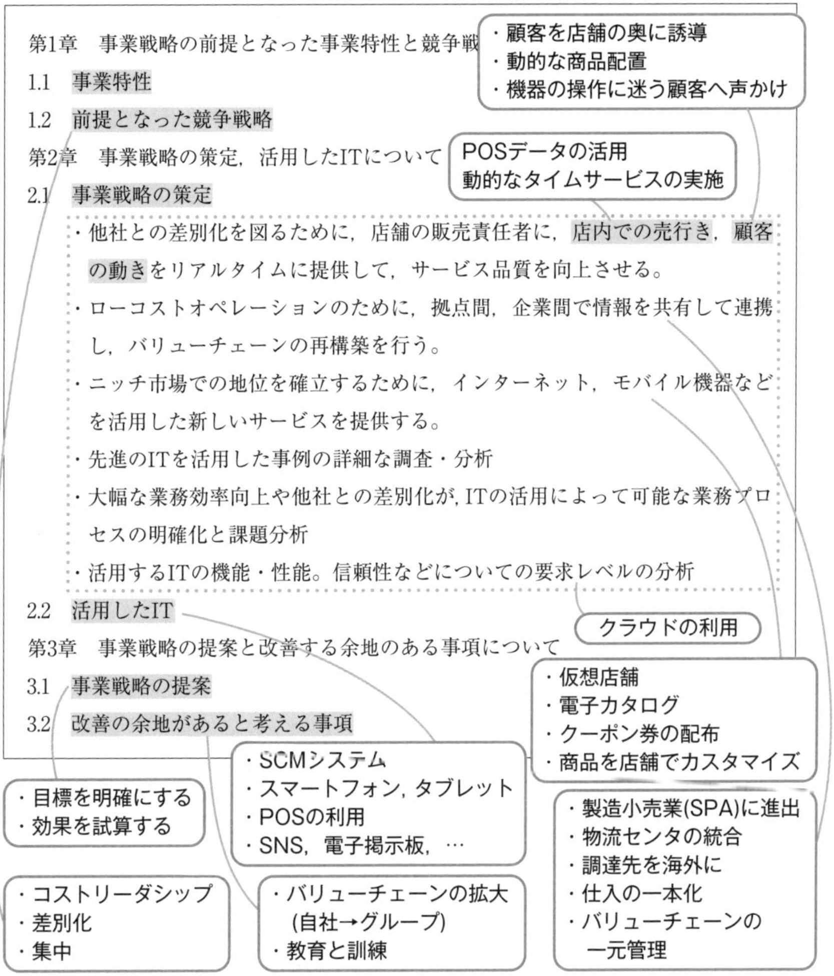

第1章　事業戦略の前提となった事業特性と競争戦略

1.1　事業特性

1.2　前提となった競争戦略

第2章　事業戦略の策定，活用したITについて

2.1　事業戦略の策定

- 他社との差別化を図るために，店舗の販売責任者に，店内での売行き，顧客の動きをリアルタイムに提供して，サービス品質を向上させる。
- ローコストオペレーションのために，拠点間，企業間で情報を共有して連携し，バリューチェーンの再構築を行う。
- ニッチ市場での地位を確立するために，インターネット，モバイル機器などを活用した新しいサービスを提供する。
- 先進のITを活用した事例の詳細な調査・分析
- 大幅な業務効率向上や他社との差別化が，ITの活用によって可能な業務プロセスの明確化と課題分析
- 活用するITの機能・性能。信頼性などについての要求レベルの分析

2.2　活用したIT

第3章　事業戦略の提案と改善する余地のある事項について

3.1　事業戦略の提案

3.2　改善の余地があると考える事項

- 顧客を店舗の奥に誘導
- 動的な商品配置
- 機器の操作に迷う顧客へ声かけ

POSデータの活用
動的なタイムサービスの実施

クラウドの利用

- 仮想店舗
- 電子カタログ
- クーポン券の配布
- 商品を店舗でカスタマイズ

- 目標を明確にする
- 効果を試算する

- SCMシステム
- スマートフォン，タブレット
- POSの利用
- SNS，電子掲示板，…

- 製造小売業(SPA)に進出
- 物流センタの統合
- 調達先を海外に
- 仕入の一本化
- バリューチェーンの一元管理

- コストリーダシップ
- 差別化
- 集中

- バリューチェーンの拡大（自社→グループ）
- 教育と訓練

■ 第１章の競争戦略を考える

第1章で競争戦略を策定する。競争戦略は，大きく次のように分類できる。

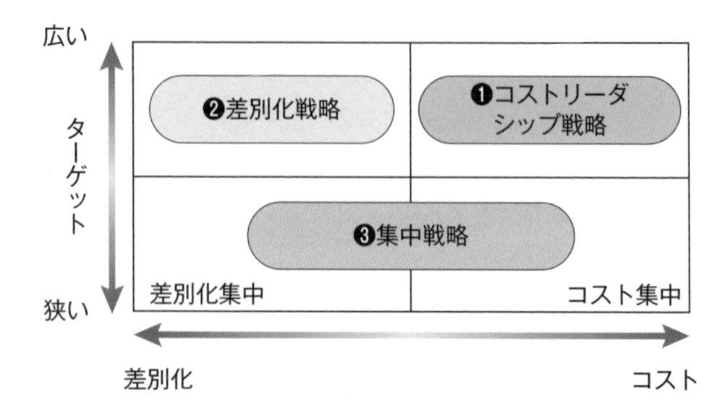

コストリーダシップは，低価格であることを武器に幅広い顧客層に販売する競争戦略である。コストリーダシップはこれを選択する企業にある程度の規模が求められる，強者のとる戦略といえる。

コストリーダシップをとる強者に対して，コストリーダシップで挑んでも勝負にならないことがある。そのような場合は，商品に付加価値を付けてコスト以外で勝負を挑む（差別化），顧客層を限定した狭い市場で独自の地位を築く（集中）などの戦略を選ぶ。差別化は高くても売れる商品を販売する戦略であり，集中は販売する顧客層を高齢者や主婦などに絞り，コストや付加価値で勝負を挑む戦略である。このような基本戦略のもと，事業戦略を策定する。

コストリーダシップをとる企業は，ローコストオペレーションを進めてさらなる低価格化を実現する。他社にはまねできない価格を実現し，ライバルを振り落とすのである。例えば，製造小売業に乗り出すことで企画から製造，販売を一体化し，無駄のない製造販売計画を立案する。物流センターを統合し，物流を単純化してコストダウンを図る，仕入れ先を海外にする，グループ企業で仕入を一本化することで仕入価格を低減する，バリューチェーンを徹底管理することでコストの無駄を省く，などが考えられる。

差別化を選んだ企業は，どのように付加価値を高めるかを考える。製品の高機能化や製品の高信頼化ばかりが付加価値ではない。メンテナンスの充実や利便性の高い店舗などのサービス品質も，付加価値の重要な要素である。例えば，POSデータを活用して売上をリアルタイムに把握して，状況に応じたタイムサービスを実施する。顧客の動きを分析して，商品の配置に反映させるなどを実施する。

集中を選んだ企業は，自らが選んだセグメントで圧倒的な地位を築くよう事業戦略を考える。例えば，高齢者を対象とする電子機器を販売するため高齢者に特化したインタフェースを開発する。顧客を主婦層に絞って仕入を最適化して，婦人服の分野ではコストリーダシップ企業に負けない低価格を実現する，などが考えられる。

インターネットやモバイル機器などのITは，様々な事業戦略をとる上で非常に有効なツールである。例えば，高価な工芸品をインターネットで受注して受注分だけ生産するといった方法で，画一的な商品を大量販売するコストリーダシップ企業に挑戦するような使い方も考えられる。その他にも，顧客一人ひとりのニーズに応えるためスマートフォンやタブレットを活用する，顧客のニーズをSNSや電子掲示板を通じて収集する，バリューチェーンを一元管理するためにSCMシステムを採用するなど，様々な活用法が考えられる。

これらの事業戦略を説明する際には，効果を試算したり他社の成功事例を引用するなどの工夫が必要である。また，どのような事業戦略も最初から完璧であるわけではない。事業戦略のどこに問題があり，それをどのように改善できるかを常に考えておくことが大切である。例えば，ローコストオペレーションの一環としてアルバイト社員の割合を増やす場合，それを実施することで顧客対応の質が低下するおそれがある。そこで適切な教育や訓練を実施するなどの対策を行う。また，自社のバリューチェーンの一元管理を実施する場合，一元管理の対象をグループ企業に広げることで，より効率的なバリューチェーンを構築できる。

Step3 事例を選ぶ

「競争戦略」や「事業戦略」は，どんな事例にも適用できる汎用的なテーマである。なぜなら，どんな会社もライバル社と競争しており，そのために様々な事業戦略を立案するからである。経験した事業や他社との競争について，素直に論述すればよい。

競争を際立たせるために，ライバル社について説明するのもよい。ライバル社を説明することで市場の状況が明らかになり，論述する事業戦略に説得力が増す。例えば，市場に圧倒的な強者がいることを説明し，差別化や集中戦略につなげるように論述を展開してみるのもよい。

試験に備えて，経験を踏まえた事例を3～5例程度は用意しておきたい。

事例案

当社は衣料を中心とするファッション商品の製造を行っている。当社は比較的古くから海外に工場を移転し，安価な商品を販売店に提供してきた。当社の商品は，男女問わず幅広い年齢層をターゲットとしているが，売上の多くを占めているのは若い女性向けの商品である。

当社の事業領域には，圧倒的な強者であるU社が存在する。U社は自社工場で製造した商品を，直営店で販売することでコストダウンに成功している。

U社との競争のため，当初は高い付加価値を持つ商品を開発することが検討された。しかしながら，当社は高付加価値商品を製造するノウハウは持っておらず，海外工場における製造方針の転換も困難であった。そこで，事業領域を10代から20代の女性に絞って資源を集中して更なるコストダウンを実現する，いわゆるコスト集中戦略を採用することになった。

Step④ 論述ネタをチェックする

事例が定まったら，

・設問の全ての要求事項に答えているか？

・章立ての中で，論述ネタは必要十分か？

・事例と矛盾していないか？

という観点から，論述ネタを今一度チェックしよう。

Step⑤ 論述ネタを展開し論述する

Step④でチェックした論述ネタをいくつか選び，展開する。ここでとり上げなかった論述ネタについては，各自で展開・論述にチャレンジしてほしい。

展開のタイプは，大きく列挙型と掘下げ型に分けることができる。

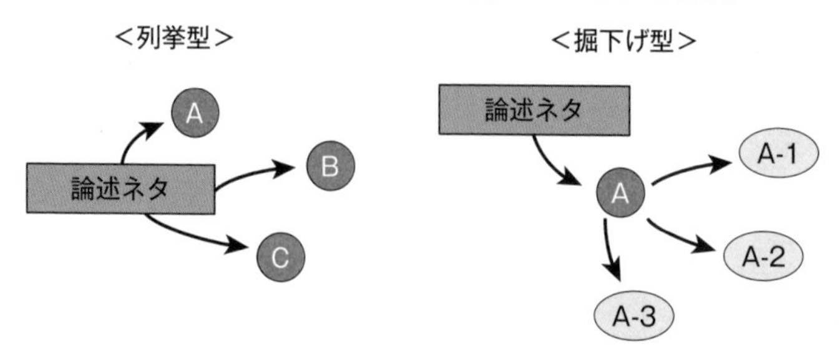

あるテーマについていろいろな具体策を盛り込むなら，それらをどんどん列挙して展開する。逆に思いつく具体策が少なければ，それをさらに掘り下げて展開する。

■ 企画から製造・販売の一貫化（2.1節の展開例―その❶）

「企画から製造・販売の一貫化」という一つの論述ネタでユニットを作成するため，展開は自然と掘下げ型となる。

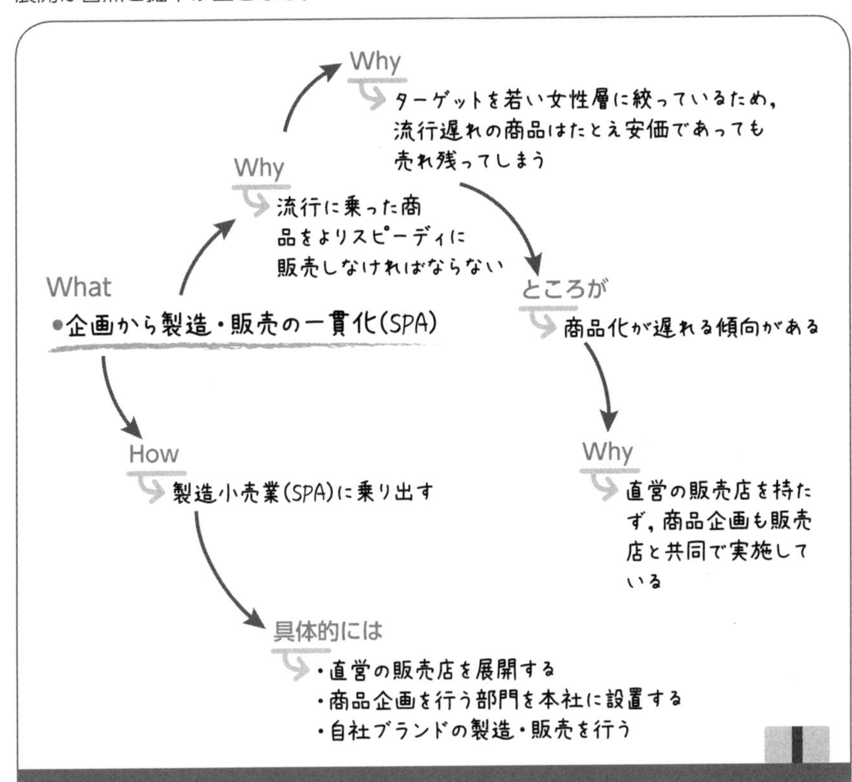

5W1Hの中でも最も多用する切り口がWhyである。すでに述べたとおり，WhyにWhyを重ねると，より本質的な問題点を抽出できる。Why以外の切り口で展開した事実に対して，さらにWhyで展開してもよい。この展開例では「流行に乗った商品をよりスピーディに販売しなければならない」という事実に対して，さらにWhyで展開することで，SPAに乗り出す背景を説明している。Whyに偏った展開例だが，それでもユニットが破綻することはない。安心して大胆に展開しよう。

■ ローコストオペレーションの徹底（2.1節の展開例—その❷）

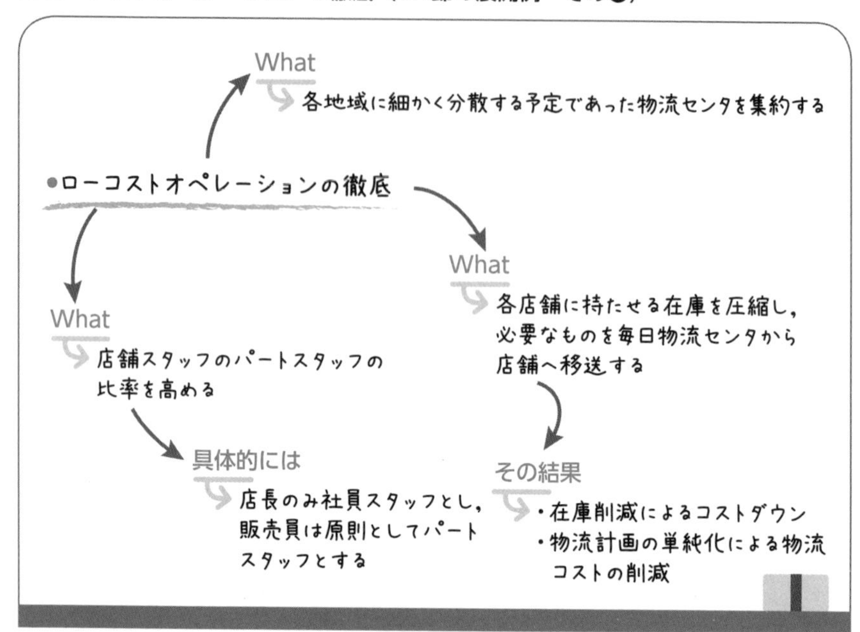

「ローコストオペレーションの徹底」という大きめのテーマを選んだので，それらの具体策を列挙する列挙型で展開した。具体策についてWhat，具体的には，「例えば」などの切り口から浅く展開しておけば，立派にユニットとして完成する。深い展開が思いつかない場合は，列挙型を試してみよう。

「物流センターを集約する」「店舗在庫を圧縮する」などは，コスト削減の定番ともいえる方策である。それらの定番はすぐに論述できるよう，書籍や記事などから情報を収集しておこう。

■ SCMシステムの導入（2.2節の展開例）

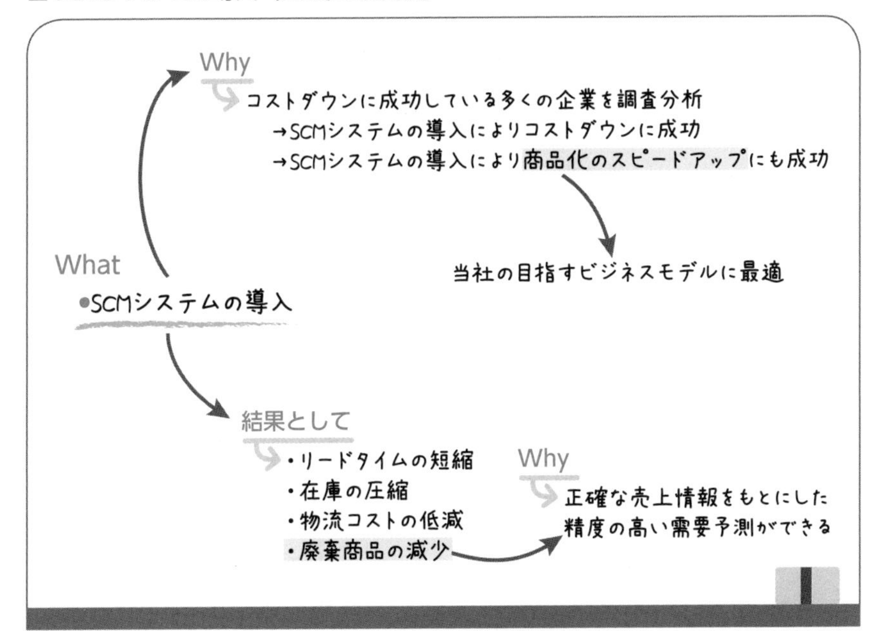

活用したITでは「SCMシステムの導入」をとり上げて，掘下げ型で展開した。掘り下げる際には，Whyが最も大切な切り口になる。明確な理由が思いつかない場合には「調査の結果」とすればよい。「様々な企業の事例を調査した結果，XXXが有効であることが判明した」という流れである。調査に対して，Howや具体的にはを適用して，調査の方法や詳細を展開するのもよい。

■ 改善の余地があると考える事項（3.2節の展開例）

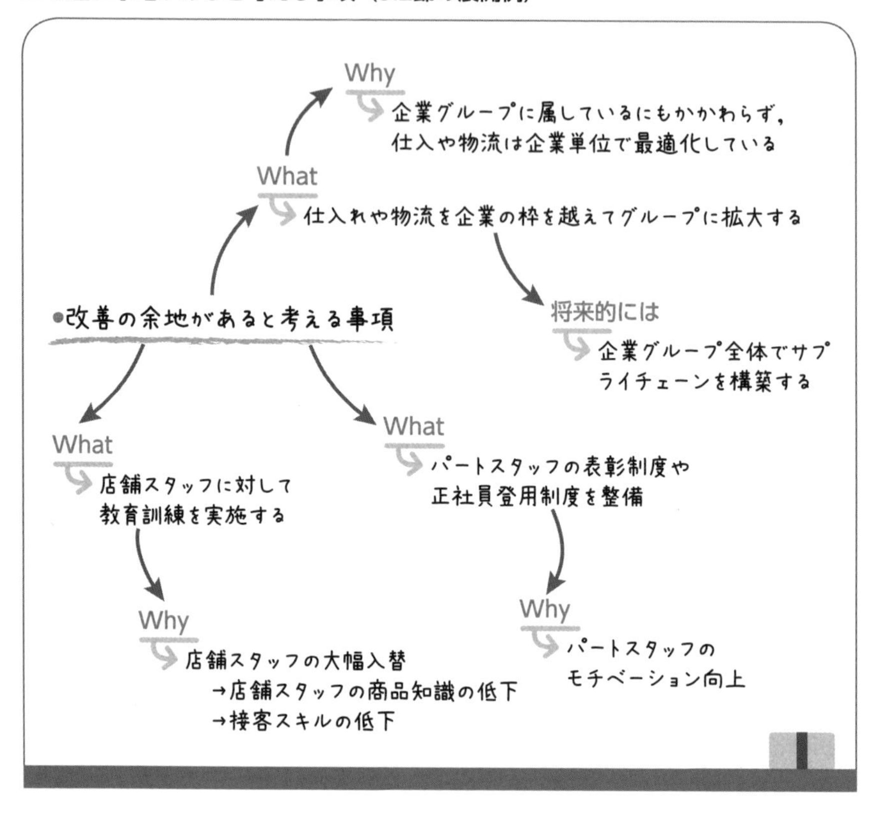

3.2節では第2章の事業戦略を受けて，改善の余地を列挙する。ここでは，

企画から製造・販売の一貫化 → グループ企業へ拡大

パートスタッフの比率の増加 → 教育訓練の実施

→ 各種制度の整備

と列挙型で展開した。

字数や時間との相談となるが，パートスタッフの比率を高めることによって「例えば，どういう問題が起こるか」などを，他社の事例をとり上げて説明してもよい。同様に，各種の制度について「例えば，XX年勤続して店長の推薦があるパートスタッフについては」などと例示してもよい。ITと絡めた改善があればなおよかったかもしれない。

論述例

第１章　事業戦略の前提となった事業特性と競争戦略

１．１　事業特性

　当社は衣料を中心とするファッション商品の製造を行っている。当社は比較的古くから海外に工場を移転し，安価な商品を販売店に提供してきた。当社の商品は，男女問わず幅広い年齢層をターゲットとしているが，売上の多くを占めているのは若い女性向けの商品である。

　当社の事業領域には，圧倒的な強者であるＵ社が存在する。Ｕ社は自社工場で製造した商品を，直営店で販売することでコストダウンに成功している。

> 競争戦略に結びつく性質を述べる。戦略に「コスト集中」を選ぶので，強力なNo1企業がライバルであることを述べておく。

１．２　前提となった競争戦略

　Ｕ社との競争のため，当初は高い付加価値をもつ商品を開発することが検討された。しかしながら，当社は高付加価値商品を製造するノウハウは持っておらず，海外工場における製造方針の転換も困難であった。そこで，事業領域を１０代から２０代の女性に絞って資源を集中して更なるコストダウンを実現する，いわゆるコスト集中戦略を採用することになった。

> 450字。もう少し書いたほうがよいかもしれないが，気にしない。

第２章　事業戦略の策定，活用したＩＴについて

２．１　事業戦略の策定

（１）企画から製造・販売の一貫化（ＳＰＡ）

　当社の選択したセグメントで集中戦略を実現するためには，コスト削減を命題としながらも，「流行に乗った商品」を「よりスピーディ」に販売しなければならない。ターゲットを若い女性層に絞っているため，流行遅れの商品はたとえ安価であっても売れ残ってしまう可能性が高いからである。ところが当社は直営の販売店を持たず，商品企画も販売店と共同で実施しているため，どうしても商品化が遅れる傾向があった。

　これに対処するため，販売店での売上動向をすぐさま企画に反映し，生産するための事業戦略が検討された。そのひとつとして，企画から製造・販売を一貫化する，いわゆる製造小売業（ＳＰＡ）に乗り出すことにした。具体的には，直営の販売店を展開するとともに，商品企画を行う部門を本社に設置し，自社ブランドの製造・販売を行うことにした。

> 戦略系の論文テーマを選ぶためには，具体的な戦略や事例について，ある程度の知識が必要。

（２）ローコストオペレーションの徹底

　さらなるコストダウンを実現するため，予定されるサプライチェーンについて，どのような方法でムダの削減及び費用の削減を行うかを検討した。

> コスト集中を選んだことにしたので，論述ネタのコストリーダシップは切り捨てた。

　物流に関しては，各地域に細かく分散する予定であった物流センターを集約した。同時に，各店舗に持たせる在庫を圧縮し，必要なものを毎日物流センターから店舗へ移送することにした。これにより，在庫削減によるコストダウンのほか，物流計画の単純化により物流コスト自体も削減することが期待された。

> 同様に，海外の調達比率も切り捨てた。

販売に関しては，各店舗スタッフのパート比率を高めることで人件費を圧縮することにした。具体的には店長のみを社員スタッフとし，販売員は原則としてパートとした。

2．2　活用したＩＴ

コストダウンに成功している多くの企業では，サプライチェーン全体を管理するＳＣＭシステムを導入している。それらの導入事例を分析したところ，売上情報や在庫情報，製造・販売に関する計画を共有することで，コストダウンだけではなく商品化のスピードを高め，市場や顧客のニーズに迅速に対応できていることも明らかになった。これらの特徴は，当社の目指す業務プロセスにフィットすると考えられたため，ＳＣＭシステムの導入を決定した。

ＳＣＭシステムを活用することで，リードタイムの短縮や在庫の圧縮，物流コストの低減が実現した。また，正確な売上情報が蓄積できるようになり，これをもとに精度の高い需要予測が可能となった。そのため，流行遅れになった商品を廃棄するようなことが少なくなった。

800字 / 900字 / 1,000字 / 1,100字

ここまでで800字。(2) はもう少し短くてもよい。

ITの活用事例を分析したことをそのまま使った。

SCMのテキスト的な特徴
・スピードアップ
・コストダウン
・精度の高い需要予測
を絡めて論述。

1,175字。

第３章　事業戦略の提案と改善する余地のある事項について

３．１　事業戦略の提案

事業戦略を提案するにあたって，当社の競争環境の説明から始めた。具体的には，当社は選択したセグメントにおいては，Ｕ社よりも優位に立たなければならないことを説明した。さらに，ローコストオペレーションの徹底では，当社のバリューチェーンを説明したうえで，どこにコスト削減の余地があるかを，削減方法とともに説明した。削減方法を説明する際には，その実現に要する費用と，コスト削減による収益の増加額，考えられるリスクをいくつかの具体的なケースに沿って，具体的な金額を試算しながら説明した。

定性的な是非ではなく，具体的なケースと客観的な試算と金額に基づいて説明したことで，説得力の高い提案につながった。また，リスクについても説明したことは，経営判断の材料になると評価を受けた。

３．２　改善の余地があると考える事項

当社はある企業グループに属しているが，仕入れや物流などは企業単位で最適化している。これを企業の枠を超えてグループに拡大すれば，さらなるコストダウンが実現できる。例えば仕入れについて，同じ企業グループに属する同業他社と共同で実施すれば，仕入れのボリュームも大きくなりさらなる値引きが期待できる。将来的には企業グループ全体でサプライチェーンを構築することも考えている。

ローコストオペレーションの徹底に伴う店舗スタッフの大幅入替によって，店舗スタッフの商品知識の低下，接客スキルの低下などが指摘された。これに対処するた

100字 / 200字 / 300字 / 400字 / 500字 / 600字 / 700字

カッコイイことを書く必要はない。
数字を挙げて具体的に説明するのは，プレゼンの常識。
これを強調しただけ。

企業レベルの最適化→グループレベルの最適化は自然な流れ。これを改善点としただけ。

ここまでで650字。もう少し書いたほうがよいかも。

1	2	3	4	5	6	7	8	9	10	11	12	13	14	15	16	17	18	19	20	21	22	23	24	25
め	，	教	育	訓	練	プ	ロ	グ	ラ	ム	を	整	備	し	，	業	務	時	間	を	使	っ	て	訓
練	に	参	加	で	き	る	よ	う	に	す	る	。	ま	た	，	パ	ー	ト	ス	タ	ッ	フ	の	表
彰	制	度	や	正	社	員	登	用	制	度	を	整	備	し	，	ス	タ	ッ	フ	の	モ	チ	ベ	ー
シ	ョ	ン	を	引	き	上	げ	る	こ	と	も	考	え	て	い	る	。							

800字

作成例2　経営戦略実現に向けた戦略的なデータ活用　(H25問1)

問1　経営戦略実現に向けた戦略的なデータ活用について

事業者間の競争が激しくなる中，新規顧客の獲得，顧客満足度の向上などの経営戦略を実現するために有効な施策を立案し，実施することが重要になっている。事業に関連する社内外の様々なデータに着目して事業の現状を的確に把握したり，多方面から分析を行って変化の兆しをいち早く察知したりして，施策の立案に結び付けることができる，戦略的なデータ活用が注目されている。

例えば，戦略的なデータ活用による施策の立案としては，次のような事例がある。

・インターネット上の様々なWebサイトの情報を分析して一般消費者の潜在的なニーズ，他社の動向などを察知し，商品の企画，販売拡大などの施策を立案する。

・POS，電子マネー，ネット販売などの顧客の購買履歴データを分析し，商品の品ぞろえの見直し，顧客への新たな提案などの施策を立案する。

・設備，機器の稼働実績データを分析し，故障の予兆を察知して予防保全の提案を行ったり，運用改善の提案を行ったりする新たなサービスの提供などの施策を立案する。

ITストラテジストは，戦略的なデータ活用による施策の立案について経営者，事業責任者に説明するために，経営戦略上の有効性，運営体制，人材育成上の課題，他社の成功要因などの事項を検討しておくことが重要である。

あなたの経験と考えに基づいて，設問ア～ウに従って論述せよ。

設問ア　あなたが携わった経営戦略実現に向けた戦略的なデータ活用について，対象となった事業の概要と特性，及び戦略的なデータ活用を行うことになった背景を，800字以内で述べよ。

設問イ　設問アで述べた戦略的なデータ活用について，活用したデータと分析方法を明らかにするとともに，分析結果を踏まえて立案し，実施した施策を，800字以上1,600字以内で具体的に述べよ。

設問ウ　設問イで述べた施策について，経営者，事業責任者に説明するために，どのような事項を重要と考えて検討したか。また，立案し，実施した施策に対する経営者，事業責任者からの評価について，改善すべき点を含めて，600字以上1,200字以内で具体的に述べよ。

Step① 章立てを作る

設問文から章タイトル（上記　　　部分）を作り，問題文から該当するヒントを抜き出す（上記　　　と　　　部分）。章タイトルは，設問の要求事項に忠実に作成する（次頁）。そうすることで，要求事項が抜けることによる不合格を防ぐことができる。

Step❷ 論述ネタを考える

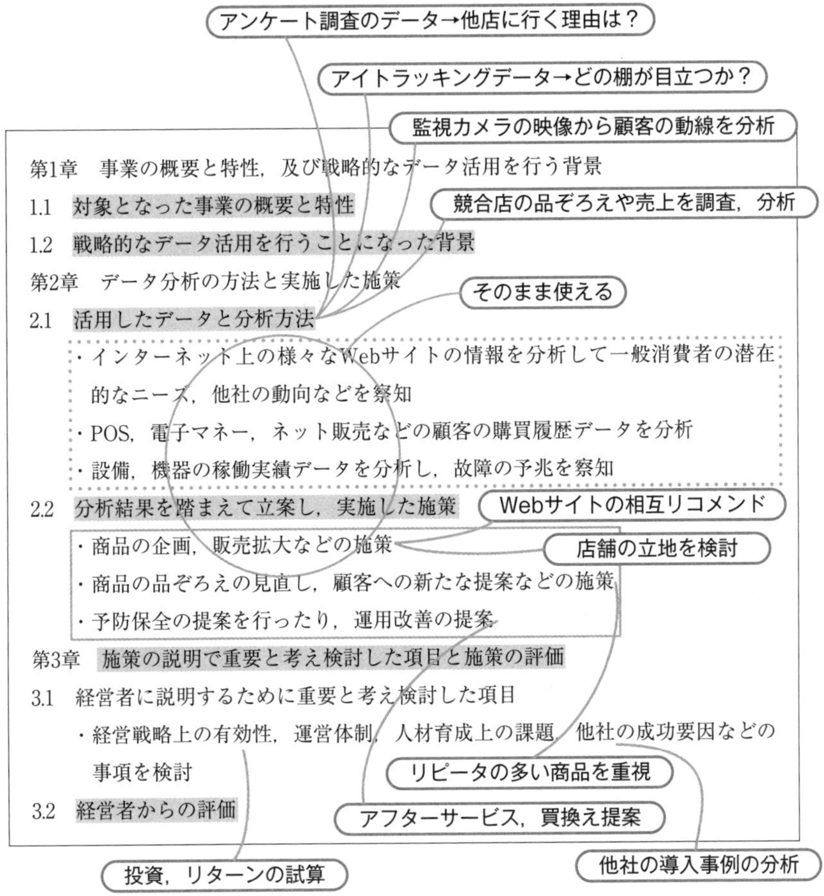
アンケート調査のデータ→他店に行く理由は？
アイトラッキングデータ→どの棚が目立つか？
監視カメラの映像から顧客の動線を分析
第1章　事業の概要と特性，及び戦略的なデータ活用を行う背景
1.1　対象となった事業の概要と特性
競合店の品ぞろえや売上を調査，分析
1.2　戦略的なデータ活用を行うことになった背景
第2章　データ分析の方法と実施した施策
そのまま使える
2.1　活用したデータと分析方法
・インターネット上の様々なWebサイトの情報を分析して一般消費者の潜在的なニーズ，他社の動向などを察知
・POS，電子マネー，ネット販売などの顧客の購買履歴データを分析
・設備，機器の稼働実績データを分析し，故障の予兆を察知
2.2　分析結果を踏まえて立案し，実施した施策
Webサイトの相互リコメンド
・商品の企画，販売拡大などの施策
店舗の立地を検討
・商品の品ぞろえの見直し，顧客への新たな提案などの施策
・予防保全の提案を行ったり，運用改善の提案
第3章　施策の説明で重要と考え検討した項目と施策の評価
3.1　経営者に説明するために重要と考え検討した項目
・経営戦略上の有効性，運営体制，人材育成上の課題，他社の成功要因などの事項を検討
リピータの多い商品を重視
3.2　経営者からの評価
アフターサービス，買換え提案
投資，リターンの試算
他社の導入事例の分析

設問の要求事項及び問題文のヒントをもとに，第2，3章の論述ネタを考える。

2.1節では，活用したデータと分析方法を述べる。幸いヒントは十分具体的であるので，これに沿って考える。

インターネット上の様々なWebサイトの情報を分析することで，消費者のニーズを知ることができる。例えば，売上上位の商品について，因子分析やマトリクス分析を行い，ニーズや動向を分析する。

顧客の購買履歴データを分析することで，顧客の行動を知ることができる。例えば，

購買履歴データをもとにバスケット分析を行うことで，同時に買われる商品群を見つけ出すことができる。購買履歴データから優良顧客を見いだし，優良顧客にウケのよい商品を見いだすなどの分析も有効である。

機器のメンテナンスの経験があれば，ヒントに忠実に設備，機器の稼働実績データを分析し，故障の前兆を察知して予防保守に活用するといった事例をとり上げてもよい。

このような戦略的なデータ活用の経験がなければ，身近な事例をもとにデータ活用の例を考えてみるのもよい。例えば，スーパーなどの販売店をとり上げてはどうだろうか。成功しているライバル店の品ぞろえに合わせる，顧客の意見を取り入れた品ぞろえとする，などの施策が思いつく。そのような施策においても，ライバル店の品ぞろえを調査したデータや顧客を対象としたアンケート調査などのデータを利用していることになる。また，顧客の買上高は，

動線の長さ×立寄率×視認率×買上率×買上個数×商品単価

・動線の長さ…店舗内における移動の長さ（店内を隅々まで歩き回る）

・立寄率…売り場に立ち寄る度合い

・視認率…売り場で商品を見る度合い

で計算できるため，これらの要素を分析するようなデータを考えればよい。例えば，動線の長さや立寄率，視認率は，監視カメラの映像から分析することができる。立寄り先で店舗が販売したい商品を見てもらうためには，顧客の視線の動きを記録したアイトラッキングデータを分析し，視線の動きに沿って商品を配置する。

2.2節では，分析結果を踏まえた施策を述べる。Webサイトの情報を分析して消費者のニーズや動向が明らかになれば，それに沿った商品開発や品ぞろえを行う。バスケット分析の結果，一緒に買われる商品が分かれば，それらを近くに配置するようにレイアウトを検討する。

キャンペーンなどで一時的に売上が上がってもそれが長続きしない店は，リピータを大事にしていない可能性がある。リピート率の高い商品は，たとえ売上が小さくても長期的に利益を生み出す。何よりもリピータを優良顧客（得意客）にできれば，経営に大きく貢献する。

複数のショッピングサイトを運営する企業で，サイト間の移動の際に利用者をとり逃がしてしまう場合がある。このような利用者の行動が明らかになった場合には，サイト間で相互リコメンドして，顧客を自社サイトに誘導するような施策を考える。

設備，機器の稼働実績データを分析するような事例では，予防保全や運用改善の提案に加えて，アフターサービスや買換え提案につなげることも考える。

第3章では，施策を経営者に説明するにあたって重要だと考えた項目を述べる。施策は，その有効性や実現可能性について十分検討して経営者に説明する。例えば，経営戦略が売上の増大であれば，施策がいかに売上に貢献するかを説明する。例えば，投資やリターンを試算して説明する。施策を成功に導くために必要な項目を検討して説明することも大切だ。施策を成功に導くために必要な要因について，運営体制や人材育成上の課題などの観点から説明する。成功している他社の導入事例などを分析し，成功要因を見いだすことも有効である。

Step❸ 事例を選ぶ

戦略的なデータの活用は，どのような事業であっても必要である。その意味で，事例を選ばないテーマといえる。経験した事例が少なければ，店舗の改善など分かりやすく論述しやすい事例を用いる。

試験に備えて，各自の経験を踏まえた事例を3～5例程度は用意しておきたい。

事例案

私が携わった事業は，ドラッグストアを経営するA社の売上増大に向けた施策の立案・実施である。A社は北関東を中心にいくつかの店舗を展開しているが，最近は大手のドラッグストアチェーンに押され，売上は減少気味である。

A社が展開する店舗の中には，立地は悪くないにもかかわらず売上が伸びない店舗もあった。B店もその一つであった。そこでまず，B店に対して売上を増大する施策を立案・実施し，効果を観測した後にA社の店舗に拡大することになった。

Step❹ 論述ネタをチェックする

事例が定まったら，

・設問の全ての要求事項に答えているか？

・章立ての中で，論述ネタは必要十分か？

・事例と矛盾していないか？

という観点から，論述ネタを今一度チェックしよう。

Step⑤ 論述ネタを展開し論述する

Step④でチェックした論述ネタをいくつか選び，展開する。ここでとり上げなかった論述ネタについては，各自で展開・論述にチャレンジしてほしい。

■ 活用したデータと分析方法（2.1節の展開例）

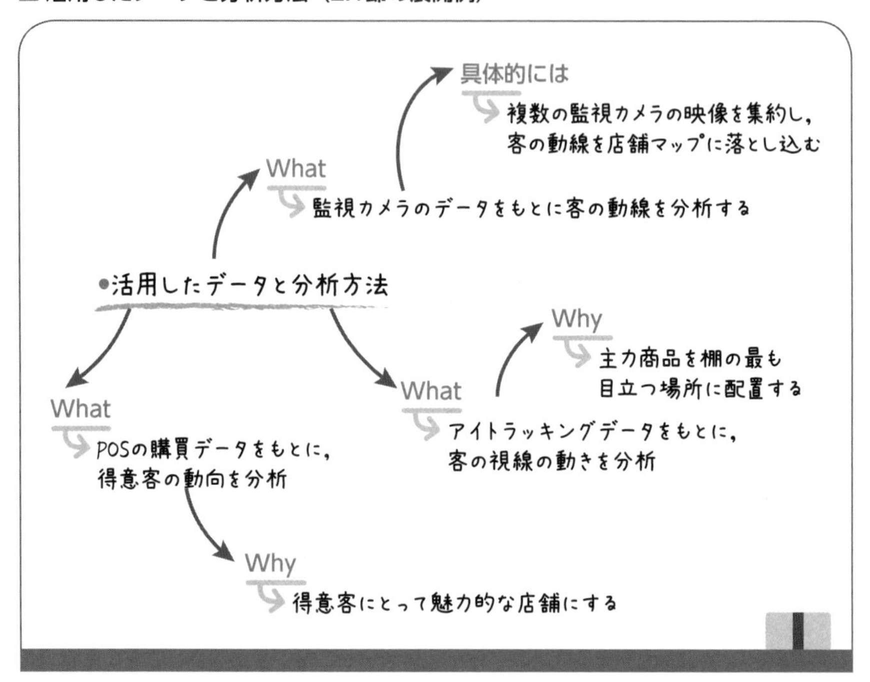

施策を立案するために活用したデータと分析法について論述する。データを一つだけとり上げて掘下げ型で展開してもよいが，そうなると字数制限を満たすためには，施策についても深く論じる必要がある。ここでは，活用したデータとして，監視カメラの映像，アイトラッキングデータ，購買データをとり上げ，列挙型で浅く展開した。

なお，施策については2.2節で論じるため，ここでは施策の内容に踏み込まないように注意する。

■ 商品の配置変更（2.2節の展開例―その❶）

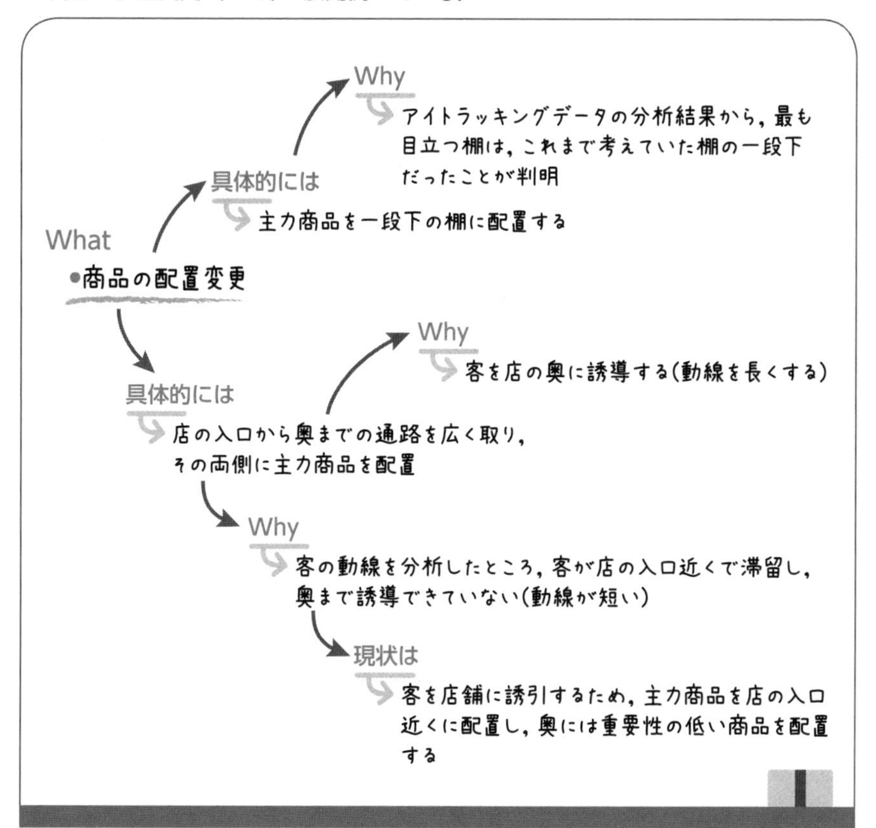

商品の配置変更については，

・店舗全体の商品陳列レイアウトの変更

・各棚における商品の再配置

を実施する。それらを具体的にはという切り口でとり上げ，さらに深く展開する。

施策は，

・そのような施策を立案した理由，目的

・施策の詳細

・現状

から展開できる。これは施策を展開する一つのパターンなので覚えておこう。また，深い展開ではWhyが必須の切り口となる。常に「なぜそんなことをしたのか」ということを問い合わせる習慣をつけよう。

■ 商品の入替え基準の変更（2.2節の展開例—その❷）

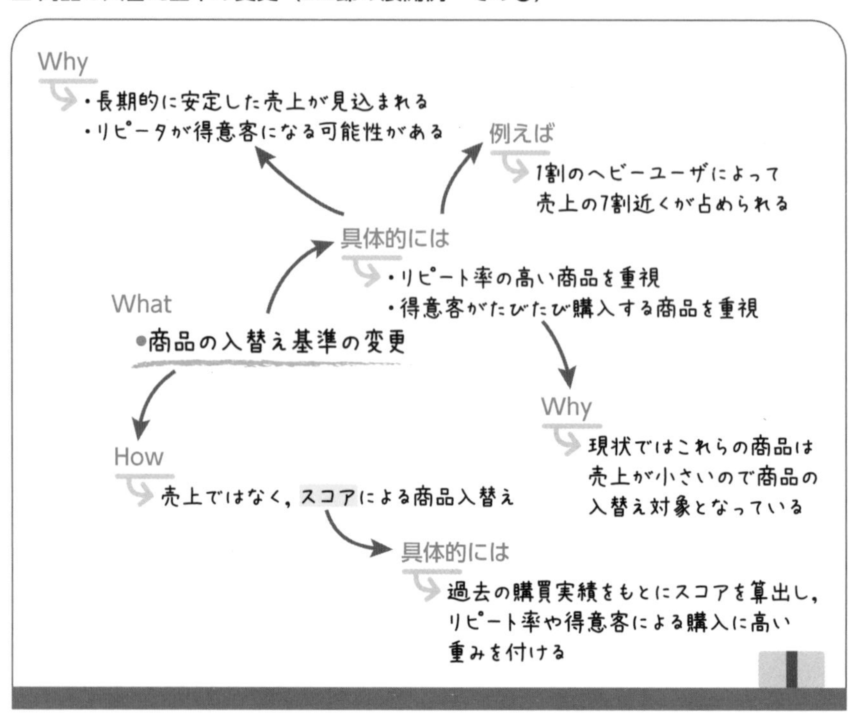

商品の入替え基準の変更については，

- リピート率の高い商品を重視
- 得意客がたびたび購入する商品を重視

するように基準を変更するので，これらをとり上げWhyで深める。リピート率などの用語が現われる場合は，これについての説明や「例えば」という切り口から具体例について言及すると分かりやすい。

施策の展開パターンから展開してもよい。思いつくことをどんどん加えて展開しよう。

- そのような施策を立案した理由，目的 → 得意客を増やす，重視する
- 施策の詳細 → スコアによる商品入替え → リピート率や得意客の購入に高いスコア
- 現状 → 売上を重視した商品入替え → リピート率の高い商品や得意客が繰返し購入する商品が入替え対象に選ばれることがある

■ 経営者からの評価（3.2節の展開例）

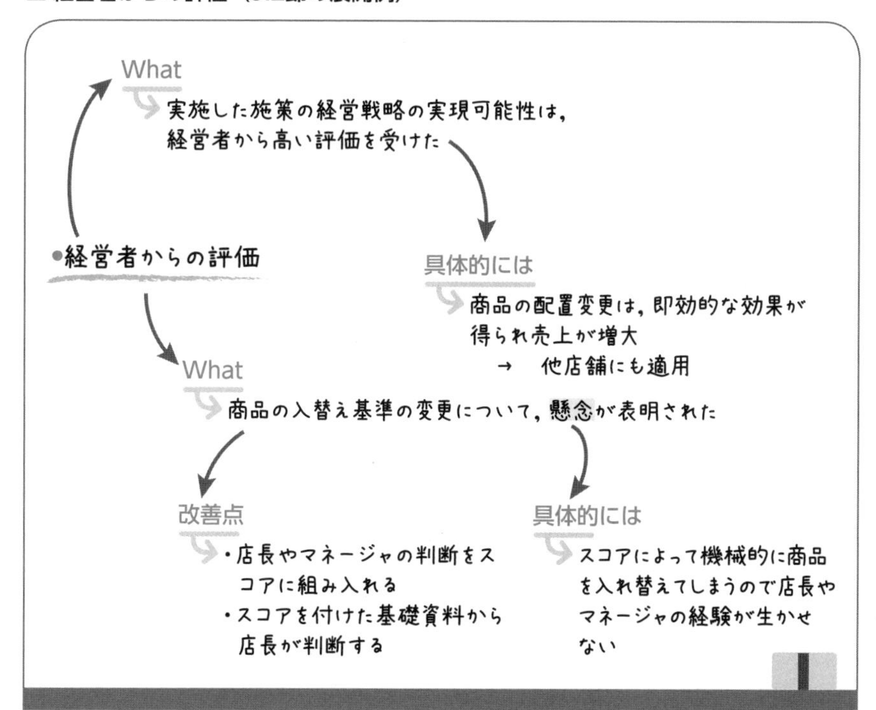

第3章の展開例も見ておこう。ここでは，3.2節の経営者からの評価について展開した。評価は基本的には「成功した」ことを軸に展開しよう。実際には問題があったとしても，そこは方便と割り切ろう。ただし，設問では「改善すべき点」が要求されているので，問題点についてもとり上げよう。

論述例

1 2 3 4 5 6 7 8 9 10 11 12 13 14 15 16 17 18 19 20 21 22 23 24 25

第１章　事業の概要と特性，及び戦略的なデータ活用を行う背景

１．１　対象とした事業の概要と特性

　私が携わった事業は，ドラッグストアを経営するＡ社の売上増大に向けた施策の立案・実施である。Ａ社は北関東を中心にいくつかの店舗を展開しているが，最近は大手のドラッグストアチェーンに押され，売上は減少気味である。

　Ａ社が展開する店舗の中には，立地は悪くないにもかかわらず売上が伸びない店舗もあった。Ｂ店もその一つであった。そこでまず，Ｂ店に対して売上増大に向けた施策を立案・実施し，その効果を観察した後に，Ａ社の他店舗に拡大することになった。

１．２　戦略的なデータ活用を行うことになった背景

　Ｂ店に代表されるＡ社の店舗は，良くも悪くも「昔ながらの店舗」であり，商品の配置や入替えは店長の経験で行われてきた。売上増大に対する情熱はあるものの，定量的な観点から施策を立案していなかった。例えば，ポイントカードは発行しているが，それは単に顧客サービスのためだけで，購買実績と顧客を結びつける分析は行っていなかった。大手他社の店舗を参考に品ぞろえを行った結果，売上を減少させてしまったこともあった。私は定量的なデータ分析による商品の配置や品ぞろえの見直しが必要であると考えた。

100字 200字 300字 400字 500字 600字

店舗の改善はイメージがしやすく，どんなテーマにも整合しやすい。そのような定番事例を用意しておこう。

私の立場を一言述べると，事業とのかかわり合いが明確になる上に，ほんの少し字数も稼げる。「私はA社から依頼を受け，ITストラテジストとして売上増大プロジェクトに参加した」といった感じ。

「情熱」や「大手の店舗を参考に…」などは，論述途中で思いついたので付加してみた。結果として論旨に関係なく冗長になってしまったが，気にすることはない。先へ先へ論述を進めよう！

1 2 3 4 5 6 7 8 9 10 11 12 13 14 15 16 17 18 19 20 21 22 23 24 25

第２章　データ分析の方法と実施した施策

２．１　活用したデータと分析方法

　売上増大のためには，「店舗の隅々まで快適に移動できて買物がしやすい」ことが大切である。これを確かめるため，私は監視カメラの映像をもとに客の動線を分析した。具体的には，複数の監視カメラの映像を時系列に集約し，サンプリングした客の移動経路と立ち寄り点を店舗の平面図に落とし込んだ。

　「主力商品が棚の一番目立つ場所に配置されている」ことは大切な要件である。これを確かめるため，私は数名の客に調査の趣旨を説明した上で，アイトラッキングシステムを装着してもらい，視線の動きを分析した。

　当然のことながら，「魅力的な品ぞろえであること」は最も重要な要件である。特に私は，売上増大のためには「得意客にとって魅力的であること」が重要であると考えた。そこで私は，ＰＯＳの購買データから得意客の購買を軸に分析した。

２．２　分析結果を踏まえて立案し実施した施策

（１）商品の配置変更

　Ｂ店は，店に客を誘引するため，主力商品を店の入口近くに配置し，奥には重要性の低い商品を配置する傾向があった。客の動線を分析したところこれが原因で，客

100字 200字 300字 400字 500字

ユニット法を用いる場合，ユニット数の目安は第2章で3～5個程度にしよう。

アイトラッキングシステムという文言を知らなくても，「視線の動きを記録する機器」と書けばOK。用語は気にしない，採点者に伝わればよい。

が入口近くで滞留し，奥まで誘導できていなかった。そのため，客の動線が短く，売上増大につながらなかった。これを改善するため，私は店の入口から奥までの通路を広く取り，その両側に主力商品を配置し，客を店の奥に誘導するように配置を変更した。

さらに，アイトラッキングデータの分析結果から，店が従来考えていた「客は一番目立つ棚の一段下の棚に最初に視線を動かす」ことを確認することができた。これを受けて，私は主力商品を一番目立つ棚の一段下の棚に配置した。主力以外の商品についても，重要度に従って視線の動きをトレースするよう配置した。

（2）商品の入替え基準の変更

商品のリピート率を分析したところ，売上自体は高くないにもかかわらず，リピート率の高い商品が存在した。例えば，ある食品は1割のヘビーユーザーによって売上の7割近くが占められていた。このようなリピート率の高い商品は，長期的に利益を生み出すとともに得意客を生み出す有効な商品である。しかし，売上自体は小さいため現状の基準では入替え対象となっていた。この他にも，得意客がたびたび購入する商品が入替え対象となっていることもあった。このような状況は，得意客の維持や獲得につながらない。そこで私は，従来の売上を基にした基準によって商品を入れ替えるのではなく，過去6か月の購買実績を基に算出したスコアを基準に商品を入れ替えることにした。スコア化にあたっては，「既存の得意客を大事にする」「新たな得意客を生み出す」ことを目標に，リピート率や得意客による購入などの項目がより強く反映されるよう重み付けをした。

600字 700字 800字 900字 1,000字 1,100字 1,200字

第3章　施策の説明で重要と考え検討した項目と施策の評価

3.1　経営者に説明するために重要と考え検討した項目

前提となった経営戦略は売上増大である。そのため，立案した施策が売上増大につながることがアピールできるような説明方法を検討した。

商品の配置変更については，売上が客の動線の長さに比例するという研究結果を基に，施策の実施によって動線の長さがどれだけ延長できるかを説明することにした。説明に説得力を持たせるため，成功している他店において観察した動線を例示し，比較することにした。

棚の変更については，一番目立つ場所に主力商品を配置するという原則に加え，同様の施策を実施したD社の事例を説明することにした。D社は自動販売機で飲料を販売する会社であり，客の視線の動きに従って主力商品を配置したところ，数％の売上増大につながったという実績を持つ。

商品の入替え基準の変更については，得意客が売上に

100字 200字 300字 400字

パレートの法則にもあるとおり，優良顧客（得意客）を増やすことが長期的な売上増大につながる。優良顧客は定番ネタとしておさえておこう。

2.1節で「得意客の購買を分析」といっているにもかかわらず，いきなり商品のリピート率をとり上げてしまった。もう少し論理を整理してから論述すべきだったかもしれない。

1割，7割のような数字を使って，具体性を演出できた。極端な数字に思えるかもしれないが，「熱狂的な信者」を持つ商品に，このような偏りが出ることは珍しくない。

1,250字。改行がこの程度だと，行数×0.9が実質文字数と考えてよい。字数制限は余裕でクリアしている。

1	2	3	4	5	6	7	8	9	10	11	12	13	14	15	16	17	18	19	20	21	22	23	24	25	
ど	れ	だ	け	貢	献	し	て	い	る	か	を	説	明	し	,	得	意	客	を	維	持	・	獲	得	500字
す	る	こ	と	の	重	要	性	を	ア	ピ	ー	ル	す	る	こ	と	に	し	た	。	具	体	的	に	
は	,	B	店	で	得	意	客	が	順	調	に	増	加	し	た	場	合	に	予	想	さ	れ	る	売	
上	の	推	移	を	説	明	し	た	う	え	で	,	新	た	に	取	り	入	れ	た	判	断	基	準	
が	得	意	客	の	維	持	・	獲	得	に	つ	な	が	る	こ	と	を	説	明	す	る	こ	と	に	600字
し	た	。																							
3	**.**	**2**		**経**	**営**	**者**	**か**	**ら**	**の**	**評**	**価**														
	実	施	し	た	施	策	の	経	営	戦	略	の	実	現	可	能	性	に	つ	い	て	は	,	経	
営	者	か	ら	高	い	評	価	を	受	け	た	。	特	に	商	品	の	配	置	変	更	に	つ	い	700字
て	は	,	即	効	的	な	効	果	が	得	ら	れ	,	売	上	も	増	加	し	て	い	る	。	現	
状	は	B	店	の	み	の	実	施	で	あ	る	が	,	同	様	の	施	策	を	他	の	不	振	店	
舗	に	も	適	用	す	る	こ	と	が	決	定	さ	れ	た	。										
	商	品	の	入	替	え	基	準	の	変	更	に	つ	い	て	は	,	効	果	が	あ	る	だ	ろ	800字
う	こ	と	は	理	解	し	て	も	ら	え	た	も	の	の	,	計	算	し	た	ス	コ	ア	を	も	
と	に	機	械	的	に	商	品	を	入	れ	替	え	る	こ	と	に	対	し	て	懸	念	が	表	明	
さ	れ	た	。	結	果	が	出	る	ま	で	に	時	間	を	要	す	る	施	策	で	も	あ	る	こ	
と	か	ら	,	と	り	あ	え	ず	は	B	店	の	み	で	実	施	し	て	効	果	を	観	察	す	900字
る	こ	と	に	な	っ	た	。	こ	の	点	に	つ	い	て	は	,	店	長	や	マ	ネ	ー	ジ	ャ	
の	判	断	を	ス	コ	ア	に	組	み	入	れ	る	仕	組	み	を	取	り	入	れ	た	り	,	ス	
コ	ア	を	付	け	た	基	礎	資	料	を	も	と	に	最	終	的	に	店	長	が	判	断	す	る	
と	い	う	よ	う	な	施	策	を	考	え	る	べ	き	で	あ	っ	た	。							1,000字

出題の趣旨は「施策を実施に移し，成功させるために重要な事項」を述べることであるが，いつの間にか「経営者にアピールするために考えたこと」を論述していた。まるっきりハズレではないが，要求事項に沿っていないと判断されるおそれがある。
どう論述すればよいか，考えてみよう。

懸念の表明と施策の改善の間に「…とりあえずB店のみで実施する…」という無関係な一文が挟まったので，論理が分かりにくくなってしまった。

作成例3 情報通信技術を活用した非定型業務の改革 (H23問1)

問1 情報通信技術を活用した非定型業務の改革について

事業方針・戦略を策定したり，次期の新製品・サービスの機能・性能を決定したりする非定型業務では，直面している問題の解決手順，共通の判断基準が定められていないことが多い。

非定型業務を改革するに当たっては，まず，例えば，次のような改革目標を設定する必要がある。

・業務処理の生産性を劇的に向上させる。

・問題解決の飛躍的なスピードアップを図る。

そして，顧客の視点から業務仕分けをすることによって，担当者が有用な業務に専念できるようにする。また，組織内外から問題解決に関して知見のある人材を探し出したり，問題解決に向けた協働作業を行えるようにしたり，情報の収集・共有・分析を行って問題解決を図れるようにしたりすることが重要である。

非定型業務の改革目標を達成するためには，情報通信技術の活用を検討し，必要なツールなどの導入を図ることが重要である。情報通信技術を活用したものには，スマートフォン，タブレット型PC，Wiki，SNS，Web会議システム，BI，ビジネスアナリティクス，検索エンジンなどがある。

また，改革目標を達成するためには，次のような工夫も重要である。

・組織の役割や構成を見直したり，コミュニティを活用したりする。

・これまでのワークスタイルを見直す。

あなたの経験と考えに基づいて，設問ア～ウに従って論述せよ。

設問ア あなたが改革に携わった非定型業務について，事業の概要，業務の内容・特性，及び改革が必要となった背景を，800字以内で述べよ。

設問イ 設問アで述べた非定型業務において，どのような改革目標を設定し，どのような改革をしたか，活用した情報通信技術とともに，800字以上1,600字以内で具体的に述べよ。

設問ウ 設問イで述べた改革目標を達成するために，あなたが特に重要と考え，工夫した点は何か。また，それらを実施した上で，更に改善できると考えた事項は何か。600字以上1,200字以内で具体的に述べよ。

Step❶ 章立てを作る

設問文から章タイトル（上記　　　部分）を作り，問題文から該当するヒントを抜き出す（上記　　　部分）。章タイトルは，設問の要求事項に忠実に作成する（次頁）。そうすることで，要求事項が抜けることによる不合格を防ぐことができる。

Step❷ 論述ネタを考える

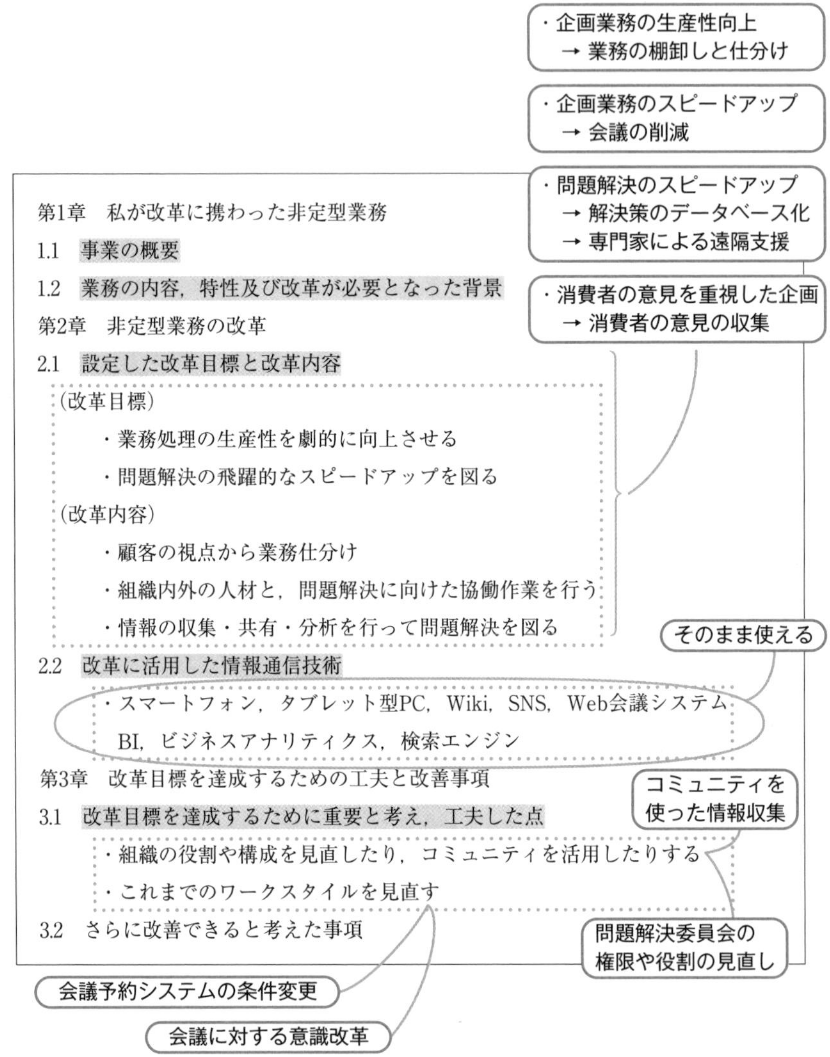
・企画業務の生産性向上
→ 業務の棚卸しと仕分け
・企画業務のスピードアップ
→ 会議の削減
・問題解決のスピードアップ
→ 解決策のデータベース化
→ 専門家による遠隔支援
・消費者の意見を重視した企画
→ 消費者の意見の収集
第1章　私が改革に携わった非定型業務
1.1　事業の概要
1.2　業務の内容，特性及び改革が必要となった背景
第2章　非定型業務の改革
2.1　設定した改革目標と改革内容
（改革目標）
・業務処理の生産性を劇的に向上させる
・問題解決の飛躍的なスピードアップを図る
（改革内容）
・顧客の視点から業務仕分け
・組織内外の人材と，問題解決に向けた協働作業を行う
・情報の収集・共有・分析を行って問題解決を図る
そのまま使える
2.2　改革に活用した情報通信技術
・スマートフォン，タブレット型PC，Wiki，SNS，Web会議システム
BI，ビジネスアナリティクス，検索エンジン
第3章　改革目標を達成するための工夫と改善事項
コミュニティを
使った情報収集
3.1　改革目標を達成するために重要と考え，工夫した点
・組織の役割や構成を見直したり，コミュニティを活用したりする
・これまでのワークスタイルを見直す
3.2　さらに改善できると考えた事項
問題解決委員会の
権限や役割の見直し
会議予約システムの条件変更
会議に対する意識改革

非定型業務という言葉から，企画業務や問題対応などの業務が思い浮かぶ。これらをもとに，非定型業務を改善する論述ネタを洗い出す。

企画業務では，意外に「無駄な仕事」を行っていることが多い。例えば，口頭で説明できることをわざわざ報告書に仕上げたり，多くの要員が同じような書類を作成していたりすることがある。このような無駄を省くことで，企画業務の生産性を向上できる。本当に大切な業務を知るために，企画業務で行う作業を全て明らかにして，業務仕分けを行うのもよいかもしれない。

企画業務では「いつも会議ばかりしている」というイメージがある。一日中会議で終わってしまう日も珍しくはない。またそれを自慢げに話す上司もいる。「企画業務の6～7割が会議で占められていた」という笑えない話もある。もちろん会議は重要だが，無駄に長い会議，結論の出ない会議，寄り道ばかりしている会議もある。それらを排除できれば，企画業務は確段にスピードアップする。

問題解決のスピードアップには，解決策をデータベース化して共有することや，専門家の意見をすぐに求められるような体制作りが有効だ。スマートフォンなどで現場の状況を中継し，遠隔地から専門家が意見を述べるなど，改善事例はいくらでもある。

問題文にヒントとして提示されてはいないが，消費者の意見を重視した企画も改革目標にふさわしい。技術力のある企業が技術優先で商品を企画してしまい，消費者が置き去りになってしまうこともある。それが大ヒットを生み出すこともまれにはあるが，大半は失敗する。この場合，企画を顧客中心に改めることで，失敗を減らすことができる。

2.2節で述べる情報通信技術は，具体的なヒントが挙げられているので，2.1節でとり上げる改革に合わせて選択すればよい。

3.1節の工夫した点についても，ヒントから素直に発想が広げられる。例えば，問題を早期に解決するため，問題解決に専念する組織に強い権限と大きな役割を与える。これは，ヒントの「組織の役割と構成の見直し」に通じる。

コミュニティは，企業にとって情報発信だけではなく情報収集の場でもある。ここから消費者の意見を収集して，企画に生かすことができれば，企画内容はさらに消費者に近づくだろう。

Step❸ 事例を選ぶ

非定型業務である企画業務や問題解決において，欠点となっている業務を事例にすれば，第2章（設問イ），第3章（設問ウ）につながりやすい。

企画業務の生産性向上を論述ネタにするのなら，

・企画業務では書類を重要視している

・いろいろなところで同じような書類が作られている

・企画業務の多くが書類作成に費やされている

などの欠点を事例にすればよい。書類を会議に置き換えれば，企画業務のスピードアップを論述ネタにするときの事例となる。業種は製造業でも販売業でも，企画業務の存在する業種であればどれでも矛盾なく収まるだろう。

問題解決のスピードアップを論述ネタにするのなら，顧客のサポート窓口が混乱しているような事例を考えればよい。例えば，

・専門家が不在で窓口では解決できない

・二次解決を依頼する部署が不明確で，どこに依頼してよいか分からない

・解決策がDB化されていないので，解決策を一つひとつ考えなければならない

などの状況を設定する。製品に生じた問題を解決するのなら，業種は販売業より製造業の方が相性が良いだろう。

試験に備えて，経験を踏まえた事例を3～5個は用意しておきたい。

事例が思いつかなければ，身近な場面から探してみよう。例えば，スーパーマーケットなどの販売店などでは，季節やイベントごとに品ぞろえが大きく変わる。品ぞろえは売上に大きくかかわるため，必ず企画が練られているはずである。企画に時間がかかりすぎるとイベント時期を逃してしまうので，短いサイクルで企画を行わなければならない。お正月にクリスマスケーキを売っても，誰も興味を持たないからだ。

さて，次のような事例はどうだろうか。

事例案

A社は和洋菓子を中心とした加工食品の製造販売を行っている。商品は本社で企画され，製造及び販売計画が立案された後，自社工場で製造され，直営店やスーパーマーケットなどの提携店で販売される。

新商品は，会議で議論を重ねて開発する。そのため，企画に要する時間が長くなりがちである。同じような会議が繰り返されることも問題視されている。一方で，販売店からは「消費者の意見を取り入れた商品を開発してほしい」という意見も上がってきている。

Step④ 論述ネタをチェックする

事例が定まったら，

・設問の全ての要求事項に答えているか？

・章立ての中で，論述ネタは必要十分か？

・事例と矛盾していないか？

という観点から，論述ネタを今一度チェックしよう。

Step⑤ 論述ネタを展開し論述する

Step④でチェックした論述ネタをいくつか選び，展開する。ここでとり上げなかったネタについては，各自で展開・論述にチャレンジしてほしい。

■ 企画業務のスピードアップ（2.1節の展開例―その❶）

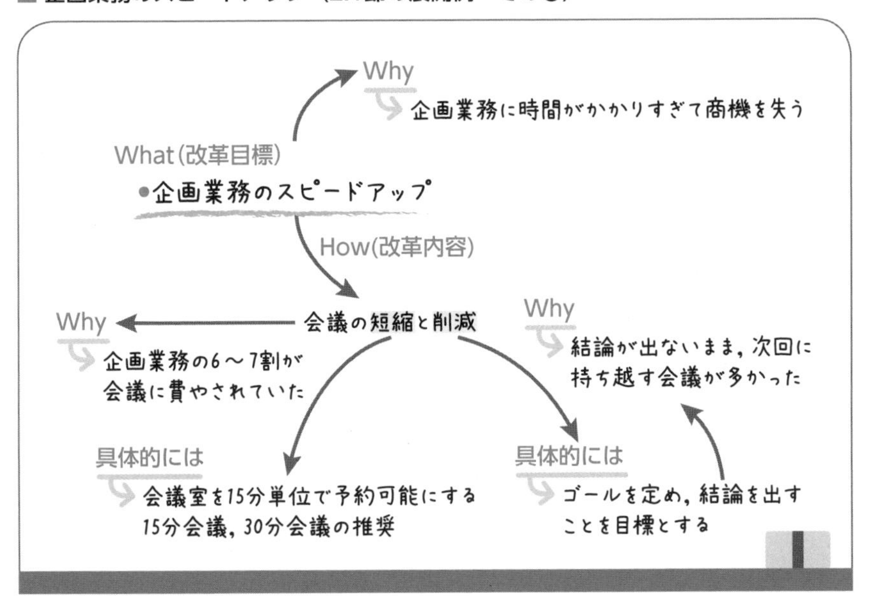

改革目標「企画業務のスピードアップ」と，改革内容「会議の短縮と削減」を，自由展開法で展開する。

5W1Hの中でも，Why，What，Howは展開の必須要素なので，常に「なぜ」「なに」「どのように」と問いかけるように心がけたい。「(会議の) 短縮」「(会議の) 削減」のように，具体的な説明を展開に織り交ぜることで，論述に現実味が増す。「企画業務の6～7割が会議に費やされていた」という展開は，ある企業であった有名な話である。数値は適当でかまわない。数値を使いたくなければ「企画業務の多くが会議に費やされていた」などとすればよい。

■ 消費者の意見を重視した企画（2.1節の展開例―その❷）

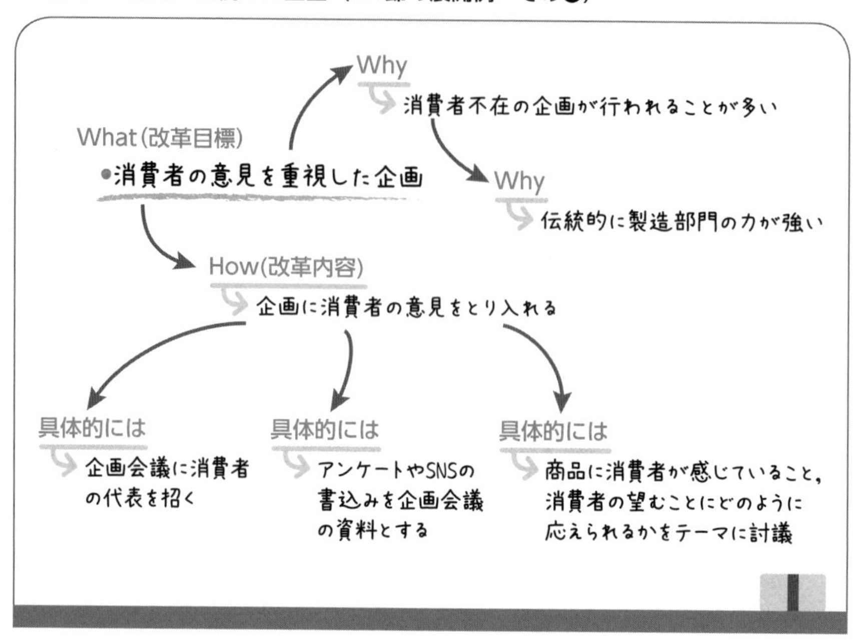

改革目標「消費者の意見を重視した企画」を自由展開法で展開する。

改革目標に対して，Whyを2回連続で適用しているのが小技である。Whyにはおもしろい性質がある。ある事柄に対して，「なぜ」「なぜ」……と問いただすことで，より本質的な問題が浮かび上がってくるからだ。「消費者不在の企画が行われることが多い」ことをさらにWhyで展開することで，この企業は「伝統的に製造部門の力が強い」ため，製造部門の都合で商品開発が行われるという問題の背景を導いている。

■ 改革に活用した情報通信技術（2.2節の展開例）

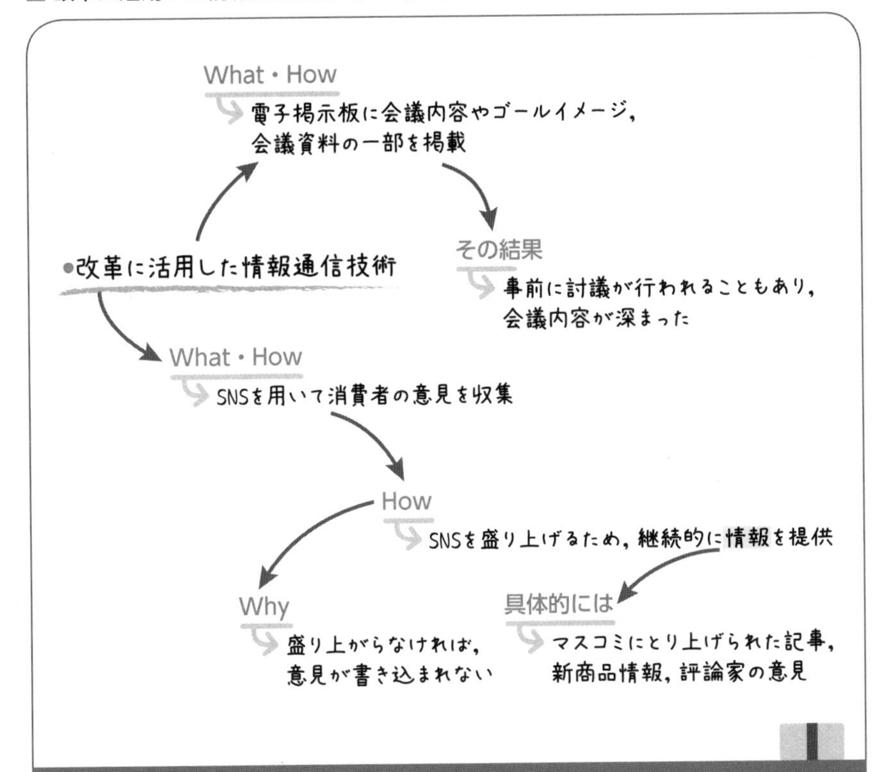

2.2節では，問題文にある電子掲示板とSNSを「改革に活用した情報通信技術」として用い，これらをどのように使っているかを核として論述を展開する。

電子掲示板といえば，不特定多数の人による書込みや議論が最大の特徴だ。ニュースサイトなどでも，色々な知見を持つ人が書き込み，議論することでそのニュースに対する理解が深まる。この特徴を素直に展開に加えた。

SNSは消費者の意見を収集するツールと位置付け，盛り上げるために継続的に情報を提供したと展開した。この展開は，3.1節の工夫した点と重なることになるが，そのようなことにこだわっていると書けなくなってしまう。発想を自ら狭めることのないよう，思いついたことはどんどん書いていこう。

■ 会議に対する意識改革（3.1節の展開例）

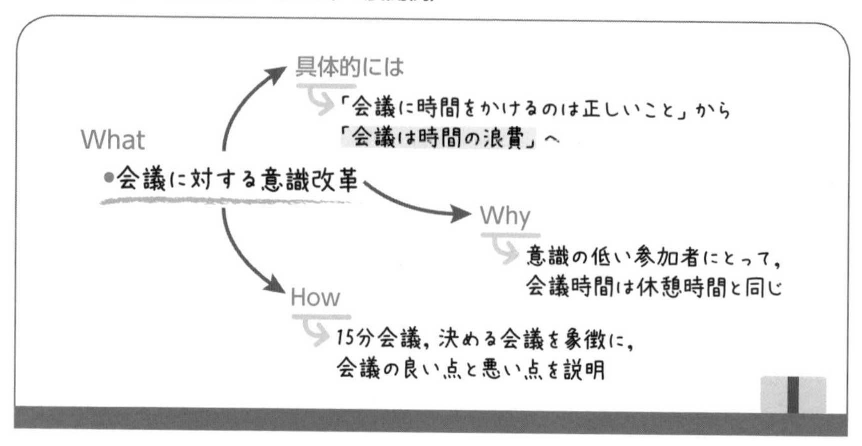

3.1節では，「会議に対する意識改革」を展開する。

会議は身近なことなので，これについて考えられることはたくさんあるだろう。無駄にだらだらと続く会議，発言者だけが充実している定例会議，結論が出ることなく先送りされる会議など，これらを改善するために，どのように意識を変えればよいかを考え，素直に展開すればよい。

論述例

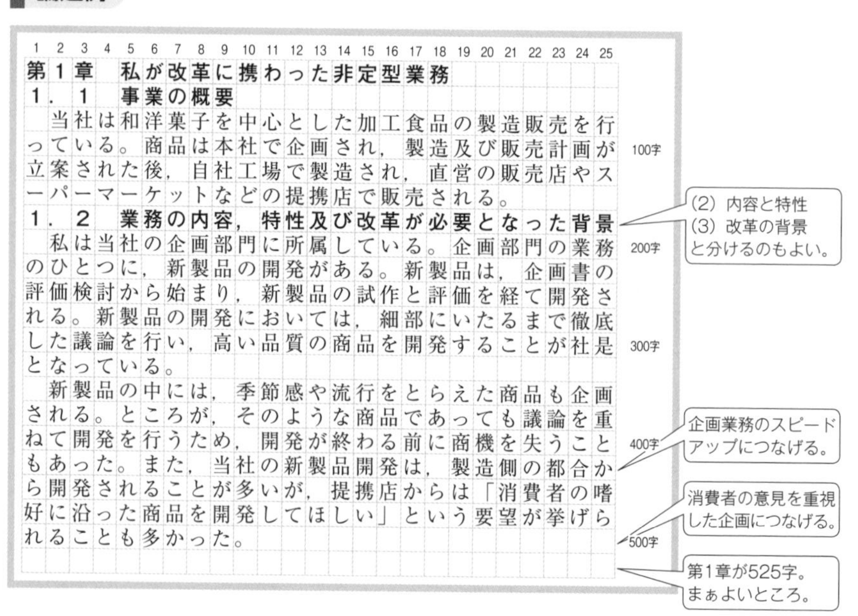

第1章　私が改革に携わった非定型業務

1．1　事業の概要

　当社は和洋菓子を中心とした加工食品の製造販売を行っている。商品は本社で企画され，製造及び販売計画が立案された後，自社工場で製造され，直営の販売店やスーパーマーケットなどの提携店で販売される。

1．2　業務の内容，特性及び改革が必要となった背景

　私は当社の企画部門に所属している。企画部門の業務のひとつに，新製品の開発がある。新製品は，企画書の評価検討から始まり，新製品の試作と評価を経て開発される。新製品の開発においては，細部にいたるまで徹底した議論を行い，高い品質の商品を開発することが社是となっている。

　新製品の中には，季節感や流行をとらえた商品も企画される。ところが，そのような商品であっても議論を重ねて開発を行うため，開発が終わる前に商機を失うこともあった。また，当社の新製品開発は，製造側の都合から開発されることが多いが，提携店からは「消費者の嗜好に沿った商品を開発してほしい」という要望が挙げられることも多かった。

第２章　非定型業務の改革
２．１　設定した改革目標と改革内容
　先に述べた状況に対処するため，私は次の事柄を改革目標に設定して改革に臨んだ。
（１）企画業務のスピードアップ
　企画業務で行なわれる作業を調査したところ，その６～７割が会議に費やされていることが判明した。そこでまず，会議の短縮と削減に着手した。具体的には，会議室の使用時間を１５分刻みで細かく設定できるようにし，１５分会議や３０分会議を推奨した。出席者が事前に考えた意見を述べ合い，集約するにはその程度の時間で十分だったからである。これにより，特に１５分会議が強く意識されるようになり，無駄に会議室を占有することが少なくなった。次に，会議では必ずゴールを定め，会議資料の事前作成・配布することを義務付けた。議事録を調査したところ，ゴールが設定されていないため結論が持ち越された会議や，出席者が効果的な意見を述べられていない会議が多かったからである。
　これらの対策により「決めなければならないことはすばやく決め，次の段階に移る」ことが強く意識されるようになり，結果として企画業務全体のスピードアップにつながった。
（２）消費者の意見を重視した企画
　当社は伝統的に製造部門の力が強く，企画においても「消費者不在の企画」が行われることが少なくなかった。その結果，商品が消費者に受け入れられず，大きな損害につながることもあった。企画に消費者の意見を取り入れるため，私は消費者の代表を招待した企画会議を何度か実施した。企画会議では，事前に実施したアンケートや，ＳＮＳへの書込みも資料として用い「当社の製品について消費者がどのように感じているか」「消費者の望むことに，当社がどのように応えることができるか」を討議した。困難な面もあるが，将来的には会議の内容を中継し，消費者がリアルタイムに意見を述べられるような仕組みを企画会議に取り入れたいと考えている。
２．２　改革に活用した情報通信技術
　これらの改革を実現する一つの手段として，私はＳＮＳや掲示板を利用した。具体的には，会議を開催する際のゴールや会議の内容，会議で用いる資料の一部を掲示板に掲載した。これにより，会議内容が周知されるとともに，会議によっては掲示板の書込み機能を用いて事前に討議や質疑が行われることもあり，会議内容を深めることにもつながった。
　ＳＮＳは，当社の製品に対する消費者の意見を収集するために利用した。ＳＮＳには，マスコミにとり上げられた記事や新製品の投入時期，評論家の意見など，話題を継続的に提供した。そのかいあって当社のコミュニティは比較的高い関心を持たれ，それに伴い意見も多く書き込まれることになった。問題も多いが，企画内容の一部を意図的にＳＮＳにリークし，反応を確かめることも考えている。

（100字／200字／300字／400字／500字／600字／700字／800字／900字／1,000字／1,100字／1,200字）

本論につなげるため前振りを入れてみた。

資料を事前配布するという観点を思いついたので書き加えてみた。ただ，後から考えるとあまり意味はなかったかも。

ここまでで，550字。前振りや項タイトルが入ると意外に字数が多くなる！

将来的にはという観点を思いついたのでその場で加えてみた。しかし，現実性に欠けているかも。

ここまでで，875字。2.1節は少し長すぎたかも。

情報通信技術もしっかり書く！

結局1,275字！ちょっと書きすぎ？ボリューム感は，何度か練習すれば分かるようになる。

1 2 3 4 5 6 7 8 9 10 11 12 13 14 15 16 17 18 19 20 21 22 23 24 25

第３章　改革目標を達成するための工夫と改善事項

３．１　改革目標を達成するために重要と考え，工夫した点

（１）会議に対する意識改革

意識の低いあるいは意見を持たない参加者にとっては，会議は時間の無駄に過ぎない。このようなことを踏まえて，社員の意識を「会議は正しいこと」から「下手な会議は時間の無駄」に切り替えることが重要であると考えた。これを実現するため，「１５分会議」や「決める会議」を押し付けるのではなく，これらを象徴とした会議の改革を，会議の功罪を含めて説明した。

（２）コミュニティの活用

利用者本位の企画を行うにあたり，私はコミュニティの活用を最も重視した。というのも，コミュニティはうまく運用できれば，すばやくかつ安価に利用者の意見を収集できるツールになるからである。ただし，コミュニティが盛り上がらなかったり，ネガティブな書き込みが目立つようになると，効果が上がらないばかりか，悪影響の方が大きくなる。そこで私は，コミュニティに継続的に話題を提供するとともに，利用者には議論や書き込みのマナーを説明し，利用者の問いかけには誠実に答えることを徹底した。

３．２　さらに改善できると考えた事項

会議については，キーとなる出席者やアドバイザーの都合がつかずに，会議が延期されもこともあった。これについては，Ｗｅｂ会議システムなどを導入することである程度の対処が可能であると考えており，導入を検討している。コミュニティについては，会員制ではないため悪意の書き込みを完全に防ぐことはできない。しかし，議論の方向をコントロールできるような司会役を介在させることで，議論の過熱やネガティブな書き込みをある程度防ぐことができると考えている。

100字 200字 300字 400字 500字 600字 700字 800字

要求事項は「工夫した点」なので，意識を変えることをもっと強調すればよかった。でも気にしない！

第2章の論述内容と重複している。
でも気にしない！

800字。
ほどほどでいい感じ！

3 論述式問題の演習

論述式問題の概要を把握し，問題文と設問文から合格答案の書き方を練習した後，実際の試験問題を使ってトレーニングをしてみよう。

論述に慣れるために，次の手順で論述式問題の演習を行ってみよう。

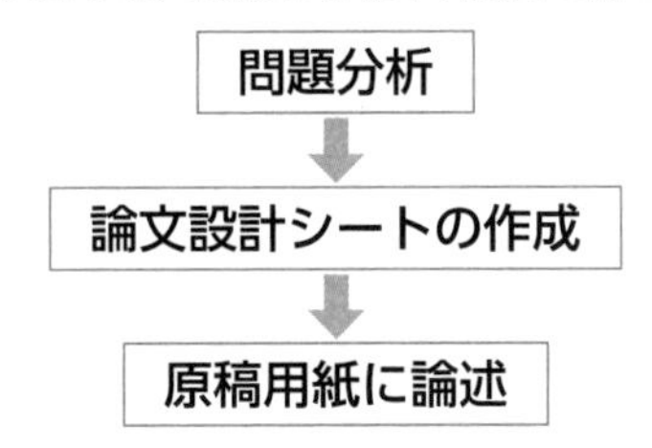

■ 問題分析

問題分析は，午後Ⅱ試験の解き方で説明したStep❶の作業にあたる。結果は問題文に直接書き込み，章立て，論述する観点や方向を明らかにする。

■ 論文設計シートの作成

論文設計シートは，午後Ⅱ試験の解き方で説明したStep❷とStep❸の作業を行い，事例や論述ネタを章節ごとにまとめたものである。できあがった論述設計シートをもとにStep❹の作業を行う。具体的には，設問アから設問ウまでの論述に破綻がないか，一貫性があるか，設問ウが設問イの内容を考慮した内容になっているか，設問で求められている論点に対して過不足はないかなど，論文全体を見通してあらすじの修正を行う。

演習問題は大きく二つのテーマに分かれている。問2から問7のテーマが「ビジネス戦略」で，問8から問13のテーマが「情報戦略」である。問1は「情報戦略」をテーマとする，最新の令和6年度本試験午後Ⅱ問題である。各演習問題には，解答例として掲載している論文を作成する際に作成した問題分析メモと論文設計シートを掲載している。「問題分析」や「論文設計シートの作成」の参考にしてほしい。演習問題を重ねていくうちに，掲載しているような丁寧な論文設計シートは不要になり，問題分析メモ，つまり問題用紙の空きスペースにメモをする程度ですむようになってくるはずである。

試験会場では，1問を120分で解くことになるが，実力養成のため，演習では1問に3時間位費やしてじっくりと解いてほしい。

問1 DX（デジタルトランスフォーメーション）の実現に向けた新たな情報技術の採用 （出題年度：R6問1）

企業は，情報技術を使った新サービスの開発や既存事業の改革などの施策を企画し，DXを実現する。その施策の中で，従来の情報技術では実現できなかったことを実現するために，企業にとって利用実績の乏しい，AIやIoTなどの新たな情報技術の採用を検討することがある。

ITストラテジストは，新たな情報技術の採用に関する検討の中で，その情報技術によって施策を実施できるかどうかについて，机上確認と技術検証を行う。例えば，業務要件への適合性，業界における規制への対応，機能・拡張性・セキュリティなどの非機能要件への適合性，情報技術の利用における継続性などについて机上確認し，その後，試験的な導入やシミュレーションなどを通じて，技術検証を行う。

机上確認と技術検証を通して，事業への適用におけるその情報技術の特性を理解した上で，リスクとその対策を具体化する。例えば，AI倫理などのコンプライアンスに関するリスク，計画していた予算や体制などの経営リソースに影響を及ぼすリスクなどを確認し，それらへの対策とともに経営層に説明し，承認を得る必要がある。

あなたの経験と考えに基づいて，設問ア～ウに従って論述せよ。

設問ア あなたが携わったDXの実現に向けた新たな情報技術の採用について，DXの狙い，施策の内容，検討対象となった新たな情報技術とその必要性を，事業特性とともに，800字以内で述べよ。

設問イ 設問アで述べた新たな情報技術について，施策の実施に向けて，あなたはどのような机上確認と技術検証を行ったか，その結果や工夫したこととともに，800字以上1,600字以内で具体的に述べよ。

設問ウ 設問イで述べた情報技術を採用するに当たって，机上確認と技術検証を通して，あなたはどのようなリスクとその対策を具体化し，経営層にどのように説明したか，経営層からの指摘，指摘を受けて改善したこととともに，600字以上1,200字以内で具体的に述べよ。

●問題分析メモ

設問アのヒント

企業は，情報技術を使った新サービスの開発や既存事業の改革などの施策を企画し，DXを実現する。その施策の中で，従来の情報技術では実現できなかったことを実現するために，企業にとって利用実績の乏しい，AIやIoTなどの新たな情報技術の採用を検討することがある。

（AI：検討対象となった情報技術の例／IoT：検討対象となった情報技術の例）

設問イのヒント

ITストラテジストは，新たな情報技術の採用に関する検討の中で，その情報技術によって施策を実施できるかどうかについて，机上確認と技術検証を行う。例えば，業務要件への適合性，業界における規制への対応，機能・拡張性・セキュリティなどの非機能要件への適合性，情報技術の利用における継続性などについて机上確認し，その後，試験的な導入やシミュレーションなどを通じて，技術検証を行う。

（業務要件への適合性：机上確認の例／業界における規制への対応：机上確認の例／非機能要件への適合性：机上確認の例／利用における継続性：机上確認の例／試験的な導入：技術検証の例／シミュレーション：技術検証の例）

設問ウのヒント

机上確認と技術検証を通して，事業への適用におけるその情報技術の特性を理解した上で，リスクとその対策を具体化する。例えば，AI倫理などのコンプライアンスに関するリスク，計画していた予算や体制などの経営リソースに影響を及ぼすリスクなどを確認し，それらへの対策とともに経営層に説明し，承認を得る必要がある。

（AI倫理などのコンプライアンスに関するリスク：リスクの例／計画していた予算や体制などの経営リソースに影響を及ぼすリスク：リスクの例）

あなたの経験と考えに基づいて，設問ア～ウに従って論述せよ。

設問ア　あなたが携わったDXの実現に向けた新たな情報技術の採用について，DXの狙い（1.1），施策の内容（1.1），検討対象となった新たな情報技術（1.2）とその必要性（1.2）を，事業特性とともに，800字以内で述べよ。

設問イ　設問アで述べた新たな情報技術について，施策の実施に向けて，あなたはどのような机上確認（2.1）と技術検証（2.2）を行ったか，その結果や工夫したことともに，800字以上1,600字以内で具体的に述べよ。

結果や工夫したことは机上確認と技術検証のいずれにも含める

設問ウ　設問イで述べた情報技術を採用するに当たって，机上確認と技術検証を通して，あなたはどのようなリスク（3.1）とその対策を具体化（3.1）し，経営層にどのように説明したか（3.2），経営層からの指摘（3.2），指摘を受けて改善したこと（3.2）とともに，600字以上1,200字以内で具体的に述べよ。

リスク対策に関しては例示がない

事業特性からくる情報技術の必要性なので
事業特性は1.2に含めるのがよい

●論文設計シート

タイトルと論述ネタ	あらすじ
第１章　DXの実現に向けた新たな情報技術の採用	
1.1　DXの狙いと施策の内容	
事業概要	保育園や幼稚園の職員向けの勤怠管理システムを提供する企業である。
施策の内容	少子化の状況を踏まえ，介護事業者向けの勤怠管理サービスに進出する。
DXの狙い	介護事業者向けの勤怠管理サービスによって，介護事業者（顧客企業）のDX化を推進するとともに，情報技術による当社の事業の多角化・高度化を図り，それに伴うシステム開発の効率化を図る。
1.2　新たな情報技術とその必要性，事業特性	
事業特性	介護事業における職員の勤怠管理は複雑で，考慮すべき点が多岐に渡る。そのため，職員の勤務シフトの作成や介護の訪問・送迎ルートの作成には，多くの時間が掛かる。
新たな情報技術と必要性	AIの採用。職員の勤務シフトの作成や介護の訪問・送迎ルートの作成の作業を最適化するには，AIによる自動化と支援が必要である。
第２章　施策の実施に向けた机上確認と技術検証	
2.1　机上確認とその結果，工夫した点	
机上確認の内容	①業務要件への適合性　複雑な条件でのシフトや訪問・送迎ルートの作成は，AIの得意分野である。同様の機能を提供しているサービスや，システム構築の支援サービスが既にあることを確認。 ②規制への対応　業界の規制には，AIシステム構築の際に条件を組み込むことによって対応が可能である。 ③非機能要件への適合性　介護利用者の情報保護が重要であるため，事前にSaaS事業者のセキュリティ対策の評価を行うことで対応する。 ④利用の継続性　継続してサービスを提供することが重要である。AIの利用における継続性は，事前にSaaS事業者の評価を実施して確認する。

	机上確認の結果	AIによる勤務シフトの作成，訪問・送迎ルートの作成，及び勤怠管理システム構築の支援は十分に可能であるとの結果を得た。
	工夫した点	有識者の助言や他社事例の確認を行うよう工夫した。
2.2　技術検証とその結果，工夫した点		
	技術検証の内容	①試験的な導入　AIを体験するために試験的に導入することで，AIの特性や使用方法，活用可能分野などの知識を得ることができた。 ②シミュレーションの実施　運用される介護事業者のデータを用意して，勤務シフトの作成，訪問・送迎ルートの作成のシミュレーションを行った。また，当社のSaaSシステム構築の支援のシミュレーションも行った。
	技術検証の結果	介護事業者向けの新サービスへのAIの活用は十分に可能であるとの結果を得た。
	工夫した点	本番環境に近い状態で行うように工夫した。

第３章　リスクとその対策の具体化，及び説明と改善点		
3.1　リスクとその対策の具体化		
	リスクと対策の内容	①コンプライアンスに関するリスク　職員及び介護利用者の機微な情報に関して，外部漏えいや，AI学習に利用されるリスクがある。これを避けるために，AI事業者と覚書を結ぶことにした。 ②経営リソースに影響を及ぼすリスク　AIの導入の予算と体制など，経営リソースに影響を及ぼすリスクがある。これらには，予備の予算を確保することと，要員不足の支援を仰ぐための契約を結ぶことにした。
3.2　経営陣への説明と改善点		
	リスクと対策の説明	AIの基本的な概念から，新サービスへの活用方法を，図と動画を用いて，シミュレーションを行い説明した。
	経営陣の指摘	経営陣から，大枠の同意を得ることができたが，AI学習での情報漏えいに関する懸念と，現状の当社の体制の弱さが指摘された。
	改善点	・AI事業者と定期的に会合を持ち，状況の報告を求めることにした。 ・AI活用の体制強化を目的に，AI利用の教育と研修を進めることにした。

問1 解答例

第１章　ＤＸの実現に向けた新たな情報技術の採用

1.1　ＤＸの狙いと施策の内容

私が携わったＤＸの実現は，勤怠管理システムを提供する企業におけるＡＩの採用である。私はこの企業にＩＴストラテジストとして勤務している。

当社は，保育園や幼稚園の職員向けの勤怠管理システムをＳａａＳで提供している。しかし，少子化傾向が加速する中，活路を見い出すために新たな事業として，介護事業者向けの勤怠管理サービス（以下，新サービスという）の提供を始めることになった。

新サービスの提供にあたって，経営陣は，情報技術を活用し，ＤＸの実現をめざすこととした。新サービスによって顧客企業である介護事業者のＤＸを推進するだけでなく，情報技術によって当社の事業の多角化・高度化を図り，それに伴うシステム開発の効率化を図ることがＤＸの狙いである。

1.2　新たな情報技術とその必要性，事業特性

新サービスの事業特性として，介護事業における職員の勤怠管理が複雑なことが挙げられる。介護の場所が施設や介護利用者の自宅であったり，介護にかかる時間，介護利用者の要介護度，職員の資格と勤務時間，さらに，介護利用者と職員の相性など，勤怠管理では考慮すべき点が多岐に渡る。そのため，職員の勤務シフトの作成や介護の訪問・送迎ルートの作成は，ベテラン職員が多くの時間を掛けて行っている。

新サービスでは，ベテラン職員が多くの時間を掛けて行っているこれらの作業の効率化が求められた。作業の効率化には最適化が重要で，ＡＩによる自動化，あるいは支援が有効であると考えられた。また，システム構築においても，支援が期待できることから，ＡＩの採用を検討することにした。

第２章　施策の実施に向けた机上確認と技術検証

2.1　机上確認とその結果，工夫した点

施策の実施に向けて，私は次のような確認を机上で行った。

① 業務要件への適合性

職員の勤務シフトの作成や介護の訪問・送迎ルートの作成について，ＡＩが利用できるかを検討した。複雑な条件での勤務シフトや訪問・送迎ルートの作成は，ＡＩの

得意な分野の一つであり，既にそのような機能を提供しているサービスも存在していた。また，勤怠管理システムの構築を支援するサービスもあることを確認した。

② 規制への対応

介護事業の規制として，職員の労働時間や労働環境などの労基法の規制のほか，介護保険法などで提供するサービスやスタッフの資格などの要件が定められている。これらは，システム構築の際に条件を組み込むことによって，対応が可能であることを確認した。

③ 非機能要件への適合性

システムの拡張性・セキュリティなどについては，オンプレミスでの対応は難しいため，ＳａａＳを利用する方針とした。特に介護事業では介護利用者の個人情報の保護が重要である。そのため，事前にＳａａＳ事業者のセキュリティ対策の評価を行うことで対応することにした。

④ 利用の継続性

介護利用者と介護事業者双方にとって，介護サービスが円滑にかつ継続して提供できることが重要であった。そのため，ＡＩの利用継続性についても，事前に利用するＳａａＳ事業者の評価を実施して確認することにした。

これら①～④を検討したところ，ＡＩによる職員の勤務シフトの作成，介護の訪問・送迎ルートの作成，及び勤怠管理システム構築の支援は，十分に可能であるとの結果を得た。検討に際して私は，自社内だけでの検討では十分ではないと考え，ＳａａＳ事業者からＡＩの有識者を紹介してもらい，助言を仰いだ。また，運送業者のルート設定方法など，他社の事例を検討した。有識者の助言を得たり他社の事例を確認するなどの工夫によって，十分な机上確認ができたと評価している。

2.2 技術検証とその結果，工夫した点

机上確認の結果を受け，次に技術的な検証を行った。

① 試験的な導入

ＡＩとはどのようなものかを体験するために，事前の評価が一番高かったＳａａＳ事業者のＡＩシステムを試験的に当社に導入し，企画部門や情報システム部門で一定期間使用してもらった。この試験的な導入をによって，ＡＩの特性や使用方法，活用可能分野などの知識を得ることができた。

② シミュレーションの実施

介護事業者の業務を想定し，介護利用者の情報や職員の勤務時間などの情報に関するテストデータを用意して，勤務シフトの作成，訪問・送迎ルートの作成のシミュレ

ーションを行った。また，当社のシステム構築の支援，例えばパラメータの設定やプログラミングの支援についてのシミュレーションも行った。

これらの①②の検証をしたところ，新サービスへのＡＩの活用は十分に可能であるとの結果を得た。私は技術検証にあたって，できるだけ本番環境に近い状態で検証できるように工夫した。具体的には，テストデータは，契約が予定されている介護事業者から実際のデータを提供してもらい，機微な個人情報にマスクをした上で，シミュレーションを行った。このため，十分に信頼性のある結果が得られたと評価している。

第３章　リスクとその対策の具体化，及び説明と改善点

3.1　リスクとその対策の具体化

私は机上確認と技術検証を通して，ＡＩの特性を理解した上で，次のようなリスクを認識し，対策を具体化した。

①　コンプライアンスに関するリスク

新サービスでは，介護事業者の職員や介護利用者の個人情報を使用する。その中には機微な個人情報が含まれる。例えば，職員や介護利用者の氏名や住所，介護利用者の要介護状態などである。これらの個人情報は外部に漏えいするリスクだけでなく，ＡＩの学習に使われるリスクも考えられた。これを防ぐために，ＡＩ事業者とは，セキュリティの確保と，当社のデータを他社のＡＩ学習に使用しないとの覚書を結ぶことにした。

②　経営リソースに影響を及ぼすリスク

ＡＩの導入と活用には相応のコストが発生する。また，運用と維持には，そのための体制が必要となり，経営リソースに影響を及ぼすリスクがある。そこで，あらかじめ，導入の予算と体制について詳細に検討を行うとともに，計画を超過した場合を考慮し予備の予算を確保すること，開発・運用要員が不足した場合に備えて技術支援を仰ぐための契約をＡＩ事業者と結ぶことにした。

3.2　経営陣への説明と改善点

私は経営陣に，これらのリスクと対策を詳細に説明した。特に，当社にとって新たな情報技術であるＡＩについては，明るくない役員もいるため，基本的な概念から，新サービスにおける活用方法を，図や動画を用いて，シミュレーションを行い説明した。その結果，大枠については経営陣の同意を得ることができた。ただ，一部の経営陣からは，ＡＩ学習での情報漏えいに対する懸念と，当社の現状体制の弱さが指摘された。

これを受けて，私は改善策を考えた。ＡＩ事業者と定期的に会合を持ち，状況の報告を求めることにした。また，将来的にＡＩ活用の体制強化を目的に，全社的にＡＩ利用の教育と研修を進めることにした。これらの改善策によって，ＡＩを活用した新サービスの開発と運用は順調に実施できるものと判断している。

問2 デジタルトランスフォーメーションを実現するための新サービスの企画 (出題年度：R 3問1)

企業は，データとディジタル技術を活用したデジタルトランスフォーメーション（DX）に取り組むことが重要になってきている。

流通業のグループ会社である倉庫会社では，物流保管サービスのプラットフォーマに変革するというDXを実現するための新サービスを企画した。具体的には，ICタグを使って商品1個単位に入出庫や保管を管理できるように物流保管システムを改修し，グループ外の一般企業にも，オープンAPIを用いた物流保管サービスを提供した。これによって，洋服一点ごとの管理ができる倉庫を探していた衣料品レンタル会社などを新規顧客として獲得している。

工場設備の監視制御システムなどを提供している測量機器メーカでは，サービス業にも事業を拡大するというDXを実現するための新サービスを企画した。具体的には，赤外線カメラなどを搭載したドローンを活用し，ドローンで撮影した大量の画像データをAIで解析することによって，高所や広範囲なインフラ設備を監視する年間契約制のサービスを提供した。これによって，インフラ点検を安全かつ効率的に行いたい道路運営会社や電力会社を新規顧客として獲得している。

ITストラテジストは，DXを実現するための新サービスを企画する際には，ターゲットの顧客を明確にし，その顧客のニーズを基に新サービスを検討する必要がある。

さらに，DXを実現するための新サービスを具体化する際には，収益モデル，業務プロセス，新サービスの市場への普及方法，リスク対応策，協業先などを検討し，投資効果と合わせて経営層に提案することが重要である。

あなたの経験と考えに基づいて，設問ア～ウに従って論述せよ。

設問ア あなたが携わったDXを実現するための新サービスの企画について，背景にある事業環境，事業特性，DXの取組の概要を，800字以内で述べよ。

設問イ 設問アで述べたDXを実現するために，あなたはどのような新サービスを企画したか。ターゲットとした顧客とそのニーズ，活用したデータとディジタル技術とともに，800字以上1,600字以内で具体的に述べよ。

設問ウ 設問イで述べたDXを実現するための新サービスを具体化する際には，あなたは経営層にどのような提案を行い，どのような評価を受けたか。評価を受けて改善したこととともに，600字以上1,200字以内で具体的に述べよ。

●問題分析メモ

設問アのヒント

企業は，データとディジタル技術を活用したデジタルトランスフォーメーション（DX）に取り組むことが重要になってきている。

設問イのヒント

流通業のグループ会社である倉庫会社では，物流保管サービスのプラットフォーマに変革するというDXを実現するための新サービスを企画した。（サービスの具体例①）具体的には，ICタグを使って商品１個単位に入出庫や保管を管理できるように物流保管システムを改修し，グループ外の一般企業にも，オープンAPIを用いた物流保管サービスを提供した。（活用したデータとディジタル技術の具体例①）これによって，洋服一点ごとの管理ができる倉庫を探していた衣料品レンタル会社などを新規顧客として獲得している。（ターゲットとした顧客とそのニーズの具体例①）

工場設備の監視制御システムなどを提供している測量機器メーカでは，サービス業にも事業を拡大するというDXを実現するための新サービスを企画した。（サービスの具体例②）具体的には，赤外線カメラなどを搭載したドローンを活用し，ドローンで撮影した大量の画像データをAIで解析することによって，高所や広範囲なインフラ設備を監視する年間契約制のサービスを提供した。（活用したデータとディジタル技術の具体例②）これによって，インフラ点検を安全かつ効率的に行いたい道路運営会社や電力会社を新規顧客として獲得している。（ターゲットとした顧客とそのニーズの具体例②）

ITストラテジストは，DXを実現するための新サービスを企画する際には，ターゲットの顧客を明確にし，その顧客のニーズを基に新サービスを検討する必要がある。（2.2）

設問ウのヒント

さらに，DXを実現するための新サービスを具体化する際には，収益モデル，業務プロセス，新サービスの市場への普及方法，リスク対応策，協業先などを検討し，投資効果と合わせて経営層に提案することが重要である。（3.1）

あなたの経験と考えに基づいて，設問ア～ウに従って論述せよ。

設問ア　あなたが携わったDXを実現するための新サービスの企画について，背景にある事業環境（1.1），事業特性（1.1），DXの取組の概要（1.2）を，800字以内で述べよ。

事業環境と事業特性は分けてもよい

1.1で述べた内容とDXがどのように関係しているのかを述べる

設問イ　設問アで述べたDXを実現するために，あなたはどのような新サービス（2.1）を企画したか，ターゲットとした顧客とそのニーズ（2.2），活用したデータとディジタル技術（2.3）とともに，800字以上1,600字以内で具体的に述べよ。

設問ウ　設問イで述べたDXを実現するための新サービスを具体化する際には，あなたは経営層にどのような提案（3.1）を行い，どのような評価（3.2）を受けたか。評価を受けて改善（3.2）したこととともに，600字以上1,200字以内で具体的に述べよ。

"評価を受けての改善"であるからまとめるとよい

●論文設計シート

タイトルと論述ネタ	あらすじ
第1章　DXを実現するための新サービスの企画の背景	
1.1　事業環境と事業特性	
事業概要	大手のクリーニング会社。高いクリーニング品質が特長。 関東一円に営業所と店舗，クリーニングの自社工場がある。
事業環境	クリーニングの需要が減少し厳しい状況である。
事業特性	差別化が難しい。 需要の創出が難しい。
1.2　DXの取組の概要	
取組の概要	経営陣は，事業構造の抜本的な改革のために，DXに取り組むことを決定した。 従来の季節保管サービスをベースに，クリーニングと保管と配送を担う，物流保管サービスのプラットフォーマへの変革を経営目標とする。
第2章　DXを実現するために企画した新サービス	
2.1　企画した新サービス	
新サービス	衣料品などのレンタル会社に対してクリーニングと物流保管サービスを提供する。
既存サービスの活用	①季節保管サービスの活用…クリーニング後の保管サービスが既にある。このサービスを提供するための環境は構築済。 ②個人宅への集配サービスの活用…自社工場と営業所・店舗間，営業所・店舗と個人宅間の物流管理システムは構築済。 新サービスを提供するための十分な基盤が当社にはある。
2.2　ターゲットとした顧客とそのニーズ	
ターゲットとした顧客	衣料品などのレンタル会社。 消費者の節約志向，サブスクリプションの拡がりによって，レンタル会社が増えている。

	ニーズ	レンタル会社には，品質の高いクリーニングと保管，物流作業のニーズがある。 レンタル会社の多くはクリーニングと保管，物流作業の管理が負担になっている。 当社は顧客のニーズに十分応えることができる。
2.3　活用したデータとディジタル技術		
	活用したデータ	①顧客データ…マーケティング，レンタル品の需要予測に使う。 ②クリーニングデータ…素材や縫製などに応じた適切な対応に使う。
	活用したディジタル技術	①ICタグ…レンタル品の効率的な保管と入出庫の管理に使う。 ②オープンAPI…レンタル会社でのレンタル品の管理と直接の指示に使う。

第3章　経営層への提案と評価，及び改善内容		
3.1　経営層への新サービスの提案		
	経営層への提案内容	①クリーニングと物流保管サービスで可能な料金体系の想定と，利益が得られる収益モデルの構築。 ②物流管理システムの改修と，業務プロセスの見直し。 ③新サービスの広報活動。 ④事業が順調に進まない場合のリスク対応策の検討。 ⑤協業先の選定。カバーできない地域の同業者。 ⑥投資コストの見積りと，投資効果の算定。
3.2　経営層の評価，及び改善内容		
	経営層の評価	既存資源を有効活用することは，実現性の高い企画であるという評価を受けた。 投資効果の高い具体性のある企画であるとの評価を受けた。
	指摘事項	サービスの拡大については慎重に行う必要があるのではないか。 DXに対応できる人材の確保が必要ではないか。
	改善内容	一部の営業所に試験的に導入し，状況を見ながら徐々にサービスを提供する地域を拡大するように計画を改善した。 DXに対応できるIT人材の確保と教育についても計画に盛り込んだ。

問2 解答例

第1章　DXを実現するための新サービスの企画の背景

1.1　事業環境と事業特性

私が携わったDXを実現するための新サービスの企画は，クリーニング会社における物流保管サービスである。当社は同業社のなかでも大手であり，高いクリーニング品質を特長としている。関東一円に営業所と店舗があり，自社工場でクリーニング作業を行っている。

業界を取り巻く昨今の事業環境は厳しくなってきている。感染症の影響もあってスーツや外出着などのクリーニングの需要は減少している。消費者の節約志向も強まっており，さらに厳しい状況となっている。

業界の事業特性は，第一に，差別化が難しいことが挙げられる。一部の職人にしかできない作業による仕上げなどもあるが，一般的なクリーニングの場合には，品質の違いは消費者には分かりにくい。第二に，需要の創出が難しいことが挙げられる。クリーニングは依頼によって行うものであり，企業が主体的にクリーニングの量を増やせるものではない。

1.2　DXの取組の概要

このような事業環境と事業特性に対して危機感を持った当社の経営陣は，事業構造の抜本的な改革のために，DXに取り組むことを決定した。プロジェクトチームを結成して検討を重ねた結果，従来から行っている季節保管サービスをベースに，クリーニングと合わせて衣料品その他の保管と配送を担う，物流保管サービスのプラットフォーマへの変革を経営目標として掲げた。

第2章　DXを実現するために企画した新サービス

2.1　企画した新サービス

経営目標を実現するために，私が企画した新サービスは，衣料品などのレンタル会社に対してクリーニングと物流保管サービスを提供するというものである。衣料品などのレンタル品に対して，消費者から回収し，クリーニングをした後，当社で保管し，貸出の依頼があれば，レンタル品を出荷・配送し，貸出期間終了時に回収を行う。

当社は従来より，季節保管サービスを提供している。これは夏物や冬物などの衣料品をクリーニング後，次の季節まで保管するというものである。このサービスを提供するために空調の整った保管室を店舗や営業所に備えている。また，衣料品の個人宅への集配サービスも提供しており，自社工場と営業所・店舗間，営業所・店舗と個人宅間の物流管理システムも構築されている。したがって，新サービスを提供するための十分な基盤が当社にはある。

2.2　ターゲットとした顧客とそのニーズ

ターゲットとした顧客は，最近増加している衣料品などのレンタル会社である。昨今の消費者の節約志向や，サブスクリプションと呼ばれる定期定額の料金体系の拡がりがあり，特にブランドの衣料品，バッグ，靴などは，買うよりも借りるという消費者が増えている。この消費者の動向に伴いレンタル会社も増えている。

レンタル会社には，品質の高いクリーニングと保管，的確な物流管理のニーズがある。貸出が終了し返却されたレンタル品には，適切なクリーニングと保管が必要である。また，レンタル品を確実に消費者のもとに配送し，回収する必要がある。多くのレンタル会社では，クリーニングと保管，物流の作業が煩雑であり，その管理が負担になっている。当社は衣料品はもちろん，バッグや靴のクリーニングも行っており，顧客のニーズに十分応えることができる。

2.3　活用したデータとディジタル技術

新サービスの開始にあたっては，当社が保有する顧客データとクリーニングデータを活用する。匿名化した顧客層，住居の地域，クリーニングの依頼時期や依頼品の種類などのデータは今後のマーケティングに生かすことができる。さらに，どの季節にどのようなレンタル品が顧客に必要とされるのかの需要予想にも活用できる。また，これまで蓄積したクリーニング手法やシミ抜きなどの技術に関するクリーニングデータを活用することで，素材や縫製などに応じた適切な対応が可能である。

また，新サービスでは，ＩＣタグとオープンＡＰＩを活用することにした。レンタル品は単品管理が必要である。レンタル品一点一点にＩＣタグを付けることによって，より効率的に保管と入出庫の管理をできるようにする。また，従来の物流管理システムを改修してオープンＡＰＩを使用できるようにする。これにより，顧客であるレンタル会社では，適時にレンタル品ごとの状況を把握できるとともに，直接，配送・回収の指示ができるようになる。

第３章　経営層への提案と評価，及び改善内容

3.1　経営層への新サービスの提案

私はこのような新サービスを具体化するにあたって，次に挙げる内容を検討し，経

営層に提案した。

①レンタル業界のマーケットと収益構造の現状を分析し，クリーニングと物流保管サービスで可能な料金体系を設定した。また，当社でのサービスにかかるコストを見積もり，利益が得られる収益モデルを構築した。

②新サービスの開始にあたっては，物流管理システムを改修し，業務プロセスを見直した。基本的にはこれまでの集配サービスと同じであるが，集配の指示系統が異なること，ＩＣタグを活用することなどを踏まえ，より効率的なプロセスを設計した。

③新サービスで十分な利益が得られるかは，サービスのレンタル業界のマーケットへの浸透度にかかっている。そのため，レンタル業界の業界組織に加盟するなどしてサービスを広めるとともに，当社の顧客データを活用して，広報活動を行うことにした。

④事業が順調に進まない場合を想定して，リスク対応策を検討した。コストが回収できない場合のほか，消費者や顧客企業からのクレーム，社内でのミスの発生など，リスクを洗い出し，対応手順や対応方法を検討した。

⑤当社でカバーできない地域に関しては，同業社に声をかけ，協業先として選定した。

⑥今後数年間の売上の伸びをレンタル業界のデータを用いて想定し，予想される投資コストを見積り，投資効果を算定した。

3.2　経営層の評価，及び改善内容

これらを経営層に提案したところ，おおむね良好な評価を受けることができた。特に，既存資源を有効活用して，物流保管サービスのプラットフォーマに変革するというＤＸの実現に向けて，きわめて実現性の高い企画であるという評価を受けた。また，ディジタル技術を活用した，投資効果の高い具体性のある企画であるとの評価も受けた。ただし，不確定要素が多いのでサービスの拡大については慎重に行う必要があるのではないか，ＤＸに対応できる人材の確保が必要ではないかという指摘も受けた。これを受けて私は，サービスの導入計画を再度検討し，まず，一部の営業所に試験的に導入し，状況を見ながら徐々にサービスを提供する地域を拡大するように計画を改善した。また，ＤＸに対応できるＩＴ人材の確保と教育についても計画に盛り込むように改善した。これにより，十分に実現性のある計画となったと考えている。

問3 ITを活用したビジネスモデル策定の支援 （出題年度：R元問２）

規制緩和や異業種の参入，技術の進展などによって業界を超えた企業間の競争が激しくなる中，新規顧客の獲得，競争優位性の確保，新たな収益源の創出などが企業の経営課題となっている。

昨今，企業は，こうした経営課題を解決するために，スマートフォンやIoT，クラウドサービスなどのITを活用したビジネスモデルを策定し，それを実現している。

ビジネスモデルの策定では，顧客は誰か，顧客にどのような価値を提案するか，事業の収益や利益をどのように確保するかなどを検討することが必須である。ITストラテジストは，ITをどのように活用してビジネスモデルを実現するかという観点で，事業部門の検討を支援することが求められる。

例えば，カーシェアリング事業では，自動車の貸出しを希望する顧客に対し，スマートフォンで空車を探して利用の予約ができる，利便性の高いサービスを提供している。また，自動車に搭載したIoT機器で貸出し・返却を無人化することで運営コストを最小化し，利益を確保している。

電子決済サービス事業では，手軽に支払をしたい顧客に対し，スマートフォンでQRコードなどを提示するだけで決済できるサービスを提供している。加盟店からの決済手数料に加えて，購買データの販売料で収益を確保している。

策定したビジネスモデルを立ち上げるためには，初期利用者の獲得，サービス基盤の迅速な整備，実行体制の構築などの施策が重要である。ITストラテジストは事業部門とともに，策定したビジネスモデルと施策を経営層に説明し，承認を得る必要がある。

あなたの経験と考えに基づいて，設問ア～ウに従って論述せよ。

設問ア あなたが策定に携わったITを活用したビジネスモデルについて，経営課題，ビジネスモデル策定の背景を，現行事業の特性とともに800字以内で述べよ。

設問イ 設問アで述べた経営課題の解決のために，どのようなビジネスモデルを策定したかについて，顧客，価値提案，収益や利益確保の方法，活用したITを明確にして，800字以上1,600字以内で具体的に述べよ。

設問ウ 設問イで述べたビジネスモデルを立ち上げる上で，あなたが重要と考えた施策は何か。また，ビジネスモデルとその施策について経営層から指摘されて改善した内容は何か。600字以上1,200字以内で具体的に述べよ。

●問題分析メモ

設問アのヒント

規制緩和や異業種の参入，技術の進展などによって業界を超えた企業間の競争が激しくなる中，新規顧客の獲得，競争優位性の確保，新たな収益源の創出などが企業の経営課題となっている。

1.1 経営課題の具体例

設問イのヒント

昨今，企業は，こうした経営課題を解決するために，スマートフォン（活用したIT）やIoT（活用したIT），クラウドサービス（活用したIT）などのITを活用したビジネスモデルを策定し，それを実現している。

2.2 活用したITの具体例

ビジネスモデルの策定では，顧客は誰か，顧客にどのような価値を提案するか，事業の収益や利益をどのように確保するかなどを検討することが必須である。ITストラテジストは，ITをどのように活用してビジネスモデルを実現するかという観点で，事業部門の検討を支援することが求められる。

例えば，カーシェアリング事業では，自動車の貸出しを希望する顧客に対し，スマートフォン（活用したIT）で空車を探して利用の予約ができる，利便性の高いサービスを提供している。また，自動車に搭載したIoT機器（活用したIT）で貸出し・返却を無人化することで運営コストを最小化し，利益を確保している。

2.1 ビジネスモデルの具体例①

電子決済サービス事業では，手軽に支払をしたい顧客に対し，スマートフォン（活用したIT）でQRコード（活用したIT）などを提示するだけで決済できるサービスを提供している。加盟店からの決済手数料に加えて，購買データの販売料で収益を確保している。

2.1 ビジネスモデルの具体例②

設問ウのヒント

策定したビジネスモデルを立ち上げるためには，初期利用者の獲得，サービス基盤の迅速な整備，実行体制の構築などの施策が重要である。ITストラテジストは事業部門とともに，策定したビジネスモデルと施策を経営層に説明し，承認を得る必要がある。

3.1 施策の具体例

列挙されている施策を用いて展開を考えると楽

あなたの経験と考えに基づいて，設問ア～ウに従って論述せよ。

“明確にして”とある場合には2.1に2.2を含めるのではなく独立して述べるほうが分かりやすい

設問ア　あなたが策定に携わったITを活用したビジネスモデルについて，経営課題（1.1），ビジネスモデル策定の背景（1.2）を，現行事業の特性とともに800字以内で述べよ。

“現行事業の特性”は1.1と1.2のいずれにも含めるのが望ましい

設問イ　設問アで述べた経営課題の解決のために，どのようなビジネスモデル（2.1）を策定したかについて，顧客（2.2），価値提案（2.2），収益や利益確保の方法（2.2），活用したIT（2.2）を明確にして，800字以上1,600字以内で具体的に述べよ。

2.2はそれぞれ分けてもよいがすべてについて述べる

設問ウ　設問イで述べたビジネスモデルを立ち上げる上で，あなたが重要と考えた施策（3.1）は何か。また，ビジネスモデルとその施策について経営層から指摘されて改善した内容（3.2）は何か。600字以上1,200字以内で具体的に述べよ。

●論文設計シート

タイトルと論述ネタ	あらすじ
第1章　経営課題とビジネスモデル策定の背景	
1.1　経営課題	
事業概要	自転車メーカー。積極的に新モデルの製品を投入している。
経営課題	会社全体の売上の伸びは鈍化傾向である。新たな収益源の創出が経営課題となっている。
1.2　ビジネスモデル策定の背景	
現行事業の特性	製品の差別化が難しい。似たような仕様の外国製品におされている。
策定の背景	新たな収益源を創出する事業として，観光地で貸自転車事業を始めたが，安定した利益を出すことができない。 諸外国の都市での貸自転車が普及していることと，ITの活用によって，十分な収益を出せると考え，都市での貸自転車事業を策定することになった。
第2章　経営課題解決のために策定したビジネスモデル	
2.1　ビジネスモデルの概要	
ビジネスモデル	東京都内を始めとした，都市における貸自転車事業。 スマートフォンを使って，自転車のある場所の検索，自転車の施錠，料金の決済などができるビジネスモデル。
2.2　顧客，価値提案，収益や利益確保の方法	
顧客	都市においての移動をスムーズにしたいと考える顧客。 平日に利用するビジネスマン。 休日に利用する観光客。
価値提案	利用者に利便性の高いサービスを提供する。 ①　自転車の乗捨てができる。 ②　鍵がいらない。 ③　料金の支払いが電子マネーでできる。 事業者の運営コストを最小にする。 ①　貸出・返却・料金決済を無人化することで，運営コストを最小にできる。 ②　自転車を用意し顧客が利用することで，料金を徴収することができる。

	収益や利益確保の方法	自転車の所在を把握し，定期的に回収してメンテナンスを行うだけで，収益と利益を確保することができる。
2.3　活用したIT		
	位置情報の技術	自転車に取り付けたIoT機器が取得した位置情報を利用して，事業者も利用者も自転車の場所を把握できる。
	QRコードの技術	車体のQRコードを使って貸出・返却・鍵の管理を自動化する。

第3章　重要と考えた施策と経営層の指摘と改善内容		
3.1　重要と考えた施策		
	初期利用者の獲得	一定数の初期利用者を獲得する。そのために，事業開始後一定期間の料金を半額にするサービスを提供する。
	サービス基盤の迅速な整備	十分な台数の自転車を確保し，その置き場も整備する。そのために，サービス対象エリアを限定して事業を開始する。置き場として，コンビニや駐車場と提携する。
	実行体制の構築	事業を遂行・運営するための実行体制を構築する。IoT機器の調達とIT基盤の整備は，取引のあるIT企業と協力体制を築く。運営は，新たに事業部を設立し人員を確保する。
3.2　経営層の指摘と改善内容		
	コンプライアンスの問題	自転車の乗捨てという利便性を提供するための，利用者への交通法規遵守の徹底と，自転車の乗捨て場所の確保。
	サービス地域の縮小	利用者に利便性を感じてもらうには，万全の運営体制が必要。そのためには，サービス対象エリアを限定して運営方法のノウハウを積み上げてから，徐々にサービス対象エリアを拡大する。

問3 解答例

第1章　経営課題とビジネスモデル策定の背景

1.1　経営課題

　私が策定に携わったのは，自転車メーカーにおける貸自転車事業のビジネスモデルである。当社は自転車メーカーのなかでは比較的新しい企業であるが，積極的に新モデルの製品を投入していることもあり，業界では中堅の企業となっている。

当社の主力製品は，愛好者向けの高価格帯の製品から一般向けの中価格帯の製品である。近年ロードバイクの流行もあり，愛好者向けの製品の売上は伸びているが，一般向けの製品の売上は伸びていない。そのため，会社全体の売上の伸びは鈍化傾向である。このような状況のなかで，当社にとっては新たな収益源の創出が経営課題となっていた。

1.2　ビジネスモデル策定の背景

自転車製造事業には，製品の差別化が難しいという特性がある。そのため，製品は外国製品とほぼ似たような仕様となり，安価な外国製品が多く買われているという状況である。しかし，外国製品と差別化を図れる製品を開発するにはこれまで以上の投資が求められるが，その収益はあまり期待できなかった。

新たな収益源を創出する事業として，当社の製品を使った都市近郊の観光地で貸自転車事業を始めてみた。しかし，観光地での事業は，季節や，休日と平日などで顧客数に差があり，安定した利益を出すのが難しく，また運営コストが掛かった。そこで，当社の経営陣は，都市における貸自転車事業を開始することを決定し，事業部門にビジネスモデルの策定を指示した。諸外国において，都市における貸自転車が普及していること，また，ITを活用することによって，これまでの貸自転車事業とは異なり，十分な収益を出せると想定されることが，策定の背景にあった。

第２章　経営課題解決のために策定したビジネスモデル

2.1　ビジネスモデルの概要

策定したビジネスモデルは，東京都内を始めとした，都市における貸自転車事業である。都市においては，取引先への訪問や書類の受け渡しなど，比較的近距離での人の移動が多い。地下鉄やタクシーもあるが，時間や費用の面で使いにくい場合も多く，小回りのきく自転車の需要は高いと考えられる。そこで，スマートフォンを使って，自転車のある場所の検索，自転車の施錠，料金の決済などができるビジネスモデルを策定した。

2.2　顧客，価値提案，収益や利益確保の方法

このビジネスモデルで想定する顧客は，都市における移動をスムーズにしたいと考える顧客である。タクシーで移動するほどの距離ではないが歩くには遠すぎる，もしくは，複数の取引先を次々に訪問したいという平日に利用するビジネスマンを主な顧客と想定している。さらに，観光スポットを次々に訪問したいなどの休日に利用する

観光客も顧客として想定している。

これらの想定される顧客(利用者)に対して，ITを活用することにより，利便性の高いサービスを提供する。まず，自転車を借りるときには，自転車が用意されているサービスステーションだけでなく，乗り捨ててある自転車も利用することができる。また，自転車を返すときには，借りた場所でない場所でも乗捨てができる。これによって，わざわざ遠くまで出向いて借りたり返したりする必要がなくなる。さらに，自転車には物としての鍵がないため，受け渡しや紛失を考慮する必要がない。料金も電子マネーなどでの決済に対応し，わざわざ支払いに出向く必要がない。当社としては，自転車に搭載したIoT機器によって貸出・返却・料金決済を無人化することができ，運営コストを最小にすることができる。当社は，自転車を用意すれば，あとは自転車の所在を常に把握し，定期的に回収してメンテナンスを行うだけで，収益と利益を確保することができる。

2.3　活用したIT

活用したITは，まず位置情報の技術である。自転車に取り付けたIoT機器が現在位置情報を取得して，当社のセンターに送信する。これによって，センターはその自転車がどこにあるかを把握することができる。また，利用者は，当社が提供するスマートフォンの専用アプリを使って近くにある自転車を検索することができる。

次に活用したITは，QRコードの技術である。車体のQRコードを使って貸出・返却・鍵の管理を自動化する。利用者が専用アプリを使って車体のQRコードを読み取るだけで，自転車の貸出と返却の手続きができる。返却の手続き時に，電子マネーなどで料金が決済される。さらに，QRコードは自転車の鍵の解錠と施錠にも利用する。これによって，鍵の受け渡しをなくし，また，料金を別途徴収することもなく，自転車を利用者に提供することができる。

第3章　重要と考えた施策と経営層の指摘と改善内容

3.1　重要と考えた施策

このビジネスモデルを立ち上げるうえで，私が重要と考えた施策は次の三つである。

①初期利用者の獲得

事業を軌道に乗せるうえで，事業開始直後に一定数の初期利用者を獲得することが重要である。私は，一度でも利用してもらえば，利便性を感じて定期的に利用してもらえると考え，事業開始後の一定期間，料金を半額にすることとした。

②サービス基盤の迅速な整備

サービス基盤の迅速な整備が必要である。この事業においては，十分な台数の自転車をサービス対象エリアにまんべんなく用意することである。そのためには，当初はサービス対象エリアを東京都内のいくつかの区に限定して，事業を開始することとした。また，サービスステーション以外に乗り捨てる場所として，コンビニや駐車場と提携することとした。

③実行体制の構築

事業を遂行・運営するための実行体制を構築する。具体的には必要台数の自転車の確保とIoT機器の調達・取付，IT基盤の整備，運営人員の確保などである。IoT機器の調達とIT基盤の整備に関しては，取引のあるIT企業と協力体制を築くこととした。運営に関しては，新たに事業部を設立し人員を確保することとした。

3.2　経営層の指摘と改善内容

ビジネスモデルとこれらの施策を経営層に説明したところ，大筋において承認を得ることができた。経営層からは次のような指摘があり，再度検討し改善した。

①コンプライアンスの問題

このビジネスモデルでは，自転車を乗り捨てられることが，大きな利便性である。しかし，道路の端や駐輪禁止の場所に乗り捨てられては，このサービスを提供できなくなるだけではなく，当社の責任問題ともなるという指摘があった。そこで，利用者にはあらかじめ交通法規の遵守を徹底するとともに，提携するコンビニや駐車場の数を大きく増やし，決められた場所に乗り捨ててもらうように改善を図った。

②サービス対象エリアの縮小

このビジネスモデルの成否は利用者に利便性を感じてもらうところにあるため，十分な台数の自転車を用意し，万全の運営体制をとる必要がある。そのためサービス対象エリアを限定するべきという指摘があった。そこで，まず一つの区だけに限定してサービスを開始することにした。ここで運営方法のノウハウを十分に積み上げ，周辺の区にサービスを拡大していくように改善を図った。

問4 新しい情報技術や情報機器と業務システムを連携させた新サービスの企画 (出題年度：H30問2)

近年，ITストラテジストは，事業戦略を実現するために，オープンAPIやタブレット端末などの新しい情報技術や情報機器（以下，新技術という）と業務システムを連携させ，顧客満足度や生産性などを向上させた新サービスを企画することがある。

銀行業では，“フィンテックを活用して顧客満足度と収益の向上を図る”という事業戦略を実現するために，フィンテック企業が提供するスマートフォン向けアプリケーションソフトウェア，オープンAPIと銀行のシステムを連携させたビジネスモデルを検討し，顧客がいつでも入出金の確認や送金ができる新サービスを企画した。

航空業では，“高品質かつ効率的な整備作業によって，安全かつ安定した運航を実現する”という事業戦略を実現するために，タブレット端末と整備管理システムを連携させた整備作業のビジネスプロセスを検討し，整備士が作業場所で，整備計画や図面の確認，点検箇所の撮影と作業報告などができる新サービスを企画した。

ITストラテジストは，新技術と業務システムを連携させた新サービスを企画する際には，事業戦略を実現するために，ビジネスモデル又はビジネスプロセスを検討し，どのような利用者にどのような便益を提供するのかを定義する。そして，投資効果を算出した上で，新サービスを企画する。

さらに，新サービスの導入では，新サービスの有効性，信頼性，安全性などを検証する必要があり，試験的な導入，機能や範囲を限定した段階的な導入などの対応策も立案した上で，経営層に提案し，承認を得ることが必要である。

あなたの経験と考えに基づいて，設問ア～ウに従って論述せよ。

設問ア あなたが携わった新技術と業務システムを連携させた新サービスの企画において，企画の背景にある，事業概要，事業特性，事業戦略，新技術を採用した必要性について，800字以内で述べよ。

設問イ 設問アで述べた事業戦略を実現するために，新技術と業務システムを連携させて，どのような新サービスを企画し，どのような利用者に提供することを検討したか。検討したビジネスモデル又はビジネスプロセス，利用者の便益，投資効果を明確にして，800字以上1,600字以内で具体的に述べよ。

設問ウ 設問イで述べた新サービスにおいて，新サービスの導入でどのようなことを検証するためにどのような対応策を立案し，経営層に提案したか。対応策の評価と評価を受けて改善したことともに，600字以上1,200字以内で具体的に述べよ。

●問題分析メモ

設問ア，イのヒント

近年，ITストラテジストは，事業戦略を実現するために，オープンAPIやタブレット端末などの新しい情報技術や情報機器（以下，新技術という）と業務システムを連携させ，顧客満足度や生産性などを向上させた新サービスを企画することがある。（1.2 新技術の具体例）

銀行業では，"フィンテックを活用して顧客満足度と収益の向上を図る"という事業戦略を実現するために，（1.2 事業戦略の具体例①）フィンテック企業が提供するスマートフォン向けアプリケーションソフトウェア，オープンAPIと銀行のシステムを連携させたビジネスモデルを検討し，顧客（利用者の例）がいつでも入出金の確認や送金ができる新サービスを企画した。（2.1 新サービスの具体例①）

航空業では，"高品質かつ効率的な整備作業によって，安全かつ安定した運航を実現する"という事業戦略を実現するために，（1.2 事業戦略の具体例②）タブレット端末と整備管理システムを連携させた整備作業のビジネスプロセスを検討し，整備士（利用者の例）が作業場所で，整備計画や図面の確認，点検箇所の撮影と作業報告などができる新サービスを企画した。（2.1 新サービスの具体例②）

ITストラテジストは，新技術と業務システムを連携させた新サービスを企画する際には，事業戦略を実現するために，ビジネスモデル又はビジネスプロセスを検討し，どのような利用者にどのような便益を提供するのかを定義する。そして，投資効果を算出した上で，新サービスを企画する。

設問ウのヒント

さらに，新サービスの導入では，新サービスの有効性，信頼性，安全性などを検証する必要があり，試験的な導入，機能や範囲を限定した段階的な導入などの対応策も立案した上で，経営層に提案し，承認を得ることが必要である。（3.1 検証項目と対応策の具体例）

あなたの経験と考えに基づいて，設問ア～ウに従って論述せよ。

設問ア　あなたが携わった新技術と業務システムを連携させた新サービスの企画において，企画の背景にある，[1.1]事業概要，[1.1]事業特性，[1.2]事業戦略，[1.2]新技術を採用した必要性について，800字以内で述べよ。

事業概要と事業特性は分けてもよい

「○○技術を用いて●●戦略を実現する」という展開がしやすい

設問イ　設問アで述べた事業戦略を実現するために，新技術と業務システムを連携させて，どのような[2.1]新サービスを企画し，どのような[2.1]利用者に提供することを検討したか。検討した[2.2]ビジネスモデル又はビジネスプロセス，[2.3]利用者の便益，[2.4]投資効果を明確にして，800字以上1,600字以内で具体的に述べよ。

2.2～2.4はまとめてもよい

設問ウ　設問イで述べた新サービスにおいて，新サービスの導入でどのようなことを[3.1]検証するためにどのような[3.1]対応策を立案し，経営層に提案したか。対応策の[3.2]評価と評価を受けて[3.2]改善したこととともに，600字以上1,200字以内で具体的に述べよ。

2.1に2.2～2.4を含めて論述するかのような文面であるが"明確にして"とある場合独立して述べるほうが整理しやすい

●論文設計シート

タイトルと論述ネタ	あらすじ
第1章　新サービスの企画の背景	
1.1　事業の概要と特性	
概要	地方銀行の主な事業は，預金者から金を集め，それを資金として個人や企業に貸し出して利息を得る。
特性	銀行事業は，販売商品の違いが顕著でないため，差別化が図りにくい。 貸出金利息の低迷により業務純益はマイナスである。
1.2　事業戦略と新技術採用の必要性	
課題	店舗やATM，行員などのコスト削減の必要性がある。
新技術の採用	金融サービスとITを連携させた新技術であるフィンテックが整備されてきている。
新技術の必要性	フィンテックを活用することで，コスト削減を図るとともに，顧客満足度を向上させる。
事業戦略	フィンテックを活用して顧客満足度と収益の向上を図る。
第2章　新サービスの企画と投資効果	
2.1　新サービスの企画と利用者	
企画した新サービス	スマホ向けアプリと，オープンAPIを介して当行のシステムを連携させ，顧客がいつでも入出金やその履歴を確認できるサービス。
提供する利用者	当初は個人顧客に限定。不具合によるシステム停止などのリスクが小さいと判断したのが理由。
2.2　検討したビジネスモデル	
ビジネスモデル	フィンテック企業が提供するスマホ向けアプリと，オープンAPIを介して当行のシステムを連携させる。
顧客満足度の向上とコスト削減	使い慣れたスマホで新サービスが利用できる。顧客満足度の向上とコスト削減が実現できる。
地元IT企業との連携	スマホ向けアプリの開発は地元のIT企業に依頼する。

第3部　午後Ⅱ試験対策

2.3　利用者の便益と投資効果	
利用者の便益向上	開発したスマホ向けアプリでは，入出金データを分析し様々な情報を発信することができる。 自動振込みができる。
投資効果	開発・運用・保守・セキュリティ関連費用，顧客満足度を金額に換算，コスト削減を見積もった。 結果，ほぼ5年で投資は回収可能。さらに，フィンテックの拡大によって，大きな効果が期待できる。

第３章　新サービスの検証と経営層への提案	
3.1　検証内容と対応策	
検証の内容と方法	サービスの有効性，信頼性，安全性に関して，従来以上の品質基準と運用基準を確保できるかを検証する。 一部の顧客に対して機能や範囲を限定して試験的に導入し，期間を設けて慎重に検証する。
システム側の対応策	万が一に際しても影響が勘定系システムや認証システムへ及ばないようにする。
アプリ側の対応策	フィンテック企業とともにスマホ向けアプリの機能テストを慎重に行う。
3.2　対応策の評価と改善点	
評価	十分な検証内容と対応策が評価されて提案は承認された。 他行との差別化を図るための新サービスの有用性を再検討。
改善点	他行との差別化を図るために，より使いやすく便利な機能を，導入後も追加する。

問4　解 答 例 

第１章　新サービスの企画の背景

1.1　事業の概要と特性

私は，新しい技術であるフィンテックを銀行システムと連携させた，地方銀行の新サービスの企画に携わった。

都市銀行や信用金庫と同様に，地方銀行の主な事業は，預金者から金を集め，それを資金として個人や企業に貸し出して利息を得るというものである。また，送金や振込による手数料収益や有価証券の売買や配当による収益などもある。

銀行事業は，販売商品の違いが顕著でないため，差別化が図りにくいという特性がある。昨今の歴史的な低金利のため，貸出金の利息は長期間低迷しており，業務純益はマイナスが続いている。

1.2 事業戦略と新技術採用の必要性

当行を取り巻く厳しい事業環境の中で，多くの店舗やATM，行員を抱えていることはコストがかかり，そのコスト削減の必要性が明らかになってきていた。他方，情報技術の発展は著しく，金融サービスとITを連携させた新技術であるフィンテックが整備されてきている。当行では，これまでもインターネットバンキングシステムによるサービスを提供していたが，独自でのサービス開発は投資負担が大きく，コスト膨張の大きな原因となってきていた。2017年に銀行法が改定され，制度面での整備がされたこともあり，オープンAPIを用いてフィンテック企業との連携を図ることが可能になった。

経営陣は，フィンテックを活用することで，コスト削減を図るとともに，顧客の満足度を向上できると考えた。そこで，生き残りをかけて，「フィンテックを活用して顧客満足度と収益の向上を図る」という事業戦略を掲げた。

第2章 新サービスの企画と投資効果

2.1 新サービスの企画と利用者

企画した新サービスは，フィンテック企業が提供するスマートフォン向けアプリケーションソフトウェア（以下，アプリという）と，オープンAPIを介して当行のシステムを連携させ，顧客がいつでも入出金やその履歴を確認できるというサービスである。顧客はスマートフォンにアプリをダウンロードすることで，これまで当行が提供してきたインターネットバンキングシステムと同様のサービスを受けられる。また，アプリには様々な機能があり，例えば，入出金データを活用した家計簿管理や，自動的な送金依頼などのサービスを受けられる。

サービスの利用者を，導入当初は個人顧客に限定した。その理由は，法人顧客に比べて取引金額が小さく，取引内容も限られるため，サービスが軌道に乗るまでの不具合によるシステム停止などのリスクが小さいと判断したからである。また，個人顧客の顧客満足度を向上させることは，その後の個人ローンやカードローンの利用につながり，結果として利益率の良い貸出が増加することにつながると判断したからである。

2.2　検討したビジネスモデル

検討したのは，「フィンテック企業が提供するスマートフォン向けアプリと，オープンAPIと当行のシステムを連携させる」という，ビジネスモデルである。従来の店舗の窓口とATMによって銀行の各種サービスを提供するというビジネスモデルでは，ATMの導入費や運用・保守費，人件費などが大きい割には，長い待ち時間や分かりにくい操作方法など，顧客からの不平も多く，顧客満足度は必ずしも高くなかった。

これに対して，使い慣れたスマートフォンで新サービスが利用できることは，顧客満足度の向上に大きく貢献し，当行にとってはコスト削減につながる。また，顧客とのインターフェースとなるアプリ開発をフィンテック企業に任せることは，開発費の低減や新しいアイデアの発想につながる。

当行では，地元経済の振興も踏まえて，従来から取引のあったフィンテックを保有する地元のIT企業にアプリの開発を依頼することにした。

2.3　利用者の便益と投資効果

当行のインターネットバンキングでは，入出金と入出金の履歴が確認できるだけであった。しかし，新サービス用に開発したアプリでは，入出金先を仕分けして家計簿をつけたり，毎月の入出金の傾向を知らせるなど，入出金データを分析して様々な情報を発信することができる。また，毎月決まった日に決まった相手に自動的に送金することなどができ，利用者の便益は大きく向上する。

新サービスの企画にあたっては，投資効果を細かく試算した。新しく開発すべきオープンAPIの開発費用や運用・保守費用，セキュリティ関連費用などを見積もった。また，顧客満足度の向上による将来の収益の拡大も数種類のモデルを用いて，金額に換算した。店舗の削減による人件費や，ATMの削減による導入費用と運用・保守費用の減少も考慮した。その結果，新サービスへの投資は，ほぼ５年で回収することができ，さらに今後のフィンテックの拡大によって，それ以上の効果が期待できるという結論に至った。

第３章　新サービスの検証と経営層への提案

3.1　検証内容と対応策

金融機関のサービスは，社会のインフラでもあるため，エラーやサービス停止があってはならない。そのため，サービスの導入にあたっては，有効性，信頼性，安全性を検証する必要があり，信頼性と安全性の確保が絶対条件であった。信頼性には，処理の正確性はもちろん，システムの安定性や可用性も含まれる。また，安全性に関しては，相当程度のセキュリティの確保が求められた。そのため，当行で従来から用いている品質基準と運用基準を適用し，従来以上の品質基準と運用基準を確保できるかを検証することにした。フィンテックの活用は全く初めてのことであったため，まずは一部の顧客に対して機能や範囲を限定して試験的に導入し，期間を設けて慎重に検証することにした。

システム側では，勘定系システムに直接オープンAPIを接続するのではなく，従来のインターネットバンキングシステムの外側にAPIを構築して，万が一に際しても影響が勘定系システムや認証システムへ及ばないようにした。また，アプリ側では，フィンテック企業とともにアプリの機能のテストを慎重に行った。

3.2　対応策の評価と改善点

新サービスの導入について，検証内容と対応策をまとめて，経営層に提案を行った。経営層からは，検証内容が十分に検討されており，対応策も適切であると評価された。特に，段階的な導入や技術的な対応については，十分な検討がなされていると評価され，提案は承認された。

ただし，フィンテックは当行にとって戦略的な取組みであり，他行との差別化を図るために，新サービスの有用性に関してはより検討を深めるようにという指摘があった。この指摘を受け，フィンテック企業とともにアプリの機能の見直しを行った。諸外国や先進企業での活用例を参考にして，より使いやすく便利な機能を搭載することにした。例えば，カード会社や通販会社との連携機能や，地図情報と連動させたATMを案内する機能などである。これらに対しては，技術的な問題もあるため，段階的な導入の状況と顧客の反応を確認して，システム導入後徐々に機能を改善し，他行との差別化を図っていくことにした。

問5 ビッグデータを活用した革新的な新サービスの提案

(出題年度：H28問１)

近年，今まではコンピュータで処理しにくかった膨大な情報であるビッグデータを活用し，革新的な新サービスを実現することによって，事業を優位に展開することが可能となってきた。

例えば，センサと通信技術の向上によって収集できるようになったビッグデータを活用し，生産管理や物流管理を高度化する新サービスが実現されている。具体的には，製造分野では，生産設備の稼働情報と製品の品質情報との相関関係を分析し，生産設備の最適設定・予防保守などの新サービスを展開している。

また，文章や画像，音声などの非構造化データの認識技術や処理方式の確立によって，大量の文献や，消費者がSNS上で発信する情報，監視カメラ情報などのビッグデータを解析し，新サービスに活用し始めている。具体的には，医療分野では，多数の患者の電子カルテ，医療画像情報，投薬情報などを統計的に分析し，副作用が少ない処方箋の作成という新サービスを行っている。

ITストラテジストは，事業を優位に展開するために，ビッグデータを活用した革新的な新サービスの提案を行うことが求められることがある。その際に，次のような事項について検討することが重要である。

- 革新的な新サービスは，どのような顧客に，どのような状況で，どのような効果や効能を実現するのか。
- 革新的な新サービスは，ビッグデータを活用することによって，どのように実現され，今までのサービスとどのように違うのか。

さらに，ビッグデータを活用した革新的な新サービスを，マネジメント層に提案して承認を得る必要がある。

あなたの経験と考えに基づいて，設問ア～ウに従って論述せよ。

設問ア あなたが携わった，ビッグデータを活用した革新的な新サービスの提案の背景にある事業環境，事業概要について，事業特性とともに，800字以内で述べよ。

設問イ 設問アで述べた事業を優位に展開するためのビッグデータを活用した革新的な新サービスは何か。顧客や状況，効果や効能，実現方法，今までのサービスとの違いを明確にして，800字以上1,600字以内で具体的に述べよ。

設問ウ 設問イで述べた，ビッグデータを活用した革新的な新サービスを，マネジメント層にどのように提案し，どのように評価されたか。改善の余地があると考えている事項を含めて，600字以上1,200字以内で具体的に述べよ。

●問題分析メモ

近年，今まではコンピュータで処理しにくかった膨大な情報であるビッグデータを活用し，革新的な新サービスを実現することによって，事業を優位に展開することが可能となってきた。

例えば，センサと通信技術の向上によって収集できるようになったビッグデータを活用し，生産管理や物流管理を高度化する新サービスが実現されている。具体的には，製造分野では，生産設備の稼働情報と製品の品質情報との相関関係を分析し，生産設備の最適設定・予防保守などの新サービスを展開している。

2.1 新サービスの具体例①

また，文章や画像，音声などの非構造化データの認識技術や処理方式の確立によって，大量の文献や，消費者がSNS上で発信する情報，監視カメラ情報などのビッグデータを解析し，新サービスに活用し始めている。具体的には，医療分野では，多数の患者の電子カルテ，医療画像情報，投薬情報などを統計的に分析し，副作用が少ない処方箋の作成という新サービスを行っている。

2.1 新サービスの具体例②

設問イのヒント

ITストラテジストは，事業を優位に展開するために，ビッグデータを活用した革新的な新サービスの提案を行うことが求められることがある。その際に，次のような事項について検討することが重要である。

・革新的な新サービスは，どのような顧客に，どのような状況で，どのような効果や効能を実現するのか。　2.2，2.3

・革新的な新サービスは，ビッグデータを活用することによって，どのように実現され，今までのサービスとどのように違うのか。　2.4，2.5

さらに，ビッグデータを活用した革新的な新サービスを，マネジメント層に提案して承認を得る必要がある。

あなたの経験と考えに基づいて，設問ア～ウに従って論述せよ。

設問ア　あなたが携わった，ビッグデータを活用した革新的な新サービスの提案の背景にある事業環境(1.1)，事業概要(1.2)について，事業特性とともに，800字以内で述べよ。

事業特性は1.2に含めるのが自然

設問イ　設問アで述べた事業を優位に展開するためのビッグデータを活用した革新的な新サービス(2.1)は何か。顧客や状況(2.2)，効果や効能(2.3)，実現方法(2.4)，今までのサービスとの違い(2.5)を明確にして，800字以上1,600字以内で具体的に述べよ。

問題文の展開から2.2と2.3はまとめてもよい

2.4と2.5はまとめてもよい

設問ウ　設問イで述べた，ビッグデータを活用した革新的な新サービスを，マネジメント層にどのように提案(3.1)し，どのように評価(3.2)されたか。改善の余地があると考えている事項(3.3)を含めて，600字以上1,200字以内で具体的に述べよ。

2.1に2.2 2.5を含めて論述するかのような文面であるが"明確にして"とある場合独立して述べるほうが整理しやすいこともある

"評価に対する改善"という展開で3.2と3.3をまとめてもよい

●論文設計シート

タイトルと論述ネタ	あらすじ
第1章　新しい保守サービス提案の背景にある事業環境と事業概要	
1.1　事業環境	
生産設備を製造している機械メーカ 売上の伸び悩みと競争激化	機械や装置などを製造している機械メーカ。 顧客の生産設備の更新が停滞している。 新たな競合企業が低価格を武器に業界に参入。 競合企業がメンテナンスに事業の軸足を移している。
新たな戦略	メンテナンス事業の拡大を戦略として掲げる。
1.2　事業概要	
当社の事業	生産設備の製造と設置。 納入した生産設備のメンテナンス。
当社の事業特性	予防保守は担当者が顧客先に出向いて作業を行う。 予防保守のための訪問回数や作業量が増加すると，人手不足に陥るおそれがある。

タイトルと論述ネタ	あらすじ
第2章　ビッグデータを活用した革新的な保守サービス	
2.1　新保守サービスの概要	
ビッグデータを活用した新保守サービス	生産設備の稼働情報と顧客製品の品質情報を蓄積したビッグデータを解析し，生産設備の予防保守を行う。
2.2　新保守サービスの顧客とその状況	
対象とする顧客	古くなった生産設備や稼働状況によって不良品の発生が多くなる生産設備を対象。 国内大手のベッドメーカーの素材加工のラインへの適用。
顧客の状況	点検と保守を頻繁に行わなければならなかったが，点検と保守には費用と人手が多く必要。 顧客と当社の双方から改善が求められた。 病院用と介護用のベッドには，高い品質が要求されている。
2.3　新保守サービスの効果と効能	
顧客製品の品質向上	属人的ではない，生産設備の予防保守の最適実施の継続が可能。 顧客製品の品質の維持・向上という効果が期待できる。
顧客と当社への効能	保守費用の削減や省力化の実現。

2.4 新保守サービスの実現方法	
実現方法	生産設備の稼働情報と顧客製品の品質情報のデータをネットワーク経由でデータサーバに蓄積し，分析する。
生産設備の情報収集	加工機械や搬送機械にセンサを取り付ける。
顧客製品の情報収集	レーザーや画像を使用して，顧客製品の重量や寸法，加工精度などの情報を計測する。
2.5 今までの保守サービスとの違い	
現行の保守サービス	現場で生産設備の状況を把握し，調整や保守を行う。 現場に行くまで生産設備の状況が分からず，最適な保守サービスが最適なタイミングで提供できていなかった。
新保守サービス	常に顧客の生産設備の稼働状況を把握できる。 生産設備の保守が最適なタイミングで最適に実施することが可能。顧客満足度の向上も期待できる。

第3章 マネジメント層への提案と評価	
3.1 マネジメント層への提案	
経営者への提案における強調点 ①新しい形のサービス ②事業を優位に展開できる	①ビッグデータのデータ解析により，顧客製品の品質改善や生産の効率化を提案できる。 ②メンテナンス事業を競合他社よりも優位に展開することが可能になり，新規顧客の開拓にも有効。
3.2 マネジメント層からの評価と改善点	
経営者の評価	十分に新規性のある革新的なサービスである。 競合他社に対してメンテナンス事業を優位に進めることができる。
経営者からの指摘	①ビッグデータの解析方法が不明確。 ②センサのコストとシステム構築コストが不十分。
改善点	①ビッグデータ解析のノウハウの蓄積。業界内外のビッグデータ活用の事例やノウハウの研究。 ②センサのコストの試算をより正確に行う。

問5 解答例

第1章 新しい保守サービス提案の背景にある事業環境と事業概要

1.1 事業環境

当社は，機械や装置などの生産設備を製造している機械メーカである。主要な顧客は，自動車，住宅機器，事務機器，鉄鋼，食品などのメーカーである。近年，景気の伸び悩みや需要の低迷によって，顧客の業績は芳しくなく，生産設備の更新も滞りがちである。そのため，当社の売上も伸び悩んでいる。さらに，従来の競合企業だけでなく，アジア各国の競合企業が低価格を武器に市場に参入し，競争はますます激しくなっている。これら競合企業は，顧客の生産設備の更新が低迷していることを受けて，メンテナンス事業に軸足を移しつつあった。当社も，メンテナンス事業の拡大を戦略として掲げることになった。

1.2　事業概要

当社の事業は大きく二つに分かれる。一つは顧客からの受注による生産設備の製造と設置，もう一つは納入した生産設備のメンテナンスである。メンテナンスは，当社が納入した生産設備を定期的に点検し，修理や調整を行う予防保守である。生産設備の故障は生産計画に大打撃を与えるので，顧客にとって予防保守は非常に重要であった。メンテナンス事業の拡大はその重要性からも戦略として有効なものと思われた。しかし，予防保守は担当者が顧客先に出向いて作業を行うことが多く，予防保守のための訪問回数や作業量が増加すると，人手不足に陥るおそれがあった。

第２章　ビッグデータを活用した革新的な保守サービス

2.1　新保守サービスの概要

私は，生産設備の予防保守に，ビッグデータを活用した新しい保守サービスを導入することを提案した。新保守サービスでは，当社が納入した生産設備の稼働情報とその生産設備で製造された製品（以下，顧客製品という）の品質情報を蓄積したビッグデータを解析し，生産設備の状況と顧客製品の品質との相関関係を分析し，その結果を用いて，生産設備の予防保守を実施する。

2.2　新保守サービスの顧客とその状況

新保守サービスの対象は，古くなった生産設備や稼働状況によって不良品の発生が多くなる生産設備を持つ顧客とした。このような特徴を持つ生産設備は，調整が面倒な上に，点検と保守を頻繁に行わなければならない。点検と保守には費用と人手が多く必要であるため，顧客と当社の双方からの改善が求められる。具体的には，国内大手のベッドメーカの素材加工のラインへの適用を考えた。病院用と介護用のベッドは需要が伸びており，安全性の担保が必要な顧客製品には高い品質が要求される状況であった。

2.3　新保守サービスの効果と効能

従来，予防保守は，担当者の経験に基づいて訪問頻度や作業内容が決定されてきた。このような属人的な状況では，担当者の交代によって，生産設備の予防保守の最適実施が中断されるおそれが考えられた。しかし，新保守サービスの導入によって，生産設備の予防保守の最適実施の継続が可能となる。そのため，保守費用の削減や省力化の実現だけでなく，顧客製品の品質の維持・向上という効果も期待できた。

2.4　新保守サービスの実現方法

新保守サービスでは，生産設備の稼働情報と顧客製品の品質情報をリアルタイムで計測し，それらのデータをネットワーク経由で送信し，当社のデータサーバに蓄積する。その蓄積したビッグデータを用いて，稼働情報と品質情報の相関について分析を行い，顧客に有用な情報を導出して，最適な予防保守を行う。

生産設備の稼働情報は，加工機械や搬送機械などの生産設備にセンサを取り付け，そのセンサで動作速度，負荷，温度，歪みなどのデータを計測し，収集する。顧客製品の品質情報は，レーザーや画像などを使用して，製品の重量や寸法，加工精度などのデータを計測し，収集する。

当社に設置されている生産設備を用いてテストを実施した結果，生産設備の負荷が高く温度上昇が顕著な場合に，生産された製品の精度が低下する，すなわち，品質が悪くなることが分かった。顧客の生産設備で，実際に大量の生産設備の稼働情報と顧客製品の品質情報を集積できれば，さらに多くの相関関係が判明するものと期待できる。

2.5　今までの保守サービスとの違い

当社が提供してきたこれまでの保守サービスは，定期的に顧客先に担当者が出向き，現場で生産設備の状況を把握し，保守を行うというものであった。そのため，現場に行くまで生産設備の状況が分からず，必ずしも最適な保守サービスが最適なタイミングで提供できていたわけではなかった。新保守サービスでは，常に顧客の生産設備の稼働状況を把握できるため，生産設備の保守を最適なタイミングで最適に実施することが可能になり，顧客満足度の向上も期待できる。

第３章　マネジメント層への提案と評価

3.1　マネジメント層への提案

ビッグデータを活用した新保守サービスについて，次の点を強調して経営者に提案した。

①新しい形のサービスであること

これまでの保守サービスは顧客を定期的に訪問し，顧客からの要望を聞いて保守を行う形であった。新保守サービスは，ビッグデータの解析などの先進的な手法を用いて，当社から顧客製品の品質改善や生産の効率化を提案できるもので，今までにない新しい形のサービスである。

②事業を優位に展開できること

競合他社では実施していない，新しい形のサービスである。当社が実施すれば，競合他社に対して差別化を図ることができ，メンテナンス事業を競合他社よりも優位に展開することが可能になる。また，ビッグデータの活用という話題性から，新規顧客の開拓にも有効である。

3.2　マネジメント層からの評価と改善点

経営者からは，十分に新規性のある革新的な保守サービスであり，競合他社に対してメンテナンス事業を優位に進めることができるとの評価を得た。しかしながら，経営者から次の指摘があった。

①新保守サービスのイメージはつかめたものの，ビッグデータをどのように解析するかなど，細部について明確でない。

②センサのコストやデータサーバ側のシステム構築にかかるコストの試算が不十分である。

これらの指摘を踏まえ，次の改善事項を考えた。

①当社内に設置された生産設備でのテストだけでなく，導入先のベッドメーカとの協力体制を早急に築き，ビッグデータの解析ノウハウを蓄積する。あわせて，業界内外のビッグデータ活用の事例やノウハウを研究する。

②想定したサービスの範囲を明確にし，センサのコストの試算をより正確に行う。

これらを実施し，経営会議で再度検討してもらうことにした。

問6 ITを活用したグローバルな事業 (出題年度：H27問１)

近年，国内の少子高齢化と市場の成熟などによって，日本企業は国内の顧客だけでなく，海外の顧客も視野に入れ，グローバルに事業を拡大する必要に迫られている。また，既に海外で事業を展開している日本企業も，為替変動，新興国の市場拡大などに伴って，グローバルで見た最適なビジネスプロセスを模索し，事業戦略を策定した上で，改革を行っている。グローバルな事業戦略には，例えば次のようなものがある。

・金融機関の法人事業では，国内向けの金融サービス事業から，海外も含めた金融サービス事業へ，顧客を拡大する。
・アパレル企業では，これまで新興国で生産してグローバルに輸出していたSCMに，地産地消などの考え方を参考にして，生産国でも販売する。

ITストラテジストは，ITを活用したグローバルな事業を実現する際に，事業戦略を踏まえ，改革すべき業務機能を見極め，その業務機能を実行する業務組織を定義した上で，業務フローなどを描き，新しい業務の全体像を定義する。また，それを支えるITの要件と主要な機能を整理した新システムの全体イメージを作成する。その際には，次のような観点で検討することが重要である。

・グローバルで一元的に行う業務と，各国で個別に行う業務の切り分け
・多通貨，多言語，日本と異なる法規制・商習慣，時差など

さらに，新しい業務の全体像と新システムの全体イメージを経営者に説明して，承認を得る必要がある。

あなたの経験と考えに基づいて，設問ア～ウに従って論述せよ。

設問ア　あなたが携わった，ITを活用したグローバルな事業の概要と特性，事業戦略について，800字以内で具体的に述べよ。

設問イ　設問アで述べた事業戦略を踏まえ，改革すべき業務機能，定義した業務組織と新しい業務の全体像，及び新システムの全体イメージについて，特に重要と考えて検討した内容とともに，800字以上1,600字以内で具体的に述べよ。

設問ウ　設問イで述べた新しい業務の全体像と新システムの全体イメージを，経営者にどのように説明し，経営者にどのように評価されたか。更に改善の余地があると考えている事項を含めて，600字以上1,200字以内で具体的に述べよ。

●問題分析メモ

設問ア
のヒント

近年，国内の少子高齢化と市場の成熟などによって，日本企業は国内の顧客だけでなく，海外の顧客も視野に入れ，グローバルに事業を拡大する必要に迫られている。また，既に海外で事業を展開している日本企業も，為替変動，新興国の市場拡大などに伴って，グローバルで見た最適なビジネスプロセスを模索し，事業戦略を策定した上で，改革を行っている。グローバルな事業戦略には，例えば次のようなものがある。

1.1
事業の特性
の具体例

・金融機関の法人事業では，国内向けの金融サービス事業から，海外も含めた金融サービス事業へ，顧客を拡大する。

・アパレル企業では，これまで新興国で生産してグローバルに輸出していたSCMに，地産地消などの考え方を参考にして，生産国でも販売する。

1.2
事業戦略
の具体例

設問イ
のヒント

ITストラテジストは，ITを活用したグローバルな事業を実現する際に，事業戦略を踏まえ，改革すべき業務機能を見極め，その業務機能を実行する業務組織を定義した上で，業務フローなどを描き，新しい業務の全体像を定義する。また，それを支えるITの要件と主要な機能を整理した新システムの全体イメージを作成する。その際には，次のような観点で検討することが重要である。

・グローバルで一元的に行う業務と，各国で個別に行う業務の切り分け

・多通貨，多言語，日本と異なる法規制・商習慣，時差など

2. 検討した内容のヒント

さらに，新しい業務の全体像と新システムの全体イメージを経営者に説明して，承認を得る必要がある。

あなたの経験と考えに基づいて，設問ア～ウに従って論述せよ。

設問ア　あなたが携わった，ITを活用したグローバルな事業の概要と特性（1.1），事業戦略（1.2）について，800字以内で具体的に述べよ。

設問イ　設問アで述べた事業戦略を踏まえ，改革すべき業務機能，定義した業務組織（2.1）と新しい業務の全体像，及び新システムの全体イメージ（2.2）について，特に重要と考えて検討した内容とともに，800字以上1,600字以内で具体的に述べよ。

2.1 業務機能を実行するのが業務組織なので同じ節に

2.2 業務の全体像がシステムの全体イメージとなるので同じ節に

検討した内容は2.1と2.2いずれにも含める

設問ウ　設問イで述べた新しい業務の全体像と新システムの全体イメージを，経営者にどのように説明（3.1）し，経営者にどのように評価（3.2）されたか。更に改善の余地があると考えている事項（3.3）を含めて，600字以上1,200字以内で具体的に述べよ。

●論文設計シート

タイトルと論述ネタ	あらすじ
第1章　ITを活用したグローバルな事業	
1.1　事業の概要と特性	
服飾製品の製造販売事業	自社ブランドの服飾製品をデザインから生産，小売まで自社で行う製造販売事業である。デザインは国内，生産は東南アジアで行っている。販売は国内中心である。
事業の特性は，商品サイクルの速さ	常に新しいデザインの服飾製品を市場に投入する。そのためには，綿密で的確なマーケティングが不可欠である。
1.2　事業戦略	
事業戦略	国内から東南アジアへ拡大し，事業のグローバル化を図る。
新SCMシステムの再構築	事業戦略に合った新SCMシステムを再構築する。
第2章　事業戦略を踏まえた業務とシステム	
2.1　改革すべき業務機能と定義した業務組織	
改革すべき業務機能は三つ ①マーケティング機能 ②デザイン機能 ③販売機能	国内向け対応の業務機能をグローバル対応に改革する。 ①海外向けのマーケティングのノウハウを取り入れる。 ②海外向けの服飾製品をデザインする。 ③地産地消に即した販売をする。
新たに定義した業務組織は二つ ①マーケティング機能とデザイン機能を持つ部門 ②販売業務を担う組織	①進出する国ごとの状況に合った商品を提供するためのマーケティングとデザインを担当する部門を設置する。 ②進出する国ごとに販売組織を設立する。
2.2　新しい業務の全体像と新システムの全体イメージ	
グローバルな視点で管理する必要性	複数の国で，マーケティング，デザイン，生産，販売の業務を行う。物流も複雑になる。そのため，本社は，業務を全体として最適になるように管理する。
新SCMシステムは，既存システムを大幅に改修	グローバル対応になるよう，全体として最適化できるように新SCMシステムを再構築する。
再構築において重要と考えて検討した内容 ①一元的業務と国ごとの個別業務の切り分け ②多通貨，多言語，国内と異なる法規制・商習慣への対応	①一元的業務…調達，生産，物流 個別業務…マーケティング，デザイン，販売 ②販売業務は多通貨・多言語に対応する。法規制・商習慣には国ごとに柔軟に対応する。

第3章　経営者への説明と評価及び改善事項	
3.1　経営者への説明	
①業務の形が根本的に異なること ②SCMシステムの再構築の必要性	①グローバル視点で業務の全体像をとらえなければならない。 ②新SCMシステムには，全体を一元管理する機能と，個別に対応する機能が必要である。
3.2　経営者の評価	
高評価を得た事項	①事業戦略の策定の必要性の説明に高評価を得た。 ②事業戦略に沿った業務機能の説明に高評価を得た。
指摘事項	①業務の全体像や新システムの細部が不明確。 ②コストの試算がない。 ③人材の採用や配置が不明。
3.3　改善事項	
①業務組織の詳細設計と業務内容定義 ②新SCMシステム構想の具体化	①現地の状況を詳細にリサーチし，組織の形態や人材の配置，コストを試算する。 ②必要となるシステムの機能や容量を見積もり，必要な技術やツールを調査し，コストを試算する。

問6　解答例

第1章　ITを活用したグローバルな事業

1.1　事業の概要と特性

私は，自社ブランドの衣服，帽子，靴などの服飾製品を，デザインから生産，小売まで手掛けるアパレルの製造販売事業に携わった。デザインは全て国内で行っているが，生産のほとんどはベトナムやインドネシアなどの東南アジアに設立した子会社で行っており，国内での生産はわずかであった。製品の販売は国内を中心に行っており，海外での販売は輸出という形で限られたものであった。

アパレルの製造販売事業の特性は，商品サイクルの速さである。いち早く流行を取り入れるために，また，流行を作り出すためには，常に新しいデザインの服飾製品を市場に投入しなければならない。そのために，綿密で的確なマーケティングが不可欠であった。

1.2　事業戦略

近年，国内のアパレル市場は，少子化と市場の成熟によって飽和状態になっている。

また，低価格帯のブランドの浸透によって伸び悩みが顕著であった。そこで，経営陣は海外での販売拡大を図る，事業のグローバル化を事業戦略として策定した。まずは，生産拠点のある東南アジアでの販売開始を決定した。

当社の製造販売事業は独自に開発したSCMによって支えられており，SCMの中心となるSCMシステムも長年のノウハウをもとに独自に開発したものであった。そこで，今回の事業戦略の策定に伴って，SCMシステムも新たな構想のもとに，新SCMシステムとして再構築することにした。

第2章　事業戦略を踏まえた業務とシステム

2.1　改革すべき業務機能と定義した業務組織

事業のグローバル化という事業戦略を踏まえると，次の三つの業務機能に関して改革が必要であった。

①マーケティング機能

海外で販売するに当たっては，海外市場のマーケティングが必要である。現在は，国内市場のマーケティング機能は存在しているが，海外市場のマーケティングに関しては，ノウハウもなく機能もない。

②デザイン機能

国内と海外では，顧客が求めるデザインも流行も異なる。そのため，海外市場のマーケティング結果を踏まえて，海外向けのデザインを用意しなければならない。

③販売機能

国内から海外への輸出の実績はあるが，これからは現地で生産し現地で販売することになる。この地産地消に即した販売機能が必要である。

これらの業務機能の改革を前提に，新たに業務組織を次のように定義した。

①マーケティング機能とデザイン機能を持つ部門

マーケティングとデザインは密接な関係にある。的確なマーケティングによって顧客の嗜好や流行を素早く把握し，それをデザインに反映させることが重要である。そこで，海外進出に当たっては，進出する国ごとにマーケティングとデザインを担当する部門を新たに設置し，現地の状況に合った商品を提供する。

②販売業務を担う組織

販売業務を担当する組織を進出する国ごとに設立する。国内と同様，流通チャネルは直営店と小売店の二つである。そのため，販売業務を担当する組織は，販売を統括するものとなる。

2.2　新しい業務の全体像と新システムの全体イメージ

新しい業務はグローバルな視点で管理する必要がある。マーケティング，デザイン，生産，販売のそれぞれの業務を複数の国で行うことになり，物流も複雑になることが予想される。そこで，本社はそれらを全体として最適になるように管理する役割を担わなければならない。

新SCMシステムは，従来のSCMシステムを大幅に改修して再構築する。新SCMシステムの再構築において，特に重要と考えて検討した内容は次の二つである。

①グローバルで一元的に行う業務と，国ごとに個別に行う業務の切り分け

マーケティング，デザイン，販売の業務は，国ごとに状況が異なるので，個別に行う必要がある。システムも個別に対応できるように開発する。一方，国内や海外での原材料の調達，製品の生産，物流はグローバルに全体最適化するため，一元管理できるシステムとして開発する。

②多通貨，多言語，国内と異なる法規制・商習慣への対応

国ごとに通貨や言語，法規制や商習慣が異なることは明白である。販売業務に関しては，多通貨，多言語に対応できるシステムを構築する。また，税制度や商習慣に関しては，国ごとに柔軟に対応できるシステムを構築する。

第３章　経営者への説明と評価及び改善事項

3.1　経営者への説明

新しい業務の全体像と新SCMシステムの全体イメージについて，次の点に重点を置いて経営者に説明した。

①これまでの業務形態とは根本的に異なること

これまでは，海外で製品を製造し国内で販売するという視点で，国内販売のための製品をどのように海外で生産するかを考えた。しかし，これからは，新たな販売先となる国で製造して販売するという視点で考えなければならない。そのためにグローバルな視点で業務組織全体を見直す必要があることを，具体的な例を示して説明した。

②SCMシステムも再構築する必要があること

事業戦略を支えるSCMシステムも，従来のSCMの範囲を超えて，グローバルな視点で再構築する必要があり，その際には，全体を一元管理する機能と個別に対応する機能に分けて考える必要があることを説明した。説明の際には，理解しやすいように，業務機能の関連が分かる全体像のイメージ図を用意した。

3.2　経営者の評価

経営者からは，海外進出やグローバル化という新たな事業戦略の策定の必要性がよく分かったと好意的に評価された。また，事業戦略に沿って新しい業務機能がよく整理されており，分かりよいとの評価を得た。一方，業務の全体像や新SCMシステムの全体イメージはつかめたが細部が不明確である，業務組織の改革や新SCMシステム構築にかかるコストの試算がない，海外を含めて人材の採用や配置の想定が分からないなどの指摘も受けた。

3.3　改善事項

経営者からの指摘を受け，業務組織の具体化，必要なコストの見積もり，人材の調達などに関して，さらに詳細化しなければならないと考えている。まずは，新しい業務組織を詳細に設計して業務内容を定義するつもりである。そのためには，現地の状況を詳細にリサーチしなければならない。そして，リサーチ結果をもとに，組織の形態や人材の配置，それにかかるコストを試算する。また，新SCMシステムの構想を具体化して，必要な機能や容量を見積もり，必要となる技術やツールを調査し，コストを試算することも重要であると考えている。

問7 ITを活用した業務改革 （出題年度：H26問１）

近年は，ITの進展によって，事業課題に対してITを積極的に活用し，新たな事業・サービスを展開することが可能になっている。このような中，ITストラテジストは，事業部門と協力して，ITを活用した業務改革を実施することによって，事業・サービスの優位性確保，新規顧客の獲得などの事業課題に対応することが求められている。

ITを活用した業務改革には，例えば，次のようなものがある。

・外勤業務サービスの差別化のために，営業員，サービス員にタブレット端末などのスマートデバイスを配備し，業務進捗状況の迅速な確認，顧客別情報の適時適切な提供などの業務改革を行い，顧客対応時間の増加，顧客サービスの強化を推進する。

・店舗の売上げ拡大のために，内部のPOS情報，外部のSNS・ブログの情報を活用した顧客の購買傾向の分析と的確な品ぞろえ，対象を絞り込んだ顧客への情報発信などの業務改革を行い，販売機会の創出，顧客の囲い込みを推進する。

・物流サービスの優位性確保のために，配送車両にGPS端末と各種センサを配備し，位置確認，道路情報に基づく配送経路の柔軟な変更，顧客への的確な情報提供などの業務改革を行い，顧客満足度の向上，物流サービスの品質向上を推進する。

ITストラテジストは，ITを活用した業務改革を実施する際，事業課題に関連する業務の現状と将来見通し，複数の改革案と各案の効果の比較，活用するITの費用などを検討し，定量的な費用対効果の根拠を示して経営者に説明することが重要である。

あなたの経験と考えに基づいて，設問ア～ウに従って論述せよ。

設問ア あなたが携わった，ITを活用した業務改革について，業務改革の背景にある事業課題を，事業の概要，特性とともに，800字以内で述べよ。

設問イ 設問アで述べた事業課題に対応するために，実施した業務改革とそのときに活用したIT，及び費用対効果の定量的な根拠とそのときに検討した内容について，800字以上1,600字以内で具体的に述べよ。

設問ウ 設問イで述べた業務改革の実施結果は，経営者にどのように評価されたか。更に改善する余地があると考えている事項を含めて，600字以上1,200字以内で具体的に述べよ。

●問題分析メモ

設問ア のヒント

近年は，ITの進展によって，事業課題に対してITを積極的に活用し，新たな事業・サービスを展開することが可能になっている。このような中，ITストラテジストは，事業部門と協力して，ITを活用した業務改革を実施することによって，事業・サービスの優位性確保，新規顧客の獲得などの事業課題に対応することが求められている。

設問イ のヒント

ITを活用した業務改革には，例えば，次のようなものがある。

- 外勤業務サービスの差別化（事業課題の具体例①）のために，営業員，サービス員にタブレット端末などのスマートデバイスを配備し，業務進捗状況の迅速な確認，顧客別情報の適時適切な提供などの業務改革を行い，顧客対応時間の増加，顧客サービスの強化（事業課題の解決策①）を推進する。（活用したITの例①）
- 店舗の売上げ拡大（事業課題の具体例②）のために，内部のPOS情報，外部のSNS・ブログの情報を活用した顧客の購買傾向の分析と的確な品ぞろえ，対象を絞り込んだ顧客への情報発信などの業務改革を行い，販売機会の創出，顧客の囲い込み（事業課題の解決策②）を推進する。（活用したITの例②）
- 物流サービスの優位性確保（事業課題の具体例③）のために，配送車両にGPS端末と各種センサを配備し，位置確認，道路情報に基づく配送経路の柔軟な変更，顧客への的確な情報提供などの業務改革を行い，顧客満足度の向上，物流サービスの品質向上（事業課題の解決策③）を推進する。（活用したITの例③）

設問ウ のヒント

ITストラテジストは，ITを活用した業務改革を実施する際，事業課題に関連する業務の現状と将来見通し，複数の改革案と各案の効果の比較，活用するITの費用などを検討し，定量的な費用対効果の根拠を示して経営者に説明することが重要である。

あなたの経験と考えに基づいて，設問ア～ウに従って論述せよ。

「事業の概要・特性が事業課題に結び付いている」と論述すべきであるので事業の概要・特性から展開するほうがよい

設問ア　あなたが携わった，ITを活用した業務改革について，業務改革の背景にある事業課題（1.2）を，事業の概要（1.1），特性（1.1）とともに，800字以内で述べよ。

設問イ　設問アで述べた事業課題に対応するために，実施した業務改革（2.1）とそのときに活用したIT（2.1），及び費用対効果の定量的な根拠（2.2）とそのときに検討した内容（2.2）について，800字以上1,600字以内で具体的に述べよ。

設問ウ　設問イで述べた業務改革の実施結果は，経営者にどのように評価（3.1）されたか。更に改善する余地（3.2）があると考えている事項を含めて，600字以上1,200字以内で具体的に述べよ。

定量的な費用対効果の根拠を示して経営者に説明した結果の評価であるので3.1につながる展開にする

●論文設計シート

タイトルと論述ネタ	あらすじ
第1章　事業の概要と事業課題	
1.1　事業の概要と特性	
設備メンテナンス会社の事業	工場や事業所に設置された生産機械や設備機器の維持・管理，修繕，入替えなどである。関東一円に営業所やサービス拠点が数か所ある。それぞれに営業員とサービス員が多数在籍している。
事業特性	機種・設置時期などが異なる様々な設備機器を対象にメンテナンスサービスを提供する。客先がサービス拠点から遠く，出向くのに時間がかかる。
1.2　業務改革の背景にある事業課題	
サービス品質の向上	競合他社の攻勢も厳しく，新規参入してきた他社に顧客を奪われることも多い。サービスの差別化を図って，既存顧客を維持し，新規顧客を獲得する。
業務の効率化	故障の連絡が入ると，故障原因や修繕箇所などを予測して部品を手配する。部品を持って客先にサービス員が出向くが，部品が違ったり，出向いた要員では対応できなかったりして，非効率である。
第2章　実施した業務改革	
2.1　実施した業務改革と活用したIT	
スマートデバイスとデータベースの導入によるサービスの向上	営業員やサービス員にスマートデバイスを持たせた。顧客とその設備機器台帳の情報を一元化，データベース化し，スマートデバイスから顧客の設備機器の状態や故障状況，作業の進捗状況を入力するようにした。営業所と現場の迅速な連絡や外出先からの情報のアクセスが可能になった。部品調達や要員の手配などを的確に行うことができるようになり，顧客サービスの改善につなげることができた。
ビッグデータを用いた生産設備の最適化と予防保守	生産設備の稼働情報と顧客製品の品質情報を蓄積したビッグデータを解析し，生産設備の設定の最適化や予防保守を行う。

2.2　費用対効果の検討	
費用の算出	スマートデバイスやサーバなどのハードウェアの費用，データベース化の費用，アプリケーションの開発費用，高速無線ネットワークの導入費用，新規システムに関する教育費用，導入当初の業務効率低下にかかわる費用を算出した。
時間短縮効果の算出	顧客情報取得にかかる時間，客先到着までの時間，客先での維持・修繕業務にかかる時間，部品調達の時間など全体の時間短縮効果を計算した。
顧客獲得効果の算出	新規顧客の獲得効果を定量的に見積もった。

第３章　経営者の評価と改善点	
3.1　経営者の評価	
	スマートデバイスを活用した情報システムを持つ競合他社はないため，顧客サービスの優位性は大きく前進した。迅速な対応や的確な回答は顧客の評判もよく，新規顧客も増えた。顧客対応時間の短縮や現場状況の的確な把握は，業務の効率化に大きく寄与した。
3.2　改善すべき点	
要員のスキルアップ	スマートデバイスへの拒否反応の払拭，使用方法の教育が必要。
収集したデータの解析と活用	顧客の設備機器の稼働状況や摩耗度などのデータ，要員の活動状況などのデータを的確に解析し，顧客へのサービスに反映させる。

問7　解答例

第１章　事業の概要と事業課題

1.1　事業の概要と特性

私は，設備メンテナンス会社における外勤業務サービスの業務改革に携わった。主要な事業は，工場や事業所に設置された生産機械や業務用の冷暖房機器，電源設備，搬送用機器などの設備機器の維持・管理，修繕，入替えなどである。関東一円に営業所やサービス拠点が数か所あり，それぞれに営業員とともにサービス員が多数在籍している。

事業の特性としては，設備機器故障時の迅速な対応，機種・設置時期などが異なる設備機器が設置されている様々な顧客への対応がある。さらに，客先がサービス拠点より遠いことが多く，行き来するのに時間がかかるという地理的特性もある。

1.2　業務改革の背景にある事業課題

当社にはいくつかの事業課題がある。第一の課題は，サービスの質の向上である。近年は競合他社の攻勢も厳しく，新規参入してきた他社に顧客を奪われることも多くなってきている。そのため，他社とのサービスの差別化を図って既存顧客を守り，新規顧客の獲得につなげることが課題である。

第二の課題は，業務の効率化である。設備機器の故障などで連絡を受けると，まず，その顧客の設備機器台帳を探し，故障原因や修繕箇所などを予測し，必要と思われる部品を手配する。そして，手の空いている要員を手配し，客先に向かわせる。部品が違ったり，出向いた要員の手に負えなかった場合には，新たに部品を調達したり，対応できる要員を手配しなおしたりと，実際の作業開始までに相当の時間を要し，非効率な作業となっている。

第2章　実施した業務改革

2.1　実施した業務改革と活用したIT

事業課題に対応するために，次のような業務改革を実施した。

まず，サービスを差別化するために，営業員やサービス員にタブレット端末などのスマートデバイスを配備した。これによって，外出先から必要な情報を適時に得ることができるようになった。

次に，グループウェアを導入した。これによって，営業所と現場の迅速な連絡が可能になった。また，全ての要員の行動予定を一元管理できるようになり，要員の手配が迅速にできるようになった。

さらに，営業部やサービス部などの事業部門ごとに管理していた顧客とその設備機器台帳の情報を一元化，データベース化し，スマートデバイスから検索できるようにした。これによって，設備機器台帳の確認など客先に向かう前に行っていた作業が，移動中にできるようになり，客先への到着時間を大幅に短縮することができた。また，外出先から部品の在庫も確認できるようにしたため，部品調達も迅速にできるようになった。結果として，顧客対応時間を短縮させることができ，顧客サービスの強化につながった。

最後に，スマートデバイスより顧客の設備機器の状態や故障状況，また作業の進捗状況を入力できるようにし，様々な状況を迅速に確認できるようにした。これにより，部品調達や要員の手配などを的確に行うことができるようになり，作業が効率化され，顧客サービスの改善につなげることができた。

これらの業務改革は，事業部門と協力し，それまでの業務フローを大幅に見直すことによって，可能となった。

2.2 費用対効果の検討

業務改革を進めるに当たり，私は事前に費用対効果をできるだけ正確に見積もることに努めた。

費用としては，スマートデバイスやサーバなどのハードウェアの費用，また，設備機器台帳，部品台帳，顧客台帳などを整理し，データ設計を行いデータベース化する費用，アプリケーションの開発費用もある。さらに，ネットワークを見直し，高速な無線ネットワークを導入する費用も必要である。それら以外にも，新規システムの使い方の教育にかかわる費用，導入当初の不慣れによる業務効率低下にかかわる費用も見積もり，正確な費用を算出できるように考慮した。

効果としては，業務効率化の効果を定量的に見積もった。具体的には，顧客情報取得にかかる時間，客先到着までの時間，客先での維持・修繕業務にかかる時間，部品調達の時間などの統計を取り，これらの時間短縮効果を作業ごとに見積もり，全体の時間短縮効果を計算した。

さらに，業務効率化だけでなく，顧客サービスの効果，新規顧客獲得の効果なども見積もった。これまでの顧客からのクレームを分析し，どれくらいのサービス改善につながるかを定量的に計算した。また，過去の顧客満足度調査の結果と他社の顧客獲得情報を分析して，新規顧客の獲得にどれくらいつながるかを見積もった。

第３章 経営者の評価と改善点

3.1 経営者の評価

実施した業務改革は，経営者に高く評価された。他社でスマートデバイスを活用した情報システムを構築しているところはなく，他社に対する顧客サービスの優位性は大きく前進した。顧客からの引合いや修理依頼に対して迅速な対応が可能となった。また，現場において必要な情報を得られるため，顧客の依頼に的確に回答することができた。そのため，顧客からの評判は上々であり，新規顧客も増えた。

また，業務の効率化を図ることができた。設備機器台帳の検索や顧客訪問の重複などが改善され，顧客対応時間を短縮できた。また，現場の状況を要員が即時に入力するため，営業所では現場の状況を的確に把握することができ，要員の手配などの様々な業務を効率的に進めることができるようになった。これらの効果は実際に数字として表れている。

3.2　改善すべき点

しかしながら，次のような点で，さらに改善する余地があると考えている。

一つは要員のスキルアップである。スマートデバイスを初めて導入したこともあり，全員が完全に活用できているとはいえない状況である。このような機器に拒否反応を示している要員もいるため，教育を徹底し，使い方の習熟を促すことが必要である。それとともに，より使いやすいシステムに改善することも必要である。

もう一つは，収集したデータの解析と活用方法である。スマートデバイスの導入により，顧客の設備機器の稼働状況や摩耗度などのデータ，当社要員の活動状況などのデータが以前とは比較にならないほど大量に集まっている。これらのデータを的確に解析し，適時適切なサービスを顧客に提供できるよう活用することが，次の目標である。これによって，さらに業務改革の成果が出せるものと私は考えている。

問8 ITシステムに関わる改修要望の分析と対応方針の立案

(出題年度：R５問１)

昨今のITシステムは，ビジネスの変化の速さを背景に，構築後もITシステムの利用部門から，サービスや業務の改善のための，様々な改修要望が挙がってくる。

そのような改修要望は，利用部門の視点だけで検討した部分的な内容にとどまっている可能性がある。利用部門から相談を受けたITストラテジストは，改修要望に対する利用部門の問題認識や，現状の業務プロセス，ITシステムの機能，ITシステムの利用状況などの情報を収集し，客観的に現状の分析を行う。その際，経営に貢献し続けるITシステムの実現に向け，次のような全社視点での多面的な分析を行った上で，改修要望が挙がってきた問題の真因を特定することが重要である。

・利用部門が認識している，問題に関連する制約事項や前提条件を，個別最適ではなく，全社最適の視点で見直す必要がないか。
・他の事業部門のサービスや業務に関連する，同様の問題や改修要望がないか。
・バリューチェーンの上流や下流における業務プロセスやITシステムに，この改修要望に関連する問題がないか。
・ITシステムの利用者，ITシステムの運用者，顧客，取引先などのステークホルダに，この改修要望に関連する問題や他の改修要望はないか。

さらに，特定した問題の真因の解消に寄与する，解決手段，スケジュール，実行体制，投資効果などについて利用部門や関係部門と協議し，対応方針として立案する。

あなたの経験と考えに基づいて，設問ア～設問ウに従って論述せよ。

設問ア あなたが携わったITシステムの改修要望の分析において，事業概要，分析の対象となる業務とITシステム，利用部門からの改修要望，利用部門の問題認識について，事業特性とともに800字以内で述べよ。

設問イ 設問アで述べた改修要望に対して，あなたはどのような情報を収集し，どのように分析し，どのような問題の真因を特定したか。工夫したこととともに，800字以上1,600字以内で具体的に述べよ。

設問ウ 設問イで述べた問題の真因について，あなたは利用部門や関係部門とともに，どのように協議し，どのような対応方針を立案したか。600字以上1,200字以内で具体的に述べよ。

●問題分析メモ

昨今のITシステムは，ビジネスの変化の速さを背景に，構築後もITシステムの利用部門から，サービスや業務の改善のための，様々な改修要望が挙がってくる。

（設問イのヒント）

そのような改修要望は，利用部門の視点だけで検討した部分的な内容にとどまっている可能性がある。利用部門から相談を受けたITストラテジストは，改修要望に対する利用部門の問題認識（収集した情報の例①）や，現状の業務プロセス（収集した情報の例②），ITシステムの機能（収集した情報の例③），ITシステムの利用状況（収集した情報の例④）などの情報を収集し，客観的に現状の分析を行う。その際，経営に貢献し続けるITシステムの実現に向け，次のような全社視点での多面的な分析を行った上で，改修要望が挙がってきた問題の真因を特定することが重要である。

- 利用部門が認識している，問題に関連する制約事項や前提条件を，個別最適ではなく，全社最適の視点で見直す必要がないか。（収集した情報の分析例①）
- 他の事業部門のサービスや業務に関連する，同様の問題や改修要望がないか。（収集した情報の分析例②）
- バリューチェーンの上流や下流における業務プロセスやITシステムに，この改修要望に関連する問題がないか。（収集した情報の分析例③）
- ITシステムの利用者，ITシステムの運用者，顧客，取引先などのステークホルダに，この改修要望に関連する問題や他の改修要望はないか。（収集した情報の分析例④）

（設問ウのヒント）

さらに，特定した問題の真因の解消に寄与する，解決手段（協議した内容の例①），スケジュール（協議した内容の例②），実行体制（協議した内容の例③），投資効果（協議した内容の例④）などについて利用部門や関係部門と協議し，対応方針として立案する。

あなたの経験と考えに基づいて，設問ア～設問ウに従って論述せよ。

設問ア　あなたが携わったITシステムの改修要望の分析において，事業概要（1.1），分析の対象となる業務とITシステム（1.2），利用部門からの改修要望（1.3），利用部門の問題認識（1.4）について，事業特性とともに800字以内で述べよ。

（1.1～1.4の節は組み合わせていくつかの節にするのもよい）

（事業特性は1.1や1.2に含めるのが自然ではあるが独立させて一つの節にしてもよい）

設問イ　設問アで述べた改修要望に対して，あなたはどのような情報を収集（2.1）し，どのように分析（2.2）し，どのような問題の真因を特定（2.3）したか。工夫したこととともに，800字以上1,600字以内で具体的に述べよ。

（工夫は収集・分析・特定のそれぞれにおける工夫としてもよいし一つの節に独立させてもよい）

設問ウ　設問イで述べた問題の真因について，あなたは利用部門や関係部門とともに，どのように協議（3.1）し，どのような対応方針を立案（3.2）したか。600字以上1,200字以内で具体的に述べよ。

●論文設計シート

タイトルと論述ネタ	あらすじ
第１章　事業概要と改修要望	
1.1　事業概要と事業特性	
事業概要	電設資材メーカー。 住宅やオフィス・工場などの電気設備関連の資材の製造・販売を行っている。 関東周辺に，工場と倉庫が５か所，営業所が十数か所ある。
事業特性	販売管理や仕入管理，特に倉庫の在庫管理が煩雑で手間が掛かること。
1.2　改修要望と問題認識	
分析の対象	倉庫の在庫管理業務とその関連業務，及びそれらのITシステム。
改修要望	倉庫部門から在庫管理システムの改修。 システムの画面遷移やUIの改善。 タブレットなどのモバイル機器を使えるようにしたい。
利用部門の問題認識	販売する資材の種類や数量の増加による，在庫管理の要員不足。 在庫管理システムの操作性による要員の負荷の増大。
第２章　情報の分析と真因の特定	
2.1　情報の収集と分析	
現状の情報収集	・現状の業務プロセス…一連の業務プロセスの情報を入手。 ・ITシステムの機能…業務プロセスに関連するITシステムの機能に関する情報を収集。 ・ITシステムの利用状況…蓄積した運用ログより全てのITシステムの利用状況を収集。 ・各部門の業務やITシステムの現状の情報の収集。
分析結果	・業務プロセスの見直しなどにより改善の可能性があることが分かった。 他の事業部門でも在庫管理の負荷を低減するための改修要望があることが分かった。 ・在庫に関連する上流や下流の業務プロセスの見直しと，それに伴うITシステムの大幅改修，再構築が必要であることが分かった。

2.2　問題の真因の特定	
改修要望の真因	倉庫部門の改修要望の真因は，全社的な業務プロセスの問題であった。 社内の情報が的確にやり取りできていないという問題により，倉庫の在庫が増加し，なおかつ回転率が悪化して，倉庫部門の負荷が増大していた。
2.3　工夫点	
工夫したこと	あるべき姿との比較を行うように工夫した。 業務プロセス全体を把握し，モノの流れや情報の流れの理想的な姿を想定してそれと比較した上で，ITシステムはどうあるべきかを議論した。

第３章　関係部門との協議と対応方針の立案	
3.1　関係部門との協議	
関係部門との協議	倉庫部門及び購買・製造・販売など関係部門の担当者を集めて協議した。
協議で検討した点	・解決手段…業務プロセスの再構成，ITシステムの改修，その他の解決手段 ・スケジュール…当社の各種計画を勘案し，具体的な実行可能スケジュール ・実行体制…情報システム部門の要員の状況や関係部門から出せる要員，また外部に委託する場合に必要となる要員などを勘案した実行体制 ・投資効果…必要な投資額と社内人件費の算出方法，投資効果の量的効果・質的効果の算出方法
3.2　対応方針の立案	
解決手段	当社全ITシステムを，見直した業務プロセスに合わせて全面的に再構築する。 ITシステムにはクラウドを採用する。 モバイル端末を活用できるようにする。 UIはユーザーの意見を取り入れて全面刷新する。 販売・購買・在庫などの情報を一元化し，透明化を図る。
スケジュール	今年度は新業務プロセスを確定させる。 在庫管理システムの再構築をはじめに，来年度から３年を掛けて全ITシステムの再構築を完了させる。

	実行体制	業務改善委員会を発足し，ITシステム分科会を設ける。 委員長は社長，分科会長は情報システム部門長，事務局は情報システム部門，委員は関係部門から数名。
	投資効果	業務改善委員会が投資効果の具体的な数値を算出する。 毎年，量的効果と質的効果を測定し，役員会に報告する。

問8 解答例

第１章　事業概要と改修要望

1.1　事業概要と事業特性

私は，電設資材メーカーの経営企画部門に勤務するＩＴストラテジストである。私は，稼働中である当社ＩＴシステムの改修要望への対応に携わった。

当社は，住宅やオフィス・工場などの電気設備関連の資材の製造・販売を行っている。関東周辺に，工場と倉庫が５か所，営業所が十数か所ある。販売先は，建設会社や住宅メーカーの他に，町の電気店やホームセンターなどがある。

当社の事業特性としては，販売先が多岐に渡ること，仕入先も多数あること，販売する資材も数万種類に及ぶことなどから，販売管理や仕入管理，特に倉庫の在庫管理が煩雑で手間が掛かることが挙げられる。

1.2　改修要望と問題認識

今回の分析の対象は，倉庫の在庫管理業務とその関連業務，及びそれらのＩＴシステムである。在庫管理を含む当社のＩＴシステムは構築から十数年以上経過している。そのため，倉庫部門から在庫管理システムの改修要望が挙がってきている。具体的には，システムの画面遷移やＵＩの改善，さらに，タブレットなどのモバイル機器を使えるようにして欲しいとのことであった。

倉庫部門では，ここ数年販売する資材の種類や数量が大きく増えており，在庫管理を行う要員が不足しているという問題，さらに，その要員不足の助けとなるはずの在庫管理システムは，日々の在庫の入力や検索，棚卸時の数量修正などの操作性が悪く，要員の負荷を増大させているという問題を抱えている。これらを解消するために在庫管理システムの改修が必要とのことであった。

第２章　情報の分析と真因の特定

2.1　情報の収集と分析

倉庫部門の改修要望に対して，私は，倉庫部門の視点だけで検討した部分的な内容にとどまらせないように，次のような情報を合わせて，客観的に現状を分析した。

・現状の業務プロセス…材料の仕入，生産ラインへの投入，仕掛品・製品の在庫管理，販売管理など，一連の業務プロセスの情報を入手し，把握した。

・ＩＴシステムの機能…情報システム部門の協力を得て，各業務プロセスに関連するＩＴシステムの機能に関する情報を収集し，把握した。

・ＩＴシステムの利用状況…これも情報システム部門の協力により，蓄積した運用ログの分析結果を基に全てのＩＴシステムの利用状況を収集，把握した。

・その他…購買・製造・販売などの部門の担当者にヒアリングし，業務やＩＴシステムの現状の情報を収集した。

収集したこれらの情報に基づき，私は次のような全社最適の視点で多面的な分析を行った。

・倉庫部門が認識している要員不足やＩＴ操作の制約，現状の処理方法を前提とした条件について，全社最適の視点での見直しを実施した。その結果，業務プロセスの見直しなどにより改善の可能性があることが分かった。

・資材の販売仲介など行う他の事業部門を調査したところ，同様に在庫管理の負荷が大きく，改修要望があることが分かった。

・バリューチェーンを分析した結果，在庫に関連する上流や下流の業務プロセスにも問題があり，見直しが必要という結論になった。これに伴いＩＴシステムも大幅な改修もしくは再構築が必要であることが分かった。

・関係部門のユーザーや情報システム部門の意見，取引先へのヒアリングの結果を分析して，その他の関連する問題や要望を抽出した。

2.2　問題の真因の特定

分析の結果，今回の倉庫部門の改修要望の真因は，単に在庫管理システムの操作性の悪さではなく，全社的な業務プロセスの問題であることが判明した。すなわち，社内の情報が的確にやり取りできていないために，購買部門では重複注文などが発生，製造部門では仕掛品の滞留が増加し，販売部門では顧客からの返品がうまく処理できていないなどの問題が発生していた。これらの問題により，倉庫の在庫が増加し，なおかつ回転率が悪化して，倉庫部門の負荷が増大していることが真因であった。

2.3　工夫点

私は問題の真因を特定するために，ヒアリング結果や収集した情報の分析を行う際に，現状を前提とするのではなく，あるべき姿との比較を行うように工夫した。すなわち，単に現状のＩＴシステムの使い勝手や処理の改善方法を議論するのではなく，業務プロセス全体を把握し，モノの流れや情報の流れの理想的な姿を想定してそれと比較した上で，ＩＴシステムはどうあるべきかを議論した。このような工夫によって，真の原因を特定することができた。

第３章　関係部門との協議と対応方針の立案

3.1　関係部門との協議

私は，倉庫部門及び購買・製造・販売など関係部門の担当者を集めて協議した。まず倉庫部門からの改修要望を説明し，次に私が収集した情報及び分析内容を説明，そして，問題の真因の解消方法を協議した。協議では，次のような点を検討した。

・解決手段…業務プロセスの再構成，ＩＴシステムの改修，あるいはその他の解決手段があるかを検討した。
・スケジュール…当社の経営計画，投資計画，人員計画，資金計画などを勘案し，具体的な実行可能スケジュールを検討した。
・実行体制…情報システム部門の要員の状況や関係部門から出せる要員，また外部に委託する場合に必要となる要員などを勘案し，実行体制を検討した。
・投資効果…必要となる投資額や社内の人件費などの算出方法，また，投資効果の量的効果・質的効果の算出方法を検討した。

3.2　対応方針の立案

関係部門との協議を経て，私は問題の真因を解消するための対応方針を次のとおり立案した。

・解決手段…在庫管理を含む当社のＩＴシステムを，見直した業務プロセスに合わせて全面的に再構築する。再構築したＩＴシステムには，基本的にクラウドを採用し，モバイル端末を活用できるようにする。ＵＩはユーザーの意見を取り入れて全面刷新する。さらに，販売・購買・在庫などの情報を一元化し，透明化を図る。
・スケジュール…ＩＴシステムの再構築は，まず在庫管理システムから始める。今年度は新業務プロセスを確定させ，来年度から３年を掛けて全ＩＴシステムの再構築を完了させる。
・実行体制…業務改善委員会を発足させ，そこにＩＴシステム分科会を設ける。委員長は社長とし，分科会長は情報システム部門長とする。事務局は情報システム部門が担い，委員には関係部門から数名を指名し実務に充てる。

・投資効果…業務改善委員会で，検討結果を基に投資効果の具体的な数値を算出する。そして，毎年量的効果と質的効果を測定し，その実績を役員会に報告し承認を得るものとする。

私は，立案したこれらの対応方針を実行することによって，今回の改修要望に関連する問題の真因を解消するのみならず，今後の当社の事業の発展と利益の増加に十分寄与するものと考えている。

問9 基幹システムの再構築における開発の優先順位付け

(出題年度：R 4問2)

長期にわたって改善を繰り返してきた基幹システムは，複数のサブシステムが複雑に連携し合い，保守性が低下し，事業環境の変化に追随できなくなっていることが多い。このような基幹システムの再構築には，多くの費用，期間が必要であり，一度に全てのサブシステムを再構築することはリソース制約とともにリスクも大きい。一方，経営層からは業務効率の大幅な向上や，投資効果を早期に享受することが求められるようになってきている。

ITストラテジストは，基幹システムの再構築を計画する際，全体システム化計画との整合性に留意しつつ，それぞれのサブシステムを，どのような順序で，どのくらいの費用と期間を掛けて再構築するかの優先順位を検討する。優先順位を検討する際，次のようなことを考慮することが重要である。

- ・経営層からの要請，業務や現行システムが抱える問題，制度変更への対応など，対象となるサブシステムが解決すべき課題の重要性及び緊急性は何か。
- ・どのような順序で，どのくらいの費用と期間を掛けて再構築すると，投資効果を早期に享受し，改修規模を極小化できるか。
- ・現行の機能の再利用，IT部門のリソース制約，技術上の難易度などを考慮した上で，どのような順序で取り組むことで，再構築リスクを軽減できるか。

ITストラテジストは，検討した優先順位について，定性・定量の両面における投資効果とともに経営層に説明し，承認を得る必要がある。

あなたの経験と考えに基づいて，設問ア～ウに従って論述せよ。

設問ア あなたが携わった基幹システムの再構築の計画策定について，企業の事業概要，背景となった事業環境の変化，基幹システムの概要を，事業特性とともに800字以内で述べよ。

設問イ 設問アで述べた基幹システムについて，あなたはそれぞれのサブシステムを，どのような優先順位で再構築することとしたか。特に重要と考えて考慮したこととその内容，あなたが工夫したこととともに，800字以上1,600字以内で具体的に述べよ。

設問ウ 設問イで述べた優先順位について，経営層にどのような説明を行い，どのような評価を受けたか。経営層の評価を受けて改善したこととともに，600字以上1,200字以内で具体的に述べよ。

●問題分析メモ

設問アのヒント

長期にわたって改善を繰り返してきた基幹システムは，複数のサブシステムが複雑に連携し合い，保守性が低下し，事業環境の変化に追随できなくなっていることが多い。このような基幹システムの再構築には，多くの費用，期間が必要であり，一度に全てのサブシステムを再構築することはリソース制約とともにリスクも大きい。一方，経営層からは業務効率の大幅な向上や，投資効果を早期に享受することが求められるようになってきている。

設問イのヒント

ITストラテジストは，基幹システムの再構築を計画する際，全体システム化計画との整合性に留意しつつ，それぞれのサブシステムを，どのような順序で，どのくらいの費用と期間を掛けて再構築するかの優先順位を検討する。優先順位を検討する際，次のようなことを考慮することが重要である。

考慮したことの内容の例①

- 経営層からの要請，業務や現行システムが抱える問題，制度変更への対応など，対象となるサブシステムが解決すべき課題の重要性及び緊急性は何か。（考慮したことの例①）

考慮したことの内容の例②

- どのような順序で，どのくらいの費用と期間を掛けて再構築すると，投資効果を早期に享受し，改修規模を極小化できるか。（考慮したことの例②）
- 現行の機能の再利用，IT部門のリソース制約，技術上の難易度などを考慮した上で，どのような順序で取り組むことで，再構築リスクを軽減できるか。（考慮したことの例③）

考慮したことの内容の例③

設問ウのヒント

ITストラテジストは，検討した優先順位について，定性・定量の両面における投資効果とともに経営層に説明し，承認を得る必要がある。

3.1の経営層への説明に期待できる投資効果として必ず含める

あなたの経験と考えに基づいて，設問ア～ウに従って論述せよ。

設問ア　あなたが携わった基幹システムの再構築の計画策定について，企業の事業概要[1.1]，背景となった事業環境の変化[1.2]，基幹システムの概要[1.2]を，事業特性とともに800字以内で述べよ。

事業環境の変化が1.1で述べた事業特性にどのように影響を及ぼし基幹システムを再構築するに至ったかを述べる

事業特性は事業概要に含めるのがよい

設問イ　設問アで述べた基幹システムについて，あなたはそれぞれのサブシステムを，どのような優先順位[2.1]で再構築することとしたか。特に重要と考えて考慮したこと[2.2]とその内容[2.2]，あなたが工夫したこととともに，800字以上1,600字以内で具体的に述べよ。

2.3　考慮したことを受けての工夫したことになるので2.2に含めてもよいが2.3に独立させたほうが論述展開が自然

設問ウ　設問イで述べた優先順位について，経営層にどのような説明[3.1]を行い，どのような評価[3.2]を受けたか。経営層の評価を受けて改善したこととともに，600字以上1,200字以内で具体的に述べよ。

評価を受けての改善なので評価とともに述べるのが自然

●論文設計シート

タイトルと論述ネタ	あらすじ
第1章　事業概要と事業環境，基幹システムの概要	
1.1　事業概要と事業特性	
事業概要	建材メーカー。住宅やオフィスの内装・外装材の製造と販売を行っている。 販売先はゼネコンなどの建設会社や住宅メーカー，町の工務店や建材店など。 国内3か所に工場があり，販売拠点は全国に数十か所ある。
事業特性	同業他社との製品の差別化が難しい。製品には規格があり，形状・品質には一定のものが求められる。 自社で研究し付加価値を高めてはいるが，売上が伸びない。
1.2　事業環境の変化と基幹システムの概要	
背景となった事業環境の変化	経済情勢の変調によって，事業環境は厳しく，同業他社との競争は厳しい。 事業環境の変化を踏まえ，販売力強化と販売コスト削減のために，販売管理システムの再構築を行う。
基幹システムの概要	販売管理システムは自社開発したものであり，複数のサブシステムで構成されている。

タイトルと論述ネタ	あらすじ
第2章　再構築の優先順位と考慮点，工夫点	
2.1　再構築の優先順位	
販売管理システムのサブシステム	引合・見積管理，顧客管理，与信管理，契約管理，売上管理，請求管理，入金管理，債権管理のサブシステムで構成。サブシステムは複雑に連携している。 IT部門のリソースに問題があり，保守性，事業環境の変化への対応に問題がある。
再構築の優先順位	全体システム化計画との整合性に留意し，再構築の優先順位付けを行った。 第1順位…契約管理，請求管理，入金管理 第2順位…引合・見積管理，与信管理，売上管理 第3順位…顧客管理，債権管理

2.2　特に重要と考えて考慮したこと	
考慮した点	・対象サブシステムが解決すべき課題の重要性，及び緊急性 ・投資効果を早期に享受し，改修規模を極小化できるような順序と費用・期間 ・既存機能の再利用，IT部門のリソース制約，技術上の難易度を踏まえた再構築リスク
最重要とした考慮点	・電子帳簿保存法などの対応のための，請求管理とそれに対する入金管理，契約管理の再構築を最優先する。 ・販売力強化と販売コスト削減のための，与信管理，売上管理の再構築が必要。 ・顧客管理，債権管理は既存機能で特に不足はないので，優先順位は低い。
2.3　工夫したこと	
工夫したこと	・できるだけSaaSなどのクラウドサービスを利用する。 ・既存サブシステムとのインターフェースを見直し，標準化を図る。

第３章　経営陣への説明と評価，及び改善点	
3.1　経営陣への説明	
説明内容	・既存サブシステムの機能 ・優先順位付けにあたって考慮した事項と重視した事項 ・サブシステム再構築に掛かる見積費用
定性的効果	優先順位の高いものからクラウド化を進めることで，社内改革に貢献した。 最新のサービスの早期活用で，顧客へのアピールと顧客満足を向上させた。
定量的効果	業務効率の向上でコストを削減できた。 販売力強化による売上拡大とコスト削減効果によって投資効果を早期に享受できた。
3.2　経営陣の評価，改善したこと	
経営陣の評価	良好な評価を得た。 クラウドサービスへの移行優先は，高評価を得た。 再構築の優先順位付けも了承された。

経営陣の意見	・販売に直接関連するサブシステムについてもできるだけ早期に再構築すべき。 ・顧客に迷惑をかけない。 ・クラウドサービスの選定には，サービス事業者の評価を行う。
サブシステム再構築計画の改善内容	・開発期間短縮と並行開発による早期稼働できるようにスケジュールの見直し。 ・早期に顧客へ説明し，顧客への影響がないようにする。 ・クラウドサービス業者に適用可能なものに改定する。

問9 解答例

第１章　事業概要と事業環境，基幹システムの概要

1.1　事業概要と事業特性

私が携わった基幹システムの再構築は，勤務する建材メーカーにおける販売管理システムである。私は,当社の経営管理部門においてＩＴストラテジストを務めている。

当社は住宅やオフィスの内装・外装材の製造と販売を行っている。販売先はゼネコンなどの建設会社や住宅メーカー，町の工務店や建材店など多岐にわたる。国内３か所に工場があり，販売拠点は全国に数十か所ある。

同業他社との製品の差別化が難しいという事業特性がある。製品のほとんどは規格が定められており，製品の形状や品質には一定のものが求められる。当社としては，デザインや施工のしやすさなどを研究して付加価値を高め，顧客に訴求しているが，どうしても価格や営業力・販売力などで売上が伸びない状況である。

1.2　事業環境の変化と基幹システムの概要

世界的なインフレや資材不足，原油価格の高騰によって，材料費が高騰している。また，住宅着工数の減少によって，売上減少や利益の圧迫が続いている。このような経済情勢の変調によって，事業環境はいっそう厳しくなり，同業他社との競争は激しくなっている。このような中で，経営陣は競争力を強化するために，ＤＸの導入による組織の変革と基幹システムの再構築を決定した。

当社の基幹システムには，生産管理システムを中心に，購買管理システム，在庫管理システム，販売管理システム，会計システムなどがある。これらのうち，事業環境の変化を踏まえ，経営陣は販売力強化と販売コスト削減が必要と考え，販売管理シス

テムの再構築を指示した。販売管理システムは自社開発したものであり，複数のサブシステムで構成されている。

第２章　再構築の優先順位と考慮点，工夫点

2.1　再構築の優先順位

再構築の対象となった販売管理システムは，引合･見積管理，顧客管理，与信管理，契約管理，売上管理，請求管理，入金管理，債権管理のサブシステムで構成され，それらは複雑に連携している。また当社ＩＴ部門の人材不足と高齢化もあり，販売管理システムの保守性が低下し，さらに，事業環境の変化への対応が難しくなってきている。

そのため，私は，一度に全てのサブシステムを再構築することはリスクが大きいと考え，当社の中期経営計画を踏まえた全体システム化計画を見直した上で，それとの整合性に留意しつつサブシステム再構築の優先順位付けを行った。

私が考えた優先順位付けは，次のとおりである。

第１順位　契約管理，請求管理，入金管理
第２順位　引合・見積管理，与信管理，売上管理
第３順位　顧客管理，債権管理

2.2　特に重要と考えて考慮したこと

私はサブシステム再構築の優先順位付けを検討する際，次のような点を考慮した。

・対象サブシステムが解決すべき課題の重要性，及び緊急性
・投資効果を早期に享受し，改修規模を極小化できるような順序と費用・期間
・既存機能の再利用，ＩＴ部門のリソース制約，技術上の難易度を踏まえた再構築リスク

これらを検討した結果，私はサブシステムが解決すべき課題の中で，制度変更への対応と経営陣からの要請が特に重要と考え，次のことを考慮した。

・電子帳簿保存法や消費税のインボイス制度への対応，その後の電子インボイス対応などは避けられないので，請求管理とそれに対する入金管理の再構築，また電子契約書の普及に対応するための契約管理の再構築は最優先となる。
・経営陣からの要請である販売力強化と販売コスト削減のためには，引合・見積管理が特に重要で，それに伴い，与信管理，売上管理も再構築は必要である。
・顧客管理，債権管理は既存機能で特に不足はないので，優先順位は低い。

2.3　工夫したこと

　サブシステム再構築の優先順位付けに当たって，私は次のような点を工夫した。

・できるだけＳａａＳなどのクラウドサービスを利用する。当社ＩＴ部門のリソースは余裕がなく，今後の制度改正やシステム保守に対応できない可能性がある。そのため，できるだけ外部のサービスを利用することとした。電子契約や請求・入金管理は多くのベンダーが提供しており，信頼性や早期導入の面でも有利である。

・既存サブシステムとのインターフェースを見直し，標準化を図る。サブシステムの再構築に伴い，その過程で既存サブシステムとの連携が発生する。この機会に複雑化したインターフェースの再設計と標準化を徹底する。これによって技術の属人化を避け，将来ＳａａＳのシステムに乗り換えることがあっても円滑な移行が図れる。

第３章　経営陣への説明と評価，及び改善点

3.1　経営陣への説明

　私は検討結果とともに，特に次の点について経営陣へ説明した。

・既存サブシステムの機能

・優先順位付けにあたって考慮した事項と重視した事項。特に電子帳簿保存法等の制度改正の内容については，具体的に説明し，理解を得るようにした。

・サブシステム再構築に掛かる見積費用

　さらに，定性的・定量的な投資効果について説明した。

　定性的な効果については，優先順位の高いものからクラウド化を進めることによって，社内のＤＸ導入の機運が高まり，社内改革に貢献すること。また，最新のサービスを早期に活用でき，顧客へのアピールと顧客満足の向上につながること。

　定量的な効果については，このような優先順位で再構築することにより，導入当初から業務効率の向上が図れ，人件費などのコスト削減ができること，販売力強化による売上拡大とコスト削減効果によって投資効果を早期に享受できることを，具体的なシミュレーションの数値を示して説明した。

3.2　経営陣の評価，改善したこと

　経営陣から，おおむね良好な評価を受けることができた。特に，クラウドサービスへの移行優先という方針については，ＤＸ実現への有効な手段でもあり，高い評価を受けた。また，優先順位付けについても，制度対応が最優先ということに理解が得られ，了承を得ることができた。

　ただし，一部役員からは，販売に直接関連するサブシステムについてもできるだけ

早期に再構築すべきとの意見があった。また，再構築にあたっては，顧客に迷惑をかけないようにとの指示があった。さらに，クラウドサービスの選定にあたっては，サービス事業者の評価を確実に行うようにとの意見があった。

これら経営陣からの評価を受けて，私はサブシステム再構築の計画について，次のような改善を行った。

・再構築スケジュールを再度見直し，開発期間をできるだけ短縮するとともに，販売系のサブシステムの一部を並行して開発するようにし，早期に稼働開始する。
・請求関係のサブシステムの再構築にあたっては，事前に早い段階で顧客へ説明し，必要に応じて帳票やデータのすり合わせを行い，顧客に影響が出ないようにする。
・外部委託先の選定基準や評価基準を見直して，クラウドサービス業者に適用可能なものに改定する。

私はこれらの改善によって，販売管理システムのサブシステムの再構築は適切に実行できるものと判断した。

問10 ディジタル技術を活用した業務プロセスによる事業課題の解決

(出題年度：R元問1)

今日，ディジタル技術を活用した業務プロセスによって多くの事業課題の解決が可能となった。ITストラテジストは，ディジタル技術を活用して効率化できたり，品質の向上が図られたりする業務を特定し，業務プロセスにディジタル技術を活用することによって，事業課題の解決を実現することが重要である。このような例としては次のようなものがある。

病院において，看護師が看護に専念できる時間をより多く確保するという事業課題に対し，看護に直接関わらない業務を特定し，その中で記録業務プロセスに音声認識装置とAIの活用を図った。これによって看護師は迅速に記録業務を行うことが可能となり，看護に専念する時間が増え，事業課題を解決した。

組立加工業において，経験の浅い作業者でも熟練作業者と同等の作業水準を達成するという事業課題に対し，熟練作業者が行っていた組立業務プロセスにAR機器とIoTの活用を図った。これによって熟練作業者と同等の作業水準が達成され，事業課題を解決した。

ディジタル技術を活用した業務プロセスの実現性の担保に当たっては，ディジタル技術の機能，性能，信頼性などを検討することが必要であり，先行事例の調査や実証実験が重要である。ITストラテジストは，ディジタル技術を活用した業務プロセスが，事業課題の解決にどのように貢献するかについて，投資効果を含めて事業部門に説明する必要がある。

あなたの経験と考えに基づいて，設問ア～ウに従って論述せよ。

設問ア あなたが携わったディジタル技術を活用した業務プロセスによる事業課題の解決において，解決しようとした事業課題及びその背景について，事業概要，事業特性とともに800字以内で述べよ。

設問イ 設問アで述べた事業課題の解決に当たり，あなたはどのようなディジタル技術を活用し，どのような業務プロセスを実現したか，その際に実現性を担保するためにどのような検討をしたか，800字以上1,600字以内で具体的に述べよ。

設問ウ 設問イで述べたディジタル技術を活用した業務プロセスが，事業課題の解決に貢献することについて，あなたが事業部門に説明した内容は何か。また，事業部門から指摘されて改善した内容は何か。600字以上1,200字以内で具体的に述べよ。

●問題分析メモ

設問ア，イ，ウのヒント

今日，ディジタル技術を活用した業務プロセスによって多くの事業課題の解決が可能となった。ITストラテジストは，ディジタル技術を活用して効率化できたり，品質の向上が図られたりする業務を特定し，業務プロセスにディジタル技術を活用することによって，事業課題の解決を実現することが重要である。このような例としては次のようなものがある。

事業課題の具体例①
業務プロセスとディジタル技術の具体例①
貢献の具体例①

病院において，看護師が看護に専念できる時間をより多く確保するという事業課題に対し，看護に直接関わらない業務を特定し，その中で記録業務プロセスに音声認識装置とAIの活用を図った。これによって看護師は迅速に記録業務を行うことが可能となり，看護に専念する時間が増え，事業課題を解決した。

課題と解決策の具体例①

事業課題の具体例②
業務プロセスとディジタル技術の具体例②
貢献の具体例②

組立加工業において，経験の浅い作業者でも熟練作業者と同等の作業水準を達成するという事業課題に対し，熟練作業者が行っていた組立業務プロセスにAR機器とIoTの活用を図った。これによって熟練作業者と同等の作業水準が達成され，事業課題を解決した。

課題と解決策の具体例②

設問イのヒント

検討の具体例①　検討の具体例②　検討の具体例③

ディジタル技術を活用した業務プロセスの実現性の担保に当たっては，ディジタル技術の機能，性能，信頼性などを検討することが必要であり，先行事例の調査や実証実験が重要である。ITストラテジストは，ディジタル技術を活用した業務プロセスが，事業課題の解決にどのように貢献するかについて，投資効果を含めて事業部門に説明する必要がある。

設問ウのヒント

あなたの経験と考えに基づいて，設問ア～ウに従って論述せよ。

設問ア　あなたが携わったディジタル技術を活用した業務プロセスによる事業課題の解決において，解決しようとした事業課題及びその背景(1.2)について，事業概要(1.1)，事業特性(1.1)とともに800字以内で述べよ。

事業特性は事業課題に含めるのもよい

設問イ　設問アで述べた事業課題の解決に当たり，あなたはどのようなディジタル技術(2.1)を活用し，どのような業務プロセス(2.1)を実現したか，その際に実現性を担保するためにどのような検討(2.2)をしたか，800字以上1,600字以内で具体的に述べよ。

設問ウ　設問イで述べたディジタル技術を活用した業務プロセスが，事業課題の解決に貢献することについて，あなたが事業部門に説明した内容(3.1)は何か。また，事業部門から指摘されて改善した内容(3.2)は何か。600字以上1,200字以内で具体的に述べよ。

説明においては投資効果に言及する必要がある

●論文設計シート

タイトルと論述ネタ	あらすじ
第1章　ディジタル技術を活用した業務プロセスによる事業課題の解決	
1.1　事業概要と事業特性	
事業概要	首都圏で20数か所の学童保育施設を運営している。 学童保育施設の主な業務は， ①放課後の遊びや生活の場を提供して児童の健全な育成を図るという保育業務 ②自治体や近隣の小学校・地域や保護者と連携を図るための業務
事業特性	各所との連携における会議や学童保育施設内の活動内容などの報告書を作成しなければならない。その際には，児童の個人情報の扱いに注意を払わなければならない。
1.2　解決しようとした事業課題と背景	
背景	保育業務以外の業務によって保育業務に支障をきたしている。 保育業務に支障を与えている業務は， ①会議出席時の会議録の作成 会議中に手書きで残したメモを整理しWordファイルを作成する作業。 ②学童通信の作成 撮影した写真から，個人情報保護の条件を満たすものを選定する作業。 ①②の業務は，廃止することはできない。
事業課題	当社の信念「児童へのきめ細やかな対応」を守るには，保育業務に掛ける時間が最も要求された。 事業課題…保育士が保育業務に専念できる時間をより多く確保する。
第2章　活用したディジタル技術と業務プロセス及び実現性を担保するための検討	
2.1　活用したディジタル技術と実現した業務プロセス	
活用したディジタル技術	事業課題の解決に活用したディジタル技術は， ①音声認識技術…会議録の作成に活用する。 ②画像認識技術…学童通信の作成に活用する。
実現した業務プロセス	①会議録の作成業務プロセス 音声認識技術を導入した音声認識アプリを活用して，会議中の会話をテキストデータに文字起こしし，それを使って，会議後あるいは会議中に，Wordファイルで会議録を作成するという業務プロセス。 ②学童通信の作成業務プロセス 画像認識技術を導入した画像編集アプリを使用して，個人を特定できないように顔にぼかし加工を施すという業務プロセス。

2.2　業務プロセスの実現性を担保するための検討		
	会議録の作成業務プロセスの実現性を担保するための検討	音声認識アプリの音声認識の誤変換率と処理速度を検証する。 ●他社の事例の調査と，会議で何度か使用した結果より，次の①～③に問題がないことが分かった。 ①専門用語の誤変換率 ②一般用語の誤変換率 ③テキストデータへ変換する処理速度 ●議題を設定すると，冗長な会話や関係のない会話などは，テキストデータから削除されることも分かった。
	学童通信の作成業務プロセスの実現性を担保するための検討	画像編集アプリのぼかし加工で，どの程度であれば個人を特定できない画像が得られるかを検証する。 ●過去のイベントの写真を使って，ぼかし加工を施した画像を評価し，ぼかし加工の程度を提示した。 ●全ての顔に漏れなくぼかし加工が施されていることも確認した。

第３章　事業部門に説明した内容と指摘事項と改善内容		
3.1　事業部門に説明した内容		
	会議録の作成業務プロセスの説明	手書きのメモを頼りにキーボードから入力する必要がなくなること。 会議中に会議録の作成ができること。 投資効果として，保育士の会議録の作成に掛かる時間の70％削減を提示した。
	学童通信の作成業務プロセスの説明	どのような写真に対してもぼかし加工を施すことができるため，写真の選定時間を大幅に削減できること。 投資効果として，保育士の学童通信の作成に掛かる時間の80％削減を提示した。
	事業課題の解決への貢献	二つの業務プロセスが実現すれば，保育業務に専念できる時間をより多く確保することができ，保育業務に専念できる業務体制を確立するという事業課題の解決に大きく貢献する。 信念である「児童へのきめ細やかな対応」を守るために，この二つの業務プロセスを実現してほしい。
3.2　事業部門からの指摘で改善した内容		
	導入するアプリの利用に関する指摘で改善した内容	指摘内容…保育士のITリテラシの不足によって，アプリの利用が浸透しないのではないか。 改善策…ITリテラシに見合った操作マニュアルの作成。ベンダーのヘルプデスクを利用できるように業務提携する。
	画像のぼかし加工に関する指摘で改善した内容	指摘内容…保育士や公人にまでぼかし加工を施すことは，学童通信を読んだ者に不快感を与えないか。 改善策…登録した顔にはぼかし加工を施さないというアプリのAI機能を利用する。

問10 解答例

第1章　ディジタル技術を活用した業務プロセスによる事業課題の解決

1.1　事業概要と事業特性

私は，首都圏で20数か所の学童保育施設を運営している会社の情報システム部に勤務している。当社の学童保育施設の業務には，放課後の遊びや生活の場を提供して児童の健全な育成を図るという保育業務のほかに，学童保育施設を管轄する自治体や近隣の小学校・地域や保護者と連携を図るための業務などがある。

学童保育施設では，各所との連携における会議や学童保育施設内の活動内容など，あらゆることについて，報告書を作成しなければならない。これらの報告書の作成時には，特に児童の個人情報の扱いに関する細かな規定に注意を払わなければならなかった。

1.2　解決しようとした事業課題と背景

学童保育施設に勤務する保育士の保育業務以外の業務に掛かる時間が増加してきて，保育業務に支障をきたしているという問題が起きた。そこで，保育業務に支障を与えている業務の内容とそれに掛かる時間の調査を行った。その結果，一つは，会議出席時の会議録の作成，もう一つは，学童保育施設内で行ったイベントの報告のうち，主に保護者向けの情報発信である「学童通信」の作成が保育業務に支障を与えている業務であることが分かった。これらの業務は，今後の事業に活かす資料を作成するものでもあり，廃止することはできなかった。

当社は，最も重要な信念として，「児童へのきめ細やかな対応」を掲げている。それには保育業務に掛ける時間が最も要求された。その時間が，他の業務によって浸食されることはなんとしても避け，保育業務に専念できる時間をより多く確保しなければならなかった。そこで，保育士が保育業務に専念できる業務体制を確立するという事業課題の解決を図ることになった。

第2章　活用したディジタル技術と業務プロセス及び実現性を担保するための検討

2.1　活用したディジタル技術と実現した業務プロセス

事業課題の解決に活用したディジタル技術は，音声認識技術と画像認識技術である。

音声認識技術は，会議録の作成に活用した。今までは，会議中に手書きで残したメモを会議後に整理して，Wordファイルで会議録を作成していた。このメモを整理し

Wordファイルを作成する会議後の作業に時間が掛かっていた。そこで私は，音声認識技術を導入した音声認識アプリの活用を考えた。会議に出席する際には，音声認識アプリを使用することを義務づけ，音声認識アプリで，会議中の会話をテキストデータに文字起こしし，それを会議後あるいは会議中に，Wordファイルで会議録を作成するという業務プロセスを実現した。

画像認識技術は，「学童通信」の作成に活用した。学童通信には，イベントの特徴や状況が伝えられる写真が必要であった。しかし，掲載する写真は，個人情報の保護の観点から，児童や保護者など個人を特定できない，あるいは，児童や保護者などが写っていない写真にする必要があった。そのため，撮影した多くの写真からそれらの条件を満たすものを選定する作業に時間が掛かっていた。そこで私は，画像認識技術を導入した画像編集アプリの使用を推奨した。イベントの特徴や状況を伝えることができる写真を選定した後，画像編集アプリで個人を特定できないように顔にぼかし加工を施し，その画像を学童通信に掲載するという業務プロセスを実現した。

2.2　業務プロセスの実現性を担保するための検討

会議録の作成業務プロセスの実現性は，音声認識アプリの音声認識の誤変換率と処理速度を検証することで検討した。音声認識アプリの使用を義務づけたものの，音声認識の誤変換率と処理速度によっては，業務プロセスが実現できない可能性があった。そこで私は，既にこの音声認識アプリを導入している他社の事例を調査し，また私自身が会議で何度か使用することで，誤変換率と処理速度を検証した。その結果，児童に関連する法律や福祉などの専門用語に関しては，アプリにＡＩ処理が搭載されていて誤変換率が５％以下であること，一般用語ではほぼ誤変換がないこと，さらに，テキストデータへ変換する処理速度も想定している使用方法では問題がないことが分かった。また，議題を設定すると，冗長な会話や関係のない会話などの無駄な部分はＡＩ処理で削除されることも分かった。

学童通信の作成業務プロセスの実現性は，どの程度のぼかし加工をすれば，イベントの特徴や状況が伝えられる，個人を特定できない画像が得られるかを検証することで検討した。画像編集アプリの使用を推奨したものの，顔へのぼかし加工の程度によっては，個人が特定できてしまうことがあり，業務プロセスが実現できない可能性があった。そこで私は，どの程度のぼかし加工を施せばよいかを，学童保育施設で行った過去のイベントの写真を使って検証した。ぼかし加工を施した画像を多くの職員に評価してもらい，学童通信に使用する画像のぼかし加工の程度を具体的に提示することができた。さらに，ぼかし加工を施した多くの画像によって，写っていた全ての顔に漏れなくぼかし加工が施されていることを確認し，アプリに搭載されているＡＩ機能が有効に動作していることも検証することができた。

これら検討によって，私が提示した二つの業務プロセスの実現性が担保でき，保育士が保育業務に専念できる業務体制が確立できることを確信した。

第３章　事業部門に説明した内容と指摘事項と改善内容

3.1　事業部門に説明した内容

私は，当社の学童保育施設の施設長全員が出席する施設長会議で，次の説明を行った。

①　会議録の作成業務プロセス

会議での会話がテキストデータに変換されるため，保育士が手書きのメモを頼りにキーボードから入力する必要がなくなり，会議録の作成時間を大幅に削減できること，さらに，会議中に会議録の作成ができれば会議録の作成時間は限りなく０に近くなることを説明した。また，投資効果として，保育士の会議録の作成に掛かる時間の70％削減を提示した。

②　学童通信の作成業務プロセス

どのような写真に対しても，個人を特定できないぼかし加工を施すことができるため，写真の選定時間を大幅に削減できることを説明した。また，投資効果として，保育士の学童通信の作成に掛かる時間の80％削減を提示した。

③　事業課題の解決への貢献

二つの業務プロセスが実現すれば，今までの会議録や学童通信の作成時間の大幅削減が可能になり，保育士が保育業務に専念できる時間をより多く確保することができることを説明した。さらに，保育士が保育業務に専念できる業務体制を確立するという事業課題の解決に大きく貢献し，当社の信念である「児童へのきめ細やかな対応」を守るものであり，是が非でもこの二つの業務プロセスを実現してほしいとお願いした。

3.2　事業部門からの指摘で改善した内容

私が提示した二つの業務プロセスの実現への積極的な取組みが承認された。しかし，二つの指摘があったため，それぞれに対し次のように改善を施した。

①　導入するアプリの利用に関する指摘で改善した内容

保育士のＩＴリテラシの不足によって，アプリの利用が浸透しないのではないかと指摘された。この指摘に対して，私は，保育士のＩＴリテラシの不足状況を明確にし，それに見合った操作マニュアルを作成することで改善した。さらに，ヘルプデスクを社内に開設することも考えたが，経費と時間を考慮し，導入したアプリのベンダーのヘルプデスクを利用できるように業務提携を結んだ。

②　画像のぼかし加工に関する指摘で改善した内容

児童などと一緒に写っている保育士や公人にまでぼかし加工を施すことは，学童通信を読んだ者に不快感を与えないかと指摘された。この指摘に対して，私は，登録した顔にはぼかし加工を施さないというアプリのＡＩ機能を利用することで改善した。

ディジタル技術を活用することによって，事業課題を解決できた。この経験を活かし，当社の事業に貢献していきたい。

問11 事業目標の達成を目指すIT戦略の策定

（出題年度：H30問１）

ITストラテジストは，事業目標の達成を目指してIT戦略を策定する。IT戦略の策定に当たっては，実現すべきビジネスモデル又はビジネスプロセスに向けて，有効なIT，IT導入プロセス，推進体制などを検討し，事業への貢献を明らかにする。

IT戦略の策定に関する取組みの例としては，次のようなことが挙げられる。

- 顧客満足度の向上による市場シェアの拡大を事業目標にして，AI，IoT，ビッグデータなどを活用した顧客個別サービスを提供する場合，システムソリューション，試験導入，データ解析に優れた人材の育成などを検討する。
- グローバルマーケットでの売上げの大幅な増大を事業目標にして，生産・販売・物流の業務プロセスの革新によるグローバルサプライチェーンを実現する場合，グローバルIT基盤の整備，業務システムの刷新や新規導入，グローバル対応のための運用体制作りなどを検討する。

ITストラテジストは，経営層に対して，策定したIT戦略が事業目標の達成に貢献することを説明し，理解を得なければならない。また，策定したIT戦略を実行して事業目標を達成するために，ヒト・モノ・カネの経営資源の最適な配分を進言したり，現状の組織・業務手順などの見直しを進言したりすることが重要である。

あなたの経験と考えに基づいて，設問ア～ウに従って論述せよ。

設問ア あなたが携わったIT戦略の策定において，事業概要，事業目標，実現すべきビジネスモデル又はビジネスプロセスについて，事業特性とともに800字以内で述べよ。

設問イ 設問アで述べた事業目標の達成を目指して，あなたはどのようなIT戦略を策定したか。有効なIT，IT導入プロセス，推進体制，事業目標達成への貢献内容などについて，800字以上1,600字以内で具体的に述べよ。

設問ウ 設問イで述べたIT戦略の実現のために，あなたは経営層にどのようなことを進言し，どのような評価を受けたか。評価を受けて考慮したこととともに600字以上1,200字以内で具体的に述べよ。

第3部 午後Ⅱ試験対策

●問題分析メモ

設問ア，イのヒント

ITストラテジストは，事業目標の達成を目指してIT戦略を策定する。IT戦略の策定に当たっては，実現すべきビジネスモデル又はビジネスプロセスに向けて，有効なIT，IT導入プロセス，推進体制などを検討し，事業への貢献を明らかにする。

IT戦略の策定に関する取組みの例としては，次のようなことが挙げられる。

- 顧客満足度の向上による市場シェアの拡大（事業目標の具体例①）を事業目標にして，AI，IoT，ビッグデータなどを活用した顧客個別サービスを提供（ビジネスモデルの具体例）する場合，システムソリューション（IT導入プロセスの具体例①），試験導入（IT導入プロセスの具体例②），データ解析に優れた人材の育成（推進体制の具体例①）などを検討する。（2. IT戦略策定の取組の具体例①）
- グローバルマーケットでの売上げの大幅な増大（事業目標の具体例②）を事業目標にして，生産・販売・物流の業務プロセスの革新によるグローバルサプライチェーンを実現（ビジネスプロセスの具体例）する場合，グローバルIT基盤の整備（IT導入プロセスの具体例③），業務システムの刷新や新規導入（IT導入プロセスの具体例④），グローバル対応のための運用体制作り（推進体制の具体例②）などを検討する。（2. IT戦略策定の取組の具体例②）

設問ウのヒント

ITストラテジストは，経営層に対して，策定したIT戦略が事業目標の達成に貢献することを説明し，理解を得なければならない。また，策定したIT戦略を実行して事業目標を達成するために，ヒト・モノ・カネの経営資源の最適な配分（進言の具体例①）を進言したり，現状の組織・業務手順などの見直し（進言の具体例②）を進言したりすることが重要である。

あなたの経験と考えに基づいて，設問ア～ウに従って論述せよ。

設問ア　あなたが携わったIT戦略の策定において，事業概要（1.1），事業目標（1.2），実現すべきビジネスモデル又はビジネスプロセス（1.3）について，事業特性とともに800字以内で述べよ。

（事業概要と事業目標はまとめてもよい）
（事業特性は1.2～1.3の全てまたはいずれかに含める）

設問イ　設問アで述べた事業目標の達成を目指して，あなたはどのようなIT戦略（2）を策定したか。有効なIT（2.1），IT導入プロセス（2.2），推進体制（2.3），事業目標達成への貢献内容（2.4）などについて，800字以上1,600字以内で具体的に述べよ。

設問ウ　設問イで述べたIT戦略の実現のために，あなたは経営層にどのようなことを進言（3.1）し，どのような評価（3.2）を受けたか。評価を受けて考慮（3.2）したこととともに600字以上1,200字以内で具体的に述べよ。

（"評価を受けての考慮"なのでまとめて述べるほうが展開は楽）
（2.1から2.4はIT戦略の内容なので各々について独立して述べる）

●論文設計シート

タイトルと論述ネタ	あらすじ
第1章　事業概要と事業目標及びビジネスモデル	
1.1　事業概要と事業目標	
事業概要	A社は生命保険会社。販売している医療保険に，最新治療を保障の対象とする様々なオプションを用意し，既契約に追加できるようにしているが，オプション契約率が5％と低い。
事業目標	既契約者のオプションの契約率を50％に向上させ，収益の増加を図る。
1.2　実現すべきビジネスモデルと事業特性	
ビジネスモデル①	既契約者に，環境変化に見合った適切な契約内容への見直しを促し，その際に追加すべきオプションを提案する。
ビジネスモデル②	インターネットを利用して，オプションの内容を告知したり，契約もできるというサービスを提供する。
事業特性	既契約者は，契約内容見直しの必要性に気付いていない。 未だに対面販売である。
第2章　策定したIT戦略	
2.1　IT戦略の策定において検討した有効なIT	
AI	AIの機能で，既契約者の環境変化を解析し，それにオプションの内容を関連付けて，勧めるオプションの候補を選び出す。
Webサイトとスマホ向けアプリ	保険契約プロセスの仕組みを充実させる。
2.2　IT戦略の策定において検討したITの導入プロセス	
AI	営業員が記録していた既契約者情報を，データベースに登録し，それをAIに学習させ，既契約者ごとの適切な契約内容の見直しと勧めるオプションを導出させる。
Webサイト	24時間365日場所を問わずに契約ができるようにする。 AIの機能を利用した追加オプション選定サービスを提供する。
スマホ向けアプリ	契約手続の操作をより簡単にできるようにする。
2.3　IT戦略の推進体制	
AI	データ解析に優れた人材を投入し，AIに学習させる情報の精度を高める。

第3部　午後Ⅱ試験対策

	Webサイトとスマホ向けアプリ	契約にあたっての問合せもできるように運用体制を整える。
2.4　事業目標達成へのIT戦略の貢献内容		
	策定したIT戦略	古いビジネスモデルを抜本的に改善し，事業目標達成に貢献できる内容とする。
	AI	オプション選定の精度が向上し，最適なオプション提案ができる。
	Webサイトとスマホ向けアプリ	契約内容の見直しを既契約者自身が簡単にできるようになり，オプション契約率の大幅な向上が期待できる。

第3章　経営層への進言と評価，考慮内容		
3.1　経営層への進言		
	ヒト・モノ・カネの経営資源配分に関する進言	①IT活用のためにかかる開発費用の見積もりと，予算計画を立案すること。 ②人材確保のための資金面の準備をしておくこと。 ・AIに関するスキルを有している要員の確保。 ・Webサイトの運営に携わる要員の確保。 ③開発プロジェクト要員の作業場所を確保すること。 ④開発成果物のテスト環境を確保すること。
	現状の組織・業務手順などの見直しに関する進言	①販売組織を見直すこと。 ②ITサービスによる販売業務の手順を策定すること。
3.2　経営層から受けた評価と考慮した点		
	評価	IT戦略の実現に向けての進言は，高い評価を得た。AIへの進言は，要員の確保に懸念が表明された。
	考慮した点	未経験のものに関する進言には，経営層に不安を抱かせない進言内容となるように考慮する。

問11　解 答 例

第1章　事業概要と事業目標及びビジネスモデル

1.1　事業概要と事業目標

　私が携わったのは，生命保険会社であるA社のＩＴ戦略の策定作業である。A社では，保険商品の開発から販売までを主な事業として運営しており，特に医療保険の販売に力を注いでいる。医療技術は常に進歩しており，十数年前に契約した医療保険のままでは，保障の対象とならない治療などが多く存在してしまう。そこで，A社では，医療保険に様々なオプションを用意し，必要によって既契約に追加できるように対応している。しかし，既契約にオプションの追加が可能であることや，そのオプションの種類と内容を，既契約者に周知できておらず，追加すべきオプションの提案も適切に行えていない。その結果，既契約者のオプションの契約率は5％に満たないという状況になっている。そこで，既契約者に既契約内容の見直しを提案し，既契約者のオプションの契約率を50％に向上させて，当社の収益増加を図るという事業目標を設定した。

1.2　実現すべきビジネスモデルと事業特性

既契約のオプション契約率が低い要因として，契約内容の見直しが必要なことに気付いている既契約者が少ないことが挙げられる。そこで，既契約者の環境，例えば家族構成などの変化に見合った適切な契約内容への見直しを促し，その際に追加すべきオプションを提案するというビジネスモデルを実現することにした。また，A社では未だに対面販売が主流である。しかし，既契約者は，自ら店舗に出向いてくれることは少なく，営業員が既契約者宅を訪問することも好まない。そこで，インターネットを利用して，オプションの内容を告知したり，さらには契約もできるというサービスも併せて提供することにした。

第2章　策定したＩＴ戦略

2.1　ＩＴ戦略の策定において検討した有効なＩＴ

現在，営業員は，対面で得た契約者の環境変化の情報を，事細かに記録している。その情報に勘や経験を働かせて，契約内容の見直しを勧めるタイミングを計っている。しかし，このような営業員の俗人的な方法に頼っていることで，追加オプションの提案に関する精度が上がらず，既契約に対するオプション追加の促進に結び付いていない。そこで，適切な契約内容の見直しとその際に勧める最適なオプションを提案できるようにするための方法として，ＡＩの活用を検討した。ＡＩの機能で，既契約者の環境変化を解析し，それにオプションの内容を関連付けて，勧めるオプションの候補を選び出し，既契約者に電子メールにて提示する。契約に至った場合には，その情報をＡＩに学習させ，契約内容の見直しの条件の解析や勧めるオプション候補の精度を高めていく。

また，スマートフォンを利用することが当たり前の時代となり，保険商品の対面販売だけに頼るビジネスモデルは，新規契約の促進はもちろんのこと，既契約のオプション追加についても阻害要因になってきている。今後は，Ｗｅｂサイトとスマートフォン向けアプリケーションソフトウェア（以下，アプリという）を活用した保険契約プロセスの仕組みを充実させ，既契約のオプション契約率向上にも寄与できるようにする。

2.2　ＩＴ戦略の策定において検討したＩＴの導入プロセス

ＡＩの導入プロセスとして，最初に行うことは，営業員が記録していた情報を整理してデータベースに登録する作業である。データベースに登録した契約者の環境変化をＡＩに学習させ，既契約者ごとの適切な契約内容の見直しとその際に勧めるオプションを導出させる。

次に，Ｗｅｂサイトを開設して，24時間365日場所を問わずに契約ができるようにし，さらに，ＡＩ機能を利用した追加オプション選定サービスを提供して，既契約のオプション追加が可能であることを周知する。

さらに，契約手続の操作をより簡単にできるようにしたアプリを開発し，既契約者のオプション追加行動の促進に寄与できるようにする。

2.3　ＩＴ戦略の推進体制

ＡＩに学習させる情報が誤っていると勧めるオプションの信頼性が無くなる。それを回避するために，データ解析に優れた人材を投入し，ＡＩに学習させる情報の精度を高めるというＡＩの推進体制を整備する。また，契約プロセスだけではなく，契約にあたっての問合せもＷｅｂサイトやアプリでできるように運用体制を整える。

2.4　事業目標達成へのＩＴ戦略の貢献内容

今回策定したＩＴ戦略は，現在の俗人的な対応や対面販売という古いビジネスモデルを抜本的に改善し，事業目標の達成に貢献できる内容であることを，経営層に説明した。ＡＩの活用によるオプション選定の精度向上が，既契約者への最適なオプション提案につながること，さらに，Ｗｅｂサイトとアプリの仕組みで契約内容の見直しを既契約者自身が簡単にできるようになることで，既契約者のオプション契約率の大幅な向上が期待できること，これらを図解にして，経営層の理解を得られるように工夫して説明した。

第３章　経営層への進言と評価，考慮内容

3.1　経営層への進言

(1)　ヒト・モノ・カネの経営資源配分に関する進言

今回策定したＩＴ戦略を実行するためには，ＡＩの導入，Ｗｅｂサイトの構築，アプリの開発などの費用を予算化する必要がある。また，ＡＩを活用できるようにするための事前準備や，Ｗｅｂサイトの運用体制に携わる人材の確保も必要である。そこで，まず，ＩＴ活用のためにかかる開発費用の見積もりを行い，予算計画を立案することを進言した。次に，ＡＩを有効活用できるようにするための準備作業には，ＡＩに関するスキルを有している要員を揃える必要があること，また，Ｗｅｂサイトの運用には，運営に携わる新たな運用要員を確保しなければならないことを説明し，その人材確保のための資金面の準備をしておくことを進言した。さらに，策定したＩＴ戦略を実行に移すためには，開発プロジェクトを編成し，開発環境を整備しておく必要がある。そこで，プロジェクト要員の作業場所や，開発成果物のテスト環境などを事前に確保しておくことも進言した。

(2)　現状の組織・業務手順などの見直しに関する進言

策定したＩＴ戦略を実行に移すと，現状の対面販売からＩＴサービスを利用した保険商品の販売に軸足を移すことになる。これには，A社の保険販売組織の見直しを行い，従業員の配置変更やＩＴサービスによる保険販売業務の手順を策定する必要がある。これらの準備作業も並行して実施することを，経営層に進言した。

3.2　経営層から受けた評価と考慮した点

ＩＴ戦略の実現に向けての進言は，よく理解でき，その有効性を確認できたとの評価を，経営層から得た。特に，Ｗｅｂサイトとアプリを活用した保険商品販売の仕組みに関する開発費用，人材確保，組織や業務手順の見直しの重要性を示す進言内容は高く評価された。一方，ＡＩに関する進言は，発展途上であるＡＩのスキルを有している要員を確保できるのかという懸念が表明された。

このような経営層からの評価を受けて，ＡＩに関する進言内容が不十分であったとの認識に至った。A社にとって，ＡＩの活用は初めてである。その未経験のＩＴ活用に関する進言には，様々な観点での検討を行い，経営層に不安を抱かせない進言内容となるように考慮することにした。

問12 IT導入の企画における投資効果の検討

（出題年度：H29問１）

企業が経営戦略の実現を目指して，IT導入の企画において投資効果を検討する場合，コスト削減，効率化だけでなく，ビジネスの発展，ビジネスの継続性などにも着目する必要がある。IT導入の企画では，IT導入によって実現されるビジネスモデル・業務プロセスを目指すべき姿として描き，IT導入による社会，経営への貢献内容を重視して，例えば，次のように投資効果を検討する。

・IoT，ビッグデータ，AIなどの最新のITの活用による業務革新を経営戦略とし，売上げ，サービスの向上などを目的とするIT導入の企画の場合，効果を評価するKPIとその目標値を明らかにし，投資効果を検討する。

・商品・サービスの長期にわたる安全かつ持続的な供給を経営戦略とし，ITの性能・信頼性の向上，情報セキュリティの強化などを目的とするIT導入の企画の場合，システム停止，システム障害による社会，経営へのインパクトを推定し，効果を評価するKPIとその目標値を明らかにし，投資効果を検討する。

ITストラテジストは，IT導入の企画として，IT導入によって実現されるビジネスモデル・業務プロセス，IT導入の対象領域・機能・性能などと投資効果を明確にしなければならない。また，期待する投資効果を得るために，組織・業務の見直し，新しいルール作り，推進体制作り，粘り強い普及・定着活動の推進なども必要であり，IT導入の企画の中でそれらを事業部門に提案し，共同で検討することが重要である。

あなたの経験と考えに基づいて，設問ア～ウに従って論述せよ。

設問ア　あなたが携わった経営戦略の実現を目指したIT導入の企画において，事業概要，経営戦略，IT導入の目的について，事業特性とともに800字以内で述べよ。

設問イ　設問アで述べた目的の実現に向けて，あなたはどのようなIT導入の企画をしたか。また，ビジネスの発展，ビジネスの継続性などに着目した投資効果の検討として，あなたが重要と考え，工夫したことは何か。効果を評価するKPIとその目標値を明らかにして，800字以上1,600字以内で具体的に述べよ。

設問ウ　設問イで述べたIT導入の企画において，期待する投資効果を得るために，あなたは事業部門にどのようなことを提案し，それに対する評価はどうであったか。評価を受けて改善したこととともに600字以上1,200字以内で具体的に述べよ。

●問題分析メモ

企業が経営戦略の実現を目指して，IT導入の企画において投資効果を検討する場合，コスト削減，効率化だけでなく，ビジネスの発展，ビジネスの継続性などにも着目する必要がある。IT導入の企画では，IT導入によって実現されるビジネスモデル・業務プロセスを目指すべき姿として描き，IT導入による社会，経営への貢献内容を重視して，例えば，次のように投資効果を検討する。

経営戦略の具体例①
IT導入の目的の具体例①

・IoT，ビッグデータ，AIなどの最新のITの活用による業務革新を経営戦略とし，売上げ，サービスの向上などを目的とするIT導入の企画の場合，効果を評価するKPIとその目標値を明らかにし，投資効果を検討する。

経営戦略の具体例②
IT導入の目的の具体例②

・商品・サービスの長期にわたる安全かつ持続的な供給を経営戦略としITの性能・信頼性の向上，情報セキュリティの強化などを目的とするIT導入の企画の場合，システム停止，システム障害による社会，経営へのインパクトを推定し，効果を評価するKPIとその目標値を明らかにし，投資効果を検討する。

ITストラテジストは，IT導入の企画として，IT導入によって実現されるビジネスモデル・業務プロセス，IT導入の対象領域・機能・性能などと投資効果を明確にしなければならない。また，期待する投資効果を得るために，組織・業務の見直し，新しいルール作り，推進体制作り，粘り強い普及・定着活動の推進なども必要であり，IT導入の企画の中でそれらを事業部門に提案し，共同で検討することが重要である。

設問ア，イのヒント

設問ウのヒント

3.1 提案の具体例

あなたの経験と考えに基づいて，設問ア～ウに従って論述せよ。

設問ア　あなたが携わった経営戦略の実現を目指したIT導入の企画において，事業概要，経営戦略，IT導入の目的について，事業特性とともに800字以内で述べよ。

（1.1 事業概要／1.2 経営戦略／1.3 IT導入の目的）

事業特性は1.1～1.3の全て又はいずれかに含める

1.2と1.3をまとめて「経営戦略を実現するためにITを導入した」という展開でもよい

設問イ　設問アで述べた目的の実現に向けて，あなたはどのようなIT導入の企画をしたか。また，ビジネスの発展，ビジネスの継続性などに着目した投資効果の検討として，あなたが重要と考え，工夫したことは何か。効果を評価するKPIとその目標値を明らかにして，800字以上1,600字以内で具体的に述べよ。

（2.1 IT導入の企画／2.2 投資効果の検討・工夫・効果を評価するKPIとその目標値）

設問ウ　設問イで述べたIT導入の企画において，期待する投資効果を得るために，あなたは事業部門にどのようなことを提案し，それに対する評価はどうであったか。評価を受けて改善したこととともに600字以上1,200字以内で具体的に述べよ。

（3.1 提案／3.2 評価・改善）

“評価を受けての改善”なので3.2にまとめると展開が楽

第3部 午後Ⅱ試験対策

●論文設計シート

タイトルと論述ネタ	あらすじ
第１章　事業概要と事業特性及び経営戦略とIT導入の目的	
1.1　事業概要と事業特性	
100円ショップの展開 順調な業績	Ｂ社の新発注システムの導入に関するコンサルティングの依頼を受け，開発企画書の作成を手伝った。Ｂ社は，全国に約1,200店舗，業界での売上高は上位である。メーカと協業して製品を開発する体制が功を奏して，順調に売上高を伸ばしてきている。
1.2　経営戦略とIT導入の目的	
情報システムを活用した売上高と利益の向上という経営戦略	Ｂ社は従来からPOSシステムをはじめとする情報システムの導入に熱心。既存システムに発注業務を組み込み，消費者にとって魅力ある品ぞろえを実現すると同時に無駄を排除して，更なる売上高と利益の向上を図る。
第２章　IT導入の企画と投資効果の検討	
2.1　IT導入の企画	
推奨発注機能の追加	従来の発注システムに推奨発注機能を追加する。従来の発注システムでは，発注担当者が発注情報を入力して発注を行っていた。新発注システムは，推奨発注数をシステムが計算して担当者が確認し発注する。
陳列面積の拡張や陳列場所を指示	他店舗で売れている商品に関しては，店舗での陳列面積を増やすことや，目立つ場所に陳列をすることなどの指示も行う。
2.2　投資効果の検討	
５％売上高増加 ２％売上高営業利益率改善 25億円営業利益増加	全店舗で平均５％の売上高増加は十分に見込まれる。発注担当者の業務時間も短縮できる。機会ロスと在庫ロスの減少も見込まれるので，全社の売上高営業利益率も２％改善される。会社全体では営業利益が25億円増加する。新発注システムの開発費用は約20億円なので，十分な費用対効果が見込まれる。
KPIの設定と目標３年後実現	新発注システムの企画書には，売上高５％アップと売上高営業利益率の２％改善をKPIとして設定し，３年後に実現することとした。

第3章　事業部門への提案と評価		
3.1　事業部門への提案		
	経営トップからの好反応	十分な費用対効果が得られること，経営戦略と合致しているということで高い評価をもらった。
	店舗事業部からは懸念提示	適切な推奨発注数が新発注システムから出力されるのかという懸念が示された。
	試験導入後の全店舗導入の提案	新発注システムを実験店舗で6か月間試験導入を行い，その後全店舗導入することを提案した。
3.2　事業部門の評価と改善点		
	季節変動の激しい商品の推奨発注数が適切でない	季節変動のない商品に関しては，十分な効果がある。季節変動の激しい商品に関しては，適切な推奨発注数が出力されていない。計算ロジックに修正を加え，実験店舗で，さらに6か月間試験導入を継続した。現実に近い推奨発注数を得ることができ実用レベルとの評価をもらった。
	新発注システム導入後3年で目標達成可能の見込み	全店舗への導入後の各店舗の発注担当者からの改善要望には順次対応を行った。売上高向上の傾向が出始めており，3年後には，KPIを達成できると見込んでいる。

問12 解答例

第1章　事業概要と事業特性及び経営戦略とIT導入の目的

1.1　事業概要と事業特性

私はSIベンダーであるA社のコンサルタント部門に所属するITストラテジストである。100円ショップを運営しているB社から，新発注システムの導入に関するコンサルティングの依頼を受け，新発注システムの開発企画書の作成を手伝った。

B社は，全国に約1,200店舗の100円ショップを出店しており，100円ショップ業界での売上高は上位である。商品開発に関しては，メーカに任せるのではなく，B社も参加して行っており，協業して製品を開発する体制を確立している。この体制が功を奏して，毎年数多くの新商品を店舗に並べることができ，消費者の需要を喚起し，順調に売上高を伸ばしてきている。一方で，限られた店舗の売り場を有効に活用するために，売れなくなった死に筋商品をタイムリに店舗の品揃えから外していく必要があった。

1.2　経営戦略とIT導入の目的

100円ショップは，価格が統一されているためレジ作業が簡単である。そのため，高度なPOSシステムは必要ないと考えているライバル企業も多い。その中で，Ｂ社は従来からPOSシステムをはじめとする情報システムの導入に熱心で，売上高と利益の向上を情報システムを活用して実現することを経営戦略の一つに掲げている。具体的には，POSシステムから売れ筋商品と死に筋商品を把握して商品の品ぞろえに反映させ，機会ロスと在庫ロスの減少を図り，売上高向上を実現してきた。

今後は，売れ筋商品と死に筋商品をさらに詳細に把握して，発注との連動を強化することを考えている。これによって，消費者にとって魅力ある品ぞろえを実現すると同時に無駄を排除して，更なる売上高と利益の向上を図ることが可能であると考えた。

第２章　IT導入の企画と投資効果の検討

2.1　IT導入の企画

私は，Ｂ社の企画部門の担当者と一緒に新発注システムの企画作業を行った。新発注システムは，従来の発注システムに推奨発注という新機能を追加するというものであった。従来の発注システムでは，店舗ごとに，商品別の売上情報を参考にして発注担当者が発注情報を入力して発注を行っていた。これに対して，新発注システムは，店舗ごとの商品別の推奨発注数をシステムが計算して端末に表示し，発注担当者が確認ボタンを押すと，商品が発注される仕組みである。推奨発注数は，次の計算式で計算される。

推奨発注数＝発注周期（日）×１日当たりの予想販売数－現在の在庫数＋安全在庫数

１日当たりの予想販売数は，その店舗での販売数に他店舗での販売数を加味して決定される。他店舗で売れているにもかかわらず，その店舗では売れていない商品に関しては，店舗での陳列面積を増やすことや，目立つ場所に陳列をすることなどの指示も新発注システムは行う。

システムによる自動発注も検討したが，各店舗の特性や店長の方針なども考慮できる仕組みのほうが，魅力ある店舗が作れるのではないかと考え，推奨発注にとどめることにした。

2.2　投資効果の検討

この新発注システムの開発に先立ち，ある店舗のある商品分野に限定して，推奨発注システムの計算ロジックに従って推奨発注数を表計算ソフトを使って計算し，発注を実施してみた。すると，その店舗のその商品分野の売上高が10％増加した。この結果から，推奨発注システムを導入することで，全店舗の全商品分野で10％の売上高増加を期待することは無理であったとしても，平均５％の売上高増加は十分に見込まれると考えた。また，推奨発注システムを利用することで，発注担当者の業務時間も短縮できることが明らかであった。さらに，売れ筋商品と死に筋商品を明らかにすることによる機会ロスと在庫ロスの減少も見込まれるので，全社の売上高営業利益率も２％改善されることが予想された。売上高の５％アップと売上高営業利益率２％の改善が実現できると，会社全体では営業利益が25億円増加する。新発注システムの開発費用は約20億円と計算しているので，システム開発の投資は１年で回収でき，十分な費用対効果が見込まれた。

そこで，新発注システムの企画書には，売上高５％アップと売上高営業利益率の２％改善をKPIとして設定し，３年後に実現することとした。

第３章　事業部門への提案と評価

3.1　事業部門への提案

企画の検討結果として，売上高や売上高営業利益率の向上を数値で示したため，経営トップからは好反応を得ることができ，十分な費用対効果が得られることと，経営戦略と合致しているということで高い評価をもらった。一方，店舗事業部からは，本当に適切な推奨発注数が新発注システムから出力されるのかという点に関して，強い懸念が示された。そこで，私は，新発注システムを全店舗で一斉に導入するのではなく，実験店舗で６か月間試験導入を行い，その運用実績を踏まえて，改良すべき点を改良した上で，全店舗導入に踏み切ることを提案した。

3.2　事業部門の評価と改善点

新発注システムの実験店舗での運用実績を店舗事業部に評価してもらった。その結果，一般の季節変動のない商品に関しては，十分な効果があり，導入しても問題はないということであった。しかし，レジャー用品などの季節変動の激しい商品に関しては，季節の変わり目などで適切な推奨発注数が出力されていないとの指摘があった。そこで，季節変動の激しい商品に関しては，過去のその商品の季節変動の傾向を重視して推奨発注数を計算するように計算ロジックに修正を加えた。そして，実験店舗でさらに６か月間，修正後の新発注システムの試験導入を継続することにした。試験導入期間中も運用実績を見ながら，推奨発注数の計算ロジックに修正を加え，現実に近い推奨発注数を得ることができるようになったところで，店舗事業部からも実用レベルに達したとの評価をもらった。

現在，全店舗への導入が完了して３か月経過したところである。各店舗の発注担当者からは，導入直後から細かい点について改善要望も出ており，それらについて順次対応を行っている。その結果，売上高向上の傾向が出始めており，今の傾向が続けば３年後には，目標のKPIを達成できると見込んでいる。

問13 IT導入の企画における業務分析 (出題年度：H28問2)

事業全体の業務の効率向上・スピードアップ，新規事業による売上拡大などの事業目標の達成に向けて，ITストラテジストが事業部門とともに業務分析を行い，真の問題を発見してその原因を究明し，問題の解決策としてIT導入を企画することが増えている。特に，経営の要求に適時適切に応えられないIT，標準化されていないITなどが業務のボトルネックになっていたり，モバイルコンピューティング，IoTなどの新しいITの活用によって業務改革，新規事業が実現できたりする場合，ITストラテジストへの期待は大きい。

業務分析では，事業目標を理解し，まず，業務内容，業務プロセス，IT活用などの現状を調査して問題を発見する。次に，個々の問題を関連付けたり，顕在化していない問題を探ったり，経営の視点で業務全体をふかんしたりして真の問題を発見し，その原因を究明する。この過程では，例えば次のようなことが重要である。

・業務フロー，業務機能関連図などを作成して業務を可視化する。

・MECE（Mutually Exclusive and Collectively Exhaustive），バリューチェーン分析などの手法を利用して全体を網羅する。

・ベンチマーク，他社の成功事例などと客観的に比較検討する。

問題の解決策の策定では，ITストラテジストはIT導入を企画し，通用するITの機能，性能を明確にすることが必要である。その上で，投資規模，ITの導入範囲などを検討し，事業部門に対してIT導入の投資効果を説明する必要がある。

あなたの経験と考えに基づいて，設問ア～ウに従って論述せよ。

設問ア　あなたが携わった，事業目標の達成に向けたIT導入の企画における業務分析について，事業目標の概要，業務分析が必要になった背景を事業特性とともに，800字以内で述べよ。

設問イ　設問アで述べた業務分析において，どのような手段，工夫で真の問題を発見し，その原因を究明したか。また，問題の解決策としてどのような機能，性能のIT導入を企画したか。800字以上1,600字以内で具体的に述べよ。

設問ウ　設問イで述べたIT導入について，その投資効果をどのように事業部門に説明したか。また，今後，改善すべきことは何か。600字以上1,200字以内で具体的に述べよ。

●問題分析メモ

設問ア のヒント

事業全体の業務の効率向上・スピードアップ（事業目標の具体例①），新規事業による売上拡大（事業目標の具体例②）などの事業目標の達成に向けて，ITストラテジストが事業部門とともに業務分析を行い，真の問題を発見してその原因を究明し，問題の解決策としてIT導入を企画することが増えている。特に，経営の要求に適時適切に応えられないIT（背景の具体例①），標準化されていないIT（背景の具体例②）などが業務のボトルネックになっていたり，モバイルコンピューティング，IoTなどの新しいITの活用によって業務改革，新規事業が実現（背景の具体例③）できたりする場合，ITストラテジストへの期待は大きい。

設問イ のヒント

業務分析では，事業目標を理解し，まず，業務内容，業務プロセス，IT活用などの現状を調査して問題を発見する。次に，個々の問題を関連付けたり，顕在化していない問題を探ったり，経営の視点で業務全体をふかんしたりして真の問題を発見し，その原因を究明する。この過程では，例えば次のようなことが重要である。（2.1 業務分析の手順の具体例）

・業務フロー，業務機能関連図などを作成して業務を可視化する。
・MECE（Mutually Exclusive and Collectively Exhaustive），バリューチェーン分析などの手法を利用して全体を網羅する。
・ベンチマーク，他社の成功事例などと客観的に比較検討する。

（2.1 業務分析の手段と工夫の具体例）

設問ウ のヒント

問題の解決策の策定では，ITストラテジストはIT導入を企画し，適用するITの機能，性能を明確にすることが必要である。その上で，投資規模，ITの導入範囲などを検討し，事業部門に対してIT導入の投資効果を説明する必要がある。（3.1 説明を述べる際のポイント）

あなたの経験と考えに基づいて，設問ア～ウに従って論述せよ。

設問ア　あなたが携わった，事業目標の達成に向けたIT導入の企画における業務分析について，事業目標の概要（1.1），業務分析が必要になった背景（1.2）を事業特性とともに，800字以内で述べよ。

事業特性は1.1，1.2の両方またはいずれかに必ず含める

設問イ　設問アで述べた業務分析において，どのような手段（2.1），工夫（2.1）で真の問題を発見し，その原因（2.1）を究明したか。また，問題の解決策（2.2）としてどのような機能（2.2），性能（2.2）のIT導入を企画したか。800字以上1,600字以内で具体的に述べよ。

設問ウ　設問イで述べたIT導入について，その投資効果をどのように事業部門に説明（3.1）したか。また，今後，改善すべきこと（3.2）は何か。600字以上1,200字以内で具体的に述べよ。

2.1「問題とその原因」とし業務分析の手段と工夫を含めるとスムーズ

2.2「問題の解決策」としITの機能と性能を述べるとスムーズ

●論文設計シート

タイトルと論述ネタ	あらすじ
第1章　事業目標の概要と業務分析が必要になった背景	
1.1　事業目標の概要	
コンピュータメーカーの保守サービス	保守サービスには，二つある。 ・維持管理サービス ・故障修理サービス
事業目標は，保守サービスの課題の解決	維持管理サービスの顧客減少に歯止めをかける，故障修理サービスの顧客満足度を高めるという目標を掲げ，課題を解決するために，保守管理システムを開発する。
1.2　業務分析が必要になった背景	
アンケート結果を分析し，顧客のストレスが判明	アンケートにより，顧客のストレスが分かった。 ・修理完了までの時間 ・部品交換時のスケジュールの再調整 これらを早急に改善して顧客満足度を向上させるために，業務分析を行う。
第2章　業務分析の方法と問題の解決策	
2.1　業務分析の方法	
特性要因図による要因の洗出し	修理完了までに時間がかかる要因は四つ。 要因①修理依頼から保守要員の手配が完了するまでのタイムラグ 要因②保守要員が故障原因を特定するまでのタイムラグ 要因③故障原因から特定した交換部品を調達するまでのタイムラグ 要因④保安要員が部品を交換する作業までのタイムラグ
顧客の不満に直結する要因の判別	要因①～④のタイムラグの平均値と発生率を分析した。結果は，要因③。顧客の不満とも直結していた。
2.2　問題の解決策	
部品手配までの時間を短縮	二つの解決策を提案。
(1)部品在庫管理の強化	交換部品の在庫と保管場所を確認できるようにする。 交換部品の欠品を防ぐ。
(2)修理依頼があった時点で交換部品を手配	顧客の機器の情報を人工知能により自動的に判定することで，交換部品を持って顧客に出向ける。交換部品の調達に時間がかからなくなる，保守作業の効率が上がり収益も改善できる。

第3章　事業部門への説明と改善点	
3.1　事業部門への説明	
経営層への説明	顧客満足度の向上と合理化を両立できると認められた。
保守要員への説明	業務フロー変更による混乱の発生が指摘された。 新たな故障修理業務の業務フローを提示し説得した。 保守要員の手配から交換部品の手配までが一度にできてしまうことを説明した。 人工知能による判断に対して，疑念を抱く保守要員に，過去の修理データを人工知能に分析させた結果を提示し，かなりの確率で正しい判断が出ていることを示した。
3.2　改善点	
人工知能による判断を修正できる機能の追加	稼働情報と稼働ログを保守要員にも提示し，人工知能による判断を修正できる機能を追加する。
精度達成によって，人工知能による判断への全面切替え	人工知能の判断の正誤をシステムに入力してもらい，人工知能の判断が一定の精度に達したら，全面的に人工知能の判断に委ねる。

問13 解答例

第１章　事業目標の概要と業務分析が必要になった背景

1.1　事業目標の概要

私は，大手コンピュータメーカーの社内システム部門に所属している。今回，ＩＴストラテジストとして，保守管理システムの新規開発に携わった。

当社の保守サービスには，顧客の機器を管理し能動的に修理や機器増強を行う維持管理サービスと，故障修理サービスとがある。維持管理サービスは，顧客との契約内容に基づいて行う。その内容は，顧客の機器構成やソフトウェア構成の管理と変更，稼働統計の評価と定期的な報告，必要な場合には予防保守の実施や機器の増強の提案を行う。故障修理サービスは，顧客が管理している機器に故障が発生した場合に実施する。

近年，維持管理サービスの顧客は減少している。また，故障修理サービスの顧客に実施したアンケートによると，サービスの評価は低下傾向にあった。そこで，維持管理サービスの顧客減少に歯止めをかける，故障修理サービスの顧客満足度を高めるという目標を掲げ，課題を解決するために，保守管理システムの新規開発に踏み切った。

1.2　業務分析が必要になった背景

故障修理サービスの顧客に実施したアンケートから，修理を依頼してから完了するまでの時間がかかりすぎること，故障原因を特定してから交換部品を調達するため，交換のためのスケジュールを再調整しなければならないこと，これらに大きなストレスを感じていることが判明した。故障修理サービスの顧客満足度を高めるには，これらを早急に改善する必要があった。そこで，業務分析を行った。

第2章　業務分析の方法と問題の解決策

2.1　業務分析の方法

修理完了までの時間がかかりすぎるという課題に対しては，特性要因図を作成して，要因を洗い出した。その結果，修理完了までに時間がかかる要因は次の四つに分類された。

要因①　修理依頼から保守要員の手配が完了するまでのタイムラグ
要因②　保守要員が故障原因を特定するまでのタイムラグ
要因③　故障原因から特定した交換部品を調達するまでのタイムラグ
要因④　保守要員が部品を交換する作業までのタイムラグ

次に，これらのタイムラグが実際はどのくらいで，どのタイムラグが顧客の不満に直結しているのかを分析した。具体的には，修理データから要因①～④それぞれのタイムラグの平均値を算出すると同時に，どの要因に対する顧客の不満の発生率が高いかを分析した。分析した結果，タイムラグの平均値においても，顧客の不満の発生率においても，要因③の故障原因から特定した交換部品を調達するまでのタイムラグが最も大きいことが判明し，部品を手配するまでにかかる時間が顧客の不満に直結していることが分かった。

2.2　問題の解決策

部品を手配するまでにかかる時間を短縮するために，二つの解決策を考え，提案した。

⑴部品在庫管理の強化

機器や部品の在庫管理機能を強化し，保守要員が交換部品の在庫と保管場所を簡単に確認できるようにする。また，過去の修理データから部品の需要予測を行い，それを部品発注と連動させることによって，交換部品の欠品が発生しないようにする。

⑵修理依頼があった時点で交換部品を手配

顧客の機器の稼働情報や稼働ログを自動的に収集し，人工知能により故障個所と交換部品を自動的に判定できるようにする。これによって，交換部品を持って顧客に出向くことができ，交換部品の調達にかかる時間をなくすことができる。そして，顧客は，交換のためのスケジュールを再調整する必要がなくなる。また，保守要員が顧客に出向く回数が減るので，保守作業の効率が上がり収益の改善も期待できる。

第３章　事業部門への説明と改善点

3.1　事業部門への説明

経営層には，顧客満足度の向上と合理化を両立できる提案であると認められた。しかし，保守要員からは，業務フローが変わることによる混乱の発生が指摘された。

そこで，それぞれの解決策によって，業務がどのように変わり，どのようなメリットがあるのかを明らかにして，保守要員を説得した。具体的には，大きく変わる故障修理業務の流れを，実際の作業フローのイメージとして作成して提示した。そして，交換部品の判定と調達を人工知能を用いた仕組みによって支援することで，交換部品を持って顧客に出向くことが可能になること，保守要員の手配から交換部品の手配までが一度にできてしまうことを説明した。

保守要員は，人工知能による判断がどのくらい信用できるものなのか，強い疑念を抱いていた。これに対しては，過去の修理データを人工知能に分析させた結果を提示し，かなりの確率で正しい判断ができていることを示した。

3.2　改善点

過去の修理データを用いて人工知能に故障箇所と交換部品を判断させた結果では，その精度は高く信用できるものとなったが，保守要員の疑念は簡単には払拭できなかった。そこで，保安要員に安心感を与えるために，収集した稼働情報や稼働ログを保守要員にも提示し，人工知能による判断を修正できる機能を追加することにした。そして，保安要員の判断と照らして，人工知能の判断の正誤を保守要員にシステムに入力してもらい，人工知能の判断があらかじめ設定した精度に達したことが確認できた時点で，全ての判断を人工知能に委ねることにした。

「第１部　IT ストラテジストの知識」索引

・太字は ! ポイントテーマ を表す

さ

た

な

は

ま

や

ら

わ

MEMO

情報処理技術者試験

2025年度版（ねんどばん） ALL IN ONE パーフェクトマスター ITストラテジスト

2024年8月20日 初 版 第1刷発行

編著者 TAC株式会社
(情報処理講座)
発行者 多田敏男
発行所 TAC株式会社 出版事業部
(TAC出版)

〒101-8383
東京都千代田区神田三崎町3-2-18
電話 03(5276)9492(営業)
FAX 03(5276)9674
https://shuppan.tac-school.co.jp

組版 株式会社 グラフト
印刷 株式会社 光邦
製本 株式会社 常川製本

ISBN 978-4-300-11215-1
N.D.C. 007

情報処理講座

選べる 5つの学習メディア

豊富な5つの学習メディアから、あなたのご都合に合わせてお選びいただけます。
一人ひとりが学習しやすい、充実した学習環境をご用意しております。

通信【自宅で学ぶ学習メディア】

Web通信講座 ［eラーニングで時間・場所を選ばず学習効果抜群!］

インターネットを使って講義動画を視聴する学習メディア。
いつでも、どこでも何度でも学習ができます。
また、スマートフォンやタブレット端末があれば、移動時間も映像による学習が可能です。

おすすめポイント

- ◆動画・音声配信により、教室講義を自宅で再現できる
- ◆講義録（板書）がダウンロードできるので、ノートに写す手間が省ける
- ◆専用アプリで講義動画のダウンロードが可能
- ◆インターネット学習サポートシステム「i-support」を利用できる

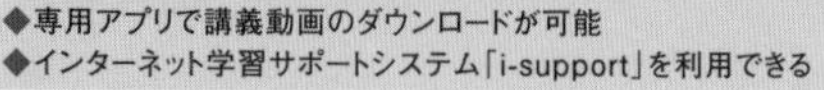

DVD通信講座 ［教室講義をいつでも自宅で再現!］ Webフォロー付き

デジタルによるハイクオリティなDVD映像を視聴しながらご自宅で学習するスタイルです。
スリムでコンパクトなため、収納スペースも取りません。
高画質・高音質の講義を受講できるので学習効果もバツグンです。

おすすめポイント

- ◆場所を取らずにスリムに収納・保管ができる
- ◆デジタル収録だから何度見てもクリアな画像
- ◆大画面テレビにも対応する高画質・高音質で受講できるから、迫力満点

資料通信講座 ［TACのノウハウ満載のオリジナル教材と丁寧な添削指導で合格を目指す!］

配付教材はTACのノウハウ満載のオリジナル教材。
テキスト、問題集に加え、添削課題、公開模試まで用意。
合格者に定評のある「丁寧な添削指導」で記述式対策も万全です。

おすすめポイント

- ◆TACオリジナル教材を配付
- ◆添削指導のプロがあなたの答案を丁寧に指導するので記述式対策も万全
- ◆質問メールで24時間いつでも質問対応

通学【TAC校舎で学ぶ学習メディア】

ビデオブース講座 ［受講日程は自由自在!忙しい方でも自分のペースに合わせて学習ができる!］ Webフォロー付き

都合の良い日を事前に予約して、TACのビデオブースで受講する学習スタイルです。教室講座の講義を収録した映像を視聴しながら学習するので、教室講座と同じ進度で、日程はご自身の都合に合わせて快適に学習できます。

おすすめポイント

- ◆自分のスケジュールに合わせて学習できる
- ◆早送り・早戻しなど教室講座にはない融通性がある
- ◆講義録（板書）付きでノートを取る手間がいらずに講義に集中できる
- ◆校舎間で自由に振り替えて受講できる

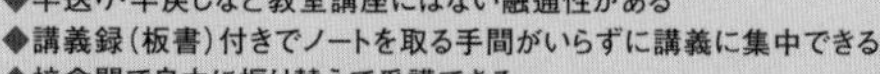
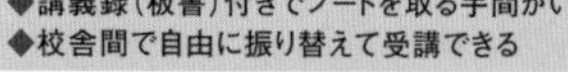

教室講座 ［講師による迫力ある生講義で、あなたのやる気をアップ!］ Webフォロー付き

講義日程に沿って、TACの教室で受講するスタイルです。受験指導のプロである講師から、直に講義を受けることができ、疑問点もすぐに質問できます。
自宅で一人では勉強がはかどらないという方におすすめです。

おすすめポイント

- ◆講師に直接質問できるから、疑問点をすぐに解決できる
- ◆スケジュールが決まっているから、学習ペースがつかみやすい
- ◆同じ立場の受講生が身近にいて、モチベーションもアップ!

(2024年2月現在)

書籍のご購入は

1 全国の書店、大学生協、ネット書店で

2 TAC各校の書籍コーナーで

資格の学校TACの校舎は全国に展開!
校舎のご確認はホームページにて

資格の学校TAC ホームページ
https://www.tac-school.co.jp

3 TAC出版書籍販売サイトで

TAC 出版 で 検索

https://bookstore.tac-school.co.jp/

新刊情報をいち早くチェック!

たっぷり読める立ち読み機能

学習お役立ちの特設ページも充実!

TAC出版書籍販売サイト「サイバーブックストア」では、TAC出版および早稲田経営出版から刊行されている、すべての最新書籍をお取り扱いしています。
また、会員登録(無料)をしていただくことで、会員様限定キャンペーンのほか、送料無料サービス、メールマガジン配信サービス、マイページのご利用など、うれしい特典がたくさん受けられます。

サイバーブックストア会員は、特典がいっぱい!(一部抜粋)

通常、1万円(税込)未満のご注文につきましては、送料・手数料として500円(全国一律・税込)頂戴しておりますが、1冊から無料となります。

専用の「マイページ」は、「購入履歴・配送状況の確認」のほか、「ほしいものリスト」や「マイフォルダ」など、便利な機能が満載です。

メールマガジンでは、キャンペーンやおすすめ書籍、新刊情報のほか、「電子ブック版TACNEWS(ダイジェスト版)」をお届けします。

書籍の発売を、販売開始当日にメールにてお知らせします。これなら買い忘れの心配もありません。

書籍の正誤に関するご確認とお問合せについて

書籍の記載内容に誤りではないかと思われる箇所がございましたら、以下の手順にてご確認とお問合せをしてくださいますよう、お願い申し上げます。
なお、正誤のお問合せ以外の**書籍内容に関する解説および受験指導などは、一切行っておりません。**
そのようなお問合せにつきましては、お答えいたしかねますので、あらかじめご了承ください。

1 「Cyber Book Store」にて正誤表を確認する

TAC出版書籍販売サイト「Cyber Book Store」の
トップページ内「正誤表」コーナーにて、正誤表をご確認ください。

CYBER BOOK STORE TAC出版書籍販売サイト

URL:https://bookstore.tac-school.co.jp/

2 1の正誤表がない、あるいは正誤表に該当箇所の記載がない ⇒ 下記①、②のどちらかの方法で文書にて問合せをする

★ご注意ください★

お電話でのお問合せは、お受けいたしません。
①、②のどちらの方法でも、お問合せの際には、「お名前」とともに、
「対象の書籍名（○級・第○回対策も含む）およびその版数（第○版・○○年度版など）」
「お問合せ該当箇所の頁数と行数」
「誤りと思われる記載」
「正しいとお考えになる記載とその根拠」
を明記してください。
なお、回答までに1週間前後を要する場合もございます。あらかじめご了承ください。

① ウェブページ「Cyber Book Store」内の「お問合せフォーム」より問合せをする

【お問合せフォームアドレス】

https://bookstore.tac-school.co.jp/inquiry/

② メールにより問合せをする

【メール宛先　TAC出版】

syuppan-h@tac-school.co.jp

※土日祝日はお問合せ対応をおこなっておりません。
※正誤のお問合せ対応は、該当書籍の改訂版刊行月末日までといたします。

乱丁・落丁による交換は、該当書籍の改訂版刊行月末日までといたします。なお、書籍の在庫状況等により、お受けできない場合もございます。
また、各種本試験の実施の延期、中止を理由とした本書の返品はお受けいたしません。返金もいたしかねますので、あらかじめご了承くださいますようお願い申し上げます。

TACにおける個人情報の取り扱いについて
■お預かりした個人情報は、TAC（株）で管理させていただき、お問合せへの対応、当社の記録保管にのみ利用いたします。お客様の同意なしに業務委託先以外の第三者に開示、提供することはございません（法令等により開示を求められた場合を除く）。その他、個人情報保護管理者、お預かりした個人情報の開示等及びTAC（株）への個人情報の提供の任意性については、当社ホームページ（https://www.tac-school.co.jp）をご覧いただくか、個人情報に関するお問い合わせ窓口（E-mail:privacy@tac-school.co.jp）までお問合せください。

（2022年7月現在）